FLORIDE
700 bonnes adresses
et les coups de cœur de 40 vedettes

Coordination éditoriale : Marylène Kirouac
Révision linguistique : Sara-Emmanuelle Duchesne et Fleur Neesham
Corrections d'épreuves : Marie-Hélène Sarrasin
Couverture : Johanna Reynaud
Photo quatrième de couverture : John Balzola et Mike Scott
Maquette : Chantal Boyer
Mise en page : Olivier Lasser

**Catalogage avant publication de Bibliothèque et Archives nationales
du Québec et Bibliothèque et Archives Canada**

Poupart, Marie, 1970-
Floride : 700 bonnes adresses et les coups de cœur de 40 vedettes
ISBN 978-2-89761-025-8
1. Floride - Guides. 2. Restaurants - Floride - Répertoires. 3. Hébergement touristique -
Floride - Répertoires. 4. Loisirs - Floride - Répertoires. I. Titre.

F309.3.P68 2016   917.5904'64   C2016-941535-X

Les éditions du Journal
Groupe Ville-Marie Littérature inc.*
Une société de Québecor Média
1055, boulevard René-Lévesque Est, bureau 300
Montréal (Québec) H2L 4S5
Tél. : 514 523-7993
Téléc. : 514 282-7530
Courriel : info@leseditionsdujournal.com
Vice-président à l'édition : Martin Balthazar

Distributeur
Les Messageries ADP inc.*
2315, rue de la Province
Longueuil (Québec) J4G 1G4
Tél. : 450 640-1234
Téléc. : 450 674-6937
* filiale du groupe Sogides inc.
* filiale de Québecor Média inc.

Les éditions du Journal bénéficient du soutien de la Société de développement des
entreprises culturelles du Québec (SODEC) pour son programme d'édition.

Gouvernement du Québec – Programme de crédit d'impôt pour l'édition de livres – Gestion
SODEC.

Dépôt légal : 4e trimestre 2016

MARIE POUPART

FLORIDE

700 bonnes adresses
et les coups de cœur de 40 vedettes

LES **ÉDITIONS** DU **JOURNAL**

TABLE DES MATIÈRES

À ma filleule Florence
et à mon neveu Mathieu Dionne,
à qui je souhaite transmettre
ma passion pour l'aventure
et le voyage.

Sympathique pélican à Islamorada, dans les Keys.

MOT DE L'AUTEURE

D'aussi loin que je me souvienne, j'ai toujours été fascinée par la Floride.

Au secondaire, alors que je fréquentais un collège de filles, plusieurs d'entre elles voyageaient l'hiver au pays des oranges. Et elles revenaient toujours pimpantes, bronzées et les valises pleines de vêtements neufs et colorés, avec des anecdotes qui me semblaient fantastiques. Pendant ce temps, j'avais les pieds dans la *slush* tout l'hiver et je me disais qu'un jour, ce serait mon tour! Je rêvais déjà de la Floride!

La seule fois où j'y suis allée, c'était lors de ce voyage que j'avais payé avec mes propres économies, à l'âge de 11 ans, ayant eu la permission d'accompagner une amie et sa mère! Comme tous les enfants, j'avais plongé tête première dans l'univers de Mickey, mais ce qui m'avait surtout impressionnée, déjà à l'époque, c'était la beauté stupéfiante des lieux. Quelles couleurs! Les fleurs, les palmiers, le bleu de l'océan et du ciel électrique; des couleurs comme on en voit rarement…

J'ai retrouvé la Floride à l'âge de 17 ans, puis plus tard, à l'âge adulte. Chaque fois, je revivais le même coup de foudre pour cet État et ses 1327 km de plages, parmi les plus belles des États-Unis, son récif corallien et sa riche vie sous-marine, ses palmiers et, surtout, ses grandioses levers et couchers de soleil. Un véritable paradis à seulement trois heures d'avion du Québec.

Dès que j'y mettais les pieds, j'éprouvais toujours ce même sentiment, si bien formulé et attribué à l'écrivain Carlos Castaneda, disant qu'un seul endroit sur la planète est fait pour toi et que le plus dur est de le trouver. J'avais trouvé le mien!

Car je fais partie de ces personnes qui ont besoin de lumière et de soleil de façon régulière. La grisaille et le froid, très peu pour moi! Au point où mes séjours en Floride sont devenus essentiels à mon bonheur. J'ai besoin de sa chaleur et de sa lumière. J'ai besoin de la Floride !

Et pourtant… combien de fois m'a-t-on dit que la Floride était quétaine ? Dès que je révèle mon affection pour le *Sunshine State*, je sais qu'on risque de me regarder de haut… à un point tel qu'il m'arrive de me sentir marginale. Heureusement, j'ai aussi réalisé que j'étais loin d'être la seule à l'apprécier à ce point : nous sommes un peu plus d'un million de Québécois à séjourner en Floride chaque année. Sur ce nombre, on ne trouve pas que des retraités ; de nombreuses personnalités du monde des arts ou des affaires affectionnent l'endroit autant que nous… Oui, Ricardo Larrivée, Caroline Néron, Charles Lafortune, Sophie Thibault, des présidents de grandes entreprises québécoises et bien d'autres ont adopté la Floride, au point d'en faire leur deuxième demeure !

Un jour, alors que je travaillais pour le magazine *La Semaine,* j'ai proposé à celui qui fut mon patron pendant plusieurs années, Claude J. Charron, d'aller à la rencontre de ces personnages publics dans le but de m'entretenir avec eux dans leur environnement floridien. Et ce sont, entre autres, ces échanges passionnés sur nos coups de cœur respectifs qui m'ont inspirée et qui ont pavé la voie à la rédaction de ce livre. Ce guide vous fera découvrir les meilleures adresses de ces célébrités pour la bouffe, le magasinage, les plages… et ainsi vous aidez à planifier vos séjours. Je partagerai également mes meilleures adresses, puisque la Floride est devenue maintenant ma deuxième demeure. Vous découvrirez ici plus de 700 adresses.

Au cours de mon dernier séjour, d'une durée de six mois, j'ai parcouru une vingtaine de villes du *Sunshine State,* dont certaines méconnues. Je suis sortie des sentiers battus pour prouver que la Floride ne se limite pas à ses centres commerciaux et ses bretelles d'autoroutes à quatre voies. J'ai traversé une bonne partie de l'État pour y découvrir des hôtels et des restaurants qui méritent réellement le détour, des petites villes peu fréquentées par les Québécois et au charme certain, des plages sauvages à l'eau cristalline, des parcs nature exceptionnels, des endroits magiques pour faire du kayak, du canot ou de la planche à pagaie et de la plongée… Bref, j'ai déniché de véritables trésors cachés que je vous présente ici avec enthousiasme.

Un périple pour le moins excitant, donc, mais qui n'a pas toujours été facile. Ayant quitté le Québec alors que je vivais des moments difficiles à la suite d'une très grande déception amoureuse, voyager en solitaire ne fut pas toujours évident ; mais le chaud soleil réconfortant de la Floride m'a fait du bien à l'âme et au corps. Mes compagnons de voyage ont souvent été les oiseaux, les tortues, les alligators ou les crocodiles, les dauphins ou les lamantins. Mais fort heureusement, ce voyage m'a permis d'aller vers les autres, de faire des rencontres inoubliables et de tisser des liens formidables d'amitié avec des Floridiens de grande valeur, absolument sympathiques ! Je crois bien que je peux maintenant affirmer que j'aime les Floridiens profondément.

Bien sûr, il existe d'autres endroits merveilleux dans le monde. J'ai eu la chance d'en voir plusieurs et de fouler tous les continents, mais la Floride demeure la région tropicale la plus accessible pour nous, les Québécois ; elle est notre petit coin de paradis. J'y ai photographié des paysages magiques tout aussi fascinants que ceux d'Afrique, d'Australie ou des Caraïbes.

Sachez qu'il existe en Floride, en plus de Miami, des villes captivantes comme Sarasota, St Augustine ou St Petersburg, où la culture n'est pas en reste et où les musées, les galeries d'art et les salles de concert valent la peine d'être visités. Ils sauront ajouter une note artistique à vos multiples activités, si vous désirez un peu plus que le sable et la beauté naturelle tout autour.

En terminant, si, par ce livre, je peux contribuer à renverser certains préjugés à l'égard de la Floride et à vous transmettre ma passion, j'aurai alors atteint mon objectif.

Marie Poupart, Boca Raton, juin 2016

© Marjolaine Simard

11

Féérie de couleurs dans les Ten Thousand Islands

REMERCIEMENTS

Je souhaite remercier Claudette Dionne, une femme extraordinaire que je considère comme ma mère et ma meilleure amie. Sans vous, ce livre n'aurait jamais vu le jour. Merci de votre soutien, de vos encouragements ; merci de m'avoir épaulée tout au long de mon périple en Floride ainsi que lors de la rédaction de ce livre.

Merci à ma sœur, Emmanuelle Poupart, d'être toujours là pour moi. Je t'aime, petite sœur. Sans toi, je ne serais probablement plus là aujourd'hui. Merci aussi à son conjoint, Ugo Dionne.

Merci à tous mes amis, dont Germain Monté, Marjolaine Simard, Michelle Tremblay, Hélène Fleury, Carolyn Richard, Mélanie Savard et Isabelle Tremblay.

Merci à Martin Balthazar, à Marie Labrecque et à Marylène Kirouac, de l'équipe des Éditions du Journal, pour votre professionnalisme, votre patience et votre écoute.

Merci à Danny Vear, directeur au *Journal de Montréal*, de m'avoir fait confiance et d'avoir compris ma grande passion pour la Floride.

Également toute ma reconnaissance à ma deuxième famille en Floride, Charline Lévesque et Sylvain Beaulieu, Sara et Joe Magaletti, ainsi que Julio et Elena Nino.

Merci à Gosselin Photo, qui a cru dans ce projet dès le début et qui a généreusement accepté d'être mon partenaire dans cette aventure.

Enfin, j'aimerais remercier tous ceux qui m'ont si fidèlement suivie sur ma page Facebook : *Sur les routes de la Floride avec Marie*. Vos encouragements, conseils et commentaires m'ont permis de traverser les moments plus difficiles de mon voyage en solitaire…

LÉGENDE POUR LES ESCAPADES

Prix des hôtels
$: 100 $ US et moins
$$: 100 $ à 200 $ US
$$$: + de 200 $ US
Tous les prix sont en dollars US à moins d'indications contraires.

Toutes les photos ont été prises par Marie Poupart à moins d'indications contraires.

LA FLORIDE PAR RÉGION

RÉGION NORD-OUEST

PANAMA CITY BEACH
PENSACOLA
TALLAHASSEE

Panama
City Beach

Pensacola

Tallahassee

Vue du pont qui relie Destin aux plages
de Pensacola, sur l'île barrière de Santa Rosa.
Ce resserrement du golfe du Mexique s'étend sur
64 km entre le continent et l'île barrière.
© 8 Fifty Productions

PANHANDLE : ENTRE BAYOUS ET GALERIES D'ART

Sur une carte géographique de la Floride, le territoire bordant le golfe du Mexique, à l'ouest de la rivière Apalachicola, prend la forme allongée d'une poignée de casserole, d'où son surnom de *panhandle* en anglais.

Depuis le XVIIe siècle, pas moins de trois nations ont hissé leur drapeau dans la région. De nos jours, ce sont les activités nautiques et la pêche sportive qui règnent en maîtres absolus sur Pensacola et Perdido Key. La route panoramique 30A, longeant la côte, vous fera découvrir des anses isolées, des îles protégées, quelques bayous et des villages aux noms colorés (Watercolor, Destin et Rosemary), où les natifs préservent jalousement leur cottage pastel.

À Tallahassee, il vous sera difficile de résister à l'accent langoureux des locaux, qui semblent couler leurs jours aussi lentement que de la mélasse en hiver ! Il faut dire que la capitale de la Floride jouxte les frontières de l'Alabama et de la Géorgie. Autrement dit, la région a été épargnée par le rythme de vie effréné de Miami-la-métropolitaine.

À St George Island, cette convivialité typique du Vieux-Sud accentue l'attrait pour le farniente près des eaux turquoise du golfe, tandis qu'à Wakulla, la danse des lamantins dans les sources limpides captive les amants de la nature. Mais ce sont les 350 km de plage au sable brillant comme du quartz qui vous étonneront le plus dans le Nord-Ouest. Leur blancheur fait penser à la neige, la froidure en moins ! Ce qui nous a obligés à conclure que cette

Lac Saumure (Eastern Lake)
© 8 Fifty Productions

zone côtière était le secret le mieux gardé des Floridiens. Voire une côte oubliée, où l'on s'attarde dans une galerie d'art contemporain ou à un kiosque de viande séchée d'alligator, sans jamais se sentir à l'étroit dans la foule, comme c'est souvent le cas dans le Sud-Est de l'État.

Mais, chut! On ne vous a rien dit!

LA BONNE SAISON

L'été, la chaleur est au rendez-vous sur les plages de Pensacola et de Panama City Beach... les touristes géorgiens et louisianais aussi. Le climat sec des mois de mai et d'octobre permet de profiter pleinement des activités extérieures, sans prendre un bain de foule. Évitez de vous aventurer sur la *Redneck Riviera* l'hiver, à moins d'être un chasseur d'orages ou une auteure de guides de voyage!

LES *MUSTS*

Les plages à l'état sauvage, telles qu'elles l'étaient au temps des Amérindiens, celle du **Grayton Beach State Park** en particulier.

La visite du centre historique de **Pensacola** et de ses bâtiments de style néo-Renaissance, animée par un guide en costume d'époque.

Les concerts authentiques (bluegrass, blues et jazz) du **Red Bar**, à Grayton Beach.

Prendre l'apéro sur la frontière de l'Alabama au bar de plage **Flora-Bama Lounge** à **Perdido Key**.

Une promenade dans les rues de **Seaside** pour admirer de près le monde idéal de Jim Carey dans *Le Show Truman*.

Le spectacle aérien gratuit des **Blue Angels**, lors des vols de routine de l'escadron de F-18 de l'aéronavale américaine, à Pensacola.

Déguster poissons et mollusques chez **Nick's Seafood**, un ancien camp de pêche de **Freeport**.

Un coup de pagaie ou deux sur les eaux de la rivière **Blackwater**, dont la limpidité rivalise avec celle d'une piscine!

Plonger pour explorer l'un des récifs ou les bateaux échoués à **Panama City Beach**, surnommée la capitale des épaves.

La baignade inusitée à deux pas de canons de la Seconde Guerre mondiale, au **parc St Andrews**.

Satisfaire son goût pour l'acidulé avec un beignet fourré de garniture de tarte à la lime des Keys au **Donut Hole** de Santa Rosa Beach.

Le **Capitole** et le centre patrimonial de Tallahassee, rare ville à avoir été épargnée par la guerre de Sécession.

La canopée des routes secondaires à proximité du **parc d'Ocala** et de la **forêt d'Apalachicola**.

Un festin d'huîtres à 8 $ la douzaine sur le quai de **Newport**.

ESCAPADE À
PANAMA CITY BEACH

Entre les tours à condos sans âme et les complexes hôteliers pris d'assaut pendant la relâche scolaire du printemps, il est encore possible de trouver quelques perles rares, et des kilomètres de sable blanc, à un jet de pierre de la surexploitation touristique.

On croit tous, à tort, que les plus belles plages de la Floride se situent dans le Sud-Est et dans les Keys. Peut-être est-ce pour cette raison que la côte nord-ouest du golfe du Mexique est qualifiée « d'oubliée », car à moins d'habiter ce territoire en forme d'une poignée de casserole, *panhandle* en anglais, on n'associe pas le mot *riviera* à Panama City Beach.

Du sable fin comme du sucre en poudre, de l'eau calme et turquoise, un panorama exceptionnel, et, qui plus est, gastronomie et culture sont au rendez-vous, au détour des bayous et des villages pittoresques de ce Sud

profond. Encore incertain d'explorer cet endroit ignoré des touristes ? Au mieux, notre virée saura vous convaincre ; au pire, nous pourrons garder le secret juste pour nous !

VENDREDI
17 H 30 / ARRIVÉE À L'HÔTEL

Pas évident de séjourner dans un hôtel familial à Panama City Beach. Entre les universitaires qui enchaînent les *shooters* de Jell-O sur la plage et les tours hôtelières à l'ambiance de boîte de nuit, les quatre étages du **Beachbreak by the Sea** (15 405 Front Beach Rd., Panama City Beach,

© Visit Panama City Beach

Pour vivre à fond votre expérience sur la côte oubliée, réservez une cabine de plage au **Grayton Beach State Park** (357 Main Park Rd., Santa Rosa Beach, FL 32459; floridastateparks.org/cabins-lodging/ Grayton-Beach). Trente cottages blancs aux persiennes tropicales et aux toits de tôle se dressent sur le littoral bordé de chênes verts et de pins. Le décor est minimaliste, mais convivial et surtout, exempt de technologie. Si les casseroles, la vaisselle et la literie sont fournies, vous ne trouverez ni télé ni téléphone ici. Une véranda grillagée et un BBQ ajoutent à l'ambiance vieux-sud qui règne sur le site. Réservez votre séjour au moins six mois d'avance. **Prix : $$-$$$**

FL 32413; beachbreakbythesea. com) accueillent presque exclusivement les familles, vous assurant d'une certaine tranquillité au cœur du district touristique de la ville. Certaines chambres sont équipées d'un espace cuisine, d'autres, de balcons donnant sur la mer. **Prix : $-$$**

À quelques kilomètres à l'ouest de Panama City Beach se trouvent quelques endroits plus intimes. L'hôtel-boutique **Watercolor Inn Resort** (34 Goldenrod Circle, Santa Rosa Beach, FL 32459; watercolorresort. com) propose des suites et des bungalows de plage nichés au creux des dunes. Certaines chambres ont une cabine de douche extérieure ou une salle de bain avec vue sur le Golfe, et l'accès à des vélos, des kayaks et des planches à pagaie est inclus, ainsi qu'une balade en canot sur le lac Western et une heure sur le court de tennis. **Prix : $$-$$$**

18 H / REPAS SUR LE QUAI

Dominant la jetée de Panama City Beach, **Pineapple Willy's** (9875 S Thomas Dr., Panama City Beach, FL 32408; pwillys.com) est réputé pour sa côte de bœuf laquée au Jack Daniel's, servie en portion de 1 lb, dans un seau de plastique! Imitez les habitués en débutant votre repas par des bouchées d'alligator frit et par un margarita coco-ananas.

Sur la baie St Andrews, **Captain Anderson's Restaurant & Water-front Market** (5551 N Lagoon Dr., Panama City, FL 32408; captanderson. com) sert de savoureuses crevettes grillées provenant de la pêche locale. Farci au crabe, le homard du Golfe est aussi à l'honneur. Le menu pour enfants permet aux petits de goûter aux trésors marins à petites doses et de se rabattre sur un cheeseburger si l'aventure culinaire s'avère trop dépaysante.

Le parc d'état de Grayton Beach
© Lance Jorgensen

Bud & Alley's (2236 County Rd. 30 A, Seaside, FL 32459 ; budandalleys.com) est un bistro de bord de mer prisé des Panaméens. Entouré de dunes, son bar Tarpon Club surplombe la mer et vous assure une place de choix pour admirer le coucher du soleil. À essayer : le vivaneau grillé sur un lit de fèves de Lima et de maïs sucré ou le taco de crevettes avec sa salsa de maïs rôti et d'avocat.

20 H 30 / SORTIE KITSCH
Attablez-vous tôt au **Sharky's Beach Front Restaurant** (15 201 Front Beach Rd., Panama City Beach, FL 32413 ; sharkysbeach.com) pour profiter de la musique *live* et des sessions musicales improvisées sur la plage avant que le lieu ne soit envahi par les jeunes vacanciers.

Pour un concert de bluegrass ou de jazz, rendez-vous au **Red Bar** à Grayton Beach (70 Hotz Ave., Santa Rosa Beach, FL 32459 ; theredbar.

com). La déco kitsch vous occupera le temps de siroter plusieurs bloody mary, le cocktail signature de l'endroit. Aucun pouce carré n'a été oublié : affiches de stars, canapés défraîchis, poupées et jouets anciens recouvrent le sol comme le plafond, évoquant l'ancienne vie du bâtiment, auparavant occupé par un bazar.

SAMEDI 8 H / SANDWICH-DÉJEUNER
En chemin vers la plage, attrapez un déjeuner chez **Finns Island Style Grub** (7220 Thomas Dr., Panama City Beach, FL 32408 ; finnsislandstylegrub.com). Le camion de bouffe de rue a une adresse permanente dans le stationnement en gravier de la boutique Mr Surf. On croque le burrito-déjeuner farci aux œufs, au fromage et aux haricots noirs à l'une des tables de pique-nique, ou on le mange sur le pouce avec un café glacé.

Le brunch est populaire à la pâtisserie **Andy's Flour Power** (3123 Thomas Dr., Panama City Beach, FL 32408 ; andysflourpower. com). Attendez-vous à patienter même en y arrivant tôt. Il faut dire que la frittata aux zucchinis, poivrons rouges et asperges et le muffin aux pistaches valent amplement l'attente.

10 H / LE LAGON ÉMERAUDE

Au centre de Panama City Beach, la plage de sable blanc qui entoure le **St Andrews State Park** (4607 State Park Lane, Panama City Beach, FL 32408 ; floridastateparks. org/park/St-Andrew) donne tout son sens à l'expression *Emerald Coast*, le nom donné à la région. La blancheur du littoral fait miroiter le bleu-vert du golfe, qui brille comme une pierre précieuse. De mai à septembre, louez un kayak pour explorer le lagon en compagnie des dauphins sauvages et observer de près les canons de la Seconde Guerre mondiale. Pagayez jusqu'à l'îlet Shell, aussi renommé que Sanibel pour les coquillages.

Au sud-ouest de la ville, en bordure du lac Powell, le **Camp Helen State Park** (23 937 Panama City Beach Pkway., Panama City Beach, FL 32413 ; floridastateparks.org/park/ Camp-Helen) est un véritable havre de paix. Loin des tours hôtelières et du trafic, le parc boisé, son *lodge* en bois rond et ses plages sauvages nous plongent à l'époque d'avant la surexploitation immobilière. Une jetée rocheuse adoucit le courant parfois fort du golfe, créant une zone de baignade sans vagues, idéale pour les tout-petits. Empruntez une paire de jumelles au kiosque des visiteurs pour admirer le ballet des sternes, pluviers et autres martins-pêcheurs.

12 H 30 / ON ROULE SES MANCHES !

Il ne faut pas avoir peur de se salir pour savourer les prises du jour ! **Billy's Oyster Bar & Crab House** (3000 Thomas Dr., Panama City Beach, FL 32408 ; billysoysterbar. com) prépare le crabe bleu à la perfection. Les locaux s'y attablent aussi pour la soupe gombo et les écrevisses épicées à la Cajun. Les crustacés sont servis sans fioritures. Laissez tomber la bienséance à table : la force de votre poigne est votre meilleure alliée pour prélever la tendre chair cachée dans les coquilles !

© Panama City Beach

Liza's Kitchen (7328 Thomas Dr., Panama City Beach, FL 32408; lovelizas.com) propose des salades-repas accompagnées de focaccia fait maison. On a aimé les tranches d'aubergine frite et les rondelles d'oignon rouge de la salade tiède au fromage de chèvre. La possibilité de créer son propre sandwich à partir d'une sélection d'ingrédients frais plaira aux plus capricieux. Le menu vous inspire ? Le resto offre des cours de cuisine à l'occasion, informez-vous !

En direction du village de pêcheurs Port St Joe, imitez les Panaméens en commandant un poisson grillé avec une portion de *hush puppies* au **Dockside Cafe** (340 Marina Dr., Port St Joe, FL 32456). Dans la cuisine du Sud, les *hush puppies* sont de miniatures boules frites de pâte de semoule de maïs. Au resto Dockside, la rémoulade de céleri-rave allège la friture de ce plat typique de la région.

14 H / CAPITALE DES ÉPAVES
Véritable capitale des épaves, Panama City Beach compte plus de 50 récifs artificiels et de bateaux échoués, parmi lesquels le célèbre pétrolier *Empire Mica* battant pavillon britannique et qui a été coulé par un U-boot, un sous-marin allemand, au large du cap San Blas en 1942. Ce cimetière marin est constitué d'éponges, de crustacés et de bancs de poissons colorés. Pour environ 100 $, plusieurs agences vendent des excursions de plongée sous-marine, matériel inclus (visitpanamacitybeach.com).

Amateurs de plongée en apnée, on ne vous a pas oubliés ! Vous atteindrez de nombreux récifs coralliens en quelques brassées depuis la plage

de Shell Island ou la jetée du parc St Andrews.

Si vous n'avez pas le pied marin, déliez-vous les jambes sur la plage longue de 15 km ou sur la piste cyclable de 20 km qui traverse le **St Joseph Peninsula State Park**, face à la marina de Port St Joe (8899 Cape San Blas Road, Port St Joe, FL 32456 ; floridastateparks.org/park/ St-Joseph). Amusez-vous à repérer les tortues caouannes aux carapaces en forme de cœur, qui se cachent dans les hautes herbes de la péninsule pour y pondre leurs œufs.

17 H / PETITES GÂTERIES
Prendre votre dessert avant le souper ? Pourquoi pas ? L'invitant kiosque à beignes **Weber's Little Donut Shop** (4975 Cape San Blas Rd., Port St Joe, FL 32456) est tenu par George et Betty Weber, un couple de jeunes retraités, qui cuisinent leurs sucreries chaque matin. Le comptoir côtoie l'épicerie Cape Trading Post au cap San Blas. Rapportez des croissants pour votre collation de fin de soirée !

Poursuivez votre route vers l'est jusqu'au resto-bar en plein air **Indian Pass Raw Bar** (8391 Indian Pass Rd., Port St Joe, FL 32456 ; indianpassrawbar.com). Cet ancien magasin général sert des huîtres à la douzaine, cuites vapeur ou au four. On pige sa bière à même une glacière sur la terrasse et on paie ses consommations en quittant.

18 H 30 / GASTRONOMIE DU SUD
La scène culinaire de la côte d'émeraude est riche en saveurs latines et cajun, surtout si vous sortez de

Vue sur les toits de Seaside
© Visit South Walton

la zone touristique. Vous devrez parfois vous fier davantage à votre sens de l'orientation qu'à votre GPS pour atteindre certains bouis-bouis, mais vos papilles vous en seront reconnaissantes.

Pepper's Mexican Grill & Cantina (224 Reid Ave., Port St Joe, FL 32456, peppersmexicangrillandcantina.com) prépare un ceviche de poisson blanc parfumé à la coriandre et au piment oiseau, un burrito à la courge grillée et d'autres recettes sorties tout droit des fourneaux d'une maman mexicaine. Avis à ceux qui visitent Gainesville : les proprios, originaires de la région de Guadalajara sur la côte pacifique du Mexique, y ont récemment ouvert une succursale.

Directement sur la plage Biltmore, **Schooners** (5121 Gulf Dr., Panama City Beach, FL 32408 ; schooners. com) attire les résidents de Panama City Beach comme les touristes. Les enfants y mangent un hamburger tout en construisant un château de sable, pendant que les grands y goûtent un filet de mérou grillé ou un steak de thon BBQ. Le clou du spectacle :

le tir du mousquet provenant d'une ancienne goélette, qui marque le coucher du soleil.

20 H / *SHOPPING* EN PLEIN AIR

Le quartier **Carillon Beach** (100 Market St., Panama City Beach, FL 32413 ; carillonbeach.com) est un développement immobilier situé entre le Golfe et le lac Powell, autour duquel se déploient des rues pavées bordées de boutiques et de bistros. On est tombé sous le charme du carillon, qui sonne les heures, et des bâtiments aux longues galeries, dont l'architecture caribéenne rappelle celle des édifices historiques du quartier français de la Nouvelle-Orléans.

La pluie ou la chaleur accablante brouille vos plans ? **Pier Park** (600 Pier Park Dr., Panama City Beach, FL 32413 ; simon.com) regroupe de grands magasins et un cinéma sous un même toit. Plusieurs grands magasins invitent à la dépense, tandis que le resto Margaritaville propose nourriture, danse et cocktails dans une ambiance tropicale déjantée.

DIMANCHE 8 H / QUICHE DU MARCHÉ

Le menu chez **Fish Out of Water** (34 Goldenrod Circle, 2ᵉ étage, Santa Rosa Beach, FL 32549) change selon les arrivages du marché public. Lors de notre passage, toutes les assiettes nous attiraient. Nous avons choisi, à pile ou face, entre l'omelette aux tomates Heirloom et la quiche mozza-bacon-roquette. Nous nous sommes régalés de l'omelette en faisant le plein de vitamine D sur la terrasse surplombant le Golfe. À l'intérieur, le décor de la salle à manger avec des globes lumineux en verre soufflé, impressionne autant que la cuisine inventive.

Le manoir Wesley
© Florida Department of Environnemental Protection

9 H / *ROADTRIP* SUR LA 98

En matinée, empruntez la route panoramique 30A qui longe la côte d'émeraude à l'ouest de Panama City Beach. Arrêtez-vous dans les galeries d'art et les boutiques de villages aux noms colorés, comme celui de **Rosemary Beach** (discover30a.com), où la communauté limite l'accès à la plage afin d'en préserver les dunes. Le style des immeubles s'inspire de celui des cottages coloniaux de St Augustine. À la tombée du jour, les façades et les rues pavées se parent de reflets orangés, gracieuseté des lampadaires alimentés au gaz.

Arpentez ensuite les rues symétriques de **Seaside** (seasidefl.com), qui ont servi de décor à la ville factice du film *Le Show Truman*, mettant en vedette Jim Carey. Ce village modèle a pris forme dans les années 1970, selon un plan d'urbanisme où domine la maison unifamiliale et les allées piétonnes. Interdisant les pelouses au profit des plantes indigènes et obligeant toute nouvelle construction à afficher un style différent de celui des maisons voisines, Seaside fait l'objet de nombreuses études architecturales et attire les amateurs de design. Les gourmands y apprécieront la grande place avec ses caravanes Airstream qui servent une bouffe de rue haut de gamme. À essayer pour se rafraîchir : les glaces fruitées de Frost Bites qui font penser à des cornets de neige colorée.

11 H / LES JARDINS D'ÉDEN

Le paradis terrestre existe ! Vous le trouverez sur la route 395 au nord de Seaside. Le **Eden Gardens State Park** (181 Eden Gardens Rd., Santa Rosa Beach, FL 32459 ; floridastateparks.org) entoure un manoir du XIXᵉ siècle meublé d'antiquités datant de la période coloniale espagnole. En mai, on y pique-nique entre les chênes drapés de mousse espagnole, les camélias parfumés et les cornouillers, ces arbres de petite taille aux flamboyantes fleurs roses.

12 H 30 / BBQ ET LIME DES KEYS

À quelques coins de rue, **Sally's by the Sea Store** (2320 County Hwy 30A W, Santa Rosa Beach, FL 32459) prépare des côtelettes et du porc effiloché. Ne prenez toutefois pas vos jambes à votre cou à la vue des lotions solaires et des caisses de bière sur les étalages de ce dépanneur. Tous les vendredis, la propriétaire grille des porcs entiers dans le fumoir installé dans la cour arrière de son magasin. Offrez-vous une assiette de grillades avec frites et salade de chou et emportez-la sur la plage du **Grayton Beach State Park**.

À environ 30 km au nord, sur la **baie Choctawhatchee**, un ancien camp de pêche séduira l'amateur de mollusques. Bien que les murs en lattes de pin et la déco vieillotte trahissent l'âge du resto, **Nick's Seafood** (7585 State Hwy. 20 W, Freeport, FL 32439 ; nicksseafoodrestaurant.com) est reconnu pour la qualité de ses crevettes et de ses huîtres, étalées en damier sur un plateau de cafétéria. Légèrement fruitées, elles proviennent du Texas et non de la baie d'Apalachicola au sud de la capitale de la Floride, où la surpêche commence à menacer les stocks.

Complétez la soirée avec un beigne fourré de garniture pour tarte à la lime des Keys à la pâtisserie **Donut Hole** (6745 US-98 W, Santa Rosa Beach, FL 32459). Le beignet *Red Velvet* est pas mal aussi !

14 H / MUSCADET ET PLAGES SAUVAGES

À **DeFuniak Springs**, on circule sur le trottoir aménagé autour de l'un des deux seuls lacs parfaitement circulaires du monde (l'autre est situé en banlieue de Zurich) avant de visiter le **vignoble Chautauqua** (364 Hugh Adams Rd., De Funiak Springs, FL 32435 ; chautauquawinery.com). Parmi les vins à rapporter dans vos valises, on vous recommande le muscat rosé, qui étonne par ses subtiles notes minérales.

Terminez votre périple avec un bain de soleil sur la mémorable plage du **Grayton Beach State Park** (357 Main Park Rd. ou route 30A, Grayton Beach, FL 32459 ; floridastateparks. org/park/Grayton-Beach). Entouré de boisés, le littoral n'a jamais été transformé ni aménagé par l'homme. En marchant sur la promenade en bois menant à la plage, sortez votre appareil photo pour immortaliser la beauté des lieux. Avec un peu de chance, votre baignade ne fera pas fuir le symbole national américain, l'aigle à tête blanche, ni les grandes aigrettes qui piochent le sable en quête de crustacés.

Pour se rendre sur la plage du St Joseph Peninsula State Park
© Colin Hackley / Visit Florida

SAVIEZ-VOUS QUE ?

- Capitale mondiale de la relâche scolaire, Panama City Beach accueille bon an mal an près de 500 000 étudiants entre les mois de mars et de mai. On évite Front Beach Road et ses boîtes de nuit, à moins de souhaiter voir ses vacances filmées par les caméras de MTV, venues capter tous les excès de la jeunesse américaine !

- Avec une capacité de 6000 places, neuf discothèques, plusieurs piscines et bars et une salle de concert, le club branché La Vela, à Panama City Beach, est la plus imposante boîte de nuit des États-Unis.

- En franchissant la localité de Port St Joe, reculez votre montre d'une heure. Vous passez désormais à l'heure du Centre !

- Au marché de fruits de mer Anderson Seafood Market (5550 Lagoon Dr., Panama City, FL 32408 ; captanderson.com), on emballe pour vous l'une des nombreuses prises du jour pour le voyage de retour à la maison. De quoi faire saliver le voisinage lors de votre prochaine soirée BBQ !

TRANCHE D'HISTOIRE

L'Espagne a laissé peu de traces de la présence de ses conquistadors dans la région, sinon le nom donné à la baie St Andrews, découverte le jour anniversaire du saint. En revanche, au XVIIIe siècle, la France a érigé le fort Crevecœur, à Port St Joe, marquant du coup la limite orientale de la Louisiane.

100 ans plus tard, les touristes géorgiens et alabamiens qui déferlent sur la côte du golfe du Mexique s'intéressent peu aux plages de sable blanc. C'est la baie St Andrews, avec ses poissons et ses eaux fraîches, qui captent leur attention. Pendant la guerre de Sécession, les troupes du Sud transforment la côte en immense grenier à sel, afin de conserver leurs denrées le plus longtemps possible. Panama City Beach devient alors un site névralgique sensible aux intrusions de l'armée du Nord. Il faut attendre les années 1950 pour voir Panama City Beach s'orienter vers la mer et le tourisme maritime. La ville devient une station balnéaire fréquentée par d'anciens militaires, qui avaient fait leur entraînement à Tyndall, la base aérienne voisine, pendant la Seconde Guerre mondiale. Quand les Américains achètent la Floride aux Espagnols au XIXe siècle, ils nomment Floriopolis le bayou de la baie St Andrews. Vers 1900, le territoire, qui englobe la ville et les plages de Panama City, porte l'appellation Harrison. Peu après l'inauguration du canal de Panama, un magnat de l'immobilier renomme la ville Panama City et son village côtier Panama City Beach. Le riche homme d'affaires voit grand : Panama City se trouvant en ligne directe entre Chicago et le fameux canal, il espère faire du port en eaux profondes la plaque tournante du transport maritime américain vers le Pacifique.

70

ESCAPADE À PENSACOLA

C'est sous un assourdissant tonnerre que nous sommes arrivés à Pensacola. En agrippant solidement le volant de notre voiture, comme s'il s'agissait d'une bouée de sauvetage, nous avons hasardé un regard vers le ciel en craignant le pire... pour réaliser que le bruit sourd provenait d'un étonnant ballet aérien de jets F-18 de la Navy, effectuant des acrobaties à la vitesse du son au-dessus de notre tête!

Décidément, cette ville de l'extrême ouest floridien promet des émotions fortes! On nous avait pourtant dit que P'Cola, comme la surnomme ses résidents, était une station balnéaire à l'ambiance décontractée comme on en retrouve en Andalousie... Qu'à cela ne tienne, ce n'est pas maintenant que nous allons rebrousser chemin! Surtout s'il mène à des découvertes hors des sentiers battus. Qui nous aime nous suive!

VENDREDI 16 H 30 / DÉPOSEZ VOS VALISES

Les complexes hôteliers de bonne réputation de style chaîne américaine ont élu domicile en bordure de la route 98, à mi-chemin entre le cœur historique de la ville et la rive sud de la baie de Pensacola, où l'on retrouve les plages. Pour séjourner dans un établissement plus coquet, optez pour le **New World Inn** (600 S Palafox St., Pensacola, FL 32502;

Les mordus de la pêche attrapent des prises dignes d'une sortie en haute mer sur le quai d'Okaloosa qui s'avance dans le golfe du Mexique.
© 8 Fifty Productions

animé, cet établissement offre un service cinq étoiles, sans le prix ni la prétention qui s'ensuivent. Une aire de jeux a été aménagée pour les enfants sur le sable, et les grands profitent d'un chouette tiki bar à la piscine. Dégustations de margaritas, concerts de *steel-drum* et amusants concours de Hula Hoop sont au programme! À noter que l'un des propriétaires est le chanteur américain Jimmy Buffet. **Prix: $$-$$$**

Envie d'une plongée dans l'histoire? Plusieurs auberges ont élu domicile dans la banlieue est de Pensacola, au village de Fort Walton Beach en particulier. **Aunt Martha's Bed and Breakfast** (315, SE Shell Ave., Fort Walton Beach, FL 32548; auntmarthasbedandbreakfast.com) vous accueille en grande pompe comme on le faisait à l'époque d'*Autant en emporte le vent*. Ce *bed & breakfast* dont le style rappelle celui des plantations du Sud est une ancienne maison d'été de la famille de l'hôte. Entre le salon de lecture, la salle de musique et le déjeuner traditionnel bien costaud, on séjourne comme la *gentry* géorgienne au XIXe siècle. Parions que vous aurez du mal à quitter la *vérandah* (avec un *h* comme on l'écrit ici) avec sa vue impressionnante sur le détroit Santa Rosa. Ce resserrement du golfe du Mexique s'étend sur 64 km entre Fort Walton, sur le continent, et les plages de Pensacola sur l'île barrière Santa Rosa. **Prix: $-$$ (chambres)**

17 H / VISITER L'AU-DELÀ

Une balade au cimetière? Non, nous ne sommes pas tombés sur la tête. Le site du dernier repos des Pensacoliens vaut amplement une visite. L'endroit n'est pas (trop)

newworldlanding.com), situé dans une ancienne usine donnant sur la baie de Pensacola. À deux coins de rue du secteur patrimonial, ce gîte compte 15 chambres, dont la décoration de style Renaissance espagnole, Queen Anne ou Louis XV s'inspire du passé colonial de la ville. On aime le hall orné de portraits et d'autographes de personnalités qui ont visité l'hôtel. Qui sait? Peut-être dormirez-vous dans la même suite que le président Ronald Reagan. **Prix: $$-$$$**

Sur la plage de Pensacola, des chambres minimalistes, mais chaleureuses et de très grande dimension attendent les familles au **Margaritaville Beach Hotel** (165, Fort Pickens Rd., Pensacola Beach, FL 32561; margaritavillehotel.com). Bien qu'un peu en retrait du secteur

Pleins gaz! Deux fois par semaine, les pilotes de l'escadron Blue Angels
prennent les airs à bord de leurs chasseurs F-18, histoire d'améliorer
leurs vrilles tout en s'assurant du bon maintien de leurs appareils.
Ces envolées spectaculaires, pour les visiteurs que nous sommes,
font partie du quotidien des Pensacoliens.
© Kathryn E. Macdonald, spécialiste des médias de masse de 2ᵉ classe, U.S. Navy.

macabre. En fait, la plupart des tombes sont surélevées, plutôt que souterraines, car, comme plusieurs quartiers de la ville, l'endroit se situe à quelques mètres seulement du niveau de la mer. Les défunts reposent donc au charmant **St Michael's Cemetery** (6 S Alcaniz St., Pensacola, FL 32501; stmichaelscemetery.org) dans des tombeaux richement ornés. On y retrouve plusieurs cryptes de *Dons* de l'ère des conquistadors et une réplique du tombeau de Napoléon Bonaparte.

18 H 30 / SOLE CENT FAÇONS

Adossée à un immense crevettier, la **Flounder's Chowder & Ale House** (800 Quietwater Beach Rd., Gulf Breeze, FL 32561; flounderschowderhouse.com) surplombe le détroit de Santa Rosa. Le décor est un savant mélange de camp de pêche et de pub irlandais, agrémenté de musique reggae *live*. Dans la salle à manger, un vitrail en forme d'éventail teinte les rayons orangés du coucher de soleil de nuances roses et bleues. On y sert la sole à toutes les sauces. À goûter : la version farcie au crabe, nappée d'un beurre blanc.

Dans le quartier historique de la ville, la rue South Palafox abonde en bistros. Si vous croisez des caravanes de type Airstream, n'hésitez pas à vous mettre en file, ni à vous attabler en plein air. Le site de **Al Fresco** (509 S Palafox St., Pensacola, FL 32502; eatalfresco.com) regroupe quatre camions de bouffe de rue autour d'un bar à huîtres. Au menu : des tacos de poisson, du poulet frit, du porc effiloché et des grillades du vieux Sud.

TRANCHE D'HISTOIRE

Ce sont les Britanniques qui ont aménagé le quartier historique parfaitement quadrillé de P'Cola. En revanche, lorsqu'ils ont repris leurs droits sur la cité au XIXe siècle, les Espagnols ont rebaptisé les rues des noms des héros de la Guerre d'indépendance ayant chassé les troupes napoléoniennes de la péninsule ibérique.

SAVIEZ-VOUS QUE?

La première messe catholique en sol américain a été célébrée par les conquistadors sur la plage de Pensacola Beach en 1559.

Le pionnier Daniel Boone, dont les exploits ont fait l'objet d'une série télé dans les années 1960, comptait s'installer sur une terre de 100 arpents bordant le littoral à P'Cola au XVIIIe siècle, mais sa femme refusa de quitter la Caroline du Nord, ce qui mit fin à son projet d'émigration.

CÉLÉBRITÉS PENSACOLIENNES

On pense évidemment à Tom Cruise, qui a mis Pensacola sur la « mappe » ou, du moins, au grand écran, grâce au film culte *Top Gun*. Mais la base militaire a également hébergé les astronautes John Glenn et Neil Armstrong, et la ville a vu grandir Tom Cheek, le défunt annonceur des Blue Jays de Toronto.

Question de rester fidèle aux racines hispaniques de Pensacola, on se dirige au bar à tapas **The Global**

Grill (27 S Palafox St., Pensacola, FL 32502 ; globalgrillpensacola. com). On s'y remplit la panse de plus de 40 tapas, dont de petites assiettes d'huîtres Panko, d'artichauts farcis, de brochettes d'agneau ou de thon à la gelée cinq-épices qu'on se partage. Les recettes sont inventives, les saveurs pigeant à la fois dans les cuisines espagnole, asiatique et du sud des États-Unis.

On a trouvé l'OVNI qui survole le ciel de Pensacola! Blague à part, il s'agit de la maison Futuro, imaginée par l'architecte finlandais Matti Suuronen en 1966, qui abrite aujourd'hui la société historique de Pensacola.

21H / TOURNÉE DES GRANDS-DUCS

Seville Quarter (130 E Government St., Pensacola, FL 32502 ; seville-quarter.com) est l'endroit idéal pour faire la tournée des grands-ducs sans changer d'adresse ! L'ancien entrepôt du cigarettier Pensacola Cigar & Tobacco Company regroupe 6 bars offrant chacun une ambiance différente, allant de la boîte de nuit où l'on se déhanche au son de la musique latine au simple petit bar de quartier.

Pourquoi ne pas terminer votre journée en contemplant à nouveau le ciel ? Rassurez-vous, cette fois-ci, il est exempt d'avions de chasse… mais pas de soucoupes volantes ! Du moins, c'est ce que prétendent les spécialistes d'OVNI confortablement installés au **parc Shoreline** (700 Shoreline Dr., Gulf Breeze, FL 32561). Est-ce la proximité de la base aérienne et navale de l'armée américaine qui attire les extraterrestres ? Certains amateurs vous raconteront peut-être leur rencontre du troisième type !

SAMEDI 8H / MANGER AU DRIVE-IN

On vous l'accorde, on ne vous sert plus à l'auto au **Jerry's Drive-in** (2815 E Cervantes St., Pensacola, FL 32503), mais siroter un lait frappé aux bananes au comptoir en formica vous replongera tout de même en 1950. On y prépare d'ailleurs l'omelette au foie de poulet et les classiques *grits* (du maïs concassé préparé comme un risotto) avec les mêmes recettes qu'à l'époque. La légende dit même que Jerry's aurait inventé le cheeseburger au bacon. Normal donc que ce resto soit l'adresse fétiche de la faune locale !

Composée de saucisses maison, de fruits frais et des traditionnels biscuits feuilletés et faits avec du babeurre, l'assiette du Conquistador au **Polonza Bistro** (286 N Palafox St., Pensacola, FL 32502 ; polonza. com) vous sustentera jusqu'à tard en après-midi.

9H30 / À L'ÉCOLE SUR LA BAIE

Grâce à sa brise constante et à son faible tirant d'eau, la baie de Pensacola

Au pied du fort de l'île de Santa Rosa, un littoral immaculé attend les amateurs de *farniente*.
© Visit Florida

est propice à l'apprentissage de la voile. L'académie **Lanier Sailing** (997 S Palafox St., Pensacola, FL 32502 ; laniersail.com) propose une initiation de trois heures aux techniques de navigation à bord d'un Capri de 22 pi dans la baie avant de vous confier la barre sur les eaux plus tumultueuses du Golfe.

Pour passer votre matinée à explorer les eaux de Pensacola à votre rythme sans créer de vagues, louez un kayak auprès de **Key Sailing** (400 Quietwater Beach Rd., Gulf Breeze, FL 32561 ; keysailing.com) et naviguez sur les eaux calmes du détroit Santa Rosa, qui longe la plage municipale.

Pensacola est aussi réputée pour ses rivières, à tel point qu'on la surnomme la capitale floridienne du canoë. On recommande la descente de la **Blackwater** (7720 Deaton Bridge Rd., Holt, FL 32564 ; floridastateparks. org) aux pagayeurs débutants. Un parcours balisé de 6 km avec de petits rapides permet de découvrir d'anciens moulins datant de l'âge d'or de l'exploitation forestière et des eaux

limpides d'une étrange couleur café. Les rives de sable blanc contrastent avec l'eau sombre, d'où le nom *okalusa*, « rivière noire », dans la langue de la nation Choctaw. Bien que la rivière traverse un parc d'État, on ne peut y louer d'embarcations. Par contre, le parc collabore avec **Blackwater Canoe Rental** qui loue des canots (6974 Deaton Bridge Rd., Milton, FL 32570 ; blackwatercanoe.com). Psitt ! Apportez votre monnaie pour acquitter votre droit d'entrée au site. Les rangers n'acceptent que le montant exact fixé à 4 $.

12 H / *SMOOTHIE* ET SANDWICH SUR MESURE

Tous ces coups de pagaie ont certainement creusé votre appétit. Mais on ne vous fera pas gâcher votre mise en forme en vous laissant empiler les calories ! Direction **Ever'man Cooperative Grocery & Cafe** (315 W Garden St., Pensacola, FL 32502 ; everman.org), une coopérative qui fait office d'épicerie naturelle et de comptoir-lunch. Sans gluten, sans produits laitiers, sans

En plus de la section du poste de commande du porte-avion USS Cabot qui a été recréé au centre du musée de l'aviation, les visiteurs peuvent se mettre dans la peau des pilotes de F-18 grâce à une expérience cinématographique 4D.
© Visit Florida

antibiotiques, végétalien, alouette ! Vous sélectionnez le pain et la garniture de votre choix. On peut aussi personnaliser son jus vert au bar à *smoothie* de l'endroit. Lors de notre passage, nous avons accompagné notre *wrap* dinde-avocat d'une boisson gingembre-pomme.

La soupe à la courge musquée de chez **Carmen's Lunch Bar** (407-B S Palafox St., Pensacola, FL 32502 ; carmenslunchbar.com) est un incontournable pour se réchauffer les midis d'automne lorsque dame Nature ne coopère pas avec nos envies de plein air. Complétez le repas avec l'assiette de poivrons doux farcis de crabe, de chorizo et de fromage manchego et dorés à point.

13 H / VISITE HISTORIQUE ANIMÉE

La région de Pensacola compte quelques fortifications érigées par les Européens au fil de leur occupation du territoire, mais étant donné l'état discutable de certains sites (on a dû utiliser une lampe frontale pour y voir quelque chose dans un fort) et le manque d'explications pour faciliter votre visite une fois rendu sur place, nous vous conseillons de limiter votre virée dans le passé au quartier **Historic Village** (Tivoli High House ; 205 E Zaragoza St., Pensacola, FL 32502 ; historicpensacola.org).

Au départ de Tivoli High House, la balade de 120 min des rues Church, Tarragona et Zaragoza permet d'admirer divers styles architecturaux, dont des bâtiments néo-Renaissance, et de visiter d'anciennes demeures franco-créoles du XIXe siècle (le cottage de la première esclave à acquérir une propriété, notamment). Le tout est animé par un guide en costume d'époque.

15 H / ROUTE PANORAMIQUE

La **route 90** (Scenic Bluffs Byway ; pensacolascenicbluffs.org) serpente la baie d'Escambia à l'est du centre de Pensacola. Ce trajet de 18 km sur une crête offre une vue impressionnante sur le bayou Texar, sur les îles du golfe du Mexique et sur le marais salant de la baie. Avant d'atteindre Magnolia Bluff, le point le plus haut de Floride, faites une pause au parc Bay Bluffs et empruntez le trottoir de bois qui descend le long de la falaise à travers des bosquets de romarins jusqu'à la plage déserte de sable rose. C'est l'argile rouge des falaises qui donne sa teinte corail au sable de la baie.

Au retour, garez la voiture sur la rue Gonzalez ou Desoto, le temps de vous délier les jambes dans **North Hill** (entre Palafox et Reus St. ; historicnorthhill.com). Ce quartier de 50 pâtés de maisons, où s'étaient établis les nobles et les commerçants à l'époque coloniale, compte plus de 500 villas hispaniques, de cottages victoriens et de demeures françaises.

Le musée **National Naval Aviation** (1750 Radford Blvd., Pensacola, FL 32508 ; navalaviationmuseum.org), sur la base Naval Air Station, est une excellente solution de rechange si vous ratez le vol des Blue Angels, ces fameux F-18 qui font vrombir leurs réacteurs lors des manœuvres d'entraînement les mardi et mercredi matins. On a apprécié les anecdotes de sauvetage en mer de l'ex-pilote d'hélicoptères de la garde côtière qui nous a servi de guide pendant la visite de cet immense hangar où dorment des carlingues des grandes guerres. Vous n'aurez pas besoin de licence de pilotage pour opérer le simulateur de vol des avions de chasse, mais apportez vos passeports pour passer le contrôle de sécurité de la base.

17 H / APÉRO EN ALABAMA

Traversez sur la rive sud de Pensacola pour vous rafraîchir sur la plage à la terrasse du **Bamboo Willie's** (400 Quietwater Beach Rd., Pensacola Beach, FL 32561 ; bamboowillies. com). Commandez la spécialité de l'endroit, le *Bushwacker*, un cocktail glacé qui associe la crème de cacao et la noix de coco.

Pour aller prendre l'apéro sur la frontière de l'Alabama, rouler quelques kilomètres à l'ouest en quittant la base militaire jusqu'au **Flora-Bama Lounge** (17 401, Perdido Key Dr., Pensacola, FL 32507 ; florabama. com). Les enfants y sont les bienvenus en journée jusqu'à 18 h. Sur des airs country, on savoure des huîtres, des cornichons frits et une bière à ce bar de plage qui a opéré six ans sous des tentes après le passage de l'ouragan Ivan en 2004. C'est aussi à cette institution que les Pensacoliens doivent le tir annuel du rouget. Lors du concours *Interstate Mullet Toss*, qui a lieu en avril, les participants sont invités à démontrer leurs prouesses aérodynamiques en lançant un poisson mort à bout de bras le plus loin possible de la frontière séparant les deux États. Le Flora-Bama organise aussi un tournoi de pêche-rodéo en juin et une visite du père Noël, carrément parachuté sur la plage en décembre. Une chance que le ridicule ne tue pas !

18 H / PLATS RÉCONFORTANTS

Située au confluent de quatre baies, de trois bayous, d'un détroit, d'un lagon et d'une multitude de rivières se déversant tous dans le golfe du Mexique, Pensacola est une véritable capitale du fruit de mer ! Mérou, rouget, mahi-mahi, huîtres, crabe bleu et crevettes, tout s'y pêche et s'y déguste. À deux pas du district historique, **The Fish House** (600 S Barracks St., Pensacola, FL 32502 ; fishhousepensacola.com) occupe les bâtiments de l'ancienne marina de la ville. On y mange la prise du jour, le poulet et son chutney d'ananas ou le bifteck BBQ préparé dans le fumoir de la maison, en observant les chalutiers et crevettiers qui rentrent au port. On y prépare le maïs concassé à la Ya Ya, c'est-à-dire comme un risotto, avec gouda fumé, bacon, champignons, épinards à la crème fraîche et crevettes du golfe du Mexique.

Les bancs de poissons de la région font aussi le bonheur des restaurateurs établis dans les villages côtiers à l'est de Pensacola, comme le **Café Thirty-A** (3899 E Scenic Hwy. 30A, Seagrove Beach FL 32459 ; cafethirtya.com). Récemment décoré d'un prix d'excellence par le magazine spécialisé en vins *Wine Spectator*, l'endroit charme les sens avec un décor de cottage tropical et des ingrédients frais, dont une mozzarella fabriquée sur place. Précédez votre vivaneau grillé d'un carpaccio de bœuf pour un repas mettant en vedette le meilleur de la mer et de la terre. Et plutôt que de vous perdre parmi la vingtaine de martinis proposés, imitez James Bond en commandant un classique bien sec mélangé au *shaker* et servi avec un zeste de citron.

19 H / SHOPPING

Poursuivez la soirée dans la localité de Destin avec une séance de magasinage aux **Destin Commons** (4100 Legendary Dr., Destin, FL 32541 ; destincommons.com), un centre commercial à ciel ouvert érigé autour d'une grande place. Des enseignes de renom, telles White House/Black Market, Talbots et Abercombie &

La maison Dorr
© Colin Hackley / Visit Florida

Fitch, ont pignon sur rue dans ce district piétonnier. À voir absolument : la boutique Doll Clothes Factory, qui vend tous les accessoires et vêtements pour les populaires American Girls, Journey Girls et autres poupées de 18 po.

Dans le quartier patrimonial, le déjeuner gourmand de la pâtisserie **George Artisan Bakery Bistro** (1124 W Garden St., Pensacola, FL 32502 ; georgeartisan.com) se concentre autour de l'omelette assaisonnée avec les aromates de votre choix et servie avec un croissant bien croustillant.

Au bord du Golfe, le **H2O de l'hôtel Hilton** (12 Via De Luna Dr., Pensacola Beach, FL 32561 ; hilton. com) sert les classiques du brunch, dont une savoureuse frittata aux fines herbes. Par temps clair, on peut apercevoir des dauphins qui surfent sur les vagues.

9 H / RENCONTRE AVEC DES DAUPHINS !

Pour observer ces mammifères dans leur habitat naturel sur la baie Choctawatchee, à bord d'un bateau à fond vitré, optez pour la croisière **Southern Star,** au départ de la marina du village de Destin (100 Harbor Blvd., Destin, FL 32541 ; southernstardolphincruise.com). La compagnie est régulièrement citée par *National Geographic* pour ses pratiques écolos et son programme Junior Captain qui permet à vos petits matelots de tester leurs habiletés au gouvernail pendant la virée de deux heures.

11 H / PLAGE PRÉSERVÉE

En revenant sur la terre ferme, boudez la bruyante et clinquante plage municipale de Destin. Le sable blanc est encore plus beau quelques mètres à l'est au **Henderson Beach State Recreation Area** (17 000 Emerald Coast Pkwy., Destin, FL 32541 ; floridastateparks.org). Ce littoral ponctué de boisés était une propriété privée jusqu'à ce que l'État l'achète il y a environ 25 ans. On y partage une plage sauvage avec quelques tortues et des oiseaux au bec orangé.

12 H 30 / LUNCH AVEC L'ARMÉE

Moins tape-à-l'œil que le *boardwalk* de Destin, sa voisine, la **promenade de bois d'Okaloosa** (1450 Miracle Strip Pkwy., Fort Walton Beach, FL 32548), située sur l'île barrière Santa Rosa, attire les militaires stationnés à P'Cola, qui y disputent des parties de volleyball sur le sable. Attrapez un sandwich chaud au mahi-mahi et des crevettes *popcorn* chez **Crab Trap** (1450 SE Miracle Strip Pkwy., Fort Walton Beach, FL 32548 ; crabtrapdestin.com) et installez-vous dans le sable à proximité du terrain de jeu pour surveiller les petits qui s'y amusent.

13 H 30 / DES ÎLES PERDUES

Toujours sur la promenade d'Okaloosa, empruntez **la jetée** pour lancer une ligne à l'eau (okaloosaislandpier.com). On pêche le maquereau et le thon jour et nuit sur ce quai de près de 500 m, qui s'avance dans le golfe du Mexique. Une bonne marche pour digérer avant de revenir vers Pensacola.

Poursuivez votre exploration des îlets entourant la baie de Pensacola en empruntant la 292, la route qui

longe le golfe, pour découvrir le lagon et la baie des environs de la base aérienne et navale. Au **Perdido Key State Park** (12 301 Gulf Beach Hwy., Pensacola, FL 32507 ; floridastateparks.org), qui signifie « île perdue » en espagnol, un long trottoir de bois mène à la plage ceinturée de hautes dunes où poussent des graminées dorées. Parmi les coquillages à dénicher sur le sable blanc,

repérez les pétoncles Calico aux reflets violacés qui feront de jolis pendentifs.

Amateurs d'eaux turquoise, faites un dernier arrêt à Pensacola Beach. Des cinq plages floridiennes de la **réserve Gulf Islands National Seashore** (1400 Fort Pickens Rd., Pensacola Beach, FL 32561 ; nps. gov), on vous recommande le bain-de-soleil à proximité des vestiges du Fort

Aucune tour hôtelière ni multitude de kiosques touristiques ne gâchent le littoral de Perdido Key. Cette «île perdue», comme l'ont surnommée les conquistadors, est entourée à la fois par un lagon et le golfe du Mexique, ce qui multiplie le choix de plages et de panoramas.
© Visit Pensacola

Pickens. Le littoral protégé qui s'étend jusqu'au Mississippi est à son état naturel, tel que l'ont frôlé les premiers colons espagnols débarqués dans la région. Comme eux, laissez-vous bercer par les sons cristallins du sable de quartz blanc qui craque sous les pattes palmées des pélicans et des hérons bleus.

SAVIEZ-VOUS QUE ?

- Le Mardi gras ne se souligne pas qu'à la Nouvelle-Orléans ! L'hiver, une parade illuminée défile dans les rues animées de Pensacola.

- Le village de Destin est surnommé la capitale de la planche à pagaie en raison de ses eaux calmes.

ESCAPADE À TALLAHASSEE

Des rivières sauvages, des marais recouverts de cyprès, de larges vérandas où l'on sirote tranquillement une limonade et une côte ignorée des touristes… La capitale de la Floride est passée maître dans l'art de la nonchalance. On s'y rend pour oublier ses soucis, le temps d'un week-end.

Peut-être que ce sont les 800 km qui la séparent de la palpitante Miami, la proximité avec l'authentique sud de l'Alabama voisin, ou bien l'accent langoureux de ses résidents… peu importe. À notre grand bonheur de voyageur qui tente de décrocher des tracasseries du 9 à 5, Tallahassee vit en mode ralenti.

Au sud de la capitale, les îles isolées et les villages de pêche du Big Bend – cette région côtière où le littoral se replie autour du golfe du Mexique – s'explorent sans se presser. Jusqu'à la route panoramique qui vous fera lever le pied ! Mais comme les meilleures choses ont une fin, la région ne restera pas une destination confidentielle bien longtemps. Hâtez-vous pour profiter des multiples vertus de sa lenteur avant tout le monde !

VENDREDI 15 H 30 / DÉPOSEZ VOS VALISES

Pour loger dans le siège administratif de l'État, qui est aussi une cité universitaire, il faut connaître par cœur les calendriers des sessions parlementaires et des matchs de football ou réserver d'avance ! Faites

Situé à environ 30 km de la route serpentante du Big Bend, le village de Steinhatchee est installé au creux d'une anse où l'on capte de superbes couchers de soleil sur le golfe du Mexique.

converti en chic hôtel-boutique. Les chambres sont réparties sur plusieurs étages aux coloris et aux parfums différents. Par exemple, au 7ᵉ étage, on dort dans un cocon bleuté en humant la fraîcheur de l'océan. L'expérience multisensorielle se poursuit dans la salle de bain avec la tête de pluie et le sol en cailloux de la cabine de douche qui donnent l'impression de se rafraîchir sous une chute en plein air. Ne manquez pas la vue depuis la terrasse-lounge du toit de l'établissement. **Prix : $$-$$$**

16 H / CHEZ LE GOUVERNEUR

De l'hôtel, à la marche, rendez-vous au **Historic Capitol** (400 S Monroe St., FL 32301 ; flhistoriccapitol.gov). On parcourt le capitole centenaire gratuitement en admirant le dôme de vitraux, la chambre des représentants datant de la Belle Époque et la salle de bal du gouverneur. L'éclairage tamisé au gaz est tel qu'il l'était en 1902. Si vous croyez que les auvents à rayures blanches et rouges sur la façade exposée au soleil sont une innovation récente, détrompez-vous. Ils ont été réintégrés au bâtiment lors d'une restauration dans les années 1980.

17 H / SOUS LA CANOPÉE

Rebroussez chemin en empruntant les rues **St Augustine** et **Meridian** flanquées d'azalées et de chênes si imposants que leurs cimes s'embrassent de part et d'autre de la chaussée. Avec ses boutiques de style campagnard et les plantations qui ont été épargnées par la guerre civile américaine, ces rues comptent parmi les plus belles voûtes végétales de l'État.

changement des hôtels de chaînes américaines en optant pour **Aloft** (200 N Monroe St., Tallahassee, FL 32301 ; alofttallahassee.com). Cet immeuble contemporain de l'artère principale de la ville contraste joliment avec les édifices environnants à caractère patrimonial. Les chambres sont lumineuses et ont le décor minimaliste des lofts urbains. WiFi, réveil avec station de recharge et fauteuil ergonomique : on a pensé à tout pour répondre aux besoins des technophiles. Pendant que vos accros consultent leur iPhone et iPad, rendez-vous à la piscine pour décrocher ! **Prix : $-$$**

En face, le **Duval** (415 N Monroe St., Tallahassee, FL 32301 ; hotelduval.com) est un ancien dortoir de l'Université de Floride du Sud (FSU)

Le Capitole (State Capitol)
Peter W. Cross / Visit Florida

18 H / BBQ TROPICAL

Au rez-de-chaussée de la tour à condos Kleman Plaza, le **101 Restaurant** (15 W College Ave., Tallahassee, FL 32301 ; 101tally.com) propose une cuisine new-yorkaise assaisonnée d'une bonne dose de «charme du Vieux Sud». Le filet mignon saisi au prosciutto servi avec son vin du moment est un excellent choix.

Au **Kool Beanz Café** (921 Thomasville Rd., Tallahassee, FL 32303 ; kool-beanz.com), on sert des plats BBQ aux saveurs tropicales comme on en retrouve à Key West. Commandez une bouteille de chardonnay pour accompagner les pétoncles grillés à point et leur sauce chili à la mangue ou l'espadon au pesto pistache-basilic.

Récupérez la voiture pour aller prendre le dessert au **Lofty Pursuits** (1415 Timberlane Rd., #410 Tallahasse, FL 32312 ; loftypursuits. com). Mi-magasin de jouets, mi-bar laitier, le commerce offre des crèmes glacées et des bonbons faits maison. Avec 52 parfums de sundae, dont plusieurs options végétaliennes, même

les plus fins palais en trouveront un à leur goût !

21H / RÉCITAL À L'ÉCOLE

La **salle de récitals** du pavillon de musique de la FSU tient plus de 500 concerts par année (College of Music ; 222, S Copeland St., Tallahassee, FL 32304 ; music.fsu.edu). Opéra, musique classique, chorales, jazz ou musique de chambre : la plupart des représentations sont gratuites, certaines se voulant une générale de spectacles qui seront donnés plus tard au célèbre Carnegie Hall de New York.

SAMEDI 7 H 30 / DÉJEUNER SUR LE POUCE

Commandez la brioche à la banane et aux noix ou le croissant aux amandes à la pâtisserie **Péché Mignon** (1415 Timberlane Rd., Tallahassee, FL 32312 ; frenchpastrytallahassee. com). Ces viennoiseries constituent un déjeuner européen qui va de pair avec la visite du Tallahassee patrimonial.

8 H / RETOUR EN 1923

De décembre à mai, les azalées fuchsia, les iris indigo, les camélias sanguins et les magnolias rose pastel embrasent le jardin ornemental **Alfred B. Maclay** (3540 Thomasville Rd., Tallahassee, FL 32309 ; floridastateparks.org/park/Maclay-Gardens). Devenue parc d'État en 1953, la propriété a été imaginée par un magnat new-yorkais dans les années folles. De nos jours, l'immense domaine de 5 km^2 – c'est deux fois la superficie de Monaco ! – se prête aux longues randonnées et aux balades à vélo. En bordure du lac Hall, on peut louer un kayak ou pique-niquer dans un pavillon de style néoclassique.

10 H / DIRECTION WAKULLA

Si vous ne faites qu'un seul arrêt au sud de la capitale, assurez-vous qu'il s'agisse du **parc Wakulla** (550 Wakulla Park Dr., Wakulla Springs, FL 32327 ; floridastateparks.org/park/WakullaSprings). Les cascades et les sources d'eau douce font partie des sites les plus photogéniques de la région. La flore exotique a attiré les caméras de Hollywood à quelques reprises. Wakulla est notamment en vedette dans le film *Tarzan*, réalisé en 1930. On imite le roi de la jungle en s'élançant dans la rivière depuis une plateforme haute de deux étages. On peut aussi opter pour la sortie en ponton. L'eau du bassin en calcaire est si claire qu'on peut observer la faune sous-marine jusqu'à 30 m de profondeur.

12 H / FESTIN D'HUÎTRES

À l'embouchure de la baie Apalachee, que les Tallahasséens surnomment *Big Bend*, le village pêcheur de Newport se spécialise en ostréiculture. Sur le pont qui surplombe la rivière St Mark, le bar à huîtres **Ouzts' Too** (7968 Coastal Hwy., Newport, FL 32327 ; ouztstoo.com) rend hommage au trésor local. On y déguste le coquillage sous toutes ses formes. Nous vous le recommandons frais avec un trait de citron et quelques dés d'échalote.

Situé à la pointe sud de la baie, le **Spring Creek Restaurant** (33 Ben Willis Rd., Crawfordville, FL 32327 ; visitwakulla.com/Restaurants/SpringCreek-Restaurant) sert un croustillant *fish & chips* de rouget et une rafraîchissante tarte à la tomate décorée d'œufs de caille coulants. Le poisson au menu est pêché par les chefs propriétaires. Le décor nautique de la salle à manger est de bon ton et présente des photos de famille.

13 H / REFUGE MIGRATOIRE

Les vastes marais salants bordés de cyprès du **parc national St Mark's** (1255 Lighthouse Rd., St Marks, FL 32355 ; saintmarks.fws.gov) accueillent plus de 300 espèces d'oiseaux migrateurs. C'est plus de 120 km de sentiers qui traversent une pinède, des marécages et des habitats de tatous et de coyotes. Un belvédère non loin du phare permet d'observer le résident permanent du refuge : l'alligator. Préparez votre appareil photo, le prédateur sitôt repéré se camoufle tout aussi vite dans les herbes hautes !

15 H / PÊCHEZ VOTRE SOUPER

Prolongez votre exploration du Big Bend jusqu'à **Steinhatchee**, réputé pour ses couchers de soleil. De juin à septembre, on accourt à Steinhatchee pour pêcher le pétoncle. À 400 $, la croisière guidée à la recherche du mollusque n'est pas donnée, d'autant que, muni de vos masque et tuba, vous atteindrez votre quota de pêche de 2 gallons en moins d'une heure. On conseille la location d'une petite embarcation à la marina **River Haven** (1110 River Side Dr., Steinhatchee, FL 32359 ; riverhavenmarine.com). Comptez environ 80 $ pour deux heures de navigation sur l'eau turquoise du golfe du Mexique. En saison du pétoncle, réservez votre skiff ou votre ponton sept jours avant votre expédition. Sur le quai, on offre le service d'écaillage à 4 $ la livre. Ne vous reste plus qu'à les cuisiner !

17 H 30 / HALTE ROUTIÈRE

En revenant sur vos pas vers le nord-ouest, arrêtez-vous à l'un des kiosques improvisés à **l'intersection des Road US 98 et State Road 267**. Fermiers et artisans y vendent leurs récoltes. On en profite pour acheter quelques douceurs locales comme les arachides bouillies et la confiture de baies de houx.

18 H / LA PANACÉE

Retardez votre retour à Tallahassee en dînant à Panacea. **The Coastal Restaurant** (1305 Coastal Hwy., Panacea, FL 32346) propose les crevettes, les palourdes et le rouget en formule buffet. Ajoutez les bouchées d'alligator grillé à votre commande si ces dernières sont au menu. Elles se vendent comme des petits pains !

En bordure du golfe, **Posey's Steam Room & Oyster Bar** (1506 Coastal Hwy., Panacea, FL 32346) est l'endroit tout désigné pour savourer vos pétoncles pêchés à Steinhatchee, puisque la cuisine se charge de les préparer pour vous. Accompagnez votre prise du jour avec le rouget fumé sur place, les pinces de crabe ou la côte de bœuf.

SAVIEZ-VOUS QUE ?

Belles plantations

Quelques indices pour mieux repérer les demeures typiques du Sud d'avant la guerre de Sécession : leur façade est dotée de frises élaborées et de colonnades gréco-romaines, leur toiture a quatre versants et leur entrée est munie d'un porche ou entourée d'une galerie à balustrade.

Le mercure grimpe

Tally, comme la surnomme ses résidents, est la destination estivale la plus chaude de la Floride. Le mercure fracasse régulièrement la barre des 40 ˚C en juillet, facteur humidex en sus.

TRANCHE D'HISTOIRE

C'est en raison de sa situation névralgique, à mi-chemin entre Pensacola et St Augustine, les deux places fortifiées de la colonie espagnole, que Tallahassee fut désignée capitale de l'État quand les États-Unis annexèrent la Floride en 1821.

Le Capitole et les édifices patrimoniaux de Tallahassee font partie des rares bâtiments floridiens à avoir été épargnés par les boulets de canon pendant la guerre civile américaine.

Le district historique de Tallahassee

20 H / BELLE DU SUD

Terminez votre virée des environs de Tallahassee à la **Miracle Plaza** (1815 Thomasville Rd., Tallahassee, FL 32303). Ce petit centre commercial héberge des adresses branchées et une épicerie bio. Chez Fab'rik et Walter Green, les fashionistas pourront dénicher de jolies tenues à bon prix. Quant à ces messieurs, ils trouveront un beau choix à la boutique Southern Compass Outfitters. On y tient aussi une collection pour la famille.

DIMANCHE 9 H 30 / ŒUFS BÉNÉDICTINE ET FOIE GRAS

Faites le plein d'énergie chez **Avenue Eat & Drink** (115 East Park Ave., Tallahassee, FL 32303 ; avenue-eatanddrink.com). On y propose les œufs pochés de mille manières. Savourez la version foie gras, bacon, sauce hollandaise, servie sur un traditionnel biscuit au babeurre. Et ne vous inquiétez pas du nombre de calories ingérées : vous aurez l'occasion de les dépenser amplement aujourd'hui !

10 H 30 / BAIGNADE EN FORÊT

La **réserve nationale Apalachicola** (à 24 km de Tallahassee, en bordure de la route US 319 South ; fs.usda. gov/apalachicola) renferme bien plus qu'une forêt de cyprès dont les racines baignent dans les marais. On y trouve des visons, des renards argentés de la Floride, des pics à face blanche et des panthères. Les activités abondent dans ce parc vaste comme la ville de Tokyo. Dégourdissez-vous sur 8 km de sentiers pédestres entourant les gouffres Leon Sinks. Attention ! Ne vous aventurez pas à l'extérieur des chemins aménagés ; une cavité peut se former sans préavis dans le sol sablonneux. La baignade au cœur du boisé du secteur Silver Lake est aussi fort agréable, et le reflet des pins et des cyprès à la surface du lac est tout simplement magnifique.

12 H 30 / UNE TARTE COMME DANS LES KEYS

Au sud de la réserve se trouve Apalachicola. Avec ses entrepôts d'éponges de mer convertis en bistros

Le phare Cape St George, qui domine St George Island
© Franklin County Tourist Development Counc

et en ateliers pour les artisans, cet authentique village de pêcheurs a résisté à l'embourgeoisement qui a frappé de nombreuses localités côtières en Floride ces dernières années.

Entre les docks riverains, le **Up the Creek Raw Bar** (313 Water St., Apalachicola, FL 32320 ; upthecreekrawbar.com) prépare l'huître avec brio. Ceux qui la préfère piquante se régaleront de la version avec piment habanero et agrémentée d'une réduction de balsamique. Goûtez aussi au burger de crabe, présenté avec une tranche de tomate verte frite et une sauce rémoulade maison. Il vous reste encore de la place ? La tarte à la lime des Keys est, nul doute, la meilleure qu'on ait goûtée au nord d'Islamorada !

14 H / PARCOURIR ST GEORGE

Suivez la digue sur la route 98 à la sortie est d'Apalachicola pour atteindre **St George Island**. Arrivé sur Gulf Beach Drive, l'artère principale de l'île, abandonnez votre auto et louez un vélo auprès de **Island Adventures** (105 Gulf Beach Dr., St George, FL 32328 ; sgiadventures.com). Le réseau cyclable de 30 km relie le phare du cap aux plages isolées de l'île. Ces dernières occupent d'ailleurs la 3e place au palmarès des plus belles plages des États-Unis compilé annuellement par Stephen Leatherman, communément appelé Dr. Beach, un chercheur émérite du laboratoire des zones côtières de Miami. Terminez votre périple par une sieste sur la plage municipale de sable tout blanc qui s'étend au bout de chaque rue de l'île.

SAVIEZ-VOUS QUE ?

- La baie Apalachee est la république de l'huître à l'ouest du Maine. Près de 9 huîtres sur 10 consommées aux États-Unis proviendraient de cette anse dans le golfe du Mexique.

- Au musée de l'automobile de Tally, on peut admirer la carriole d'Abraham Lincoln tout comme la batmobile pilotée par Michael Keaton dans le film *Batman Returns*.

- Ne commandez surtout pas de Pepsi dans les restos de Quincy. Coca-Cola doit en partie son existence à une poignée d'investisseurs de ce village à l'ouest de la capitale qui croyaient massivement aux vertus de la boisson. L'action de la compagnie acquise au coût de 40 dollars en 1919 vaudrait plus de 6 millions aujourd'hui !

TALLAHASSÉENS CÉLÈBRES

L'actrice Faye Dunaway a grandi aux limites de Tally et a étudié l'enseignement à l'Université d'État de la Floride (FSU). Les résidences universitaires portent d'ailleurs le nom de son fameux collègue Burt Reynolds. L'acteur a fait partie de l'équipe de football des Seminoles pendant son parcours académique. Toujours sur la scène sportive, Dwight F. Davis, fondateur du tournoi de tennis de la coupe Davis, passait ses hivers dans une plantation du village de Meridian en banlieue de Tallahassee.

RÉGION CENTRE-NORD

**GAINESVILLE
OCALA**

Gainesville

Ocala

Les *springs* (sources d'eau fraîches)
sont très nombreux dans la région.

SOURCES CRISTALLINES
ET ROUTES DE CAMPAGNE

Une forêt de pins, des pâturages où trottent des pur-sang et des sources naturelles : la virée sur les routes secondaires peu fréquentées de la région de Gainesville donne l'impression de visiter la campagne de la Caroline du Sud ou du Tennessee. L'expérience devient rafraîchissante si vous avez l'habitude de rouler sur le bitume et dans le trafic de la 95, entre Miami et Fort Lauderdale.

Pour ajouter au dépaysement, rien ne vaut la randonnée dans les sentiers de la forêt subtropicale d'Ocala. Sauf peut-être le tableau envoûtant que forment les majestueuses bêtes qui galopent dans l'un des nombreux enclos de la municipalité voisine. Selon le ministère américain de l'Agriculture, Ocala, avec ses 1 200 haras, est ni plus ni moins la capitale mondiale du cheval !

Tout *roadtrip* au nord serait incomplet sans un arrêt dans un village de pêche du Big Bend, là où le continent se courbe vers la gauche, formant ainsi la baie d'Apalachee dans le golfe du Mexique. La pause dans une de ces localités récompensera vos papilles lorsque le pétoncle est de saison. En route vers les marais salants bordés de cyprès du parc national St Marks, une halte dans un kiosque fermier s'impose pour faire le plein d'arachides grillées, de miel parfumé à la fleur du tupélo (un arbre des marécages) et de confitures à base de baies de houx.

L'Université de la Floride a vu pousser d'étonnants arbres aux troncs bleus! C'était en 2012 dans le cadre d'une expo temporaire, mais on peut encore voir les traces de peinture.

LA BONNE SAISON

On y va en mai ou en septembre pour admirer la faune et la flore dans toute leur splendeur – les lamantins et les cyprès couverts de mousse en particulier –, ou pour pêcher le pétoncle et savourer les huîtres.

LES *MUSTS*

La découverte des sources d'eau (*springs*) de la **forêt d'Ocala**.

Visiter la **ferme Gypsy Gold** et ses chevaux de race Gypsy Vanner, à Ocala.

La migration hivernale de plus de 300 espèces d'oiseaux sur les berges du **parc St Marks**, où l'alligator est un résident permanent.

Parcourir à vélo ou à pied la réserve naturelle **Payne's Prairie** pour voir de près des chevaux sauvages et des sangliers.

La pêche au pétoncle et le mémorable coucher de soleil à **Steinhatchee**.

Accompagner un match des Gators d'un verre de Gatorade, la boisson créée pour l'équipe de football universitaire de **Gainesville**.

Une pause fraîcheur parmi les bosquets d'herbes aromatiques et de gingembre du **Jardin botanique Kanapaha**.

Chiner les antiquités à **Micanopy**, le village de *Doc Hollywood,* mettant en vedette Michael J. Fox.

Le jus d'orange frais pressé de l'orangeraie **Orange Shop**, l'antre du fruit sacré du village de **Citra**.

Faire une trempette en famille dans les eaux translucides et peu profondes du bassin de la rivière **Santa Fe** à **Poe Springs Park**.

ESCAPADE À GAINESVILLE

Si les parties de football des Gators incitent à s'arrêter dans la capitale universitaire du nord de la Floride, les espaces verts, les sources d'eau pure (*springs*) et les villages isolés sont de parfaites raisons pour s'y attarder quelques jours.

Avec un terrain peu accidenté, des routes secondaires où voitures et vélos se partagent la voie sans danger et un réseau cyclable qui traverse la ville et la relie aux localités voisines, Gainesville est le paradis du vélo de la Floride.

La virée en auto de village en village sur les routes de campagne qui sillonnent la région est aussi très sympa. On en revient le coffre rempli de trésors chinés ici et là et la caméra pleine d'images de sources translucides et de pâturages verdoyants. Installez-vous au volant de votre bolide ou ajustez votre guidon et faites-le plein de nature !

VENDREDI 16 H / DÉPOSEZ VOS VALISES

Ne vous attendez pas à trouver un luxueux palace ni un hôtel-spa dans le parc hôtelier de Gainesville. Celui-ci dessert une clientèle issue de la classe moyenne qui séjourne en ville pour visiter ses enfants qui étudient à l'une des deux universités locales ou pour assister aux matchs de football des Gators, l'équipe de l'Université de Floride.

Dans le quartier Hailee Plantation à Gainesville, on marie maisons neuves et constructions patrimoniales.

On peut néanmoins dénicher de coquets établissements au cœur de la ville, comme le **Magnolia Plantation Inn** (309 SE 7th St., Gainesville, FL 32601 ; magnoliabnb.com). Ceinturé d'un balcon, le *bed & breakfast* à l'architecture napoléonienne comprend cinq chambres décorées de meubles et d'accessoires de l'époque victorienne. L'immense domaine de la taille de deux terrains de football abrite également sept cottages qu'on peut louer lors d'une escapade familiale. **Prix : $$ – $$$**

Le **Sweetwater Branch Inn** (625 E University Ave., Gainesville, FL 32601 ; sweetwaterinn.com) est un complexe hôtelier à proximité du Quartier latin qui offre 20 chambres réparties dans deux manoirs victoriens. Les jardins tropicaux, les colonnades en marbre et les fontaines en grès apportent une touche européenne à l'endroit. **Prix : $$ – $$$**

17 H / ITALIEN DU SUD

Une pointe de pizza ou un bifteck de bison ? Et pourquoi pas les deux ? Voilà ce que propose le **Bistro 1245** (1245 W University Ave., Gainesville, FL 32601 ; leonardosgainesville.com). Cette petite table partage son toit avec la pizzeria **Leonardo's by the Slice**. Nous avons aimé le romantisme de cette micro salle et ses classiques du sud à l'italienne, comme les crevettes épicées servies sur un lit de linguines crémeux et le saumon grillé à la sauce aux pommes. Avis aux œnophiles : on y choisit son vin à même les présentoirs, comme à la SAQ !

Sur Main Street, dans un pavillon de chasse sorti tout droit des années 1950, on goûte à une cuisine végétalienne pleine de saveur. Le duo sucré-salé à essayer : le tofu à la noix de coco accompagné de riz et de kimchi. Remplacez la mayo par de la sauce césar pour y tremper vos frites de patates douces. **The Top** (15 N Main St., Gainesville, FL 32601) prépare aussi des plats pour les carnivores.

19 H / FOOTBALL DANS LA *SWAMP* !

Ce n'est pas pour rien qu'on vous envoie au resto avec les mange-tôt : vous avez rendez-vous avec les Gators au **Ben Hill Griffin Stadium** (157 Gale Lemerand Dr., Gainesville, FL 32601 ; floridagators.com) à l'Université de la Floride.

En saison, l'équipe de football enligne les touchés dès 19 h dans cet imposant stade de 90 000 places qu'on surnomme « The Swamp ». L'été, à défaut d'un match, immortalisez votre visite avec un égoportrait en compagnie de l'ex-Gator Tim Tebow. Désolée mesdames, il s'agit d'une

À High Springs, la rivière Santa Fe s'ouvre sur le bassin naturel Ginnie Springs.

statue et non du quart-arrière en chair et en os!

Football ou pas, accompagnez votre balade sur le campus d'un verre de Gatorade, la boisson formulée spécialement pour l'équipe de Gainesville dans les années 1960.

21H / HISTOIRE AUDIOGUIDÉE

La ville a mis en place un circuit auto-guidé pour cellulaires, le **Gainesville Cell Phone Tours** (gainesvillecelltours. com). Téléchargez la carte interactive des sites à découvrir, puis repérez le logo de cellulaire sur l'affiche de l'édifice patrimonial visité. Composez le numéro indiqué et écoutez l'histoire du lieu.

22H / PLEIN LES OREILLES

Le choix de bars ne manque pas dans cette ville universitaire. Pour fuir la foule estudiantine, faites un saut chez **Lillian's Music Store** (112 SE 1st St., Gainesville, FL 32601). La plus ancienne boîte de nuit de Gainesville propose plusieurs concerts par semaine et une jam-session le lundi soir.

SAMEDI 7H30 / DU CINÉ DANS L'ASSIETTE

Direction **Maude's Classic Cafe** (101 SE 2nd Place, Gainesville, FL 32601) pour un réveil-matin qui diffère du café générique servi chez Starbucks. À cette adresse branchée, aux abords du marché public du district historique de Gainesville, les baristas préparent un espresso serré aussi bien que le populaire café frappé à la vanille. À boire dehors, sur la large terrasse aménagée sur l'avenue piétonne, ou à l'intérieur, tout en chargeant ses appareils intelligents sur la multiprise installée à même la table. Sympas, les plats sont nommés d'après les titres de grands films: *Trois hommes et un bagel* ou *Thelma et sa quiche*, ça vous dit?

Pour un déjeuner plus costaud, arrêtez-vous en chemin vers le gouffre du diable au **43rd St Deli & Breakfast House** (4401 NW 25th Place, Gainesville, FL 32606; 43rdstreetdeli.com). On y sert d'étonnantes crêpes aux patates douces qu'on recouvre de mûres pour contraster avec le goût de noisette du tubercule. Essayez aussi l'assiette d'œufs pochés avec biscuits et saucisses, où la traditionnelle sauce hollandaise a été remplacée par une béchamel additionnée de chair à saucisse.

9 H / LE TROU DU DIABLE

Dans un parc national à proximité du centre-ville, un effondrement de terrain a laissé un *sinkhole*, un gouffre circulaire de 150 m de circonférence et d'une profondeur de 36 m. Au pied d'un escalier de 236 marches, on accède finalement au **Devil's Millhopper Sinkhole** (4732, Millhopper Rd., Gainesville, FL 32653 ; floridastateparks.org/park/Devils-Millhopper). La visite guidée avec un ranger s'arrête devant plusieurs fougères géantes, cascades et chutes, avant de descendre vers les eaux turquoise pour admirer les fossiles marins datant de la préhistoire.

11 H / PAPILLONS EN LIBERTÉ

On ne donne pas que des cours à l'Université de la Floride. On y expose des œuvres d'art et des artéfacts. Le **Florida Museum of Natural History** (University of Florida Cultural Plaza, 3215 Hull Rd., Gainesville, FL 32611-2710 ; flmnh. ufl.edu) compte 40 millions d'objets et de spécimens dans ses collections. La réplique d'un squelette de mammouth de l'ère glaciaire épatera les petits archéologues. Les futurs entomologistes apprécieront la magie des couleurs dans l'énorme serre Butterfly Rainforest, où tournoient 80 espèces de papillons. Si la météo est clémente, l'après-midi, on y relâche de nouveaux pensionnaires.

12 H 30 / LUNCH CHANTANT

En période scolaire, restez sur le campus pour vivre une expérience inouïe : le repas chantant et végétarien servi par les **Hare Krishna** (à la Plaza of the Americas, Gainesville, FL 32611 ; krishnalunch.com). Autrement, attrapez un burger et des frites au **True Blue Cafe** (90 N Main St., High Springs, FL 32643), ainsi qu'un dessert au **Secret Garden Bakery** (225 N Main St., High Springs, FL 32643 ; highspringsbakery.com), sur la rue principale de High Springs.

14 H / SOURCES LIMPIDES

Le village de High Springs est bercé par la rivière Sante Fe et ses deux bassins naturels propices à la baignade, **Ginnie Springs** (5000 NE 60th Ave., High Springs, FL 32643 ; ginniespringsoutdoors.com) et **Poe Springs** (28 800 NW 182nd Ave., High Springs, FL 32643 ; alachuacounty.us). La première source d'eau limpide camoufle plusieurs cavernes, ce qui en fait un site idéal pour la plongée. La seconde a conservé son aspect sauvage, et ses eaux peu profondes se prêtent particulièrement à la baignade avec les tout-petits.

15 H / UNE FERME POUR RETRAITÉS

À deux pas de High Springs, arrêtez-vous à la ferme **Milk Creek** (20 307 NW County Rd., 235 A, Alachua, FL 32615 ; millcreekfarm.org). Cette maison de retraite singulière accueille une vingtaine de chevaux aînés qui ont connu une carrière bien remplie au sein des forces de l'ordre ou auprès des parcs nationaux, ainsi que des bêtes qui ont été maltraitées, puis

TRANCHE D'HISTOIRE

Ancien poste de traite entre les Espagnols et les peuples autochtones, Gainesville était la capitale de l'orange au XIXᵉ siècle avant que le gel ne force le déménagement de la production d'agrumes au sud de l'État. Plaque tournante du coton, la ville a connu une telle effervescence dans les années 1950 qu'on a rasé des bijoux patrimoniaux pour faire place à des rues bordées de bungalows. Très peu de manoirs et de plantations à l'architecture gothique ont survécu aux pics des démolisseurs. N'empêche, la chaussée en pavés, le centre communautaire Hippodrome Theatre et les édifices en brique rouge sur 1ˢᵗ Street témoignent encore du riche héritage culturel de la région.

secourues par la SPCA. La pension ouvre ses portes le samedi entre 11 h et 15 h. Malgré leur âge ou leur timidité, les chevaux ont gardé toute leur élégance. Apportez deux carottes, c'est votre coût d'entrée !

16 H / JARDINS AROMATIQUES

Rien de tel qu'une promenade dans les jardins de fines herbes et de gingembre pour se mettre en appétit ! Le **Jardin botanique Kanapaha** (4700 SW 58ᵗʰ Dr., FL 32608 ; kanapaha.org) comprend des jardinets de sculptures et de labyrinthes conçus pour les enfants, ainsi que plusieurs zones ombragées où se rafraîchir lorsque le soleil plombe et que l'humidité est suffocante.

17 H 30 / UN VERRE PARMI LES LATINS

Attablez-vous sur la terrasse pour siroter une bière bon marché au bar universitaire **The Swamp** (1642 W University Ave., Gainesville, FL 32603 ; swamprestaurant.com). Moins fréquenté par les membres des fraternités, le **1982 Bar** (919 W University Ave., Gainesville, FL 32601 ; 1982bar.com) plonge ses clients dans le temps, consoles Nintendo et Sega à l'appui !

19 H / LA MEILLEURE PIZZA

Le décor surchargé chez **Satchel's** (1800, NE 23ʳᵈ Ave., Gainesville, FL 32603 ; satchelspizza.com) mélange vaisselle dépareillée et sculptures réalisées avec des matériaux récupérés à une ambiance bohème sans pareille. La pizza vaut franchement la longue file d'attente, surtout si vous la dégustez attablé dans la camionnette rétro Volkswagen. Apportez de l'argent comptant ; le resto n'accepte pas le plastique et verse les pourboires à des organismes de charité.

À l'opposé, on dîne dans une ambiance feutrée au **Paramount Grill** (12, SW 1ˢᵗ Ave., Gainesville, FL 32601 ; paramountgrill.com). Composé de salades fraîches, de mahi-mahi saisi et de porc BBQ à l'indienne, le menu prouve qu'on sert autre chose que des ailes de poulet et des pichets de bière dans la cité universitaire.

Une murale en bordure de la piste cyclable de l'Université de Floride.

21H / SORTIE CINÉ

Offrez-vous une soirée au cinéma indépendant du centre culturel **Hippodrome** (25 SE 2nd Place, Gainesville, FL 32601 ; thehipp.org). L'édifice patrimonial comprend également un théâtre où se produisent plusieurs troupes qui ont connu le succès à Broadway. Une occasion de voir de grandes productions à une fraction du prix des billets sur Times Square !

DIMANCHE 8 H / DÉJEUNER DE CHAMPIONS

Bagels and Noodles (1222 W University Ave., Gainesville, FL 32601) est sans doute le resto le plus méconnu de Gainesville. Pourtant, on gagne à fréquenter cette adresse à l'heure du déjeuner : on y sert des bagels tout juste sortis des fourneaux avec de savoureuses omelettes. Le midi, la soupe tonkinoise est à l'honneur.

Pour ces matins où seuls les gaufres et le pain doré de grand-maman vous insuffleraient le pep nécessaire à votre journée, passez la porte du **Peach Valley Cafe** (3275 SW 34th St., Gainesville, FL 32608 ; peachvalleyrestaurants.com). Légèrement acidulé, le sirop de bleuet qui nappe les crêpes au babeurre fait changement de notre traditionnel sirop d'érable.

9 H / ÇA ROULE !

Pour découvrir tranquillement les villages au sud de Gainesville, on vous recommande de partir sur deux roues, avec un pique-nique. Au départ de l'Université de Floride, où l'on peut louer un vélo, vous compléterez une boucle d'environ 45 km entre les localités d'Hawthorne et de Micanopy et la réserve naturelle Paynes Prairie avant de revenir en ville. Pour de l'information sur le réseau cyclable, rendez-vous sur visitgainesville.com/get-outdoors/biking. La station du service de partage de vélos Zagster se situe dans le quartier de l'innovation, coin SW 6th Street et SW 2nd Avenue. Comme pour le Bixi montréalais, on y loue des bicyclettes à l'heure avec sa carte de crédit.

12 H / ESCALE DU CHINEUR

Prenez une pause-repas bien méritée à Micanopy, le village du film *Doc Hollywood*, mettant en vedette un jeune Michael J. Fox. Croisement entre un magasin général et un *diner*, **The Old Florida Cafe** (203 NE Cholokka Blvd., Micanopy, FL 32667) prépare un sandwich cubain à prix mini qui n'a rien à envier à celui que l'on retrouve dans de nombreux endroits de Little Havana, à Miami. À croquer sur la terrasse entourée de vieux chênes couverts de rideaux de mousse espagnole.

Le temps semble s'être arrêté à Micanopy. À preuve, la quantité d'édifices patrimoniaux des XVIIIe et XIXe siècles, alignés sur Cholokka Boulevard. En un coup d'œil, vous pourrez apprécier l'architecture des cottages de style Queen Anne, des manoirs aux allures de temples grecs et des maisons de ferme en lattes de bois surnommées *Cracker Homes*, en raison du « crac » émis par les fouets des cowboys rassemblant leurs troupeaux. Chaque bâtiment

TRANCHE D'HISTOIRE

Vous l'aurez deviné : le Gatorade a été créé sur mesure pour les Gators. Sous l'impulsion d'un coach qui cherchait à combattre les coups de chaleur affectant durement ses joueurs, les chercheurs de l'Université de Floride ont formulé le cocktail idéal à base d'agrumes pour compenser la perte en eau, en glucides et en sels minéraux des footballeurs.

héberge un antiquaire, de quoi chiner des heures durant. On a été séduit par les camées et les jouets anciens chez **Delectable Collectables & Lost Ark Antiques** (112 et 103 NE Cholokka Blvd., Micanopy, FL 32667). Si vous rénovez un condo dans la région de Tampa ou d'Orlando, **The Garage at Micanopy** (212 NE Cholokka Blvd., Micanopy, FL 32667 ; thegarageatmicanopy.com) a une sélection d'équipements de laboratoires qui composeraient un chic décor industriel.

14 H / ANCIEN RANCH

Au retour en ville, faites un détour par Citra. Parions que vous n'avez rien goûté d'aussi frais que ce jus d'oranges pressées avec des fruits qui poussent dans la cour arrière du **Orange Shop** (18545, US Hwy. 301, Citra, FL 32113 ; floridaorangeshop.com). Dans cette boutique kitsch dédiée au fruit sacré de la Floride, on fait le plein de pots de miel à la fleur d'oranger, de morceaux d'agrumes confits et de pailles à piquer directement dans l'orange.

Terminez votre périple des environs de Gainesville en vous frottant au monde sauvage de **Paynes Prairie Preserve State Park** (100 Savannah Blvd., Micanopy, FL 32667 ; florida-stateparks.org/park/Paynes-Prairie). Dans cet immense parc d'État au sud de Gainesville, on élevait jadis le bison. On y croise aujourd'hui des sangliers, des aigrettes, quelques chevaux sauvages et de nombreux alligators. Avis aux aventuriers : une piste cyclable et huit sentiers de randonnée traversent la réserve naturelle.

SAVIEZ-VOUS QUE ?

Gator Nation

Les 50 000 étudiants de l'Université de Floride comptent pour près de la moitié de la population de la ville. Sans cette «Gator Nation» qui anime les bistros et les bars après les parties de football, Gainesville ne serait qu'une ennuyante ville-dortoir !

Vedettes gainesvilloises

Le chanteur Tom Petty a grandi à Gainesville, tandis que la famille de l'acteur Joaquin Phoenix est établie en périphérie de Micanopy. Ancien membre de l'équipe de natation des Gators de l'Université de la Floride, le médaillé d'or olympique Ryan Lochte habitait la région jusqu'à ce que l'entraînement en prévision des Jeux de Rio l'oblige à déménager en Caroline du Nord.

Les antiquaires de Micanopy

ESCAPADE À OCALA

Trop de clichés circulent malheureusement encore sur la Floride. Derrière ses autoroutes, ses centres d'achats, ses nombreux parcs à thèmes et son côté blingbling se cachent d'innombrables trésors, dont Ocala, la capitale mondiale du cheval. Avec ses magnifiques fermes équestres, entourées de forêts, de lacs, de rivières et de sources d'où jaillit une eau cristalline, cette région est un terrain de jeu pour les amateurs de plein air. Ocala, c'est l'autre Floride. La Floride cool et authentique. Celle aux antipodes de la Floride d'Hollywood Beach caricaturée dans le film *La Florida* et qui a peut-être rebuté à tort bon nombre de Québécois.

VENDREDI 18 H / DÉPOSEZ VOS VALISES

Bienvenue à Ocala, capitale mondiale du cheval ! Ici, toutes les grandes chaînes hôtelières américaines sont représentées.

À 30 min du centre d'Ocala, le joli *bed & breakfast* **Shamrock Thistle & Crown** (12 971 SE 130th Ave., Weirsdale, FL 32195 ; shamrockbb. com) se trouve dans une grande maison de trois étages, construite autour de 1887 et considérée, à une certaine époque, comme étant le plus haut édifice de la région. Chaque chambre offre une salle de bain privée et le prix comprend télé, WiFi, cafetière, grignotines. Certaines chambres sont

Les *springs* font la fierté des Floridiens. Rainbow Springs State Park est un endroit fabuleux pour les amateurs de pagaie, et de plongée en apnée.

dotées d'un foyer ou d'un spa. Un bon déjeuner, copieux et traditionnel, comprenant des plats chauds et froids, est servi dans l'accueillante salle à manger au charme d'antan. **Prix : $$-$$$**

Passionné de chevaux ? Le *bed & breakfast* de **Hope Hall Farm** (13 010 NW 90th Ave., Reddick, FL 32686 ; hopehallfarm.com/about.html), à 20 min d'Ocala, est susceptible de vous plaire. En plus des magnifiques écuries, vous aurez accès à la piscine, au jacuzzi et même à des courts de tennis dans un décor bucolique. **Prix : $-$$**

Pour une expérience unique, séjournez à la **Dutch Dream Farm** (Golden Corridor of NW Ocala, Ocala, FL 34482 ; dutchdreamfarm. com). Rianne Ruizendaal élève, entre autres, des étalons miniatures, dont

Lil' Rebel, qui ne mesure que 66 cm. Pensez à réserver longtemps d'avance, car il n'y a qu'une seule chambre en location. **Prix : $-$$**

20 H / POUR TOUS LES GOÛTS

Ocala n'est pas la cité de la gastronomie, mais vous trouverez tout de même de quoi vous régaler. Pour manger et prendre un verre dans une ambiance festive, et côtoyer le monde équestre, rendez-vous au **Horse & Hounds Restaurant** (6998 US-27, Ocala, FL 34482 ; horseandhoundsrestaurant.com). Réputé pour sa côte de veau, ses *fish & chips* et sa *Shepherd's pie*, ce petit restaurant familial vaut le détour.

Envie de cuisine indienne à prix abordable ? Ne manquez pas le **Amrit Palace Indian Restaurant** (3415 SW College Rd., Ocala, FL 34474). Vos papilles gustatives seront comblées. Au **Cuvee Wine & Bistro** (2237 SW 19th Ave. Rd., Ocala, FL 34471 ; m.mainstreethub.com\cuveewinebistro. com), le resto chic d'Ocala, on offre un choix impressionnant de vins au verre et un menu impeccable, dans une ambiance urbaine mais chaleureuse.

SAMEDI 8 H 30 / TOUR ÉQUESTRE

Pour visiter quelques-unes des 800 fermes chevalines éparpillées un peu partout autour d'Ocala, rencontrez la sympathique Karen Grimes, propriétaire de **Farm tours of Ocala** (sur réservation seulement ; farmtoursofocala. com / point de rencontre au siège social de la **Thoroughbred owners & breeders Association** (801 SW 60th Ave., Ocala, FL 34474 ; ftboa.com). Ancienne cavalière de compétition, elle vous mènera, à bord de sa fourgonnette,

Escapade à Ocala

vers trois magnifiques fermes, dont celle de Frank Hennessey, producteur de l'album *Thriller* de Michael Jackson, chef de file dans l'élevage de chevaux pur-sang arabes aux États-Unis. Tout en admirant la beauté des lieux, chemin faisant, vous en apprendrez davantage sur l'industrie de l'élevage et de l'entraînement qui fait la fierté d'Ocala.

Connaissez-vous les chevaux de race Gypsy Vanner, ces magnifiques bêtes à la longue crinière et à la couleur généralement blanche et noire, dont la taille se situe entre celle du cheval et du poney? Pour en savoir plus, visitez la ferme **Gypsy Gold** (12501 SW 8th Ave., Ocala, FL 34473; gypsygold.com), l'activité la plus populaire à Ocala. Dennis Thompson, son propriétaire, a été le premier importateur de cette race en Amérique du Nord. Vous pourrez admirer et même approcher ces bêtes douces, amicales et intelligentes.

Pour une promenade en calèche, aux abords des plus belles fermes de la région, dirigez-vous vers le **Horse Country Carriage Tours** (5400 NW 110th Ave., Ocala, FL 34482). N'oubliez pas votre appareil photo!

12 H / PAUSE DÎNER

Envie de croiser des jockeys et, pourquoi pas d'échanger avec des cavaliers? Rendez-vous au **Artisinal Dish/The Blue Wagyu** (6998 US-27, Ocala, FL 34482), le restaurant en vogue d'Ocala. C'est un endroit parfait pour casser la croûte avec un hamburger ou une pizza préparés avec des aliments biologiques. Un menu sans gluten est également offert.

Pour goûter à des mets typiquement sudistes, dont des viandes cuites de longues heures dans un fumoir, tournez-vous vers **Fat Boy's Bar-B-Q** (4132 E Silver Springs Blvd., Ocala, FL 34470). Essayez le porc effiloché ou les côtes levées. Vous en redemanderez!

13 H 30 / ALLER À LA SOURCE

La forêt nationale d'Ocala, un des trésors naturels de la Floride, avec ses sources, ses lacs et sa forêt subtropicale, est accessible à pied depuis la ville et offre à elle seule plus de 160 km de sentiers. Le parc de Silver Springs, à environ 10 km, propose des excursions en bateau au fond de verre pour mieux observer l'univers marin des sources naturelles, dont celle de la Mammoth Springs, d'où jaillissent 430 millions de gallons d'eau par jour.

Notre coup de cœur est sans contredit la découverte de trois sources d'eau entourées de végétation luxuriante. Enfilez palmes, masque et tuba pour plonger dans une eau limpide et y croiser des milliers de poissons, et peut-être même des tortues!

Explorez d'abord le **Juniper Springs Recreation Area** (26701 FL-40, Silver Springs, FL 34488; juniper-springs.com), à environ 20 km d'Ocala. De petits sentiers où se dressent des chênes matures aux longues traînées de mousse espagnole vous guideront jusqu'aux bouches de la source d'où émerge une eau turquoise. Le port de la combinaison de plongée est conseillé. Toute l'année, la température est de 22 °C. Il est également possible de louer des kayaks ou des canots pour une descente de 11 km dans cette oasis de paix.

On calcule environ 800 fermes équestres à Ocala, dont certaines appartiennent aux familles les plus riches des États-Unis.

À 17 km de Juniper Springs se trouve un autre joyau : le **Silver Glen Springs Recreation Area** (5271 FL-19, Salt Springs, FL 32134). Vous aurez l'impression d'être à mille lieues des centres d'achats, quelque part sur une île déserte du Pacifique. Autre arrêt obligatoire pour une mémorable plongée en apnée dans une eau émeraude : le **Alexandrer Springs Recreation Area** (49 525 County Rd. 445, Altoona, FL 32702). On y loue aussi des canots.

20 H / SORTIR EN VILLE

Pour goûter à de l'excellente cuisine cajun dans une atmosphère rappelant celle de la Nouvelle-Orléans, rendez-vous dans le quartier historique, au **Harry's Seafood, Bar & Grille** (24 SE 1st Ave., Ocala, FL 34471 ; hookedonharrys.com). Pour les amateurs de bières à pression, et pour la meilleure pizza au monde, visitez le **Pi on Broadway** (110 SW Broadway St., Ocala, FL 34471 ; pionbroadway.com). Envie de faire la fête dans une ambiance éclectique au son de musique *live* ? Tournez-vous vers le **Ocala Wine Experience** (36, SW 1st Ave., Ocala, FL 34471 ; calawineexperience.com), un incontournable. Enfin, un autre bar à vins à découvrir : **The Corkscrew Winery** (16 SW Broadway St., Ocala, FL 34471).

DIMANCHE 10 H / SOIF D'AVENTURE

Si vous n'avez pas le vertige, vous pourriez découvrir la région en tyrolienne. Rendez-vous au **Canyon Zipline & Canopy Tours** (8045, NW Gainesville Rd. (CR 25A), Ocala, FL 34475 ; zipthecanyons.com). À 210 pi

au-dessus du sol, vous aurez une vue imprenable sur les lacs et les nombreux canyons. Adrénaline garantie ! Les moins audacieux pourront toujours explorer l'endroit à cheval puisque de magnifiques randonnées à travers les canyons sont également offertes.

14 H / PLONGÉE DANS LA PURETÉ

Avant de partir, faites un détour du côté du célèbre **Rainbow Springs State Park** (19 158, SW 81st Place Rd., Dunnellon, FL 34432 ; florida-stateparks.org/park/Rainbow-Springs). Cette source artésienne est la deuxième en importance de Floride. Elle fournit environ 760 millions de gallons d'eau pure chaque jour. Les adeptes de la plongée en apnée, les plongeurs à bouteille et les amateurs de pagaie s'en donneront à cœur joie dans une eau claire bordée de jardins magnifiques. On peut même descendre la rivière en bouée nautique !

SAVIEZ-VOUS QUE ?

Ville de chevaux

Aux yeux des Américains, Ocala est la capitale mondiale du cheval. En plus de sa forte concentration de chevaux et de poneys, c'est dans cette région que l'élevage du pursang est le plus développé.

Tous les ans, en février, Ocala accueille le *Hits Ocala Winter Circuit,* qui attire des cavaliers du monde entier.

Plusieurs riches familles américaines sont propriétaires de fermes équestres à Ocala dont, parmi les plus célèbres, les Weber, des soupes Campbell, les Firestone, des pneus Firestone, et les Wrigley, de la gomme Wrigley.

Le *Horse & Hounds* est un restaurant très populaire à Ocala.

RÉGION
NORD-EST

JACKSONVILLE
ST AUGUSTINE

Jacksonville

St Augustine

ALERT II
BALTIMORE, MD

R TAXI

GO

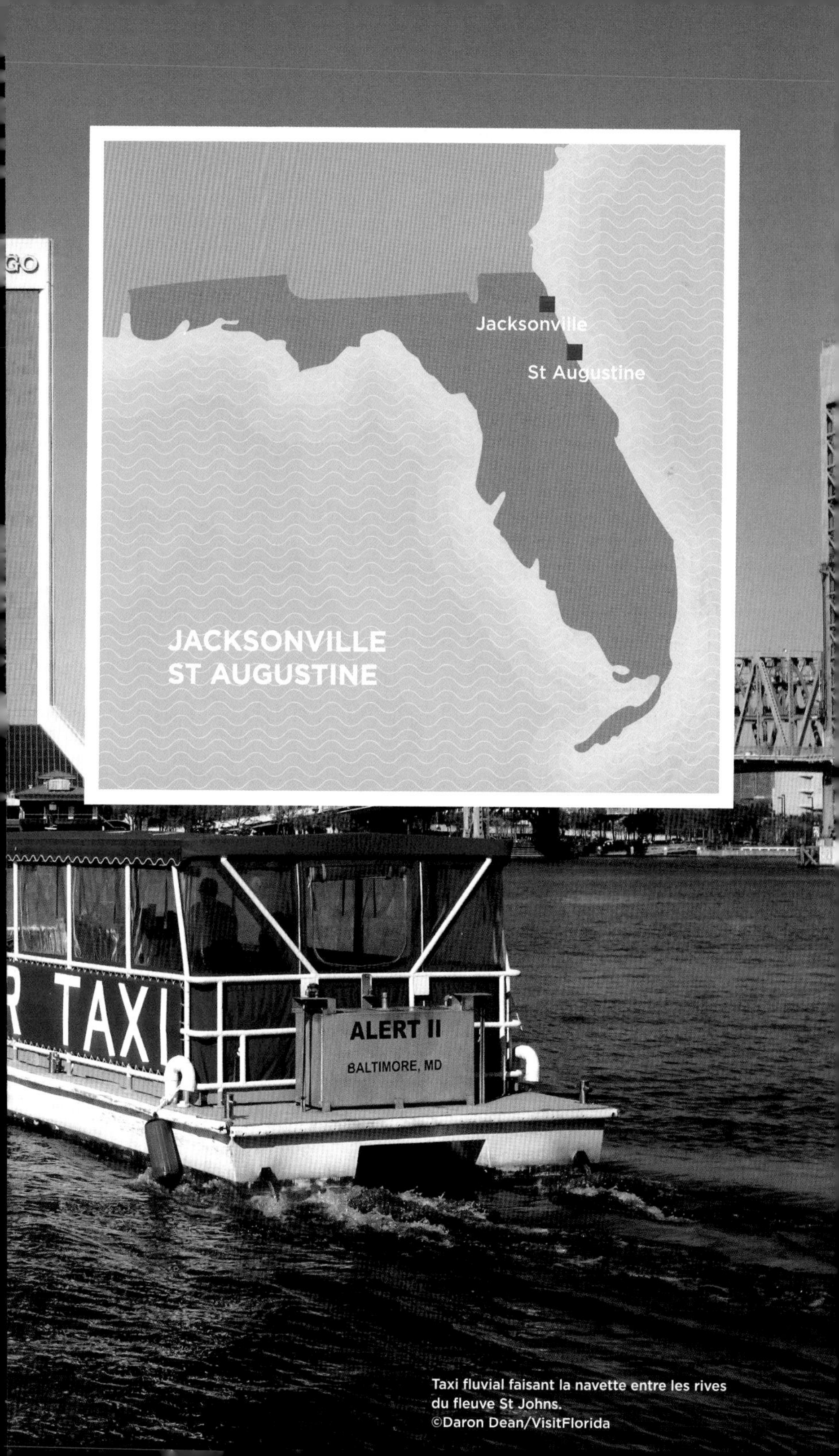

Taxi fluvial faisant la navette entre les rives
du fleuve St Johns.
©Daron Dean/VisitFlorida

LA CÔTE ATLANTIQUE : SÉJOUR CHEZ LES CONQUISTADORS

Vous préférez les musées, les rivières et les villes fortifiées aux parcs thématiques et autres royaumes enchantés ? Le Nord-Est de la Floride conquerra l'amateur de secrets d'histoire en vous, le temps d'un week-end.

Occupée à tour de rôle par le peuple timucua, les conquistadors espagnols et les pirates des Caraïbes, St Augustine cumule 450 ans de légendes. Ses rues pavées, étroites, sinueuses et bordées d'édifices patrimoniaux forment un musée à ciel ouvert.

Plus au nord, à Amelia Island, c'est la guerre de Sécession qui attend l'explorateur moderne. Plantations et forts militaires ne tarderont pas à se disputer votre attention à coups de tirs au canon et de visites commentées par des guides en costumes d'époque.

Si le riche passé culturel attire le voyageur friand de folklore, les verts et la mer ne sont jamais bien loin. Mieux, le Nord-Est floridien héberge certains des plus célèbres parcours de golf du circuit de la PGA et contient les plus vastes plages de l'État. Le sable, quand il n'est pas paré d'une impressionnante variété de coquillages, est suffisamment solide pour faire office de piste cyclable ! Le vélo est aussi un excellent moyen de transport pour découvrir le centre de Jacksonville, la métropole de la région qui, avec son fleuve et sa scène artistique enviable, fait un peu penser à Montréal.

Aperçu de l'Université Flagler depuis les arcades de l'hôtel Alcazar.

LA BONNE SAISON

En pleine effervescence l'été, la région vaut le détour l'hiver ou au mois de mai, alors que le climat favorable permet de découvrir des sites ancestraux, de se la couler douce dans une source fraîche ou de se balader sur les rives du fleuve St Johns, sans affronter la horde de touristes ni les fêtards du *spring break*.

LES *MUSTS*

La marche sur la plage de **Fort Clinch** à **Amelia Island** (non loin de Fernandina Beach), à la recherche de conques ou de dents de requin.

Goûter l'histoire de **St Augustine** lors d'un circuit des sympathiques et savoureuses tables de la cité fortifiée.

Imaginer le quotidien au temps des O'Hara d'*Autant en emporte le vent*, en visitant la plantation Kingsley au nord de **Jacksonville**.

Du surf sur les vagues les plus musclées de l'État, à **Mayport**.

La citadelle de **San Marcos** et ses gardes vêtus d'uniformes de l'époque coloniale espagnole.

Améliorer votre handicap sur les verts des légendaires **King & Bear** ou **TPC Sawgrass**, entre Jacksonville et St Augustine.

Siroter un verre au **Parlour**, un bar clandestin de l'époque de la prohibition du **quartier historique de Jax**.

La chasse au trésor avec les enfants au **Pirate Museum** de St Augustine. Tous les 19 septembre, vous pouvez y conspirer comme des corsaires à l'occasion de la Journée internationale du parler pirate !

Lézarder sur le sable blanc de **Crescent Beach** ou dans les eaux minérales du **River Suwannee**.

Partager des images d'intrigants arbres morts de la plage de **Big Talbot Island** avec vos abonnés Pinterest ou Instagram.

ESCAPADE À JACKSONVILLE

Avec 35 km de plages et 70 terrains de golf, « Jax » comble l'amateur de bains de soleil comme l'aspirant champion de la PGA. La ville gâte aussi le touriste urbain avec ses musées et bistros qui animent le centre après les heures de bureau.

Surnommée River City, Jacksonville se déploie le long du fleuve St Johns. Huit ponts séparent le centre-ville du secteur historique de San Marco et du quartier branché de Five Points. À la tombée du jour, les ponts illuminés font miroiter les eaux salées de l'estuaire. Cette féérie ne fait qu'ajouter à l'attrait de la métropole qui, malgré son agitation, n'a rien de prétentieux. Parions qu'un arrêt vous suffira pour succomber, comme nous, aux charmes de cette belle du Sud.

VENDREDI 18 H / DÉPOSEZ VOS VALISES

Les hôtels de Jacksonville sont pris d'assaut par la clientèle d'affaires en semaine. En prévoyant votre séjour le week-end, vous profiterez de tarifs attrayants. Choisir un établissement situé dans les quartiers Riverside, San Marco ou Jax Landing vous permettra d'explorer l'ensemble des attraits culturels, en laissant la voiture à l'hôtel. À deux pas du musée de l'histoire et des sciences et face à la maison symphonique, l'**Omni** (245 Water St.,

La plantation Kingsley, vue sur la maison principale et sa cuisine
© Florida State Parks

Jacksonville, FL 32202 ; omnihotels. com/hotels/jacksonville) est situé au cœur de l'action. Le panorama depuis la piscine chauffée sur le toit vaut à lui seul le détour. **Prix : $$$**

À mi-chemin entre le centre-ville et les plages, l'**Indigo Hotel** (9840 Tapestry Park, Jacksonville, FL 32246 ; hoteldeerwoodpark.com) propose une ambiance d'hôtel-boutique, sans la facture salée qui vient généralement avec ce type d'établissement. Les animaux sont les bienvenus. **Prix : $$**

Les plages de Jax se situant à 30 min à l'est du centre-ville, dormir à proximité de la mer devient un incontournable lors d'une escapade familiale. Avec ses quatre chutes et sa grotte, la piscine en forme de lagon du **Hampton Inn Jacksonville Beach** (1515 N 1ʰ St., Jacksonville Beach, FL 32250 ; hamptoninn3.hilton.com) a de quoi occuper les petits pendant que les parents sirotent leur apéro au bar sur front de mer. De fins détails agrémentent le séjour, comme la plage privée, la buanderie en libre-service et le déjeuner, offert dans un sac pour manger sur le pouce.

19 H / SAVEURS DU SUD

Les tables de Jax regorgent de saveurs du Sud, nul doute en raison de leur proximité avec la Géorgie, dont la frontière se situe à 50 km. Imitez les locaux en vous attablant chez **Black Sheep** dans le secteur Five Points (1534 Oak St., Jacksonville, FL 32204 ; blacksheep5points.com). Ne vous laissez pas dérouter par l'allure ultramoderne de la bâtisse. Ce resto revisite le *comfort food* du Sud sans pour autant le dénaturer. Un exemple : la côte de bœuf braisée accompagnée de kimchi au lieu des traditionnels *grits* (une préparation de maïs concassé). À rincer avec un *Dusty Boot*, un aigre-doux au bourbon et au sel de mer.

Si la météo se montre clémente, commandez un repas à emporter à l'un des nombreux cafés de Margaret Street, puis prenez place au bord du fleuve au **parc Memorial** (1620 Riverside Ave., Jacksonville, FL 32204 ; memparkjax.org) et observez les similitudes entre cet espace vert et le parc du Mont-Royal. Les jardins à l'anglaise du **musée d'art Cummer** (829 Riverside Ave., Jacksonville, FL 32204 ; cummermuseum.org) se prêtent aussi à un pique-nique improvisé.

Vue sur Jacksonville
©Ryan Ketterman/Visit Florida

21 H / CITÉ MAGIQUE

Direction Jacksonville Landing pour emprunter le pont Main jusqu'à la **fontaine Friendship** sur la rive sud du St Johns (1015 Museum Circle, Jacksonville, FL 32207 ; downtownjacksonville.org). Immortalisez ce moment en vous arrêtant sur la promenade **Southbank** (1001 Museum Circle, Jacksonville, FL 32207 ; downtownjacksonville.org) et en prenant un égoportrait avec les gratte-ciel en arrière-plan. Puis, revenez par le pont Acosta. Cette boucle, qui vous fera digérer votre souper copieux, est appréciée des joggeurs jacksonvillois.

Étirez votre virée sur la rive sud en sirotant un *Dark Side* (une potion mélangeant rhum, vermouth et cardamome) dans un *speakeasy* du district historique. **The Parlour** (2000 ½ San Marco Blvd., Jacksonville, FL 32207 ; parlourjax.com ; réservations recommandées le week-end) compte une entrée bien en vue, contrairement aux autres bars clandestins de la prohibition. Si vous souhaitez épater votre tendre moitié, suivez la faune locale en entrant par la porte secrète de la buvette voisine, **Grape and Grain Exchange** (grapeandgrainexchange.com). Un indice : on y range des livres.

Au retour, ne manquez pas d'admirer le **métro aérien** qui passe au-dessus du fleuve. Mieux encore, montez à bord à la station San Marco pour revenir tranquillement et gratuitement à

l'ombre des gratte-ciel de la station Central (visitez l'onglet «Skyway» à jtafla.com).

SAMEDI 7 H 30 / ASSIETTE LÈVE-TÔT

Si vous séjournez près de la plage Neptune, **Ellen's Kitchen** (241 3ʳᵈ St., Neptune Beach, FL 32266) offre des déjeuners costauds à moins de 5 $ aux lève-tôt. On s'attendrait au classique œuf tourné-bacon dans ce resto ouvert par l'arrière-grand-mère du proprio en 1962, mais le menu propose des œufs pochés au crabe et une omelette aux épinards bien baveuse qui ont impressionné notre palais.

Après le déjeuner, allez acheter des beignes Red Velvet ou des beignets aux pommes en vue de la collation matinale, à quelques coins de rue, chez **Cinotti's Bakery** (1523 Penman Rd., Jacksonville Beach, FL 32250; cinottisbakery.com).

Au centre-ville, **The Fox Restaurant** (3580 St Johns Ave., Jacksonville, FL 32205) propose les classiques de la cuisine des grands-mères du Sud, comme les gaufres aux pacanes et des scones salés au babeurre accompagnés de *gravy* (une béchamel additionnée de chair à saucisse). Vous garderez sans doute en mémoire les plats réconfortants et le service hors pair, mais parions que c'est le décor hommage à la culture populaire américaine qui vous laissera un souvenir impérissable. Impossible en effet d'oublier un repas avalé devant des affiches géantes de Charlie Chaplin et des figurines qui ont marqué l'enfance de plusieurs, dont les Gremlins, E.T. et C-3PO, ainsi que Woody et Buzz de la franchise *Histoire de jouets*.

9 H / MATINÉE CHEZ LES O'HARA

Au nord-est de la ville, sur l'île Fort George, se cache une plantation digne de celle des O'Hara dans *Autant en emporte le vent*. L'accès à la **plantation Kingsley** est gratuit, mais la demeure et les baraques pour esclaves sont ouvertes au public le week-end seulement (11 676 Palmetto Ave., Jacksonville, FL 32226; nps.gov/timu).

Pour mieux comprendre le parcours unique de Kingsley – un propriétaire d'esclaves qui a libéré sa femme, achetée d'un négrier à La Havane –, on vous recommande la visite animée par un ranger. Réservez votre tour guidé par téléphone au 904 251-3537.

Sur place, repérez bien l'entrée au site elle se confond avec la végétation abondante. Vous emprunterez un chemin de terre qui vous donnera (presque) envie de troquer votre sous-compacte de location pour une carriole à quatre chevaux! Et gardez l'œil ouvert: le parc héberge plusieurs reptiles, dont des tortues gaufrées, une espèce terrestre, à la carapace bronze, qui ne nage pas.

12 H / BARBECUE DE *STAR*

Casser la croûte au resto d'un chef qui a popoté pour Oprah et Samuel L. Jackson, il y a de quoi se vanter! Mais ce sont les côtelettes d'alligator BBQ servies avec choux de Bruxelles grillés qui vous épateront le plus chez **Gilbert's Underground Kitchen**

TRANCHE D'HISTOIRE

La ville porte le patronyme du premier gouverneur de la Floride et 7e président de l'histoire américaine, Andrew Jackson. Auparavant, la métropole était mieux connue sous le nom de Fort Caroline, symbole de l'installation de la première colonie française aux États-Unis.

Hollywood de l'est

Au tournant du XXe siècle, la ville était la capitale du film muet. Plus de 30 longs métrages y ont été tournés, faisant de Jax la Hollywood d'avant Hollywood !

(510 S 8th St., Fernandina Beach, FL 32034 ; undergroundkitchen.co).

Plus au sud, en revenant vers le centre-ville de Jax, la **Maple Street Biscuit Company** (410 N 3rd St., Jacksonville Beach, FL 32250 ; maplestreetbiscuits.com) propose un menu dont les arômes de beurre et de poulet frit évoquent la cuisine des grands-mères américaines. Plusieurs jours après notre passage, nos papilles salivaient à la mémoire du moelleux biscuit au babeurre et du bacon fumé au bois de pacanier dégustés sur place.

13 H 30 / MARCHÉ SOUS LES PONTS

Tous les samedis, le pont Fuller Warren accueille producteurs et artisans locaux au **Riverside Arts Market** (715 Riverside Ave., Jacksonville, FL 32204 ; riverside-artsmarket.com). Sur des airs de musique *live*, les Jacksonvillois y font leurs emplettes de fruits et de légumes frais ou de pizza cuite au charbon de bois,

pendant que les petits admirent les prouesses de magiciens et d'amuseurs publics. Au kiosque Korn A Kopia, attrapez du maïs soufflé fait maison, une collation idéale pour la plage.

SAVIEZ-VOUS QUE ?

Sweet Home Alabama, la pièce à succès du groupe jacksonvillois Lynyrd Skynyrd, trône au palmarès des 500 chansons de tous les temps, d'après le magazine *Rolling Stone*.

En 1964, les Beatles ont forcé l'abandon de la ségrégation raciale de l'auditoire de l'ancien stade Gator Bowl, faute de quoi le Fab Four annulait sa prestation.

Port militaire

Avec la base navale de Mayport, située à l'embouchure du fleuve St Johns, Jax est un des deux ports les plus importants de la flotte militaire américaine, sur l'Atlantique.

Direction plage

Comptez 30 min pour atteindre les plages Jacksonville, Neptune et Ponte Vedra. Plus, avec le trafic du samedi. Armez-vous de patience... et de quelques collations ! Toutes les 15 min, une navette relie aussi le centre-ville aux plages de Jax (jtafla.com/schedules/trolley).

14 H / MORDRE DANS L'HISTOIRE

Si les restos de Fernandina Beach ont retenu votre attention pour le lunch, profitez-en pour flâner dans le **centre historique** (à proximité de 2nd St. de Centre St. ; ameliaisland.com et fbfl.us).

Fort Clinch
© Visit Florida

Aussi connue sous le nom d'Amelia Island, cette île compte environ 50 maisons victoriennes, qui hébergent désormais des pâtisseries, boulangeries, boutiques de jouets, et même une confiserie pour chien.

Au nord, Amelia compte 5 km de plages idéales pour se reposer. Étendez-vous sur le lit de sable blanc du **parc du Fort Clinch** et savourez le moment présent. Si vous avez plutôt envie de vous dégourdir les jambes, dirigez-vous au pied du fort pour assister à la reconstitution d'un épisode de la guerre de Sécession. Le premier week-end de chaque mois, dans un campement sudiste, on assiste à des parades de soldats en costumes d'époque et à des démonstrations de tir au canon. On peut aussi parcourir l'intérieur du fort et arpenter les remparts (2601, Atlantic Ave., Fernandina Beach, FL 32034; floridastateparks.org).

Plus au sud se trouve **Big Talbot Island**, une réserve naturelle réputée pour sa Boneyard Beach, une berge recouverte d'intrigantes branches de bois flotté qui font penser à des ossements (à 30 km de Jacksonville, sur la route A1A North; floridastateparks. org/park/Big-Talbot-Island). On a aimé découvrir cette île et sa petite sœur, Little Talbot, à bord d'un kayak, lors d'un tour guidé à travers les dédales du marais salant (kayakamelia.com).

17 H 00 / MARGARITA SUR LA PLAYA

En rentrant à Jacksonville par la route panoramique A1A, arrêtez-vous pour siroter un margarita au melon d'eau au **Flying Iguana Taqueria & Tequila Bar** (207, Atlantic Blvd., Neptune Beach, FL 32266; flyingiguana.com). Une autre option est **The Lemon Bar**, où vous pourrez conserver votre tenue

Vue depuis le quai de Jacksonville Beach
© Ryan Ketterman/Visit Florida

de plage et vos gougounes tout en admirant le coucher du soleil (120 Atlantic Blvd., Neptune Beach, FL 32266 ; lemonbarjax.com).

18 H / CAMP DE PÊCHE

Shrimp et *grits* : deux mots qui résument le *soul food* américain. Sans crevettes ni maïs concassé, on renierait les traditions culinaires du Sud ! Au **Palm Valley Fish Camp**, (299 N Roscoe Blvd., Ponte Vedra, FL 32082 ; palmvalleyfishcamp.com) on dynamise ce duo terre-mer avec une sauce au beurre blanc. Malgré l'emplacement prestigieux de ce resto en bordure du canal Intracoastal, vous n'y viderez pas votre portefeuille. De romantiques couchers de soleil sont aussi au menu.

À proximité de l'Université de Floride du Nord, **Moxie Kitchen + Cocktails** (4972 Big Island Dr., Jacksonville, FL 32246 ; moxiefl.com) propose une expérience de cuisine responsable, depuis les matériaux recyclés ayant servi à la construction du resto jusqu'à la sélection d'ingrédients locaux ou bios. Essayez le porc et son risotto «redneck», dans lequel les fameux *grits* remplacent le riz. Tentez de réserver près de la cuisine pour voir le chef et sa brigade à l'œuvre et pour goûter à des primeurs en direct des fourneaux.

21 H / ROCK, COUNTRY ET BLUES

Après le repas, remontez vers San Marco pour encourager les musiciens de la relève au **Jack Rabbits** (1528 Hendricks Ave., Jacksonville, FL 32207 ; jaxlive.com). Amateur de country ? Traversez le fleuve jusqu'au centre-ville pour vous attabler au **Mavericks Live** dont la scène

accueille des vedettes de Nashville (2 Independent Dr., Jacksonville, FL, 32202 ; mavericksatthelanding.com). Le bar, situé à l'étage de la place commerciale Jacksonville Landing, offre des leçons de danse en ligne.

DIMANCHE 7 H / BRUNCH FAÇON *FIFTIES*

Randonnée ou baignade font heureusement partie de votre itinéraire, car on ne lésine pas sur les calories au *diner* fétiche des Jacksonvillois. Depuis dix ans, **Metro Diner** (3302 Hendricks Ave., Jacksonville, FL 32207 ; metrodiner.com) sert de généreuses portions de ses spécialités, comme les crêpes fraises-bananes et les gaufres aux pacanes.

9 H / SOURCES LIMPIDES

À une heure à l'ouest de Jax, le **fleuve Suwannee** et ses six bassins naturels assurent un revigorant bain de fraîcheur (3631 20st Path, Live Oak, FL 32060 ; floridastateparks. org/park/Suwannee-River). La zone de baignade à proximité du village de Sugar Creek est ponctuée de petites plages. Les eaux minérales aux reflets émeraude et le fond en calcaire du fleuve ont fait la réputation de l'endroit depuis les années 1900, alors qu'une station thermale réputée guérir tous les maux attirait les foules.

13 H / TOUS AU STADE !

Les Jaguars sont en ville ? Adoptez la tradition dominicale des Américains : le football de la NFL ! Suivez la foule locale jusqu'au stade municipal. **Everbank Field** est aussi l'hôte des qualifications de la FIFA (1 Everbank Field Dr., Jacksonville, FL 32202 ; jaxevents.com).

Le chemin menant à Fort Clinch.
© Daron Dean / Visit Florida

Escapade à Jacksonville

ESCAPADE À ST AUGUSTINE

Des rues pavées et sinueuses, une citadelle imposante, une grande place comme on en retrouve en Espagne et une chapelle couverte de lierre : la plus ancienne ville des États-Unis invite le visiteur à se plonger dans l'âge d'or des grandes découvertes.

Arpenter les ruelles étroites de St Augustine, c'est reculer dans le temps jusqu'en 1565, à l'époque de la Floride espagnole. Fondée par les explorateurs hispaniques en quête de la fontaine de Jouvence, la cité fortifiée propose bien des trésors au visiteur moderne. Les bâtiments de style Renaissance espagnole avec leur toit en tuiles de terracotta et leurs balcons ouvragés, surplombent une kyrielle de boutiques, de galeries d'art et d'échoppes dans lesquelles on pourrait fureter pendant des jours sans se lasser.

Il faut dire que la ville a su éviter le développement touristique au charme artificiel qui accompagne souvent le renouveau des vieux quartiers. Le district historique est habité par de nombreux passionnés d'histoire qui œuvrent dans les musées et sites patrimoniaux. Il n'est pas rare de les croiser vêtus de costumes coloniaux. Imitez-les en marchant sur les traces des conquistadors dans ce véritable musée à ciel ouvert. Qui sait ? Peut-être serez-vous le découvreur de la source d'immortalité ?

Les remparts du Fort Castillo de San Marcos épousent la forme d'un carré, dont chaque coin est surmonté d'une pointe en forme de diamant.

VENDREDI 16 H / DÉPOSEZ VOS VALISES

Amorcez votre retour dans le passé en logeant dans un *bed & breakfast* au cœur de la vieille ville. On vous suggère particulièrement ceux sur la rue Aviles, comme la **Casa de Solana** (21 Aviles St., St Augustine, FL 32084 ; casadesolana.com). Construit au XIXe siècle, le gîte aux 10 chambres bleues et jaunes marie parfaitement les détails historiques, comme les murs lambrissés et les poutres apparentes, avec les conforts modernes que sont le WiFi, le frigo et le bain à remous. Le déjeuner est préparé avec des ingrédients bio et vous sustentera pendant vos balades dans la cité. Les chambres ne sont pas très grandes, mais c'est la concession à faire quand on loge sur la plus vieille artère des États-Unis ! **Prix : $$-$$$**

St Augustine fait partie des destinations favorites des Américains. Attendez-vous donc à payer 30 % plus cher si vous y séjournez le week-end ou l'été. Si le budget n'est pas un souci pour vous, réservez à la **Casa Monica** (95 Cordova St., St Augustine, FL 32084 ; casamonica. com), le palace augustin érigé par le magnat du chemin de fer Henry M. Flagler. Faites-y un saut, même si vous n'y séjournez pas, pour admirer le spectaculaire hall, les lustres en bronze et les fontaines de style marocain. Le décor des chambres est tout aussi princier : carrelage de faïence à motifs mauresques, lit en fer forgé et boiseries d'acajou. **Prix : $$-$$$**

Plusieurs auberges du secteur n'acceptent pas les enfants. Pour un voyage en famille, optez pour l'un des complexes balnéaires situés au sud du parc national de l'île d'Anastasia. La piscine olympique du **Holiday Isle Oceanfront Resort** (860 A1A Beach Blvd., St Augustine, FL 32080 ; holidayisleoceanfront.com) constitue l'unique obstacle entre votre chambre et la plage. Les petits apprécieront la proximité du minigolf et du quai d'où ils peuvent lancer leur ligne à l'eau. Laissez-y votre voiture et montez à bord du Old Town Trolley, qui s'arrête devant l'hôtel, pour visiter la vieille ville sans vous soucier des parcomètres. **Prix : $$-$$$**

17 H / APÉRO À LA BRUNANTE

Certains *bed & breakfast* soulignent l'apéro et votre arrivée avec un verre de vin et un plateau de fromages fins. C'est une belle occasion de soutirer quelques bonnes adresses à

À la brunante, les tourelles de l'ancien hôtel Alcazar donnent l'impression de se trouver dans une ville fortifiée d'Andalousie.
© Chris Dolan / Visit Florida

vos hôtes. Vous pouvez aussi siroter un cocktail dans l'un des nombreux pubs sur la rue St George et les rues voisines. On vous recommande la véranda du **Scarlett O'Hara's** pour la musique (70 Hypolita St., St Augustine, FL 32084 ; scarlettoharas.net). La terrasse du bar **Tini Martini du Casablanca Inn** (24 Menendez Ave., St Augustine, FL 32084 ; tini-martini-bar.com) qui surplombe la baie de Matanzas, formant une sorte de tribune pour observer discrètement les passants, est aussi à essayer. Ne ratez pas le soleil couchant qui baigne les tourelles du Flagler College d'une lueur rose orangé.

19 H / SANS GLUTEN, PLEIN DE SAVEUR

The Floridian (72 Spanish St., St Augustine, FL 32084 ; thefloridianstaug.com) attire quantité de végétaliens, mais les carnivores s'y délecteront aussi. Laissez-vous tenter par la bruschetta aux tomates vertes grillées et la salade subtilement pimentée de crevettes et fromage bleu, garnie de fraises, de betteraves et de patates douces. Le tout vous est servi à une table en formica turquoise résolument *sixties*.

Histoire de rendre hommage au caractère latin de la vieille ville, attablez-vous chez **Casa Maya** (22 Hypolita St., St Augustine, FL 32084 ; casamayastaug.com). La chef propriétaire cuisine des plats inspirés de ses racines mexicaines, comme la soupe aux tomates et à l'avocat, servie avec une tortilla craquante, et le poulet cuit dans une feuille de bananier. Le dimanche, elle propose des *tamales* qu'elle prépare d'avance à son domicile.

SAMEDI 8 H / DÉJEUNER AVEC VUE

Si vous séjournez sur les plages de l'île d'Anastasia, démarrez votre journée avec la vue sur le sable blanc et un croissant apprêté comme du pain doré au **Wildflower Cafe** (4320 S A1A Rd., St Augustine, FL 32080 ; wildflowercafefl.com). Les amateurs de fruits de mer apprécieront particulièrement les œufs pochés déposés sur des croquettes de crabe.

En ville, vous trouverez des viennoiseries bien croustillantes, au détour des galeries d'art de la rue St George, à la pâtisserie **The Bunnery Bakery & Café** (121 St George St., St Augustine, FL 32084 ; bunnerybakeryandcafe.com). Le décor n'a rien d'élaboré, mais les scones de format *XXL* ou le burrito-déjeuner aux œufs, fromage et tomate vous soutiendront toute la matinée. On a aussi pensé à vos enfants en offrant des portions adaptées à leur faim et servies avec des fruits frais.

Avant d'attraper le train rouge des **St Augustine Sightseeing Trains** (ripleys.com/redtrains) qui fait le lien entre 20 lieux du district historique, ou encore d'entamer votre propre circuit piétonnier dans la vieille ville, commandez un café *con leche* sur la plus vieille rue de St Augustine chez **La Herencia** (4 Aviles St., St Augustine, FL 32084 ; laherenciacafe.com).

9 H / CIRCUIT PIÉTONNIER

Procurez-vous l'audio guide **Ancient City Walking Tours** dans l'une des boutiques de la vieille ville ou au centre d'accueil des touristes (10 S Castillo Dr., St Augustine, FL 32084). Le circuit exhaustif vous fait visiter 23 sites du passé colonial de St Augustine, dont la place de la Constitution, où l'on marchandait les esclaves, la chapelle datant des débuts de la colonie ainsi qu'une école et une pharmacie du XVIIIe siècle. En plus de vous permettre de visiter le secteur à votre rythme, la bande sonore vous fait entendre la musique de l'époque ainsi que le tonnerre assourdissant des canons lors d'une attaque-surprise

de pirates. L'organisme **St Augustine City Walks** propose des promenades franchement divertissantes, comme le circuit nocturne *History, Mystery, Mayhem and Murder,* qui traverse cimetières et repaires de pirates. De jour, le *Savory Faire Food Tour* vous permet de goûter l'histoire grâce aux sympathiques et savoureuses tables de la cité fortifiée (staugustinecitywalks.com).

11 H / CHASSE AU TRÉSOR

Au **Pirate & Treasures Museum** (12 S Castillo Dr., St Augustine, FL 32084 ; thepiratemuseum.com), la chasse au trésor est interactive, et Barbe Noire et ses complices sont des créatures robotisées à l'apparence fort réaliste. Si vous visitez les lieux un 19 septembre, sachez que vous pourrez conspirer comme de vrais corsaires à l'occasion de la journée internationale du parler pirate !

Les plus vieux préféreront, nul doute, les collections d'art américain et les sculptures Art déco du **musée Lightner** (75 King St., St Augustine, FL 32084 ; lightnermuseum.org). On y retrouve des coffres et des

Le Fort San Marcos
© Visit Florida

pièces d'or provenant d'épaves du XVIIe siècle. Avant de quitter cet ancien hôtel de luxe, faites un saut au salon de musique pour entendre un orchestrion de la Forêt-Noire, un violon automatisé Violano Virtuoso et d'autres boîtes musicales antiques. Puis, immortalisez votre portrait devant l'excentrique **Villa Zorayda**, au style inspiré de l'Alhambra de Grenade (83 King St., St Augustine, FL 32084 ; villazorayda.com).

12 H / PETITS PLATS

Une file s'étire de 11 h à 14 h devant la **Spanish Bakery & Café** (42 ½ St George St., St Augustine, FL 32084 ; spanishbakerycafe.com). Les Augustins sont friands des *empanadas* farcis au bœuf et à la saucisse fumée. Testez votre seuil de tolérance à ce qui est piquant en y ajoutant de la sauce pimentée. Et n'arrivez pas trop tard, il ne restera plus de place aux tables à pique-nique ni de brioches à la cannelle !

À quelques portes de la boulangerie, **Columbia** propose un menu de tapas depuis plus de 100 ans (98 St George St., St Augustine, FL 32084 ; columbiarestaurant.com). On se régale de petits plats à partager dans une salle à manger aux murs décorés de mosaïques, illustrant les péripéties de Don Quichotte, ou dans une cour intérieure où le son de la fontaine-sculpture, une réplique de Farnèse, accompagne notre repas.

13 H 30 / GOURMET GLACÉ

Même un repas hyper copieux ne vous empêchera pas de croquer les friandises glacées signées **Hyppo** (48 Charlotte St., St Augustine, FL 32084 ; thehyppo.com). Après des heures de recherche approfondie – quel sacrifice de devoir tester toutes les saveurs ! –, une seule conclusion s'impose : les bâtonnets glacés de chez Hyppo sont parmi les meilleurs qu'on ait goûtés. L'association inusitée de fruits et d'épices, telle fraise-datil ou concombre-basilic, déroute agréablement les papilles.

14 H / RANGER D'UN JOUR

Réservez au moins une heure à la visite du **Castillo de San Marcos** (11 S Castillo Dr., St Augustine, FL 32084 ; accès par l'avenue Menendez ; nps.gov/casa). Érigée pour défendre la bourgade espagnole contre l'avancée de la colonie française installée à Fort Caroline (aujourd'hui Jacksonville), la citadelle a été occupée par les pirates, les Britanniques et les forces confédérées. Les courtines en coquina (un mortier de coraux et de coquillages concassés) ont été restaurées. Elles forment un imposant quadrilatère adossé aux vagues et entouré de douves. Des gardes en uniformes coloniaux font office de guide pendant la visite du fort. Et les enfants de 6 à 12 ans peuvent participer au programme Junior Ranger, qui les promeut ranger d'un jour, badge à l'appui. On attrape le livret d'activités à l'entrée du Castillo.

15 H 30 / BOOM !

Impossible de rater le retentissement des canons qui font vibrer la vieille ville toutes les 30 min le week-end, entre 10 h 30 et 15 h 30. Observez les manœuvres militaires de près, du haut des remparts. Vous les avez ratées ? Retournez au fort avant de quitter St Augustine ; votre passe d'entrée est valide pour sept jours consécutifs.

Le pont aux lions (Bridge of Lions)
© Mallory Brooks / Visit Florida

16 H / LE PONT AUX LIONS

Empruntez à pied ou en voiture le **pont basculant** qui relie la place de la Constitution aux trois plages de l'île barrière Anastasia. Une paire de lions garde l'accès ouest de la cité fortifiée. Il s'agit de copies des marbres Médicis, qui trônent devant le palais de la famille d'aristocrates et de mécènes du même nom, à Rome. En poursuivant vers le sud-est, vous arriverez au **phare de St Augustine** (81 Lighthouse Ave., St Augustine, FL 32080 ; staugustine-lighthouse.org). Prévoyez une bonne heure pour la montée de cette tour qui offre un panorama à 360° sur la vieille ville.

17 H 30 / VODKA LOCALE

La distillerie **Ice Plant** (110 Riberia St., St Augustine, FL 32084 ; ice-plantbar.com) est l'adresse idéale pour vous reposer après une journée de randonnée. On accompagne son cocktail concocté à partir de gin ou de vodka maison d'une trempette de poisson fumé ou de dattes grillées au bacon.

18 H 30 / CAMP DE PÊCHE

Dissimulé par les hautes herbes des marais salants, le **SaltWater Cowboys** (299 Dondanville Rd., St Augustine, FL 32080 ; salwatercowboys.com) propose une chaudrée de palourdes qui a conquis les papilles des plus sévères critiques gastronomiques du pays. C'est l'endroit idéal pour essayer la viande d'alligator.

Au bord de la mer, le **World Famous Oasis Deck & Restaurant** (4000 S A1A, St Augustine Beach, FL 32080 ; worldfamousoasis.com) attire une clientèle locale friande de fruits de mer et de côtes levées. On y mange en plein air dans une ambiance des plus décontractées.

21 H / ROCK INDIE

Terminez la soirée sur la plage de St Augustine tel un véritable Augustin en sirotant une bière sur les airs d'un groupe rock indépendant au **Original Cafe Eleven** (501 A1A Beach Blvd., St Augustine, FL 32081 ; originalcafe11.com).

Les localités de St Augustine et de Ponte Vedra profitent de près de 70 km de plage.
© Florida Historic Coast

DIMANCHE 7 H 30 / BRUNCH DE PACHA

À défaut de dormir à la chic Casa Monica, on s'offre un déjeuner royal au resto de l'hôtel. Le **Costa Brava** (95 Cordova St., St Augustine, FL 32084 ; casamonica.com) occupe le rez-de-chaussée de l'établissement, ce qui vous permet d'admirer de près l'architecture hispano-marocaine des lieux. Avec ses notes de fleur d'oranger, le pain doré marmelade-érable complétera votre incursion dans le monde de l'élite de St Augustine.

En direction de la plage, sirotez un frappé à la mangue ou un rafraîchissant café glacé en écoutant les histoires rocambolesques des proprios chez **Zaba's** (701 S Beach Blvd., St Augustine, FL 32080). Ex-cochers, les chefs propriétaires de l'endroit partagent des anecdotes de leur ancienne vie de guides touristiques dans la bonne humeur, tout en préparant des tortillas œuf-fromage et des bols remplis à ras bord de traditionnels biscuits recouverts d'une béchamel à la saucisse.

9 H / NOURRIR LES CROCOS

Petits et grands tomberont sous le charme des alligators albinos et de la vingtaine d'espèces de crocodiles du **parc zoologique Alligator Farm** (999 Anastasia Blvd., St Augustine, FL 32080 ; alligatorfarm.com). En matinée, on assiste à une démonstration pensée pour les enfants, comprenant le déjeuner des alligators qui, eux, démontrent leurs prouesses.

Le golfeur amateur profitera de la visite familiale chez les crocos pour améliorer son handicap sur les verts du **King & Bear** ou **TPC Sawgrass** (pgatourexpreriences.com/tour-academies). Situés entre Jacksonville et St Augustine, ces complexes de golf de renommée mondiale proposent des leçons individuelles pour environ 95 $ l'heure. Et pas besoin de jouer pour visiter le pavillon de style Renaissance italienne du golf TPC Sawgrass, hôte du tournoi annuel Players Championship de la PGA.

11 H /JEUNESSE ÉTERNELLE

Étanchez votre soif à la source d'eau douce du site de la **fontaine de Jouvence** (11 Magnolia Ave., St Augustine, FL 32084 ; fountainofyouthflorida.com). Avis à ceux qui espèrent y trouver une cure antirides : l'eau a un affreux goût de soufre. Mais comme dit l'adage, il faut souffrir pour être beau !

13 H / DÉTENTE SUR LA PLAGE

Mangez un roulé au saumon chez **Gypsy Cab Co** (828 Anastasia Blvd., Street Augustine, FL 32080 ; gypsycab.com). Puis, étendez-vous sur le sable de **Crescent Beach** (au croisement de Beach Blvd. et de la route A1A). Ce lit blanc est si compact que vous pourrez y circuler en voiture !

SAVIEZ-VOUS QUE ?

- Le livre d'or du site de la fontaine de Jouvence recense les visiteurs depuis 150 ans.
- D'une largeur de 7 pi, Treasury Street est la rue la plus étroite du pays.
- La collection du musée Pirate & Treasure comprend le fameux *Jolly Roger*. Seuls trois pavillons noirs semblent avoir survécu aux aléas de dame Nature et aux batailles navales.
- Le plan d'urbanisme de la ville fortifiée date du XVIe siècle, l'ère des sorties à pied ou à cheval. Les rues ont la largeur des ruelles montréalaises. Ne perdez pas votre temps à chercher une place de stationnement. Laissez plutôt votre voiture à l'hôtel ou au centre d'information des visiteurs sur Castillo Drive (12 $ par jour).

TRANCHE D'HISTOIRE

La légende veut que Ponce de León espérait trouver de l'or et la fontaine de Jouvence en débarquant sur cette « terre fleurie » (*florida* en espagnol) en 1513. Chose certaine, le peuple Timucuan attendait l'explorateur de pied ferme, refusant l'évangélisation à coups d'attaques bien orchestrées. Deux générations plus tard, la Floride espagnole compte environ 600 colons et s'étale jusqu'à Pensacola. Après les invasions de pirates et les escarmouches avec les Français établis à Fort Caroline (Jacksonville), St Augustine passe aux mains des Britanniques qui, en échange, rétrocèdent Cuba à l'Espagne. Il faut attendre le XIXe siècle pour que la vieille ville devienne définitivement américaine.

Une lune de miel avec l'histoire
C'est lors de sa lune de miel avec sa seconde épouse, en 1881, qu'Henry M. Flagler s'éprend de la Old City. Le cofondateur de la Standard Oil décide de faire de St Augustine le Newport du Sud, soit une destination hivernale pour ses amis richissimes. S'inspirant de l'architecture coloniale des constructions existantes, le visionnaire s'empresse d'ériger deux hôtels de luxe, un yatch-club et un terrain de golf. Malgré les ouragans qui ont depuis balayé la côte, ces installations tiennent encore fièrement debout.

RÉGION CENTRE-EST

Surfeur à New Smyrna Beach
© Christian Oehmke

Daytona Beach

New Smyrna Beach

Orlando

Cocoa Beach

COCOA BEACH
ET LA CÔTE DE L'ESPACE
DAYTONA BEACH
NEW SMYRNA BEACH
WINTER PARK, L'AUTRE
ORLANDO

CÔTE DE L'ESPACE : INFLUENCES CALIFORNIENNES

Entre la magie de Disney et les sensations fortes des courses de la Daytona 500, vous découvrirez de petites localités où l'ambiance décontractée et l'abondance de boutiques de surf rappellent le style de vie simplissime de la côte ouest américaine. D'ailleurs, vous apprécierez la tranquillité de New Smyrna Beach quand le *spring break* bat son plein à Daytona Beach. Les dunes, que les premiers explorateurs européens au XVIe siècle ont foulées, font face à des vagues très prisées des surfeurs. À marée basse, le sable ferme permet de se balader à vélo et même en voiture !

Un peu plus au sud, sortez la caméra pour capter l'interminable quai de Cocoa Beach et son littoral blanc. Voilà l'image parfaite de la Floride. Mais ne vous fiez pas à l'apparente insouciance des lieux. L'endroit a servi de base de lancement aux navettes Apollo, Atlantis et à bien d'autres de la NASA. Normal que *Jinny,* la populaire émission des années 1960 mettant en vedette un astronaute et son épouse sortie d'une bouteille enchantée, s'y déroule. Pas mal pour un ancien village de pêcheurs qui doit son nom à une boîte de chocolat Baker's !

Ceinturée de lacs, Orlando s'explore aisément en bateau, d'où on admire les demeures victoriennes. Vous trouverez toutefois l'autre Orlando, ou le secret bien gardé

© Christian Oehmke

des locaux, en vous baladant dans le quartier de Winter Park. En plus du musée Charles Hosmer Morse, qui héberge une collection permanente des œuvres du joaillier et verrier Louis Comfort Tiffany, cette Orlando cachée attire les *foodies* et les *fashionistas* avec ses restos offrant une cuisine recherchée et ses boutiques haut de gamme.

Évidemment, tout séjour dans le Centre-Est du pays des oranges serait incomplet sans une visite à Walt Disney World et aux Universal Studios. Allez-y pour voir la magie opérer sur le visage rayonnant de vos enfants. Parmi les nouveautés attendues : au Millenium Falcon du parc Disney's Hollywood Studios, vous pourrez prendre le contrôle du plus célèbre vaisseau de la galaxie. EPCOT, au Disney World, s'offre aussi une transformation extrême sous le thème *Frozen Ever After* (« Frozen jusqu'à la fin des temps »), gracieuseté d'Olaf et d'Elsa, la reine des neiges. En ressortirez-vous sans fredonner *Let It Go* ? « Libérée, délivrée... » Trop tard, le « ver d'oreille » est déjà à l'œuvre !

LA BONNE SAISON

L'automne, l'humidité s'estompe et les touristes se font rares. Vous n'attendrez donc pas indéfiniment dans les files des parcs à thèmes et profiterez de nuitées à prix compétitifs. Décembre est particulièrement festif, mais étrangement peu populaire.

LES *MUSTS*

Réaliser trois tours de piste au **Daytona International Speedway**.

La mangrove, les dauphins et les lamantins du lagon de **Banana River**.

Casser la croûte au légendaire **The Original Bizzarro Famous NY Pizza**, à Indialantic.

Les installations interactives conçues pour les enfants au musée des arts et des sciences **MOAS** de Daytona Beach.

Essayer de dompter les rouleaux de **Cocoa Beach** ou ceux de l'anse **Ponce de León** sur votre planche de surf.

Se promener dans les dunes de **Smyrna Dunes Park**, surplombé par l'un des plus hauts phares du pays.

Manipuler le bras canadien au **Kennedy Space Center**.

Ron Jon Surf Shop, la plus grande boutique du monde dédiée au surf, ouverte 24 heures sur 24.

Essayer le *paddleboard* (planche à pagaie) avec des pros à **New Smyrna Beach**.

Une promenade dans le quartier *hipster* **College Park** d'Orlando pour les boutiques et bistros branchés.

Visiter **Winter Park**, dont le magnifique **campus du Rollins College**.

Rouler en voiture sur les plages de **Daytona Beach** et de **New Smyrna Beach**.

ESCAPADE À COCOA BEACH ET SUR LA CÔTE DE L'ESPACE

À tout juste une heure de route d'Orlando, vers l'est, se trouve l'un des plus beaux endroits de la côte de la Floride, loin de l'ambiance moderne et effrénée de la pointe sud du pays des oranges. La région luxuriante avoisinant la ville de Cocoa Beach, sur la côte de l'Espace (*Space Coast*), offre aux visiteurs une occasion rêvée de goûter aux multiples plaisirs de ce que plusieurs Floridiens considèrent comme étant LA vraie Floride. Cocoa Beach est un point de ralliement pour ceux et celles qui veulent découvrir ce territoire étant donné l'abondance de services offerts par cette municipalité située juste au sud du Kennedy Space Center, de la NASA, en plein cœur du paradis du surf de la Floride.

VENDREDI 17 H / DÉPOSEZ VOS VALISES

L'hébergement à Cocoa Beach est plutôt abondant, mais il est principalement constitué d'établissements appartenant à de grandes chaînes hôtelières. Fièrement indépendant, **The Inn at Cocoa Beach** (4300 Ocean Beach Blvd., Cocoa Beach, FL 32931 ; theinnatcocoabeach.com) mérite le détour. Il est tout de même très abordable, offrant des chambres

La plage de Cocoa Beach au petit matin
© Marshall Hooks

avec vue sur la mer. Il accueille les visiteurs dans une ambiance chaleureuse et familiale typique du sud des États-Unis. **Prix : $$**

Pour ceux qui veulent réellement se tremper dans la culture locale du surf, rien de mieux qu'un véritable hôtel de surfeur. Le **Banana River Resort** (3590 S Atlantic Ave., Cocoa Beach, FL 32931, bananariverresort. info), entièrement entouré d'eau, suggère des locations de planches de toutes sortes, des excursions-nature et des cours d'initiation au surf et à la planche à voile. Espaces de camping également disponibles. **Prix : $–$$**

De tous les hôtels des grandes chaînes, l'hôtel **La Quinta Inn** (1 Hendry Ave., Cocoa Beach, FL 32931 ; lq.com) est sûrement un des meilleurs choix en ville. L'établissement étant situé à quelques pas du

Quai des pêcheurs, directement sur la plage, vous serez au centre de l'action. **Prix : $$**

18 H / TIKI BARS

Une fois installé dans votre chambre, enfilez vos gougounes et allez vous désaltérer à l'un des nombreux tiki bars longeant l'océan pour déguster un cocktail tropical bien frais. En plus d'offrir une vue superbe et des prix abordables, la terrasse du **Coconuts on the Beach** (2 Minutemen Causeway, Cocoa Beach, FL 32931 ; coconutsonthebeach.com) est un endroit rêvé pour découvrir des mets classiques de la cuisine floridienne. Ils proposent même le raccompagnement à votre hôtel en minibus !

21 H / SE RASSASIER

En vous dirigeant vers le sud, sur la route A1A, vous découvrirez plusieurs petits villages côtiers intéressants, tels que Melbourne Beach et Indialantic, qui valent certainement le déplacement. L'atmosphère y est également plus authentique que touristique, tant le jour qu'après le coucher du soleil.

Arrêtez-vous pour casser la croûte à l'une des meilleures pizzerias de l'univers, nulle autre que la légendaire **Original Bizzarro Famous NY Pizza** (4 Wavecrest Ave., Indialantic, FL 32903 ; theoriginalbizzarro.com). La réputation de leurs pizzas n'est plus à faire, mais les calzones au fromage accompagnés de leur sauce marinara maison sont tout aussi divins.

De l'autre côté de la route A1A, au *surf shop* **Longboard House** (101 5th Ave., Indialantic, FL 32903 ; longboardhouse.com), vous pourrez vous procurer des vêtements de surf à la mode et avoir l'air d'un vrai pro de la planche.

Pour ceux qui aiment la musique blues, allez donc tendre l'oreille du côté du fameux **Lou's Blues Upstairs** (3191 Florida A1A, Indialantic, FL 32903 ; lousbluesupstairs.com). Ce rendez-vous des amateurs de musique, juché au 2e étage d'un immeuble au bord de la mer, est réputé pour ses *happy hours*) de 11 h à 19 h et ses spectacles quotidiens.

SAMEDI 9 H / TOUS À LA PLAGE !

Profitez pleinement du meilleur endroit en ville pour vous la couler douce : la plage ! Les vagues y sont souvent plus puissantes qu'à Miami, donc faites attention aux gros rouleaux. Une foule de *surf shops* et de magasins spécialisés proposent différents cours ainsi que la location de planches. L'incontournable **Ron Jon Surf Shop** (4151 N Atlantic Ave., Cocoa Beach, FL 32931 ; ronjonsurfshop.com) est le plus grand magasin du genre au monde.

Contrairement aux plages du sud de l'État, constamment bondées durant la haute saison, vous n'aurez pas à vous battre pour un espace de stationnement.

Le sentier pédestre traversant le **Lori Wilson Park** (1500 N Atlantic Ave., Cocoa Beach, FL 32931) vous permettra de découvrir un peu la flore tropicale en vous rendant à la plage.

12 H / UNE BOUFFE SYMPA

Pour recharger vos batteries, laissez-vous tenter par l'excellente cuisine du **Barrier Jack's** (410 N Atlantic Ave., Cocoa Beach, FL 32931 ; barrierjacks.

com), un petit resto sympathique très populaire servant des plats vedettes de la gastronomie locale. Reconnus pour ses déjeuners copieux ainsi que pour ses burgers, vous pourrez également y savourer des mets tex-mex réputés et de très bons fruits de mer.

Si vous avez les papilles aventurières, essayez les spécialités du coin comme les deux œufs barbote frite ou le Po Boy, un genre de sous-marin aux huîtres ou au poisson frit.

14 H / EXCURSION AU MENU

Découvrez toute la beauté sauvage de la région en choisissant une des excursions de **Fin Expeditions** (580 Ramp Rd., Cocoa Beach, FL 32931 ; finexpeditions.com), une entreprise d'écotourisme spécialisée dans l'exploration en kayak du lagon de la Banana River. En plus des nombreux lamantins présents surtout durant l'été, on peut également y observer une multitude d'espèces d'oiseaux vivant dans la mangrove ainsi que quelques dauphins sauvages dans leur habitat naturel.

18 H / UN VRAI GOÛT DE FUMÉE

Dans le sud des États-Unis, le mot *BBQ* signifie des mets de viande fumée au feu de bois, pendant de longues heures, dans un fumoir. On vous invite fortement à expérimenter cette cuisine à la meilleure place en ville, au **Slow & Low Bar-B-Que** (306 N Orlando Ave., Cocoa Beach, FL 32931 ; slowandlowbarbeque.com). En plus du bœuf, du porc et des volailles fumés à la perfection, on y sert des plats plus originaux comme les tomates vertes et les cornichons frits.

Kelly Slater, originaire de Cocoa Beach
l'un des meilleurs surfeurs au monde.
© Roger Scruggs

Les acrobaties de Kelly Slater
© Christian Oehmke

Le Ron Jon Surf Shop, une institution à Cocoa Beach

TRANCHE D'HISTOIRE
Juan Ponce de León est le premier Européen à avoir exploré la Floride. Il aurait accosté près de Melbourne Beach en 1513.

La ville de Cocoa Beach fut fondée par des familles de pêcheurs autour de 1860. L'origine du nom proviendrait d'une boîte de chocolat Baker's qui aurait inspiré l'un des citoyens.

SAVIEZ-VOUS QUE ?
La région bénéficie de plus de 115 km de plage et de 400 km de sanctuaires et de zones protégées.

Cocoa Beach est la ville d'origine de Kelly Slater, le plus grand surfeur de l'histoire, ayant remporté le championnat mondial à de nombreuses reprises.

DIMANCHE 9H / ASTRONAUTE D'UN JOUR

Si vous avez déjà rêvé de devenir astronaute ou que l'espace vous passionne, vous serez sûrement attiré par les installations de la NASA situées tout près, sur la pointe du cap Canaveral. L'impressionnant **Kennedy Space Center Visitor Complex** (State Rd. 405 Kennedy Space Center, FL 32899; kennedy-spacecenter.com) saura sans doute combler votre curiosité. Ne manquez pas l'exposition dédiée à la navette Atlantis. Vous pourrez même y manipuler le bras canadien! Pas le vrai, mais quand même, une impressionnante réplique grandeur nature.

14H / EN PLEINE NATURE

En revenant de votre voyage astral, allez jeter un coup d'œil du côté du **Merritt Island National Wildlife Refuge** (1987 Scrub Jay Way, Titusville, FL 32782; fws.gouv/refuge/Merritt-Island), une jolie réserve faunique possédant plus d'espèces menacées que tout autre endroit aux États-Unis. Vous pourrez parcourir une grande partie du parc sans même avoir à sortir de la voiture. En plus des alligators et des lamantins qui sont des résidents populaires du parc, vous aurez la chance d'y observer des spatules rosées, semblables aux flamands roses, ainsi que des aigles et des hérons.

Le lagon de la Banana River
© Fin Expeditions

ESCAPADE À DAYTONA BEACH

Entre le vrombissement des voitures sport du Nascar 500, les motocyclistes colorés qui débarquent lors de la semaine du Daytona Bikeweek et les fêtes nocturnes qui se transforment souvent en soirées bien arrosées lors du *spring break*, Daytona s'est créé une réputation de ville provocante. C'est l'idée que l'on se fait de la Floride kitsch, avec ses motels en rangée. Pourtant, des huit millions de visiteurs qui s'y rendent chaque année, plusieurs vous diront qu'il y a aussi une vie culturelle et de bien belles choses à Daytona. De plus, Daytona Beach est sans contredit l'une des plages les plus connues et appréciées des États-Unis avec ses 37 km de sable blanc, surtout qu'on peut y rouler en voiture. Une expérience qu'il faut à tout prix vivre au moins une fois dans sa vie !

VENDREDI 17 H / DÉPOSEZ VOS VALISES

Situé au bord de la mer, pas très loin de la rue principale et du Daytona International Speedway, le **Hampton**

Inn Daytona Beach/Beachfront (1024 N Atlantic Ave., Daytona Beach, FL 32118 ; hamptoninn3.hilton.com/en/hotels/florida/hampton-inn-daytona-beach-beachfront) offre

Rouler en Jeep à Daytona Beach, le bonheur!

exactement ce à quoi on s'attend d'un hôtel de ce type : une chambre accueillante, un lit confortable avec accès au WiFi, un four micro-onde, un réfrigérateur et, ô belle surprise ! Un déjeuner chaud est inclus dans le prix. On y trouve aussi les services de base : un gym, un bureau d'affaires, une piscine extérieure chauffée et une pataugeoire pour les plus petits.
Prix : $$$

Tenu par la famille Joncas (Pierre, Chris et Marilyn) arrivée du Canada en 1990, le **Royal Holiday Beach Motel** (3717 S Atlantic Ave., Daytona Beach Shores, FL 32118 ; royalholidaybeachmotel.com) est un motel de deux étages qui compte 30 unités dont certaines avec cuisinette et vue sur l'océan. Pierre et Chris sont tous les deux bilingues et ils habitent sur place. L'établissement est situé directement sur la plage,

ce qui lui confère un atout certain, en plus d'avoir une piscine et de l'équipement pour l'entraînement. Vous le reconnaîtrez facilement, car un drapeau canadien flotte à l'entrée, juste à côté de celui des États-Unis.
Prix : $ – $$

Le **River Lily Inn Bed and Breakfast** (558 Riverside Dr., Daytona Beach, FL 32117 ; riverlilyinnbedandbreakfast.com) est un charmant *bed & breakfast*. La magnifique maison ancestrale de la fin du XIXe siècle est sise sur un site d'un acre et demi dont le calme tranche avec la vie mouvementée du centre-ville. Les six chambres sont décorées avec soin, chacune d'une façon différente, et on y offre tous les services d'un grand hôtel. Le déjeuner peut être servi à la salle à manger donnant sur l'Intracoastal de l'Halifax River ou à votre chambre selon votre désir. La piscine en forme de cœur inspirée de celle de l'actrice Jayne Mansfield est invitante à souhait et parfaite pour un séjour romantique.
Prix : $$ – $$$

Le **Shoreline All Suites Inn and Cabana Colony Cottages** (2435 S Atlantic Ave., Daytona Beach, FL 32118 ; daytonashoreline.com) est une oasis de paix à deux pas de l'explosive Daytona et de ses activités. Bâti sur un terrain de deux acres longeant la mer et entouré de plantes tropicales luxuriantes et d'immenses palmiers, cet hôtel offre 38 suites et chalets pittoresques. Chaque unité est dotée d'une cuisine tout équipée et de chaises Adirondack pour contempler la vue magnifique sur la mer ou le jardin. On s'y installe en famille ou en couple pour profiter de la réputée plage de sable blanc ainsi que de la piscine, d'où on aperçoit l'océan.

La plage familiale de Daytona Beach
© Daytona Beach Area Convention and Visitors Bureau

La location se fait pour une durée minimale de 3 jours. **Prix : $$ – $$$**

19 H / DEUX INCONTOURNABLES POUR LE SOUPER

Tenu par la chef et propriétaire d'origine hondurienne Mayra Rodriguez, le **Chucherias Hondurenas Restaurant** (101 2nd St., Holly Hill, FL 32117 ; chucheriashondurenas.com) ravira vos papilles. Enfant, Mayra se passionnait pour les odeurs et les saveurs qui s'échappaient de la cuisine familiale, qu'elle partage aujourd'hui pour le plus grand bonheur de ses nombreux clients. Elle se plaît à amalgamer la cuisine de l'Amérique latine, des Caraïbes et de l'Espagne. Le menu comprend des entrées préparées avec les produits du marché, des soupes colorées, des plats de viande et de fruits de mer. Une mention spéciale pour la carte de cocktails rafraîchissants.

The Cellar (220 Magnolia Ave., Daytona Beach, FL 32114; thecellarrestaurant.com) a souvent été proclamé comme étant le meilleur restaurant italien de Daytona et se trouve même dans la liste des meilleurs aux États-Unis. Le chef propriétaire Sam Moggio est diplômé de la célèbre Culinary Institute of America et a fait ses premières armes à New York et en Italie. C'est avec sa femme Lina qu'il vous accueille dans la partie inférieure de sa maison, d'où le nom de son restaurant, «Le Cellier». Ce lieu regorge d'histoire, puisque c'était la maison de vacances familiales du 29e président des États-Unis, Warren G. Harding. On y sert des classiques de la cuisine italienne dans une atmosphère conviviale.

Après le souper, pourquoi ne pas relaxer et prendre un verre face à l'océan, en écoutant un groupe de musique *live* au **Ocean Deck Restaurant & Beach Club** (127 S Ocean Ave., Daytona Beach, FL 32118; oceandeck.com). Plaisir garanti!

SAMEDI 8 H / ON DÉJEUNE!

C'est au **Dancing Avocado Kitchen** (110 S Beach St., Daytona Beach, FL 32114; dancingavocadokitchen. com) que vous trouverez un des meilleurs déjeuners de Daytona Beach. Ce restaurant tex-mex est parmi les favoris de la région. Les meilleurs mots pour le décrire sont: fraîcheur, santé et prix d'ami. Les murs de briques chargés de cadres et les jolies chaises colorées composent un décor parfait pour s'éveiller dans une ambiance chaleureuse. Des déjeuners savoureux y sont servis de 8 h à 14 h. Bonne nouvelle pour les végétariens et végétaliens, une belle variété de plats sans viande sont offerts, sans oublier les délicieux *smoothies*.

10 H / UN PEU DE CULTURE

Pourquoi ne pas profiter de la matinée pour explorer le **Museum of Arts & Sciences** ou **MOAS** (352 S Nova Rd., Daytona Beach, FL 32114; moas. org), un musée impressionnant à bien des égards. Il possède la plus grande collection d'art cubain en dehors de Cuba, un jardin de sculptures et des expositions d'art américain: peintures, sculptures, meubles, arts décoratifs. Le Musée des enfants présente une exposition interactive dédiée à la science expliquée aux jeunes, qui pourront découvrir certains principes de science, de physique et d'ingénierie. On y va pour admirer le squelette de 13 pi de haut de l'animal du nom latin de *Eremotherium laurillardi,* autrement dit un paresseux géant, datant de 130 000 ans et excavé en 1975 d'un site de fossiles appelé *Daytona Bone Bed*. Ne manquez pas non plus la pétillante collection de produits Coca-Cola de toutes les époques et celle des ours en peluche, la plus adorable de toute la Floride! Pour vous reposer entre deux séances d'observation, faites une balade dans les sentiers entourant le musée ou allez au Planétarium observer les étoiles.

Une nouvelle addition particulièrement intéressante vient tout juste d'être achevée au MOAS, l'impressionnant **Cici and Hyatt Museum of Arts** (moas.org/ciciandhyattbrownmuseum.

La très populaire Daytona Bike Week

html) est désormais l'hôte de la plus grande collection d'art floridien au monde avec plus de 2600 toiles relatant, tout en couleur, l'histoire du pays des oranges.

12H30 / À LA BOUFFE!

Situé du côté ouest de l'Intracoastal vis-à-vis de Main Street, le **Caribbean Jack's Restaurant Bar** (721 Ballough Rd., Daytona Beach, FL 32114; caribbeanjacks.com) est l'endroit de choix pour siroter un cocktail tropical ou pour savourer de bons plats de fruits de mer sans vous ruiner. Faites comme les habitués et choisissez la meilleure place pour vous asseoir, sur l'une des balançoires en bois garnies de coussins et rehaussées d'un toit. On vous suggère entre autres la chaudière de punch tropical de 32 oz et le *Banana Foster*, un dessert à la pâte feuilletée incluant bananes, liqueur de banane et rhum, le tout enseveli sous de la crème glacée...Tout pour être heureux!

14H - 15H30 / UN PEU DE *SHOPPING*

Dirigez-vous du côté des **Riverfront Shops de Daytona Beach** (114 N Beach St., Daytona Beach, FL 32114; riverfrontshopsofdaytona. com). La soixantaine de magasins situés le long de l'Halifax River offrent des trouvailles pour tous les goûts, des antiquités aux galeries d'art, en passant par les librairies, bijouteries, boutiques de vêtements et plus encore. Tous les samedis, sur l'autre rive (dans le stationnement City Island près du Jackie Robinson Ballpark), se tient le marché des fermiers. Profitez-en pour faire le plein de fruits et de légumes bios, de plats cuisinés, de fruits de mer et de produits locaux.

16 H / À LA PLAGE!

L'heure est venue d'expérimenter ce qui fait toute la notoriété de Daytona Beach : rouler en voiture directement sur le sable bien ferme de la plage qui s'étend à perte de vue sur 37 km! Plus besoin de suer en traînant la glacière pendant une éternité, on met tout dans le coffre, deux coups de volant et hop! il ne reste qu'à se stationner à l'endroit de son choix, à étendre les serviettes et à vivre pleinement le rêve américain.

Plus de 16 points d'accès vous permettent d'entrer sur la plage par les rues qui croisent la 1A1 (Atlantic Ave.), qui longe l'océan. Une fois sur la plage, la limite de vitesse est de 16 km/h. Si vous choisissez de vous diriger vers le nord de Daytona Beach, vous roulerez sur les plages d'Ormond Beach et d'Ormond-by-the-Sea. Au sud de Daytona Beach, vous découvrirez le sable des plages Daytona Beach Shores et Wilbur-by-the-Sea. La plage se termine à Ponce Inlet où la rivière Halifax rencontre l'océan, vous empêchant de poursuivre votre route. Sur l'autre rive, c'est New Smyrna Beach qui reprend le flambeau en offrant aussi une immense plage sur laquelle on peut circuler. Pour s'y rendre, il faut cependant sortir de Daytona et contourner l'Halifax River pour rejoindre la charmante petite bourgade de New Smyrna Beach (environ 25 min). Cette fois, quatre points d'accès vous permettent d'entrer sur la plage : à la 27th Avenue, à la 3rd Avenue, à Flagler Avenue et à Beachway Avenue. Le tarif est de 10 $ par jour pour les non-résidents. Certains écologistes voudraient que cette tradition de rouler en véhicule sur la plage soit abolie, mais le manque d'espace de stationnement pour accueillir tous les plaisanciers, qui se comptent par milliers, rend la situation compliquée. De nombreux efforts sont plutôt

déployés pour protéger ce milieu qui compte de nombreuses dunes. C'est également un lieu de reproduction pour les tortues. Certaines zones sont fermées aux voitures et de nombreuses indications préviennent les vacanciers des zones écologiques à protéger.

19 H / MANGER, RELAXER ET DANSER !

Pour goûter à l'une des meilleures cuisines italiennes en ville, dirigez-vous vers le nord chez **Frappes Nord** (123 W Granada Blvd., Ormond Beach, FL 32174 ; frappenorth.com). Depuis 25 ans, Bobby et Merryl Frappier, les sympathiques chefs propriétaires, préparent avec brio des classiques de la gastronomie italienne, qu'ils agrémentent des herbes et des tomates de leur jardin. Leurs pâtes fraîches sont préparées quotidiennement. Les chefs offrent même des cours de cuisine le samedi matin.

Si vous rêvez d'un bon plat de fruits de mer, mettez le cap sur **Seafood Market & Restaurant** (111 W Granada Blvd., Ormond Beach, FL 32174 ; hullsseafood.com), une

River Lily Inn Bed and Breakfast

adresse incontournable pour les locaux. Le capitaine Hull a sillonné les eaux avoisinantes toute sa vie pour fournir le marché de fruits de mer adjacent qu'il opère depuis 30 ans. Tout sur le menu est on ne peut plus frais et délicieux, des poissons *catch of the day,* aux succulents crabes bleus, sans oublier les copieux plats de crevettes. Les plats principaux sont accompagnés de *hush puppies*, des boulettes de semoule de maïs frites dans l'huile, bien sûr !

Quoi de mieux pour relaxer que la douce ambiance exotique de l'île de Tahiti ? C'est ce que le **Grind GastroPub & Kona Tiki Bar** (49 W Granada Blvd., Ormond Beach, FL 32174 ; grindgastropub.com) vous propose. On y mange très bien, mais n'hésitez pas à vous y rendre pour prendre un verre. La superbe terrasse décorée de sculptures tiki et de lampes colorées rappelle l'ambiance océanienne. On y relaxe avec un de leurs délicieux cocktails. Des spectacles sont fréquemment présentés sur la scène extérieure.

Si, au contraire, la fièvre du samedi soir vous prend, le **Razzle's Nightclub** (611 Seabreeze Blvd., Daytona Beach, FL 32118 ; razzlesnightclub.com) est la discothèque tout indiqué. Piste de danse, musique qui fait vibrer et bonne liste de cocktails.

DIMANCHE, DÈS LE LEVER DU SOLEIL

Même si vous avez brûlé le plancher de danse jusqu'aux petites heures, cela vaut la peine de prendre son courage à deux mains et de sauter du lit dès 6 h. Saisissez votre appareil photo, car le lever du soleil de Daytona n'a pas son pareil. On prend des clichés, on relaxe simplement en regardant les tons orangés jouer sur l'océan ou on profite de ce moment romantique en compagnie de l'élu(e) de son cœur.

8 H 30 / *BREAKFAST IN AMERICA*

Pour le déjeuner, le **Black Bean Cafe** (3218 S Atlantic Ave., Daytona Beach, FL 32118) vous propose des mets cubains, mais aussi des gaufres garnies de fruits frais, des *pancakes*, des omelettes, des pommes de terre matin, du bacon et des légumes. On vous recommande chaudement le *Shrimp & Grit*. L'ambiance «bohème-surfeur» de l'endroit est aussi très agréable.

10 H / ON ROULE

Longtemps considérée comme la capitale mondiale de la vitesse automobile, Daytona attirait, dès le début du XXe siècle, les meilleurs pilotes de l'époque qui fracassaient les records de vitesse directement sur sa longue plage qui servait de piste d'essai. En 1959, les voitures de course ont quitté la plage de Daytona pour une véritable piste située à environ 10 min en voiture du littoral. Depuis, le circuit reçoit, chaque année, en février, le Nascar 500, qui est devenu une compétition parmi les plus connues au monde.

Une visite s'impose à la **Daytona International Speedway** (1801 W International Speedway Blvd., Daytona Beach, FL 32114 ; daytonainternationalspeedway.com), d'autant plus que les lieux ont subi une véritable cure de jouvence de 400 millions de dollars américains. Des tours guidés des installations sont proposés aux visiteurs. Pour les vrais mordus, il est

Le Daytona International Speedway
© Daytona Beach Area Convention and Visitors Bureau

même possible de tester le bitume grâce à la **Richard Petty Experience** (1801 W International Speedway Blvd., Daytona Beach, FL 32114 ; drivepetty.com). Vous goûterez ainsi au plus grand plaisir qu'offre ce temple du tuyau d'échappement !

12 H / ON DÎNE

Dans le secteur de la Daytona International Speedway, on ne retrouve pratiquement que des chaînes de restaurants. Comme vous serez sans doute affamé par votre expérience de pilote automobile, faites donc un saut au **Bahama Breeze Island Grille** (1786 W International Speedway Blvd., Daytona Beach, FL 32114 ; bahamabreeze.com). Le menu de poissons, de viandes, de quesadillas, de salades et compagnie est très alléchant.

Pour ceux dont la vitesse et les voitures ne sont pas leur tasse de thé, il y a d'autres visites intéressantes dans les environs.

10 H / UN PEU D'HISTOIRE

Le **Ponce de León Inlet Lighthouse** (4931 S Peninsula Dr., Ponce Inlet, FL 32127 ; ponceinlet.org), est le plus grand phare de toute la Floride et l'un des plus impressionnants des États-Unis avec ses 53 m de hauteur. Sa construction a été achevée en 1887 et possède son lot d'histoires. Le phare a même sauvé la vie de l'auteur Stephen Crane, dont le bateau a fait naufrage au large des côtes, alors qu'il était en route pour Cuba en 1897. Il raconte d'ailleurs son aventure dans *Le bateau ouvert*. On reconnaît le majestueux phare de loin par sa belle couleur terre de Sienne. Il est possible de le visiter pour découvrir ses secrets et même de gravir ses 203 marches pour atteindre le sommet et bénéficier d'une vue à couper le souffle sur la région.

Juste à côté, le **Marine Science Center** (100 Lighthouse Dr., Ponce Inlet, FL 32127 ; marinesciencecenter. com) vous permet de découvrir les écosystèmes de la région de Daytona et de la Floride. En plus des nombreux

L'eau claire au Blue Spring State Park
© Florida Department of Environmental Protection

aquariums, un bassin de 1400 gal et de 13 pi de long a été aménagé pour que les visiteurs puissent s'y plonger les mains et toucher à une variété d'animaux marins tels que des raies, des crabes, des anémones, des oursins et quantité de poissons des eaux floridiennes. On y apprend aussi plein de choses sur les mangroves et les dunes. Le centre est également un refuge pour les tortues de mer et les oiseaux marins ayant besoin de soins.

12 H / MANGER À LA MARINA

C'est l'heure du lunch et à quelques pas de ces activités se dresse le **Inlet Harbor Restaurant, Marina & Gift Shop** (133 Inlet Harbor Rd., Ponce Inlet, FL 32127 ; inletharbor.com). Vous y bénéficierez d'une vue sur l'Halifax River et la marina de Ponce Inlet, tout cela dans un décor tropical et coloré. Après s'être rassasié, on peut se promener sur les quais et faire quelques achats à la boutique de souvenirs. Si vous aimez cet endroit, retournez-y en fin de journée, car c'est un lieu formidable pour observer les couchers de soleil.

13 H / SOURCE BLEU CRISTAL

On saute dans la voiture en direction du **Blue Spring State Park** (2100 W French Ave., Orange City, FL 32763 ; floridastateparks.org/park/ Blue-Spring), qui se situe à environ une heure de route de Daytona. Ce magnifique parc naturel s'étend sur 2600 acres aux abords de la St Johns River. On y retrouve également une source bleue, « Blue Spring », où se réfléchissent d'impressionnants reflets vert émeraude. Durant la période hivernale, de la mi-novembre au mois de mars, on peut apercevoir une population croissante de lamantins, ondulant entre différentes espèces de poissons. On peut aussi y observer de nombreux oiseaux et des tortues. Durant la période des lamantins, surtout en hiver, il n'est pas possible de pratiquer la baignade ni la plongée sous-marine, afin de protéger l'espèce, mais dès leur départ, la source naturelle accueille les baigneurs pour une panoplie d'activités. La pêche, le canot et le kayak sont aussi pratiqués sur la St Johns River. On peut y visiter la maison du premier habitant de Blue Spring, Louis Thursby, construite en 1872. Des terrains de camping et des cabines avec cuisines équipées pouvant accueillir jusqu'à 6 personnes sont également aménagés. Le lieu est idéal pour un pique-nique.

TRANCHE D'HISTOIRE

Les premiers habitants de la région de Daytona étaient des Indiens de la tribu des Timucua. Ils vivaient dans des villages fortifiés. Après l'arrivée des Européens, ce peuple a complètement disparu à cause des maladies, de l'esclavage et de leur assimilation.

Le nom de la ville est un hommage à Mathias Day Jr. qui acheta un terrain de plus de 2000 acres en 1871 du côté de la rivière Halifax. Il y érigea un hôtel puis, peu à peu, une petite agglomération s'est créée pour devenir, avec les ans, l'actuelle Daytona.

Les premières courses de voitures sur la plage de Daytona ont eu lieu dès 1902. En fait, c'était l'industrie automobile qui venait y tester ses nouveaux moteurs et bolides sur le sable compact. De 1904 à 1935, des pilotes de partout y sont venus pour battre des records de vitesse. Malcom Campbell y a atteint le record de 482 km/h.

La mythique compétition de stock-cars sur la plage, la Daytona Beach Road Course, a pris son envol le 8 mars 1936 et fut un véritable succès jusqu'en 1948. L'année suivante, les courses ont été déplacées sur le fameux Daytona International Speedway.

ESCAPADE À
NEW SMYRNA BEACH

Alors que Daytona Beach est la capitale du plaisir et de l'insouciance, sa voisine, New Smyrna Beach, est une petite ville tranquille où il fait bon déambuler tout en visitant ses nombreuses galeries d'art. Elle se distingue également par ses multiples attraits récréatifs, et elle est sans contredit une destination idéale pour les passionnés de surf. Depuis 2007, le réputé *Orlando Sentinel* prétend que sa plage est la plus appréciée de la région. Ceux qui désirent découvrir un bout de paradis floridien à saveur californienne seront comblés. Évidemment, il ne faut pas repartir sans s'être baladé au moins une fois en auto sur sa longue plage de sable ferme, les vitres baissées, en respirant à pleins poumons l'air salin.

VENDREDI 17 H / DÉPOSEZ VOS VALISES

Installez-vous confortablement dans le centre de l'action au tout nouveau **Hampton Inn** (214 Flagler Ave., New Smyrna Beach, FL 32169), une version moderne et raffinée de la chaîne. L'hôtel est situé sur l'une des artères les plus vibrantes de la ville, à proximité de jolis magasins et restos

Le coucher de soleil de la terrasse du JB's Fish Camp à New Smyrna Beach

et à quelques minutes à pied de la plage. **Prix : $$-$$$**

Afin de profiter pleinement des levers du soleil sur l'Atlantique, optez pour une chambre avec vue sur la mer à l'hôtel **Best Western** (1401 S Atlantic Ave., New Smyrna Beach, FL 32169 ; bestwesternflorida.com/hotels/best-western-new-smyrna-beach-hotel-and-suites). Les chambres sont spacieuses et munies de balcons qui donnent sur l'océan, offrant ainsi de spectaculaires panoramas. **Prix : $$$**

Pour les tourtereaux qui désirent vivre une expérience plus romantique, rien ne vaut un séjour au meilleur *bed & breakfast* en ville, le **Black Dolphin Inn** (916 S Riverside Dr., New Smyrna Beach, FL 32168 ; blackdolphininn.com). Cette magnifique villa récemment convertie en auberge haut de gamme dispose de 14 chambres luxueuses avec une splendide vue sur l'Indian River où les apparitions de dauphins sont fréquentes. **Prix : $$$**

18 H / C'EST LE TEMPS DE RELAXER

Pour vous tremper dans l'ambiance locale et siroter un cocktail bien frais au son d'une musique festive, dirigez-vous vers **JB's Fish Camp** (859 Pompano Ave., New Smyrna Beach, FL 32169 ; jbsfishcamp.com), l'un des plus beaux sites des environs pour apprécier le soleil couchant. Goûtez à leurs plateaux d'huîtres fraîches ou aux boules de crabe frites. Puisque le restaurant est situé sur l'une des rives de l'Indian River, vous pourrez également y louer des kayaks ou des planches à pagaie et découvrir les nombreux îlots entourés d'une vie marine foisonnante.

20 H / MANGER AU PAYS DES ORANGES

Un simple coup d'œil au menu du réputé restaurant **Norwood's Eatery & Treehouse Bar** (400 E 2nd Ave., New Smyrna Beach, FL 32169 ; norwoods.com) vous fera saliver. Leurs succulents fruits de mer tout comme la qualité des plats carnés en font une valeur sûre. Le service est à la hauteur, et vous apprécierez la terrasse nichée sous les arbres conférant à ce restaurant une ambiance exotique hors du commun.

SAMEDI 10 H / OBSERVATION DE DAUPHINS

Pour entamer ce week-end de rêve, pourquoi ne pas commencer par une sortie sur planche à pagaie avec l'un des guides locaux de l'équipe de **Paddleboard New Smyrna Beach**

Escapade à New Smyrna Beach

Les chiens sont les bienvenus à la plage des Smyrna Dunes Park. Au loin, le Ponce de León Inlet Lighthouse.

(177 N Causeway, New Smyrna Beach, FL 32169 ; paddleboardnsb.com) ? Le propriétaire, Erik Lumbert, orchestre de main de maître l'une des meilleures agences d'activités aquatiques de la région. On y offre des cours d'initiation à la planche, des ateliers de surf à pagaie en mer et des excursions pour observer dauphins et lamantins. Il est aussi possible de louer une de leurs embarcations et, pourquoi pas, de jouer à l'explorateur en naviguant sur les superbes lagons à proximité.

12 H / LUNCH À LA MARINA

L'heure du lunch arrivée, rassasiez-vous à l'**Outrigger Tiki Bar & Grill** (200 Boatyard St., New Smyrna Beach, FL 32169 ; newmyrnamarina.com/ outriggers). Ce charmant resto-bar jumelé à la jolie marina de New Smyrna Beach se spécialise dans les plats de fruits de mer frais du jour. Leur menu est également parsemé de recettes du Sud revisitées au goût du chef, dont de délicieuses créations fumées maison. Essayez la gaufre belge au poisson frit, la brochette de crevettes grillées enroulées de bacon ou le burger *surf & turf* garni de trempette au poisson fumé, tout en observant de la terrasse les yachts naviguant sur le canal.

14 H / DÉCOUVRIR LA VILLE

Histoire de digérer le tout, faites une marche de santé dans le quartier historique le long de la rayonnante Canal Street, la plus captivante des artères principales.

Faites un saut à **The Hub on Canal** (132 Canal St., New Smyrna Beach, FL 32168 ; thehuboncanal.org),un atelier d'artistes ouvert à tous et animé par de sympathiques bénévoles. Rarement aurez-vous l'occasion de rencontrer autant d'artistes floridiens et d'échanger avec eux dans un climat aussi convivial. Profitez-en pour faire l'acquisition d'une œuvre originale.

Un peu plus loin, découvrez l'épatant **Little Drug Co** (412 Canal St., New Smyrna Beach, FL 32168). Une occasion en or de voyager dans le temps s'offre à vous grâce à cette vieille pharmacie débordante de nostalgie, moitié magasin, moitié restaurant d'époque. En plus d'y trouver tout ce que l'on offre habituellement dans une pharmacie, vous pourrez vous asseoir à un comptoir typique pour vous délecter d'un cheeseburger bien graisseux, suivi d'un vrai lait frappé au malt.

Pour faire le plein de souvenirs, arrêtez-vous chez **Posh Pineapple** (330 Canal St., New Smyrna Beach, FL 32168; poshpineapplensb.com). En plus d'être accueilli par trois perroquets bruyants, vous serez emballé par leur vaste sélection de cadeaux, allant des souvenirs aux bijoux, aux vêtements et aux accessoires originaux, en passant par des jouets pour animaux.

Besoin de vous rafraîchir un peu? **The Half Wall Beer House** (501 Canal St., New Smyrna Beach, FL 32168; thehalfwall.com) est l'une des meilleures brasseries du comté de Volusia. Avec une sélection de 76 bières en fût, il y en a pour tous les goûts!

17 H / À LA PLAGE!

Une journée à New Smyrna Beach n'est pas complète sans un arrêt à la plage. Enfilez votre maillot et dirigez-vous au **Nichol's Surfshop** (307 Lytle Ave., New Smyrna Beach, FL 32168; nicholssurfshop.com), le plus vieux magasin du genre en ville, et jetez un coup d'œil à leur incroyable choix d'équipements en location. En plus des planches de surf et des kayaks, ils offrent vélos et parasols et même des détecteurs de métal pour les chercheurs de trésors!

19 H / REPAS GASTRONOMIQUE

Pour un repas de roi, rendez-vous chez **The Garlic** (556 East 3rd Ave., New Smyrna Beach, FL 32169; thegarlic.net), un bijou de restaurant italien aux accents de Toscane où l'ail est à l'honneur. Vous raffolerez de leurs énormes steaks, grillés à 800 °F dans un four à bois, d'où ils ressortent caramélisés, débordants de saveur.

21 H / C'EST LE TEMPS DE FESTOYER!

Vous avez la fièvre du samedi soir? Sortez au **Traders Bar** (317 Flagler Ave., New Smyrna Beach, FL 32169; theambar.com), l'un des endroits les plus chauds en ville. Cette boîte à l'ambiance stimulante présente deux spectacles simultanément, sur la terrasse et à l'intérieur. Profitez-en pour vous dégourdir les jambes sur la piste de danse!

Le comptoir lunch de la pharmacie à l'ancienne Little Drug Co sur Canal Street.

Récemment rénové, le très chic **Om Bar & Chill Lounge** (392 Flagler Ave., New Smyrna Beach, FL 32169) est un incontournable. On peut même y fumer la pipe égyptienne et le cigare dans la section fumeurs aménagée à l'extérieur. D'excellents spectacles sont présentés et leur sélection de bières et de vins au verre est impressionnante. Essayez la Rogue Voodoo Doughnut Bacon Maple Ale, une bière au goût de bacon et d'érable.

DIMANCHE 9 H / POUR BIEN DÉMARRER LA JOURNÉE

La famille argentino-américaine à la barre de l'attachant **Wake Up Cafe** (749 E 3rd Ave., New Smyrna Beach, FL 32169; wakenupcafensb.com) prépare peut-être les meilleurs déjeuners en ville. Le menu se compose de plats classiques concoctés avec grand soin, mais rehaussés d'une magnifique touche d'inspiration hispanique. Goûtez à leur omelette espagnole aux pommes de terre, au pain doré au *dulce de leche* ou même à la fameuse gaufre belge au poulet frit garnie de fraises fraîches !

11 H / PLAISIRS NAUTIQUES

Un peu de surf ? Rendez-vous à l'anse Ponce de León située à l'extrémité nord de la plage, où l'on retrouve les meilleures vagues de Floride. Surf ou non, vous y trouverez quand même votre compte en explorant, non loin, les magnifiques dunes de **Smyrna Dunes Park** (2995 N Peninsula Ave., New Smyrna Beach, FL 32169).

Pour mesurer toute la beauté naturelle des environs, rien ne vaut une visite des lagons de l'Indian River. On y découvre l'écosystème le plus diversifié en Amérique du Nord, incluant 4000 espèces de plantes et d'animaux. Faites l'excursion de 2 h offerte par le **Marine**

Un restaurant sympathique de Canal Street

© Jason Obenauer

Discovery Center (520 Barracuda Blvd., New Smyrna Beach, FL 32169; marinediscoverycenter.org) à bord d'un ponton muni d'un toit. La présence de dauphins est garantie, ou presque!

13H / POUR TERMINER EN BEAUTÉ

Avant de plier bagage et de dire au revoir à cette destination magique, rechargez vos batteries dans l'un des meilleurs restaurants de tacos au monde, le **Taco Shack** (642 N Dixie Fwy., New Smyrna Beach, FL 32168; thetacoshack.net). Non seulement abordables, leurs plats regorgent d'aliments frais et totalement savoureux. Laissez-vous imprégner de la musique reggae en dégustant vos tacos accompagnés de leur superbe salsa aux ananas.

Un des rendez-vous préférés des locaux, l'**Atlantis Bistro** (300 Flagler Ave., New Smyrna Beach, FL 32169), se spécialise dans la cuisine italienne raffinée et dans les bons vins. Choisissez l'une des spécialités italiennes, dont la lasagne, simplement divine. Les succulents fruits de mer, tels que le crabe bleu ou le saumon enrobé de pâte cuit au four, pourraient également clore votre voyage d'une très belle façon.

ESCAPADE À WINTER PARK, L'AUTRE ORLANDO

Derrière les rubans d'autoroute et les parcs thématiques se cache un autre visage d'Orlando. On y trouve de petits quartiers surprenants et sympathiques, alliant *dolce vita*, gastronomie et vie culturelle, perles souvent oubliées, tout comme les nombreuses activités offertes hors du circuit Disney World et Universal Studio.

Situé à environ 30 min de l'aéroport d'Orlando, Winter Park surprend par son indéniable beauté. Ceinturée de lacs, cette petite communauté abrite de nombreuses maisons cossues, mais également des rues pavées, où il fait bon se balader. Vous y croiserez de nombreux chiens, car ses habitants en raffolent. L'axe central du quartier est sans contredit Park Avenue, qui propose de nombreuses terrasses, un musée et de jolies petites boutiques.

VENDREDI 17 H / DÉPOSEZ VOS VALISES

Le réputé *Condé Nast Traveler* a classé, en 2015, l'hôtel **The Alfond Inn** (300 E New England Ave., Winter Park, FL 32789 ; thealfondinn.com) en première place sur 20 hôtels en Floride et en 7e position à son palmarès des meilleurs hôtels aux États-Unis. Ce qui en fait une expérience unique, ce sont les œuvres d'art contemporain qui couvrent les

Le célèbre Rollins College, une université prestigieuse située à Winter Park.
© Scott Cook

murs de l'hôtel. En effet, l'hôtel expose en alternance des œuvres prêtées par le Musée des beaux-arts Cornell. On s'y rend pour la beauté des lieux, la piscine et la proximité des activités. **Prix : $$ – $$$**

Situé directement sur la célèbre Park Avenue, près des restaurants et des musées, le **Park Plaza Hotel** (307 S Park Ave., Winter Park, FL 32789 ; parkplazahotel.com) séduit par son charme européen. Construits en 1922, les lieux ont été scrupuleusement préservés depuis, faisant de l'hôtel un monument historique de Winter Park. Chambres lumineuses avec murs de briques et déjeuner inclus. Demandez une des suites dotées d'un immense balcon donnant sur Park Avenue. **Prix : $$ – $$$**

Coup de cœur également pour une location offerte sur Airbnb par Leslie et Richard sous le titre **Boathouse on Lake Virginia** (fr.airbnb.ca/rooms/3790142). Le logement est situé dans la partie supérieure d'un mignon hangar à bateau donnant directement sur le Fern Canal et offrant une vue sur le lac Virginia. **Prix : $$$**

18 H / PROMENADE AU JARDIN D'ÉDEN

Pour vous détendre avant le souper, faites une promenade dans le parc favori des habitants de Winter Park : le **Mead Botanical Garden** (1500 S Denning Dr., Winter Park, FL 32789 ; meadgarden.org). L'entrée de ce territoire de 48 acres est gratuite et offre aux visiteurs la chance d'observer de nombreux écosystèmes tout le long de ses parcours bien dessinés. Le parc possède également un amphithéâtre, un jardin de papillons et un sentier pour vélo. Parfait pour les amoureux de la nature ! Laissez-vous envelopper de la lumière du coucher de soleil qui glisse entre les arbres de cet îlot de verdure.

20 H / HAUTE GASTRONOMIE

Au restaurant **Hamilton's Kitchen,** situé à l'hôtel The Alfond Inn, c'est sous un haut plafond et devant de longues baies vitrées s'ouvrant sur une terrasse qu'on vous convie à déguster une cuisine typique de la région, mettant en vedette les produits locaux. Le filet mignon y est un incontournable ! Demandez le serveur Shields Hundley, qui a appris la langue de Molière grâce à sa grand-mère d'origine française. Une mention spéciale pour leurs généreux brunchs servis dans une ambiance musicale tous les week-ends.

Le restaurant **Luma on Park** (290 S Park Ave., Winter Park, FL 32789 ; lumaonpark.com), est l'un des favoris du quartier, mais également de l'ex-Beatles Paul McCartney. Le chanteur et son épouse, Nancy Shevell, possèdent une maison à Winter Park, car le fils de cette dernière, Arlen Blakeman, a fait des études au prestigieux Rollins College. Qui sait, peut-être aurez-vous la chance d'y croiser votre idole ! Les chefs Brandon McGlamery, Derek Perez et Brian Cernell s'unissent pour vous offrir une cuisine fraîche et locale. Ils collaborent avec les petits producteurs de la région pour développer un menu varié, qui change au gré des saisons.

SAMEDI 8 H / FAITES LE PLEIN D'ÉNERGIE

Les plus pressés apprécieront le déjeuner à la française du **Mon petit cheri** (333 S Park Ave., Winter Park, FL 32789). Pour manger sans tarder, ce café tenu par des Français offre des croissants et des viennoiseries, comme si vous étiez à Paris.

Pour un vrai bon déjeuner traditionnel, rendez-vous au **Briarpatch Restaurant Ice Cream Parlor** (252 N Park Ave., Winter Park, FL 32789 ; thebriarpatchrestaurant.com). On y sert des gaufres, des crêpes ou le classique deux œufs bacon. Le restaurant **The coop** (610 W Morse Blvd., Winter Park, FL 32789 asouthernaffair.com) est également une adresse parfaite pour les amoureux de déjeuners traditionnels.

10 H / LA CROISIÈRE S'AMUSE

À environ cinq minutes à pied de Park Avenue vous attendent les six embarcations de style ponton offrant 18 places assises du **Scenic Boat Tour** (312 E Morse Blvd., Winter Park, FL 32789 ; scenicboattours.com) pour une visite panoramique. Cette visite assurée par un guide sympathique et bien informé sur l'histoire de la ville est un détour incontournable pour les visiteurs depuis 1938 et connaît toujours un incroyable succès. Le départ se fait au lac Osceola et vous fait découvrir trois des sept lacs entourant Winter Park (Osceola, Virginia et Maitland). Les lacs visités sont reliés par deux charmants petits canaux verdoyants. Vous y verrez différentes essences d'arbres, une variété de fleurs subtropicales et différentes espèces d'oiseaux. Parfois, on y rencontre aussi les équipes de ski nautique ou d'aviron du Rollins College en pleine action. C'est aussi une façon de découvrir les magnifiques maisons cossues qui longent les rives et qui datent souvent de l'époque victorienne.

11 H / ENTREZ DANS L'UNIVERS DE TIFFANY

À quelques minutes à pied du tour de bateau panoramique, une visite inoubliable vous attend au **Charles Hosmer Morse Museum of American Art** (445 N Park Ave., Winter Park, FL 32789 ; morsemuseum. org). C'est l'occasion de découvrir de nombreux objets d'art datant du XIXe et du XXe siècle, ainsi qu'une importante partie de l'œuvre de l'artiste Louis Comfort Tiffany, célèbre pour ses pièces de style Art nouveau en verre teinté. Une impressionnante collection de lampes Tiffany et de vitraux imposants s'y trouvent, faisant de cette collection une des plus complètes au monde. On s'y rend également pour voir des reconstitutions des pièces de la maison du maître qui se dressait jadis à Long Island. Son manoir, qui comprenait 65 pièces, nommé Laurelton Hall, fut

L'hôtel Alfond Inn

Les embarcations du Scenic Boat Tour qui traversent des petits canaux à la végétation luxuriante.
© Visit Orlando

Le restaurant Prato

la proie des flammes en 1957. Hugh McKean et son épouse Jeannette Genius McKean, les fondateurs du musée Morse, ont récupéré la majorité des éléments architecturaux de cette résidence magnifique après le sinistre. Vous y verrez aussi une des œuvres maîtresses de Tiffany, une magnifique chapelle présentée à la Columbian Exposition, à Chicago, en 1893. Pour ceux qui se demandent qui était Charles Hosmer Morse, qui a donné son nom au musée, sachez qu'il s'agit du grand-père de la fondatrice, Jeannette Genius McKean. Elle a voulu souligner la mémoire de son aïeul qui a consacré sa vie à la fabrication de différentes machines qui ont aidé à la révolution industrielle américaine.

12 H 30 / UN DÎNER MULTICULTUREL

Le restaurant **Prato** (124 N Park Ave., Winter Park, FL 32789 ; prato-wp. com) célèbre l'Italie en proposant des classiques revisités. Le lieu est invitant, contemporain, avec une touche rustique. On s'y délecte de savoureuses pizzas, pâtes et viandes, ainsi que de leurs délicieux desserts, comprenant le tiramisu et leur fameux gelato.

On vous promet une cuisine authentique et familiale au **Bosphorous Turkish Cuisine** (108 S Park Ave., Winter Park, FL 32789 ; bosphorous-restaurant.com). C'est le premier restaurant turc à s'être installé dans la région. Houmous, baba ganoush, taboulé, mais aussi des plats de poulet et de viandes sont au menu.

Nous avons eu un véritable coup de cœur pour le restaurant **Tako Cheena** (932 N Mills Ave., Orlando, 32803 ; mytakocheena.com). Situé à une dizaine de minutes en voiture de Winter Park, c'est le lieu tout désigné pour manger un taco complètement réinventé. Ici, oubliez le traditionnel taco aux haricots. Le sympathique propriétaire Edgardo Guzman, d'origine costaricaine, a su fusionner la cuisine sud-américaine avec les saveurs de l'Orient. Tacos aux arachides thaï, au bœuf à la coréenne, au tofu croustillant avec sauce au cari jaune indien, au BBQ chinois… Ça explose de saveurs ! Le menu propose aussi des hot dog asiatiques et des burritos tout aussi originaux. Vous pouvez accompagner votre repas d'une belle sélection de sauces crémeuses, citronnées ou sucrées salées. On y va aussi pour les prix d'ami, l'ambiance jeune, bigarrée et décontractée ; ainsi que pour le kombucha fait maison. À noter que le restaurant ferme à minuit la semaine et à 4 h du matin la fin de semaine. Parfait pour ceux qui aiment veiller tard !

13 H 30 / POUR TOUS LES GOÛTS

Un peu de *shopping*

Winter Park a ainsi été nommé parce que dès le XIXe siècle, les habitants du nord des États-Unis s'y établissaient momentanément pour fuir la neige et le froid hivernal. Les richissimes migrants saisonniers ont adopté Park Avenue comme artère commerciale et depuis, on y compte une longue tradition de commerçants. On y retrouve de nombreuses et charmantes boutiques spécialisées. Vêtements, bijouteries, articles de cuisine, boutique de vin… Il y en a pour tous les goûts!

Balade culturelle

Marchez vers le sud sur Park Avenue et vous croiserez Fairbanks Avenue. En traversant cette artère, vous plongez tête première dans **le campus du Rollins College** (1000, Holt Ave., Winter Park, FL 32789; rollins.edu). Rollins est le plus vieux collège de Floride, mais également un des meilleurs des États-Unis. Le campus est magnifique, et vous pouvez vous y promener librement. C'est également une occasion de visiter le **Cornell Fine Arts Museum**, situé à même le campus (Building n° 303, 1000 Holt Ave., Winter Park, FL 32789; rollins. edu/cornell-fine-arts-museum), juste devant le lac Virginia. L'admission est gratuite. Vous pourrez y apprécier près de 5000 œuvres, allant de l'antiquité à l'époque contemporaine.

À moins de 10 min à pied du Cornell Fine art Museum se dresse le **musée Albin Polasek** (633 Osceola Ave., Winter Park, FL 32789; polasek.org). On y découvre les sculptures de l'artiste tchèque, qui s'est installé à Winter Park à sa retraite en 1950. Découvrez la maison, le studio, la chapelle et le jardin garni de sculptures, où il a passé les dernières années de sa vie. Près de 200 œuvres y sont exposées.

College Park

À 15 min en voiture de Winter Park se trouve un autre endroit à découvrir: College Park. On compare souvent cet endroit à La Jolla, à San Diego. Il s'agit d'un petit quartier sympathique, doté de plusieurs commerces qui méritent le détour.

© Charles Hosmer Morse Museum of American Art

Hannibel Square à Winter Park offre une ambiance très européenne.

L'institut **The Spa** (2626 Edgewater Dr., Orlando, FL 32804 ; thespaorlando.com) est un lieu de détente sans prétention. Si ce salon de soins esthétiques ne possède pas le luxe des spas des grands hôtels, on vous promet que leurs massages sont les meilleurs en ville. Demandez Yuna ou Aïcha, qui nous ont impressionnés par leurs talents. On y offre également tous les soins de base, comme l'épilation, le manucure et autres traitements beauté à prix modiques.

Chez **Infusion Tea** (1600 Edgewater Dr., Orlando, FL 32804 ; infusionorlando.com), vous trouverez une charmante boutique proposant des objets de fabrication équitables, dont la vente vient en aide aux femmes guatémaltèques. C'est également une maison de thé, où l'on peut s'arrêter déguster le breuvage chaud. On y retrouve une impressionnante variété de thés spécialisés.

Au **Downtown Credo Coffee** (706 W Smith St., Orlando, FL 32804 ; downtowncredo.com), un agréable espace où se donne rendez-vous une faune jeune et décontractée, le café équitable n'a littéralement pas de prix. Vous donnez le montant de votre choix ! Tous les profits sont ensuite distribués à des organismes de bienfaisance de la région, tout en venant en aide à un réseau de producteurs de café au Guatemala.

Un petit arrêt à la fabrique de biscuits **Cookie Cousins** (2322 Edgewater Dr., Orlando, FL 32804 ; thecookiecousins.com) s'impose pour regarder les cousines Tracy et Melissa, ainsi que leurs employés, créer sous vos yeux des biscuits uniques dans un décor rose bonbon. Et aussi un peu pour déguster un de leurs appétissants biscuits en forme de licorne, de tortue, d'escargot…

17 H / DU CÔTÉ DE HANNIBAL SQUARE

À Winter Park, à environ 10 min de marche à l'ouest de Park Avenue, en empruntant la rue New England, se trouve le joli quartier d'Hannibal Square. Soudainement, vous aurez l'impression d'être en Europe. Les terrasses empiètent sur le trottoir dans cette rue des plus charmantes. On s'arrête prendre une bonne bière ou un verre de vin à bas prix, lors du 5 à 7, au pub irlandais **Dexter's** (558 W New England Ave., Winter Park, FL 32789; winterpark.dexwine.com) avant de se diriger vers l'un des restaurants qui lui font face.

Nous avons adopté le restaurant **Chez Vincent** (533, W New England Ave., Winter Park, FL 32789; chezvincent.com) qui a pignon sur rue depuis 1997 et qui a été nommé l'un des meilleurs restaurants d'Orlando de nombreuses fois. Le chef Vincent Gagliano a fait ses premières armes avec mention à la réputée école culinaire de Clermont-Ferrand en France, avant de venir s'installer à Winter Park, où il a été chef au Café de France sur Park Avenue. Son rêve était d'ouvrir son propre restaurant, mais la très chère Park Avenue était inabordable. Il a donc osé s'éloigner et ouvrir son restaurant un peu plus à l'ouest, dans un quartier qui, à l'époque, ne payait pas de mine. Le chef a vu juste, puisque le quartier s'est transformé avec les ans et est devenu un des plus prisés de la région d'Orlando. Vincent nous a reçus à bras ouverts, toujours heureux de discuter en français avec ses cousins québécois. Ne manquez pas le carré d'agneau au bleu, ses cailles aux framboises, son feuilleté d'escargots ou son assiette de pétoncles. Et ne partez pas sans vous être délecté de ses petites douceurs, comme la tarte Tatin ou le gâteau au chocolat.

Pour ceux et celles qui ont envie d'un peu d'exotisme et qui ne craignent pas les épices, le **Fine Indian Cuisine Mynt** (535 W New England Ave., Winter Park, FL 32789; myntorlando. com) est un restaurant indien très apprécié des voyageurs et des habitants d'Orlando.

On vous recommande également **Armando's** (463 W New England Ave., Winter Park, FL 32789; armandosorlando.com) pour sa terrasse, ses pizzas et ses pâtes comme en Italie.

21 H / SORTIES

Avis aux amateurs de vin, **The Wine Room** (270 S Park Ave., Winter Park, FL 32789; thewineroomonline. com) est le lieu tout désigné pour déguster le précieux liquide. On y propose 156 vins triés sur le volet, qui sont offerts en portion de 2,5 ou 5 oz. On peut également garnir son cellier en y achetant les produits à la bouteille. On y découvre le menu de tapas et une belle sélection de

Le Luma on Park sur Park Avenue

fromages. Champagne et bières de microbrasseries sont aussi à l'honneur.

En fin de soirée, on se rend au **Eola Wine Company** (430 E Central Blvd., Orlando, FL 32801 ; eolawinecompany.com) pour prendre une bière ou un verre de vin. On y propose aussi un menu simple avec tacos, salades, wraps, fromages et charcuterie.

DIMANCHE

Comme les activités du dimanche sont matinales, nous vous suggérons de louer un condo de luxe le samedi soir à **The Fountains at Champions Gate**, près de Davenport (8101 Roseville Blvd., Davenport, FL 33896 ; fountainsatchampionsgate.com). Le complexe est situé à proximité de nombreux golfs, d'activités variées et des parcs thématiques de la région d'Orlando. Un endroit idéal pour loger une famille. Vous serez comme à la maison, dans un environnement paisible et sécuritaire. Les condos sont dotés de trois ou quatre chambres, d'un garage privé, d'une cuisine moderne tout équipée et d'une buanderie. Les résidents disposent aussi d'une magnifique piscine entourée de chaises longues et de tables pour profiter du beau temps, d'un gymnase et d'un espace communautaire. **Prix : $$$**

6 H / ORLANDO AU LEVER DU SOLEIL

Juste un peu avant le lever du jour, rendez-vous au **Orlando Balloon Rides** (44 294 US-27, Davenport, FL 33897 ; orlandoballoonrides.com) pour une expérience mémorable en montgolfière au lever du soleil. Vous assisterez à toutes les étapes de l'installation du ballon et de la nacelle. Les

ballons prennent environ 20 min avant d'être bien gonflés et voilà, c'est l'heure du départ en compagnie d'une douzaine de personnes et du commandant. On survole les alentours d'Orlando, alors que le soleil se montre le bout du nez, pour une durée d'environ une heure. Un moment magique pour prendre des photos impressionnantes !

8 H / SAUT DE L'ANGE EN DELTAPLANE

Si vous êtes plus téméraire, pourquoi ne pas vivre une expérience en deltaplane ? C'est ce que vous offre le **Wallaby Ranch** (1805 Deen Still Rd., Davenport, FL 33897 ; wallaby.com). Le propriétaire Malcom Jones a effectué plus de 30 000 sauts en tandem avec des personnes âgées de 3 à 100 ans, faisant de lui un des pilotes de deltaplane en duo les plus expérimentés au monde. C'est donc un endroit génial pour vivre son baptême en toute sécurité. Faute de montagne, c'est un avion qui tire le deltaplane à 2000 pi d'altitude, avant de le libérer. Durant les 15 min que dure le vol, on vous montre même comment diriger l'engin.

12 H / LUNCH DANS UN QUARTIER TOUT NEUF

À 30 min du Orlando Balloon Rides et à environ 40 min du Wallaby Ranch, un quartier tout neuf s'est installé pour le plaisir des visiteurs. Il s'agit du **Orlando Eye at I-Drive 360** (8445 International Dr., Orlando, FL 32819 ; i-drive360.com). Se démarquant comme nouvelle destination à visiter à Orlando, le quartier offre une myriade de restaurants tout le long de l'International Drive. Il y en a pour tous les goûts. On prend le temps de bien

Une balade en montgolfière pour découvrir Orlando

Escapade à Winter Park

TRANCHE D'HISTOIRE

Quelques légendes circulent sur les origines du nom de la ville. Une histoire dit que c'est en l'honneur du soldat Orlando Reeves, tué durant la Seconde Guerre contre les Amérindiens séminoles. Des colons auraient découvert sa tombe et décidé de lui rendre hommage.

Les premiers habitants à s'établir pour de bon à Orlando ne seraient arrivés sur le territoire qu'après 1850, car cette contrée était très inhospitalière avant cette date, dû aux guerres contre les Amérindiens séminoles.

C'est entre 1875 et 1895 que se développe l'industrie de l'agrume. Après le « grand gel » de 1895, qui dévaste les récoltes, la prospérité est ralentie. Les petits producteurs sont pris à la gorge et se voient forcés de vendre leurs cultures aux grosses industries.

De nombreux soldats et hommes de science s'installent à Orlando après la Deuxième Guerre mondiale. Entre 1950 et 1960, on construit des terrains destinés à la défense du pays, mais aussi des lieux importants pour l'aérospatiale américaine, dont Cap Canaveral et le Centre Kennedy.

En 1965, Disney commence la construction de ses parcs thématiques, qui ouvriront six ans plus tard, le 1er octobre 1971. La ville profite alors d'un boom économique et démographique considérable.

dîner, car le nombre d'attractions à visiter dans les environs est impressionnant.

13 H / DU PLAISIR POUR TOUTE LA FAMILLE

Une fois repu, on se dirige vers l'immanquable grande roue, **la Coca-Cola Orlando Eye** (8401 International Dr. Suite100, Orlando, FL 32819 ; officialorlandoeye.com). Cette immense roue propose des cabines de verre panoramiques, d'où l'on peut contempler, debout, les beautés d'Orlando sur 360° et à 400 pi de hauteur. L'expérience de 30 min, qualifiée de « très relaxante », est accompagnée du visionnement d'un film en 4-D multisensoriel et spectaculaire.

Le quartier tout neuf propose également le musée de cire **Madame Tussauds** (8387 International Dr., Orlando, FL 32819 ; www2.madametussauds.com/orlando/en) où vous pourrez serrer la main du président des États-Unis et prendre la pose avec de nombreuses célébrités de la chanson, du sport, de la télé et du cinéma.

Ce n'est pas tout, puisque le quartier propose également une visite du **Sea Life Orlando Aquarium** (8449 International Dr., Orlando, FL 32819 ; visitsealife.com/orlando) avec ses 5000 créatures marines.

Non loin du Orlando Eye at I-Drive 360 se trouve aussi la fameuse maison à l'envers **WonderWorks** (9067 International Dr., Orlando, FL 32819 ; wonderworksonline.com/orlando). Dans cette maison invraisemblable, on découvre la science de façon interactive par des jeux. On y apprend plein de choses sur les

Le Coca-Cola Orlando Eye, (c) Visit Orlando

désastres naturels, la lumière, le son, la physique, la découverte de l'espace et tout ce qui touche à l'imagination.

Vous aimez les bizarreries ? **Ripley's Believe It or Not!** (8201 International Dr., Orlando, FL 32819 ; ripleys.com/orlando), est le lieu tout indiqué pour aiguiser votre curiosité. L'exposition qui se déploie sur 10 000 pi^2 est constituée de 16 galeries, qui regorgent d'artéfacts et de bizarreries provenant du monde entier. Un peu comme un petit musée des horreurs, vous y croiserez, entre autres, de véritables têtes réduites par des tribus sud-américaines ; des crânes humains dont certains d'une tribu malaisienne, qui coupait la tête de ses ennemis, s'en servait pour en faire des oreillers ; le corps conservé de Mike le poulet, qui a survécu 18 mois après sa décapitation (!) ainsi que de nombreuses informations sur des événements si étranges, que vous aurez peine à y croire.

14 H 30 / POUR CEUX QUI EN VEULENT PLUS !

Le **Gatorland** (14 501 S Orange Blossom Tr., Orlando, FL 32837 ; gatorland.com) est situé à environ 30 min en voiture de Orlando Eye at I-Drive 360. On s'y rend pour observer les alligators et différentes espèces d'oiseaux, mais surtout pour sa tyrolienne nommée Screamin Gator Zip Line, qui a la réputation d'être la meilleure tyrolienne aux États-Unis. Des aires de lancement à plusieurs niveaux permettent de voler jusqu'à 1 200 pi au-dessus de dangereux alligators.

Le **Paradise Cove** (13 245 Lake Bryan Dr., Orlando, FL 32821 ; paradisecoveorlando.com) est le paradis des mariages, des réceptions et des fêtes privées. Situés au bord d'un lac avec sa plage de sable blanc et entourés de magnifiques arbres auxquels s'accroche la mousse espagnole, les lieux ont tout pour plaire aux plus romantiques. On propose également, au Buena Vista Watersports (bvwatersports.com), de nombreuses activités aquatiques sur le lac, telles que la moto marine, le ski nautique, le kayak, le ponton et le *paddleboard*. Parfait pour ceux qui veulent célébrer en groupe en Floride.

RÉGION CENTRE-OUEST

SARASOTA
ST PETERSBURG
TAMPA

Tampa
St Petersburg
Sarasota

La plage de sable blanc de Clearwater Beach

RÉGION CENTRE-OUEST
OU RÉGION DE TAMPA

Une côte authentique et artistique

Le sable blanc des plages du golfe du Mexique est le principal attrait de la région. Mais la côte a plus d'une corde à son arc pour captiver le passionné de culture en vous et s'assurer de votre fidélité au fil des saisons. Et ce, sans tomber dans la «disneyïsation» qui semble affliger plusieurs destinations floridiennes en quête de touristes. Le Centre-Ouest a su préserver son charme authentique et rendre hommage à ses racines, tout en regardant vers l'avant. Les éléments suivants le prouvent : la fibre artistique de Sarasota, vibrante depuis l'ère victorienne, les institutions muséales de renommée mondiale de St Petersburg ou la récente multiplication des tables de gastronomie fine à Tampa.

La liste des sites culturels intéressants ne fait que s'allonger, en complément des atouts naturels du secteur. Les costumes de scène et les wagons de train du musée du cirque centenaire Ringling Brothers and Barnum & Bailey surpassent presque la beauté des eaux bleu turquoise du golfe par leur audace, tandis que le musée Salvador Dalí ajoute une bonne dose de surréalisme à l'improbable décor de la Kings Bay, où plongeurs et lamantins pataugent côte à côte dans la baie cristalline.

Si, comme nombre de Montréalais, vous avez adopté la sculpture *Soleil,*

Le musée Salvador Dalí
© Visit St Petersburg/Clearwater

aux rayons de verre multicolores de Dale Chihuly, et que vous attendez impatiemment son retour chaque printemps devant la façade du Musée des beaux-arts, sachez que le centre des arts Morean, à St Petersburg, abrite l'une des collections permanentes les plus exhaustives de l'artiste-verrier. Parions que les éclats bleus, rouges, fuchsia et verts des sculptures féeriques éblouiront autant vos sens qu'un coucher de soleil sur l'îlet Siesta Key !

À la tombée du jour, ce sont l'odeur boisée des cigares et les airs de flamenco émanant du quartier Ybor City de Tampa qui prennent le relais et vous transportent en Amérique latine pendant quelques heures. Comme nous, vous reviendrez sans doute sur la plage, à St Pete Beach, pour vous déhancher jusqu'aux petites heures au son de musique en direct, les pieds dans le sable.

LA BONNE SAISON

La saison hivernale et le début du printemps constituent la période idéale pour l'observation des lamantins et la pratique d'activités nautiques. Mais vous profiterez d'un meilleur rapport qualité-prix pour un séjour en bord de mer en août et septembre.

LES MUSTS

Découvrir l'origine des arts du cirque au **musée Ringling** de Sarasota, dont le cirque du même nom se produit depuis plus de 150 ans.

Les rues du village d'**Anna Maria**, qui font penser à Cape Cod.

Visiter **Honeymoon Island State Park** et **Caladesi Island State Park**.

La persistance de la mémoire au **musée Salvador Dalí**, de St Petersburg.

Construire des châteaux de sable à la plage de **Siesta Key**, l'une des plages préférées de Ginette Reno.

Visiter le **Fort de Soto Park** et ses plages magnifiques à Tierra Verde.

Les majestueux félins rescapés de la maltraitance qui règnent sur la réserve privée **Big Cat Rescue** à Tampa.

Parcourir les boutiques branchées du centre commercial **St Armands Circle**, à Sarasota.

Faire le plein de vitamine D en repérant des dents de requin sur la **plage sauvage Caspersen**, à Venice.

Le **parc aquatique Explore A Shore** à l'aquarium de Tampa.

Pagayer dans les bayous peuplés d'alligators du **parc Myakka River**.

Les tigres du Bengale qui vous regardent droit dans les yeux au zoo **Busch Gardens**.

Le jardin *Mille Fiori* de la **collection Chihuly**, dont l'exubérance et l'originalité font penser aux décors des films de Tim Burton.

ESCAPADE À SARASOTA

Le plus grand préjugé sur la Floride est qu'elle est dépourvue de culture. Déposez vos valises dans la fascinante et animée Sarasota et vous ne verrez plus jamais le *Sunshine State* de la même façon. Avec ses musées, dont le célèbre Ringling Museum of Art, ses théâtres, ses galeries d'art, son ballet, son orchestre, son opéra, Sarasota n'a rien à envier à toutes les grandes métropoles culturelles du monde. Sarasota vibre et est considérée comme LA capitale des arts en Floride, grâce, entre autres, au magnat du cirque John Ringling, qui s'y installa au début du XXe siècle.

Mais ne délaissez pas votre maillot de bain pour autant, car Sarasota est située à proximité de plusieurs petites îles paradisiaques, dont celle de Siesta Key, et de sa plage Siesta Beach, avec son sable farine, sans oublier la station balnéaire d'Anna Maria Island.

Si le temps vous le permet, une visite à Venice s'impose. D'abord pour la beauté de son quartier historique et pour sa variété de boutiques, mais également parce que vous pourrez jouer à l'archéologue, en ramassant des dents de requins sur les plages de Venice Beach ou de Caspersen Beach.

Ca' d'Zan, la maison somptueuse de John Ringling construite dans les années 1920 que l'on peut visiter au John and Mable Ringling Museum of Art.
© Visit Sarasota County

Le choix hôtelier ne manque pas dans la région de Sarasota. Les voyageurs urbains y trouveront facilement leur compte, mais pour ceux qui préfèrent un environnent plus calme, Siesta Key, à environ 20 min de Sarasota, regorge d'oasis de paix.

VENDREDI 17 H / DÉPOSEZ VOS VALISES

On devient vite un habitué du **Siesta Sunset Royale** (5322, Calle De La Siesta, Sarasota, FL 34242 ; sunsetroyale.com). D'abord pour ses petits appartements, décorés avec goût aux couleurs des Caraïbes, mais également pour tous les petits détails qui agrémentent le séjour : un bar près de la piscine, des serviettes et des jouets pour la plage, une buanderie et même un BBQ. Si votre portefeuille vous le permet, louez le penthouse : la vue sur le golfe du Mexique est époustouflante ! Et ici, pas besoin

de votre voiture. La plage de Siesta Beach et le village de Siesta Key, avec ses restaurants et ses boutiques, sont à quelques minutes à pied de l'hôtel. Ne manquez pas non plus de rencontrer Paul Parr, le charmant propriétaire. Venu de Détroit après une carrière dans les affaires, il est tombé sous le charme de Siesta Key et a décidé de s'y établir. Friand de gastronomie, de culture et de nature, il connaît tout de la région et vous transmettra vite sa passion. **Prix :** **$$-$$$**

Au **Turtle Beach Resort & Inn** (9049 Midnight Pass Rd., Siesta Key, FL 34242 ; turtlebeachresort. com) règne une tranquillité apaisante. À 2 min à pied de Turtle Beach, cet hôtel est le rendez-vous des amateurs de *dolce vita*. Ses maisonnettes chaleureuses sont équipées de cuisinettes et entourées de fleurs éclatantes aux parfums capiteux. L'endroit est sans prétention et rappelle certains petits hôtels coquets de l'Amérique du Sud. Il convient parfaitement aux visiteurs en quête d'une halte zen. Idéal également pour un séjour en amoureux, car chaque chalet est doté d'un spa et d'un jardin privé. Au petit matin, sur le quai qui borde la baie, il fait bon respirer l'air du large et admirer le soleil levant salué par le chant des oiseaux. Des vélos, canots et kayaks sont à votre disposition pour découvrir les environs. Mention spéciale pour le personnel sympathique. De plus, vos compagnons à quatre pattes sont les bienvenus. Un havre de paix loin du brouhaha de la ville. **Prix : $$$**

Niché dans un écrin de verdure sur l'île de Siesta Key et agrémenté de deux piscines, le complexe **Tropical**

Siesta Beach est très populaire aux couchers de soleil.

Beach Resorts (6717 Sarasea Cir., Sarasota, FL 34242 ; tropicalbeach-resorts.com) se trouve à moins de 5 min à pied de la belle plage de Crescent Beach, à un peu plus de 2 km en voiture de Siesta Beach et à 15 min du centre-ville de Sarasota. Construits sur un seul étage, les petits appartements modernes de l'hôtel (studios et unités d'une ou deux chambres) ont vue sur le jardin. Leur cuisinette, bien équipée, est idéale pour cuisiner les poissons que vous aurez vous-même pêchés, si la chance vous sourit. De petits sentiers parcourent le site entre les arbres. Au détour, des tables aux parasols colorés invitent à la détente. Les adeptes de yoga seront comblés puisqu'on y offre des cours gratuits les mercredi et samedi matins. N'oubliez pas masque et tuba ! À quelques minutes de votre chambre, vers Point of Rocks, à Crescent Beach, se trouve un site reconnu pour la plongée en apnée, où vous pourrez admirer de magnifiques spécimens marins.

Pour le confort et le luxe absolu, séjournez au magnifique **Lido Beach Resor**t (700 Benjamin Franklin Dr., Sarasota, FL 34236 ; lidobeach-resort.com) à 15 min du centre-ville de Sarasota. Le décor, évoquant la mer, est apaisant et s'harmonise parfaitement avec l'esprit des lieux. Pour ajouter au confort et à l'agrément, plusieurs chambres ont une cuisinette et donnent sur la formidable plage de sable blanc d'une douceur incroyable de Lido Beach. L'endroit possède également deux belles piscines qui font face à la mer. Le typique tiki bar offre des boissons d'une fraîcheur exquise à déguster en contemplant les fameux couchers de soleil du golfe du Mexique. Pour ceux qui veulent faire un peu de magasinage, sachez que le fameux St Armands Circle, un immense complexe conçu au départ par John Ringling dans les années 1920, avec ses nombreuses boutiques, ses bars et ses restaurants aux terrasses invitantes, se trouve à quelques pas. **Prix : $$-$$$**

Les adeptes de camping seront ravis en logeant au **Turtle Beach Campground** (8862 Midnight Pass Rd., Sarasota, FL 34242 ; scgov.net/TurtleBeachCampground). Au sud de Siesta Key, à Turtle Beach, le site accueille les voyageurs avec tente ou roulotte. Les 40 terrains ne sont pas directement sur le bord de la mer, mais ils en sont si près (de 100 à 700 pi de la plage) que vous pourrez vous endormir en vous laissant bercer par le bruit des vagues. Petit conseil, réservez au moins six mois d'avance.

Petit éden pour camper, le **Oscar Scherer State Park** (1843 S Tamiami Trail, Osprey, FL 34229 ; floridastateparks.org/park/Oscar-Scherer), un parc de 1400 acres, à 8 km au nord de Venice, compte une faune et une flore particulièrement riches. Une foule d'activités y sont possibles : pêche, natation, vélo, excursions en kayak ou canot, avec en prime 25 km de sentiers pédestres. Ne soyez pas surpris si, au cours d'une randonnée, de petits oiseaux grégaires, des geais à gorge blanche (*Florida Scrub-Jays*) uniques à la Floride, atterrissent sur votre tête pour quémander de quoi manger.

19 H / ON S'EMPIFFRE

Après avoir fait une saucette et admiré l'éblouissant coucher de soleil à Siesta Beach, plage au sable blanc composé à 99 % de quartz qui ne brûle pas les pieds même à 100 degrés, pourquoi ne pas vous balader dans le mignon petit village de Siesta Key ?

Pour une aventure culinaire atypique, direction **The Cottage Restaurant** (153 Avenida Messina, Sarasota, FL 34242 ; cottagesiestakey.com). Ce resto branché à l'accueil chaleureux est situé en plein cœur de Siesta Key. En plus d'avoir aimé l'ambiance et la grande terrasse, nous avons eu un coup de cœur pour le risotto aux truffes et les moules. L'escolar, un poisson blanc provenant d'Hawaii, était tout aussi exquis. Certains plats de cuisine fusion vous surprendront agréablement. Qui plus est, la musique ajoute au charme et accompagne parfaitement le repas. Pour le dessert, goûtez à la traditionnelle *Key Lime Pie*, un incontournable !

Pour une ambiance plus feutrée, dirigez-vous chez **Eat Here** (240 Avenida Madera, Sarasota, FL 34242 ; eathereflorida.com). Non seulement le décor est invitant, avec le plafond noir, le grand bar et le piano, mais les fruits de mer y sont succulents. Les pizzas variées et originales, ainsi que les plats de saumon sont, de l'avis de plusieurs locaux, les meilleurs de la région. Amateurs de tacos, vous vous délecterez. Et croyez-le ou non, vous pourrez même goûter à de l'excellente poutine puisque le propriétaire, Sean Murphy, est Canadien ! Avant de vous empiffrer, prenez le temps de déguster un de ses excellents cocktails maison.

Siesta Beach

UN DIMANCHE À SIESTA KEY

Le dimanche à Siesta Key, en fin d'après-midi ou en soirée, il est difficile de résister à l'appel du «cercle des tambours». Une foule bigarrée de percussionnistes, de guitaristes, de joueurs de divers instruments et de danseurs se rassemble au rythme de leur musique devant les kiosques des vendeurs sur la plage publique. Un grand nombre de badauds s'y retrouve, et c'est ainsi que le cercle des tambours de Siesta Key est devenu le plus important du genre aux États-Unis.

Selon la légende, il aurait débuté en 1996 lorsqu'un habitant de Bradenton appelé David Gittens aurait organisé un premier regroupement de tambours sur la plage de Siesta Key. Gittens se serait vaguement inspiré d'un événement semblable des nations autochtones auquel il aurait assisté dans le nord de la Californie. Au cours des années, cette fête populaire, qui a lieu tous les dimanches au coucher du soleil, est devenue un événement convivial où les gens communiquent entre eux.

Avec son large éventail de restaurants multiethniques, Sarasota ravira

les *foodies*. Nous avons cependant nos favoris, dont le **Owen's Fish Camp** (516 Burns Court, Sarasota, FL 34236 ; owensfishcamp.com). Avec ses arbres gigantesques et son décor rustique fait de murs en bois, d'un toit pentu et d'ornements rappelant un camp de pêche, ce lieu est un incontournable. La cour arrière, joliment aménagée, est parfaite pour s'évader le temps d'un apéro. Le soir, l'oasis de verdure qu'est la terrasse, intime et à l'éclairage tamisé, est idéale pour un repas en tête à tête. On vous sert des palourdes dans une sauce onctueuse, du homard préparé de multiples et délicieuses façons, des huîtres, du crabe et des crevettes fraîches et exquises… Vous êtes ici, véritablement, au paradis du poisson et des fruits de mer ! Au dessert, optez pour la tarte aux pacanes. Les serveurs sont attentifs, affables et d'une grande efficacité. Conseil : n'hésitez pas à demander au patron de vous faire visiter son resto qui est l'ancienne maison du fondateur de Sarasota !

Pour les amateurs de vraie cuisine BBQ, attablez-vous au **Nancy's BBQ** (301 S Pineapple Ave., Sarasota, FL 34237 ; nancysbarbq.com). C'est avec passion que Nancy Krohngold prépare le meilleur porc des environs. Sa recette consiste à frotter la viande avec 14 ingrédients secrets et à la faire cuire doucement sur le BBQ pendant au moins 15 heures. Quand c'est prêt, la sauce riche, sucrée et épicée, au goût de fumée de chêne, enrobe l'épaule de porc qui se détache à la fourchette et explose de saveurs. C'est toute une expérience ! Au cours des dernières années, Nancy a perfectionné sa recette, lui conférant un style unique, ce qui lui a valu des

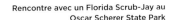

Rencontre avec un Florida Scrub-Jay au Oscar Scherer State Park

L'hôtel Siesta Sunset Royale

éloges de critiques gastronomiques. Au fil des ans, le bouche-à-oreille a aussi fait son œuvre.

Ces deux restaurants sont situés dans le Historic Burn's Court District, dont les bungalows datent des années 1920. Profitez-en pour arpenter l'animée Pineapple Avenue, pas très loin du centre-ville de Sarasota. On trouve de belles boutiques, de bons restaurants et des galeries d'art sur Palm Avenue et Main Street.

Ayant pignon sur rue au deuxième étage dans le fameux St Armands Circle, le **Shore Diner** (465 John Ringling Blvd., suite 200, Sarasota, FL 34236 ; dineshore.com) présente une atmosphère décontractée de villégiature. Le décor est branché, mais avec une touche qui rappelle la Floride du siècle dernier. La terrasse extérieure, décorée avec goût et agrémentée de larges banquettes, permet de décompresser avant de passer à table. Les cocktails maison à la signature bien particulière vous mettront en appétit. Les plats sont à la fois raffinés et classiques, concoctés avec des éléments d'une belle fraîcheur, souvent bio, et

parfaitement agencés. Les amateurs de viande seront comblés avec le burger à la confiture de bacon, cheddar et laitue ou le pain de viande servi avec une belle purée de pommes de terre, haricots, carottes, compote de tomates et jus d'oignons. Pour ceux qui préfèrent les poissons et les fruits de mer, le gâteau de crabe bleu, les moules au curry thaïlandais et les tacos de poissons sont absolument savoureux. Une belle aventure culinaire !

21 H / CE SOIR, ON DANSE !

Le village de Siesta Key convient très bien à la fête le soir venu. **The Beach Club Siesta Key** (5151 Ocean Blvd., Siesta Key, FL 34242 ; beachclubatsiestakey.com) offre une belle terrasse, idéale pour faire du *people watching*. Plus tard en soirée, alors que la clientèle rajeunit, on se déhanche au son de la musique. Certains jours, la bière pression locale est offerte à seulement 2 $. On ne s'ennuie pas dans ce bar éclectique qui organise même des concours de bikinis !

Le **Siesta Key Oyster Bar** (5238 Ocean Blvd., Sarasota, FL 34242 ;

À la Marina de Sarasota

À Lido Beach

skob.com) rappelle la plage avec sa jolie terrasse colorée. La bouffe y est également réputée. À l'habituel menu de bar, incluant burgers et ailes de poulet, s'ajoutent huîtres, pattes de crabe et *crab cakes*. Ne manquez pas le fameux *happy hour,* de 15 h à 18 h. Le dimanche, le menu déjeuner est offert jusqu'à 11 h 45 et les cocktails-déjeuner sont à 4 $ ou 5 $. De la musique *live* joue tous les jours de 19 h à 23 h et les vendredis et samedis de 20 h à minuit.

On change complètement d'environnement en faisant un arrêt au **Gilligan's Island Bar & Grill** (5253 Ocean Blvd., Siesta Key, FL 34242 ; gilligandsislandbar.com). L'endroit se distingue par son tiki bar, son toit de chaume, ses sculptures de bois et son bus Volkswagen. Derrière, un patio donne sur la plage et ses palmiers. Flanqué d'une boutique où l'on vend des t-shirts amusants, des planches de surf et d'autres accessoires, le resto propose un choix varié de fruits de mer et de cocktails à des prix alléchants.

À Sarasota, l'offre est grande pour danser et faire des rencontres. Le **Marina Jack Dining Room** (2 Marina Plaza, Sarasota, FL 34236 ; marinajacks.com), situé à la marina de Sarasota, comprend une salle à manger avec vue sur le canal. Au menu : pâtes, steaks et fruits de mer et une liste élaborée de vins. À cela s'ajoute le Blue Sunshine Patio, récemment rénové, ouvert de 11 h 15 à 22 h du dimanche au jeudi et jusqu'à 23 h le vendredi et samedi. Des musiciens, guitaristes ou petits ensembles s'y produisent, contribuant ainsi à créer un climat de vraies vacances. Enfin, du mardi au dimanche, le Deep Six Lounge and Piano Bar s'anime dès

18 h et ce jusqu'à minuit. Dans une ambiance de franche camaraderie, on s'installe sur les tabourets regroupés autour du piano pour écouter le pianiste jouer. Le menu comprend, entre autres, des huîtres, des calmars, du bœuf, des *chowders*, des soupes et des salades. Ici, les pizzas sont appelées *flatbreads* et elles sont proposées en plusieurs versions inusitées.

En vous rendant au Marina Jack, attardez-vous pour admirer l'immense sculpture *Unconditional Surrender* devant le port de Sarasota. Il s'agit d'une œuvre de John Seward Johnson II inspirée d'une photographie de Victor Jorgensen, *Kissing the War Goodbye*. On y voit un marin de la Seconde Guerre mondiale embrassant passionnément une infirmière.

Pour s'amuser à Sarasota, le **Gator Club** (1490 Main St., Sarasota, FL 34236 ; thegatorclub.com) est à ne pas manquer. Depuis 1913, il a successivement été magasin général et siège d'une agence immobilière, et on y a vendu des journaux et des cigares. L'immeuble figure maintenant dans le registre national des sites historiques. Transformé en bar avec des musiciens se produisant au son du rythm & blues et des *top 40*, le lieu s'est taillé une formidable réputation pour sa musique.

Tout juste en face du Sarasota Memorial Hospital se trouve le **Five O'Clock Club** (1930 Hillview St., Sarasota, FL 34239 ; 5oclockclub. net), élu en 2015 meilleur endroit pour entendre de la musique *live* par le *Sarasota Magazine*. Même si l'espace est un peu restreint, il est idéal pour danser. Blues, funk, pop, rythm & blues, rock, motown se succèdent pour plaire au plus grand nombre. Ouvert de midi à 2 h du matin du lundi au vendredi, et de

TRANCHE D'HISTOIRE

Bien avant qu'elle ne devienne la ville que nous connaissons, Sarasota fut un site préhistorique. Elle s'est transformée depuis les années 1900 en une métropole prospère.

Les premiers établissements commerciaux de la ville ont été créés en 1910. Au cours des années qui ont suivi, plusieurs dames de la haute société ont contribué à faire de Sarasota un centre important. Par exemple, Bertha Palmer, une riche femme d'affaires de Chicago, s'est assurée de la conservation de vastes étendues de terres agricoles.

tomber par terre, des crêpes jambon et fromage, bretonnes, au saumon, au citron, de belles salades niçoises ou aux fruits de mer. Chaque plat est concocté avec finesse et la présentation est soignée. On y sert même du bon rosé de Provence. Le plus beau de l'histoire est que les prix sont tout à fait raisonnables.

Le **Serving Spoon** (1825 S Osprey Ave., Sarasota, FL 34239), tout juste derrière le Sarasota Memorial Hospital, à l'angle de Ospery et Hillview, est un incontournable. L'endroit est reconnu comme servant les meilleurs déjeuners en ville, et ils sont préparés avec des produits locaux. L'accueil convivial rappelle les repas en famille. On y propose des choix santé et des brunchs.

15 h à 2 h les samedis et dimanches. Le patio a son propre bar où il est permis de fumer. Il vaut mieux consulter le calendrier sur leur site web pour connaître la programmation musicale qui varie souvent.

SAMEDI 8 H / VITE UN DÉJEUNER !

Quoi de mieux pour débuter la journée qu'un petit coin de France sous le soleil floridien ! Au restaurant **Bonjour French cafe** (5214 Ocean Blvd., Siesta Key, FL 34242 ; bonjourfrenchcafe. com), les propriétaires venus de l'Hexagone ont à cœur de vous recevoir chaleureusement et de vous servir un déjeuner fait maison, à la fois simple et savoureux. Du pain frais et des croissants croustillants, de succulents paninis, du brie fondant, des quiches, un jus d'orange fraîchement pressé, un espresso, des viennoiseries à

10 H / PLACE AU CIRQUE !

La visite obligatoire à faire à Sarasota est sans contredit celle du **Ringling Museum Complex** (5401 Bay Shore Rd., Sarasota, FL 34243-2161 ; ringling.org). L'immense complexe situé face à la baie de Sarasota regroupe le John & Mable Ringling Museum of Art, le Ca' d'Zan et le Circus Museum.

Fils d'un immigrant allemand, John Ringling, né aux États-Unis en 1836, fonda avec quatre de ses frères un petit cirque qui remporta tout de suite un vif succès et prit de l'expansion rapidement. En 1907, ils achetèrent le fameux cirque Barnum & Bailey. Vers 1925, la fortune de John était évaluée à 200 millions de dollars. À l'instar de son frère Charles, il investit alors à Sarasota dans l'immobilier, à un point tel qu'à une époque, tous les deux possédaient plus de 25 % de la ville. John Ringling avait l'ambition de faire en sorte que la côte sud-ouest de la Floride devienne aussi belle et aussi fréquentée que son pendant du sud-est. Il y installa d'abord les quartiers d'hiver de son cirque, puis y fit bâtir sa maison. Au début du XXe siècle, il voyagea en Europe avec sa femme et acheta beaucoup de toiles de grands maîtres tels Rubens, Vélasquez, Gainsborough, Tintoretto, et plusieurs autres. De fil en aiguille, de par ses acquisitions et sa passion du beau, il contribua à embellir son domaine et à le développer. On dit qu'il a permis à la ville de Sarasota de devenir ce qu'elle est aujourd'hui : un centre effervescent pour la vie culturelle de la côte ouest.

LE JOHN & MABLE RINGLING MUSEUM OF ART

Il s'agit du musée d'art de l'État de Floride, légué au peuple de Sarasota par John Ringling. Y figurent, outre les tableaux des peintres mentionnés plus haut, des sculptures, des peintures de la fin de l'époque médiévale au XIXe siècle, environ 2800 antiquités grecques, romaines et chypriotes et une multitude d'autres objets d'art de la fin du Moyen-Âge et du début de la Renaissance.

CA' D'ZAN («MAISON DE JOHN», EN DIALECTE VÉNITIEN)

D'une beauté à couper le souffle, avec une vue magnifique sur la baie de Sarasota, cette maison était la résidence d'hiver du couple. Ses 45 chambres et ses 15 salles de bain représentent bien la mégalomanie de John et Mable Ringling, deux collectionneurs passionnés. Pour la petite histoire, John Ringling a épousé en 1905 Mable Burton. Ils partageaient tous les deux un amour pour Sarasota, l'art, la musique et les

voyages et surtout pour Venise, dont ils souhaitaient retrouver l'atmosphère dans leurs quartiers d'hiver. Ils ont donc fait bâtir leur maison dans un style gothique vénitien, inspiré du palais des Doges, de la Ca' d'Oro et de l'hôtel Danieli de Venise. Splendide résidence regorgeant d'œuvres d'art et de fresques, voilà qu'après de multiples rénovations, on peut aujourd'hui la visiter et en admirer tout le faste. On vous suggère de faire la visite guidée, particulièrement intéressante puisqu'elle permet d'avoir accès à une visite de l'étage supérieur.

Le Turtle Beach Resort & Inn

Le Lido Beach Resort

Les jardins du Marie Selby Botanical Gardens

Les jardins tout autour, le Bayfront Gardens, le Mable's Rose Garden et le Secret Garden, sont absolument fabuleux ! Au Rose Garden poussent encore les mêmes variétés de roses que Mable y avait plantées à l'époque.

LE CIRCUS MUSEUM

Le Circus Museum raconte la vie du cirque américain à travers une multitude d'objets, d'affiches et d'équipement des beaux jours d'une époque révolue. John Ringling accumula toute une collection de costumes, d'équipement et de souvenirs du fascinant monde du cirque. Maintenant restauré, le wagon Le Wisconsin, dans lequel lui et Mable traversaient le pays à la recherche de nouveaux numéros, vaut le détour, tout comme l'œuvre de Howard Tibbals, créateur du plus grand cirque miniature conçu à petite échelle, le Ringling Bros et le Barnum & Bailey Circus. Il lui aura fallu près de cinq décennies pour compléter son œuvre.

13 H / À LA BOUFFE !

Épuisé par tout ce grand tour ? Relaxez au **Muse Cafe** sur le site du Ringling Museum Complex. À l'intérieur, ou sur la terrasse qui donne sur les magnifiques jardins, vous pourrez vous sustenter à satiété, le menu offrant un vaste choix. Ne partez surtout pas sans avoir pris une bouchée de leur fameuse crème brûlée au Nutella !

14 H / AU PAYS DES MERVEILLES

Direction **Marie Selby Botanical Garden** (811 S Palm Ave., Sarasota, FL 34236 ; selby.org). À seulement 10 min du complexe Ringling se trouve un jardin botanique comme on en voit peu, c'est-à-dire : époustouflant ! Une oasis tropicale en milieu urbain qui saura vous ravir.

En 1908, Marie Minshall épousa William Selby, un richissime associé de son père. Lors d'un voyage à travers le pays, le couple tomba amoureux de Sarasota et fit construire sa demeure de style espagnol vers 1920, au cœur de la ville, parmi les lauriers et les banians. Marie Selby avait souhaité qu'après sa mort, son domaine soit transformé en jardin botanique pour ainsi transmettre aux générations futures son amour de l'horticulture. Depuis, le jardin est passé de 7 à 15 acres dont 9 sont consacrés aux expositions.

Aujourd'hui, grâce à la générosité et à la passion de Marie Selby, le jardin s'enorgueillit de plus de 20 000 plantes, surtout des orchidées et des broméliacées, des plantes recueillies lors d'expéditions ou encore acquises auprès d'institutions internationales. Il est maintenant devenu un centre de recherche sur les orchidées et leur écosystème. Les enfants se plairont dans le jardin de la forêt tropicale Ann Goldstein. Les stations interactives, leur expliquant les plantes et leur habitat, combleront leur curiosité et leur soif d'apprendre.

17 H / PLACE AU PARADIS

En plus d'aimer Sarasota pour ses attraits culturels, on s'y précipite pour les îles barrières à proximité, dont les principales sont Longboat Key, St Armand's Key, Lido Key, Siesta Key, Casey Key et la magnifique Anna Maria Island, à environ 30 min au nord de Sarasota. Sans contredit l'une de nos plus belles découvertes en Floride ; une destination de rêve pourtant encore méconnue des Québécois. Avec ses petites maisons coquettes en bardeaux colorés, Anna Maria Island, c'est un peu le Cape Cod de la Floride. Comme dans les îles des Caraïbes, l'atmosphère est apaisante et propice au repos. Les arbres et les palmiers y abondent, il y a des oiseaux en quantité, de jolies boutiques, de bons restaurants et de petites auberges sympathiques. Les plages d'un sable blanc immaculé sont impressionnantes. Alors que certaines sont plutôt sauvages, d'autres sont publiques et bien entretenues comme celle de Coquina Beach au sud et celle de Manatee Beach au centre. Ici, il n'y a pas d'immeubles en hauteur, pas de chaînes de restaurant. Une vraie petite île du paradis.

Anna Maria Island, longue d'environ 11 km, comprend trois petites municipalités : Bradenton Beach au sud, Anna Maria au nord et Holmes Beach au centre.

À votre arrivée à Anna Maria, promenez-vous du côté de la charmante Pine Avenue, la principale artère commerciale, et dirigez-vous jusqu'au City Pier (tout au bout de Pine Street et de Gulf Drive). Parcourez la longue jetée et admirez le coup d'œil extraordinaire sur la baie de Tampa.

Pour être aux premières loges du spectacle haut en couleur qu'offre l'endroit tous les soirs, arrêtez-vous au **Sandbar Restaurant** (100 Spring Ave., Anna Maria, FL 34216 ; sandbar. groupersandwich.com). C'est dans un cadre idyllique, les pieds au chaud dans le sable blanc, le regard rivé sur le coucher de soleil au-dessus de l'éblouissant golfe du Mexique que vous pourrez déguster un savoureux repas. La coquille Saint-Jacques est un incontournable et les crevettes enrobées d'une sauce crémeuse et déposées sur des pâtes vous feront craquer. Les poissons sont grillés à point et les accompagnements proposés conviennent parfaitement.

Le Sandbar est souvent l'hôte de réceptions de mariage, surtout au couchant quand la terrasse est subtilement éclairée par des lanternes. Comme l'endroit est populaire, vous aurez peut-être à attendre un peu certains jours, mais les clients savent que l'attente en vaut la peine et ne s'offusquent pas de patienter sur la plage. On y va en tenue décontractée ; l'ambiance est conviviale et bon enfant.

Pour ceux qui ont envie d'un véritable festin, attablez-vous au **Beach Bistro**, à Holmes Beach (6600 Gulf Dr., Holmes Beach, FL 34217 ; beachbistro.com). Avec son emplacement stratégique au bord de la mer et son menu raffiné, le Beach Bistro est considéré comme un restaurant haut de gamme. L'agneau et le bœuf fondent dans la bouche. Le plat de homard accompagné de moules, de crevettes et d'une sauce bien relevée est tout aussi délectable. La présentation des plats est digne d'une table gastronomique. Et que dire des desserts ? Élaborés avec délicatesse, ils terminent de belle façon le repas. Entouré par le bruit des vagues, au soleil couchant, profitez de la terrasse paradisiaque pour déguster votre souper en bonne compagnie et vivre un parfait moment d'évasion.

DIMANCHE 8 H / À TABLE

L'un des endroits les plus courus pour le déjeuner est le **Sun Garden Cafe Siesta Key** (210 Avenida Madera, Sarasota, FL 34242 ; sol-food.net). L'attente est longue (parfois une quarantaine de minutes) pour fréquenter ce petit resto muni d'une jolie terrasse, à moins de vous y pointer vraiment tôt.

Découvrez un menu raffiné pour les déjeuners et les dîners. Un restaurant avec une excellente réputation. Les chiens sont tolérés, mais seulement s'ils savent bien se tenir !

Un autre restaurant à déjeuner bien en vue, mais du côté de Sarasota, à St Armands Circle, est le **Blue Dolphin Cafe** (470 John Ringling Blvd., Sarasota, FL 34236 ; bluedolphincafe.com). Ce petit café est à la fois intime et sympathique pour les déjeuners et dîners. Les prix sont abordables et on y retrouve les déjeuners traditionnels d'œufs, de crêpes, de gaufres et d'omelettes, avec en plus un menu pour enfants.

VISITE CHEZ LES AMISH

Saviez-vous que le quartier de Pinecraft, à Sarasota, à quelques minutes du centre-ville, abrite une communauté d'amish et de mennonites provenant, entre autres, de l'Illinois, de l'Indiana et de Pennsylvanie ? Comme de nombreux Québécois, cette communauté s'est réfugiée en Floride pour fuir les longs hivers.

Non seulement ce quartier unique vaut la peine d'être visité pour ses commerces et ses maisonnettes, mais vous pourrez échanger, comme nous

Il y a une importante communauté Amish dans la région de Sarasota.

Découvrir le Myakka River State Park

l'avons fait, avec ses résidents. Les membres de cette communauté sont sympathiques, dotés d'un bon sens de l'humour et n'hésiteront pas à répondre à vos questions. Par contre, si l'envie vous prend de les photographier, assurez-vous de leur demander la permission. Ils n'aiment pas nécessairement être devant l'objectif. Certains accepteront d'emblée avec le sourire, alors que d'autres refuseront carrément.

Si vous voulez assister à un match de *shuffleboard* ou de volleyball en direct, faites un saut au **Pinecraft Park** (1420, Gilbert Ave., Sarasota, FL 34239). Durant la journée, les membres de la communauté amish et mennonite aiment s'y retrouver. Une bonne façon de visiter le quartier est d'imiter ses résidents et de se promener à vélo ou en tricycle. En saison, on peut en faire la location chez Miller's Bike Shop sur Kaufman, au nord de Bahia Vista, en arrière du restaurant **Yoder's Restaurant & Amish Village** (3434 Bahia Vista St., Sarasota, FL 34239 ; yodersrestaurant. com). Les amish sont réputés pour leur nourriture réconfortante. Profitez de votre escale pour faire un saut à ce restaurant. Au menu, des plats familiaux

à base de produits frais et à des prix très raisonnables. N'oubliez pas de goûter à leur fameux poulet frit et à leurs tartes maison qui ont fait leur réputation, dont celle au chocolat et au beurre d'arachide. Tellement bonne qu'on en a pris deux fois plutôt qu'une ! Le restaurant **Der Dutchman** (3713 Bahia Vista St., Sarasota, FL 34232) est dans la même lignée.

13 H / AU ROYAUME DES ANIMAUX

Il faudrait plusieurs paragraphes pour décrire le **Myakka River State Park** (13 208 State Rd. 72, FL 34241 ; floridastateparks.org/park/Myakka-River), ce magnifique parc dont la beauté a été si bien préservée. Cette immense étendue comprend près de 55 km d'une forêt de pins, de prairies et de marais qui bordent la rivière Myakka, dans le comté de Sarasota. À pied, en voiture ou à vélo, de nombreux sentiers vous font pénétrer au cœur même d'une nature qui n'a pas changé depuis des siècles. Au détour d'un bouquet d'arbres gigantesques, vous aurez la chance d'apercevoir un aigle, un vautour, une biche, un grand héron bleu ou encore un sanglier.

En sortant du parc, et en reprenant tranquillement la route vers Sarasota, certains racontent avoir même croisé des lynx.

LE BONHEUR SUR L'EAU

Pour avoir une vue à 360^0 de ce gigantesque océan de verdure, vous pourrez marcher sur la passerelle suspendue et grimper dans la tour d'observation. Puis, tout au cours de la journée, de nombreuses haltes vous permettront de vous reposer et de casser la croûte. Sur la rivière ou sur les eaux d'un des deux lacs, vous pourrez voguer doucement en canot ou en kayak au soleil couchant. Sinon, une partie de pêche en bateau ou une excursion sur un des hydroglisseurs satisferont votre esprit aventurier. Restez aux aguets, les alligators ne sont jamais bien loin !

Si vous voulez étirer le plaisir, il est possible de séjourner dans le parc dans l'une des cinq cabanes en bois au charme d'antan, modernisées et équipées de cuisinettes. Pour ceux qui préfèrent le camping, trois sites magnifiques vous accueillent. Plusieurs terrains sont séparés les uns des autres par de la végétation, de façon à assurer une certaine intimité. Dans la catégorie nature sauvage, la visite du Myakka River State Park sera sans aucun doute parmi vos plus beaux souvenirs de la Floride.

13 H / VENICE

Si les réserves naturelles ne sont pas votre tasse de thé, précipitez-vous à Venice, à 30 min au sud de Sarasota, une petite localité tranquille, coquette, où règne l'esprit « Old Florida ». Dans le quartier historique de la ville, dont plusieurs édifices ont été restaurés, vous pourrez faire de jolies trouvailles en parcourant l'élégante West Venice Avenue avec sa rangée de palmiers. Au programme : souvenirs, vêtements, bijoux, restaurants et galeries d'art. C'est à cet endroit que nous avons déniché de beaux bijoux à prix modiques, inspirés de la mer. Profitez-en pour jeter un coup d'oeil au Venice Theater, datant de 1927, en empruntant Tampa Avenue.

Envie d'une baignade ? Au bout de West Venice Avenue se trouve la plage de **Venice Beach** (101 The Esplanade, Venice, FL 34285), célèbre pour ses dents de requin. Venice est considérée comme la « capitale mondiale de la dent de requin » en raison d'un étrange phénomène naturel. Comment se fait-il qu'il y en ait une telle quantité à cet endroit ? C'est que des requins géants, tel le mégalodon, une espèce éteinte depuis longtemps, ont séjourné il y a des millions d'années dans les eaux du golfe du Mexique. Leurs carcasses, reposant sur le lit de l'océan, se sont désintégrées avec le temps, mais leurs dents, elles, remontent maintenant à la surface au gré des courants et des marées. Avec ses 22 km de plage, Venice recèle donc un grand nombre de dents de requins rejetées par la mer.

Caspersen Beach (Venice, Harbor Dr., FL 34285), à environ 2,5 km au sud de Venice Beach, le long de Harbor Drive, est la plage la plus au sud de Venice et celle qui en contient le plus. Vous y verrez un grand nombre de « chercheurs d'or » équipés de leur filet et de leur panier aller à la chasse au trésor. Une plage magnifique à l'aspect très sauvage.

Le **Venice Fishing Pier** (1600 S, Harbor Dr. Venice, FL 34285), à 2,5 km au sud de West Venice Avenue, est célèbre non seulement pour sa jetée et sa plage, mais également pour son restaurant sympathique. **Sharky's on the Pier** (1600 S Harbor Dr., Venice, FL 34285 ; sharkysonthepier.com) est un endroit idéal pour relaxer et admirer le coucher de soleil, apéro tropical à la main.

Si le temps vous le permet, faites un tour à Englewood, à 20 min au sud de Venice. Une autre petite ville charmante, dont l'artère commerciale principale, Dearborn Street, présente des boutiques uniques. Après votre visite, relaxez à **Stump Pass Beach State Park** (900 Gulf Blvd., Englewood, FL 34223 ; floridestateparkks.org/park/ Stump-Pass), en traversant le pont qui vous mène à Manasota Key. Cette plage sauvage compte parmi les plus belles que nous ayons vues en Floride.

Le quartier historique de Venice

ESCAPADE À ST PETERSBURG

Plus désinvolte et branchée que sa voisine Tampa, St Petersburg conjugue plage et culture.

Si, pour l'amateur d'art contemporain ou pour les passionnés de l'homme à la moustache, la galerie Chihuly et le musée Salvador Dalí sont de parfaites raisons pour visiter la région, les immenses murales colorées du centre-ville procurent aux fanas d'art urbain une émotion tout aussi grande. En somme, à «St Pete», les musées ne forment pas votre plan B en cas de mauvais temps sur la plage, ils sont des incontournables à part entière.

Visitez les coquettes petites villes des environs que sont Dunedin et Gulfport, de véritables trésors cachés de la Floride. Avec leurs maisons pittoresques, leurs restaurants et leurs galeries d'art, elles ont indéniablement de quoi séduire.

Destination prisée des touristes en raison de ses attraits culturels, de ses plages et de son climat exceptionnel avec environ 361 journées d'ensoleillement par an, la région offre un grand choix d'hôtels, toutes catégories confondues.

St Petersburg est un vrai musée à ciel ouvert.

VENDREDI
17 H / DÉPOSEZ VOS VALISES

À St Petersburg, **The Birchwood** (340 NE Beach Dr., St Petersburg, FL 33701 ; thebirchwood.com) est une valeur sûre. La bâtisse de style espagnol, construite en 1924, figure au registre national des sites historiques. Logé ici en plein milieu de St Petersburg, vous pourrez visiter les nombreux restaurants des environs, découvrir les parcs et les musées, dont celui consacré à Dalí. De style classique, dotées de meubles cossus, les chambres sont confortables et spacieuses, et les lits douillets. Le restaurant de l'hôtel, le Birch & Wine, sert une cuisine succulente composée de produits frais et saisonniers, dans une ambiance élégante et feutrée. Les plats de poissons et de fruits de mer ont fière allure et la carte des vins est intéressante. C'est l'endroit parfait pour se croire à une autre époque.
Prix : $$$

Autre suggestion, l'hôtel **Indigo** (234, N 3rd Ave., St Petersburg, FL 33701 ; hihg.com), est un endroit aux accents du passé. En plein cœur de la ville et de son bouillonnement, ce petit hôtel a été aménagé dans une demeure des années 1920, modernisée au fil du temps. Les portes en bois d'origine, ornées de vitraux, et les manteaux de cheminées sculptés de belle façon sont autant de vestiges de ces folles années. L'endroit est calme et offre une pause appréciée dans le tourbillon du voyage. Les chambres et les suites sont vastes, et le personnel avenant est toujours disponible pour répondre à vos questions. Un beau choix de plats vous est offert pour le déjeuner servi dans une sympathique salle à manger. Des vélos sont mis à votre disposition pour faciliter vos déplacements, et une jolie piscine entourée de palmiers vous attend pour vous rafraîchir après une pleine journée d'activités.
Prix : $$-$$$

Envie d'une baignade à la mer pour bien débuter la journée ? À 20 min de St Petersburg se trouve la station balnéaire de St Pete Beach et à sa pointe sud, Pass-a-Grille Beach (pass-a-grillebeach.com), beaucoup plus tranquille que sa voisine.

Nous sommes tombés sous le charme de la petite auberge **Inn on the Beach** (1401 Gulf Way, St Pete Beach, FL 33706 ; innonbeach.com) à Pass-a-Grille Beach. La vue sur le golfe du Mexique est magnifique, et il fait bon se réveiller en humant le doux parfum des fleurs. L'endroit est zen, propice au farniente. Les 10 studios sont munis d'une cuisinette, et les deux unités d'une chambre sont munies d'une cuisine complète. Pour un peu plus d'intimité, deux maisonnettes avec jardin privé et deux appartements sont aussi disponibles. Il n'y pas de piscine, mais la mer et sa plage idyllique ne sont qu'à quelques pas. **Prix : $$-$$$**

Tout près, dans le même style, le **Coconut Inn Pass-a-Grille** (113 11th Ave., Pete Beach, FL 33706) propose de petits appartements d'une ou deux chambres avec cuisinette. En boni, une piscine pour relaxer et un petit coin jardin. Des vélos sont disponibles ; d'ailleurs, la station balnéaire est idéale pour se balader en bécane. Surtout, ne manquez pas d'aller contempler les couchers de soleil de la plage, ils sont tout simplement saisissants à Pass-a-Grille Beach. **Prix : $$-$$$**

Si votre portefeuille vous le permet, logez au **Loews Don CeSar Hotel** (3400 Gulf Blvd., St Pete Beach, FL 33706 ; loewshotels.com/doncesar). Situé sur une plage privée, cet hôtel rose bonbon au charme d'antan est une institution à St Pete Beach. Ouvert en 1928, il jouit d'une riche histoire au passé faste. Le hall d'entrée est impressionnant avec ses grands lustres, tout comme le bar, son piano et ses immenses fenêtres. À voir absolument : les aquariums à l'eau de mer du restaurant Maritana Grille. Plusieurs chambres douillettes ont une vue époustouflante sur la mer azur, et les suites disposent en plus d'un joli balcon. À peine les valises déposées, les clients se hâtent vers la plage tout près pour profiter de la journée, les deux pieds dans un sable d'une parfaite douceur. Les cours de yoga et de mise en forme sont gratuits.

Dans l'enceinte de l'établissement, deux belles piscines vous attendent autour desquelles vous pourrez tranquillement déguster votre repas ou un cocktail. Plusieurs restaurants proposent des mets diversifiés qui sauront combler les plus fins palais comme les goûts les plus simples. De petits concerts présentés le midi et le soir ajoutent à l'ambiance décontractée. Des boutiques sympathiques et un spa luxueux complètent l'expérience. Ne manquez pas de savourer la crème glacée maison du Andy's Ice Cream Parlor. Sublime ! Bienvenue aux amis des chiens et à leurs compagnons à quatre pattes ! **Prix : $$$**

La ville de Clearwater, où se trouve le siège mondial de l'Église de scientologie, a peu d'intérêt pour les touristes. Pourtant, à proximité se trouve une plage splendide, Clearwater Beach, à 45 min au nord de St Petersburg. Bien qu'un peu commerciale avec ses bars et ses restaurants, cette plage familiale de 6 km, au sable blanc et aux palmiers

St Pete Beach

Le Loews Don CeSar Hotel

stratégiquement disposés, est d'une beauté inouïe. Le soir, des centaines de personnes se rassemblent, près de la grande jetée du Pier 60, pour observer le soleil disparaître. Plusieurs artistes s'y regroupent, dont des magiciens, des amuseurs de foule et parfois même des sirènes !

Sans doute à cause de la notoriété de cette plage, les hôtels y sont plutôt chers. Si vous cherchez un endroit économique, sans prétention et à bon prix, à deux pas de la plage, tournez-vous vers le **Camelot Beach Resort** (603 Mandalay Ave., Clearwater Beach, FL 33767 ; camelotresort-clearwater.com). À première vue, cet hôtel ne paye pas de mine, mais avec sa localisation stratégique et la propreté de ses chambres, il s'agit d'un choix éclairé. Au Camelot, les 20 unités réparties sur deux étages sont équipées d'une cuisinette et donnent sur la piscine. Comme elles sont aménagées différemment les unes des autres, la clientèle y trouve son compte,

en famille ou en couple. En plus, l'hôtel est situé près d'une zone résidentielle. N'hésitez pas à vous y balader en vélo en admirant les belles résidences et leurs jardins. L'établissement accepte les animaux. **Prix : $$**

19 H / REPAS BIEN MÉRITÉ !

À St Petersburg, rendez-vous dans le nouveau centre commercial Sundial St Pete, à quelques pas de la célèbre Beach Dr., là où se trouvent musées, restaurants avec terrasses, boutiques et cinémas, et gâtez-vous en dégustant la cuisine du chef vénitien Fabrizio Aielli au restaurant **Sea Salt** (183 N 2nd Ave., St Petersburg, FL 33701 ; seasaltstpete. com). Aielli, qui s'inspire, entre autres, de la cuisine de sa mère, utilise les produits biologiques et locaux autant que possible. Vous serez ébahis par l'impressionnant comptoir de produits de la mer, déposés sur un lit de glace. N'hésitez pas à commander des huîtres, une des spécialités de la

Le charmant Inn on the Beach à Pass-A-Grille Beach

maison. Elles proviennent du golfe du Mexique, mais également de la Colombie-Britannique et du Massachusetts. Pour choisir le vin adéquat, comptez sur Justin, le sommelier, qui vous conseillera avec plaisir.

Autre suggestion à St Petersburg, toujours dans le centre-ville : **The Mill Restaurant** (200 Central Ave. #100, St Petersburg, FL 33701). Ce restaurant a ouvert ses portes en 2015 pour le plus grand plaisir des fins gourmets de St Petersburg. L'ambiance y est très relaxe et le décor, fait d'accessoires glanés chez les antiquaires du coin, est recherché. Installez-vous au bar pour observer le va-et-vient des cuistots à l'œuvre en cuisine. On y dévore des plats de haute gastronomie comme les pétoncles au cari sur une purée de chou-fleur, le foie gras au torchon ou encore la salade de choux de Bruxelles aux petits pois sucrés. Notez que le menu change selon les saisons. Essayez un de leurs géniaux cocktails préparés par leur mixologue.

Si vous choisissez plutôt de loger dans les stations balnéaires de Clearwater Beach, de St Pete Beach et de Pass-a-Grille Beach, vous aurez également l'embarras du choix pour vous sustenter.

À Clearwater Beach, les choix gourmets sont nombreux. Le tout nouveau **Salty's Island Bar & Grille** (437 S Gulfview Blvd., Clearwater Beach, FL 33767 ; saltyisland.com) nous a plu. La superbe terrasse qui donne sur Gulfview Blvd., souvent animée par des musiciens, est l'endroit rêvé pour une véritable orgie de fruits de mer. Le crabe, vapeur ou grillé et accompagné d'un beurre à l'ail, y est simplement savoureux ! Il y a également un bon choix de tacos, de viande, de pâtes... Bref, il y en a pour tous les goûts, et les prix sont doux, doux, doux !

Il y a un peu du Québec derrière le **Frenchy's Original Cafe** (41 Baymont St., Clearwater Beach, FL 33767 ; frenchysonline.com), une institution à Clearwater Beach, car son propriétaire Michael Preston est originaire de la belle province. Alors qu'il était encore adolescent, sa famille est déménagée au Michigan. Ses amis américains l'ont rapidement surnommé « Frenchy » et depuis, ce sobriquet lui est resté. Dans les années 1970, lors de vacances avec ses copains à Clearwater, le jeune Frenchy est tombé amoureux de la région. Il a décidé de s'y installer et de trouver un petit boulot. En 1981, après huit ans dans la restauration, il a ouvert son propre restaurant. Pour s'assurer d'avoir des produits de la mer frais tous les jours, il a même acheté une petite flotte de bateaux pour s'approvisionner, créant du coup sa propre compagnie de pêcherie, la Frenchy's Seafood Company. Il est rapidement devenu célèbre grâce à son super sandwich au mérou. Nous avons aimé l'ambiance sympa, les produits frais de la mer et les prix modiques.

Le **Sea Critters Cafe** (2007 Pass-a-Grille Way, St Pete Beach, FL 33706 ; seacritterscafe.com) est un incontournable à Pass-a-Grille Beach. Ce mignon petit restaurant typique de fruits de mer a l'allure d'une cabane en bois et donne directement sur la marina. Les guedilles de homard, les crevettes et les beignets de crabe y sont déments. Et il est particulièrement chouette de les savourer en contemplant voiliers et yachts tous plus impressionnants les uns que les autres. Soyez aux aguets, les poissons-chats ont adopté l'endroit et aiment s'aventurer près des quais, à la tombée du jour.

Même si sa façade bleue très sobre et sa porte flanquée de deux palmiers ne laissent rien soupçonner, le **Fetishes Dining and Wine Bar** à St Pete Beach (6305 Gulf Blvd., St Pete Beach, FL 33706 ; fetishesrestaurant.com) prépare des plats traditionnels des plus raffinés. Chateaubriand selon la tradition, steak Diane, canard à l'orange, sole de Douvres meunière, desserts flambés (dont les fameuses crêpes Suzette), etc. On y trouve évidemment homard, crabe, pétoncles et crevettes. Tout ça accompagné de bons vins et d'un service attentionné et chaleureux dans une ambiance intime et feutrée. Au mur, on s'amuse à observer toute une collection de photos des célébrités qui s'y sont arrêtées, dont Georges Clooney, Tim Allen et bien d'autres.

Beaucoup moins cher, le **Dockside Dave's Grill** (14 701 Gulf Blvd., Madeira Beach, FL 33708) est le restaurant beau, bon, pas cher de fruits de mer favori de la clientèle locale. Situé à Madeira Beach, l'endroit sans prétention sert les meilleurs plats de mérou de la région.

22 H / CÉLÉBRER SES VACANCES !

St Petersburg est une ville dynamique, ouverte, vibrante. Les endroits pour socialiser et faire la fête sont nombreux. Une faune branchée se retrouve à **The Bends** (919 N 1st Ave., St Petersburg, FL 33705). On se sent bien dans ce décor conçu à partir de matériaux recyclés, comme ces caissons de bois tout simples pour la présentation des bouteilles derrière le bar et ces murs recouverts de planches de bois de différentes dimensions. Vous ne pourrez rater l'immense murale et les œuvres d'artistes originaux et modernes qui y sont exposées. Un cadre avec une photo de l'acteur Tom Selleck trône au-dessus de la caisse. De hauts plafonds et un impressionnant lustre complètent ce décor éclectique. C'est dans ce cadre jeune et actuel que de nombreux groupes et DJ viennent chauffer l'ambiance.

Un petit saut dans les années 1920, à l'époque de la prohibition et d'Al Capone, ça vous dit ? Au **Mandarin Hide** (231 Central Ave., St Petersburg, FL 33701 ; mandarinhide.com), le décor et l'ambiance rappellent celles des *speakeasies*, ces bars clandestins qui ont marqué cette période. Ici, des barmans et barmaids expérimentés vous concoctent autant les cocktails les plus légendaires et classiques que des nouveautés improvisées. Une belle carte de spiritueux, des bières de microbrasseries ainsi qu'une sélection de vins inspirée y sont également offertes.

Installé sur le toit de l'hôtel Birchwood, et bénéficiant donc d'une vue panoramique, **The Canopy Rooftop Lounge** (340 NE Beach Dr., St Petersburg, FL 33701 ; thebirchwood. com/thecanopy) est chic et convient parfaitement pour l'apéro. La place est chaleureuse, avec ses balustrades vitrées, offrant une vue sensationnelle sur la baie de Tampa, le centre-ville de St Petersburg et, par-dessus tout, sur les magnifiques couchers de soleil de la région. Une belle liste de cocktails tonifiants et de repas légers préparés à partir de produits saisonniers y est offerte. De nombreux divans et des cabanas invitent à la détente en compagnie de l'être cher, en s'enivrant de la douceur des nuits d'été.

Pour les admirateurs de Jack Kerouac, le **Flamingo Sports Bar** (1230 N 9th St., St Petersburg, FL 33705 ; flamingosportsbar.com) est LE bar mythique de la ville. L'auteur

d'origine canadienne-française et figure de proue de la *beat generation* aimait s'y réfugier. Il est d'ailleurs décédé à St Petersburg, le 21 octobre 1969. Vous voudrez peut-être vous asseoir à son tabouret préféré et commander le spécial Kerouac : un shooter de whisky et une bière.

Du côté de St Pete Beach, précisément dans le quartier historique de Pass-a-Grille Beach, l'action se déroule au fameux **Hurricane Sea Food Restaurant** (809 Gulf Way, St Pete Beach, FL 33706 ; thehurricane.com), un imposant immeuble de style victorien. On y mange de bons fruits de mer, mais l'endroit est surtout reconnu pour sa magnifique terrasse et sa vue imprenable sur les plages avoisinantes.

À Clearwater Beach, c'est le **Jimmy's Crow's Nest** qui a la cote. Perché au 10e étage du Pier House 60 Clearwater Beach Marina Hotel (101 Coronado Dr., Clearwater Beach, FL 33767), l'endroit offre une vue panoramique exceptionnelle. Un coin propice pour relaxer entre amis et regarder Galarneau disparaître à l'horizon.

SAMEDI 8 H / ON DÉJEUNE !

En chemin pour vous rendre au Musée Dalí, attablez-vous à la **Cassis American Brasserie** (170 NE, Beach Dr., St Petersburg, FL 33701 ; cassisab. com) sur la très belle Beach Drive au centre de toutes les activités culturelles de la ville. Le Cassis, dans la tradition des brasseries européennes, est une adresse qui s'impose surtout pour son élégante terrasse agrémentée de parasols couleur lime et sa vue sur le yacht-club. Au déjeuner, goûtez aux classiques œufs bénédictine au saumon fumé, aux œufs déposés sur d'épaisses tranches de jambon et accompagnés de petites frites assaisonnées ou encore aux surprenants burritos garnis d'œufs brouillés, de chorizo, d'avocat, de cheddar et d'une salsa de tomates fraîches. Ici, chaque plat est un vrai régal. En finale, les plus gourmands ne résisteront pas aux macarons, légers comme un nuage! En salle, le décor est tout aussi élégant, épuré avec ses murs jaune soleil, ses nappes blanches et ses chaises de style bistro.

Du côté de St Pete Beach, et pour prendre votre déjeuner en maillot de bain en regardant l'océan, faites un saut chez **Paradise Grille**, (900 Gulf Way, Pass-a-Grille Beach, FL 33706), le seul snack-bar de la plage, dans la petite communauté de Pass-a-Grille Beach. Les déjeuners à prix d'ami sont servis à partir de 8 h tous les jours. On y sert les plats d'œufs et d'omelettes habituels, dont une au crabe et aux crevettes, des crêpes, des fruits et des parfaits aux fruits, et même du saumon et des bagels. La fin de semaine, juste à côté, s'installent des vendeurs de toiles, de photos et d'artisanat. Définitivement, la plus belle salle à manger qui soit!

À 20 min au nord de St Pete Beach, à Redington Beach, découvrez l'unique **Sweet Sage Cafe** (16 725 Gulf Blvd., North Redington Beach, FL 33708; sweetsagecafe.com). Ce restaurant informel offre des déjeuners et des lunchs traditionnels, mais avec quelques petites créations de son cru: des gaufres avec plein d'accompagnements, une quiche différente à chaque jour, des omelettes, des *wraps* et des œufs bénédictine

TRANCHE D'HISTOIRE

Si vous pensiez que St Petersburg était la cousine américaine de la capitale des tsars Saint-Pétersbourg, vous n'avez pas tort. La ville, établie au XIXe siècle, doit son nom à Peter Demens, un aristocrate russe et magnat des chemins de fer qui fit prolonger la ligne Orange Belt du territoire Seminole au centre de l'État, jusqu'à la baie de Tampa, à la sueur du front d'ouvriers souvent impayés et de créanciers menaçant constamment de retirer leur financement en raison de l'importante distance à parcourir à travers marais et forêts. En atteignant finalement la localité à l'ouest de Tampa, le noble Demens s'éprend du village qui baigne à la fois dans la baie et dans le golfe du Mexique et le nomme St Petersburg en l'honneur de sa ville natale.

Malgré son nom slave, St Pete cultive surtout un héritage méditerranéen. À preuve, la multitude de façades de style Renaissance italienne du centre-ville, comme celle de l'hôtel Vinoy et du Jungle Country Club ainsi que celles des demeures bordant le chemin Coffee Pot Bayou.

qui sortent de l'ordinaire. Si tenue en laisse, la gent canine est plus que bienvenue à la terrasse. Il y a même un jardin pour les chiens.

Le sable blanc de Clearwater Beach

10 H / DÉCOUVERTE DES MURALES

St Petersburg est une ville artistique étonnante. Les arts de la rue se sont développés de façon fulgurante ces dernières années grâce au travail d'artistes et de muralistes qui ont orné les murs de nombreux édifices. En fait, la ville est un véritable musée à ciel ouvert avec sa quarantaine de murales colorées, dont certaines plus grandes que nature. En plus d'attirer des artistes de renommée internationale, les murales à grande échelle contribuent à valoriser certains quartiers négligés. Il suffit de vous balader dans le **Central Arts District** (entre autres, l'intersection Central Avenue et 6th Street, surnommée «the 600 Block») pour vivre une expérience visuelle intense. Pour connaître la petite histoire qui se cache derrière une trentaine d'entre elles, partez à leur découverte avec les **Walking Mural Tours** (départ du Florida CraftArt ; 501 Central Ave., St Petersburg, FL 33701 ; floridacraftart.org), les samedis à 10 h. Ce tour fascinant dure 90 minutes. Réservation obligatoire.

12 H / VITE, À MANGER !

À quelques pas du Florida CraftArt se trouve le petit restaurant le plus cool en ville, **Bodega** (1120 Central Ave., St Petersburg, FL 33705 ; bodegaoncentral.com), qui offre une cuisine de rue inspirée des îles d'Amérique du Sud et créée à partir d'ingrédients frais. Les propriétaires originaires de New York, George et Debbie Sayegh, sont passionnés par la cuisine depuis toujours. Bien qu'ils aient eu le choix d'installer leur restaurant où ils le voulaient, c'est St Petersburg qui a conquis leur cœur. Amoureux de ce coin de pays et fous de la fraîcheur que propose la cuisine latine, ils y ont établi leur restaurant sans prétention où l'on se sent bien.

Au menu, de la bouffe pour les carnivores, les végétariens et même les végétaliens : sandwich cubain, le cochon de lait longuement grillé, poulet grillé à la marinade de coco et de nombreux plats à base de tofu ou de tempeh. Ils préparent des jus santé et surtout un fameux élixir de jeunesse, le jus d'agropyre (*wheat grass*). Vous allez péter le feu, c'est promis !

Si vous souhaitez vous gâter un peu, précipitez-vous au **Engine n° 9** (56 N Doctor M.L.K. Jr St., St Petersburg, FL 33705 ; no9burgers. com), un petit bar sportif où sont offerts les plus grandioses et délicieux burgers au monde ! Sceptiques ? Allons-y alors pour les meilleures de la Floride ! Le propriétaire Jason Esposito est un chef reconnu, qui a travaillé dans de nombreux hôtels. Son dada, cuisiner de la nourriture cajun et créole. En plus de ses fameux burgers variés, on y propose des ailes de poulet piquantes, du poulet grillé aux saucisses longuement braisées dans un roux noir de style cajun, des sandwichs chauds tous plus originaux les uns que les autres et de délicieux raviolis à la courge grillée ou aux champignons. En plus, on y sert 65 sortes de bière. C'est un très petit espace et les places sont limitées. On se colle et on se fait des amis !

Une véritable *taqueria* des temps modernes vous attend au **Red Mesa Cantina** (128 S 3rd St., St Petersburg, FL 33701 ; redmesacantina.com). La décoration est festive et un superbe jardin permet de profiter de la température clémente de la Floride. On y va le week-end pour le brunch, tous les jours pour la nourriture sud-ouest américaine et mexicaine fraîche et, en fin de journée, pour essayer un des nombreux cocktails artisanaux. Au choix : de délicieux fruits de mer, des viandes accompagnées d'avocats, de tomates, de lime, de chimichurri, d'aïoli habanero, d'huile de piment de arbol ainsi que de nombreuses autres saveurs qui feront danser vos papilles. Consultez leur calendrier, car il y a de nombreuses journées thématiques et des soirées de musique *live*.

13 H 30 / ON SE CULTIVE !

L'activité incontournable à St Petersburg est sans contredit la visite du musée Salvador Dalí.

Regroupant plus de 2000 œuvres, dont près de 100 tableaux, la plus importante collection du maître du surréalisme à l'extérieur de l'Espagne se trouve ici, au cœur du campus de l'University of South Florida. Le **Dalí Museum** (1 Dali Blvd., St Petersburg, FL 33701 ; thedali.org) est l'un des deux musées dédiés à l'artiste à avoir été inaugurés de son vivant.

L'impressionnante collection a été assemblée par l'industriel et philanthrope A. Reynolds Morse et sa femme Eleanor. Tombé sous le charme du peintre lors d'une expo au MoMA de New York en 1943, le couple devient mécène de l'Espagnol et se lie d'amitié avec ce dernier et son épouse et muse Gala. Leur collection, qui comprend entre autres *Œufs sur le plat sans le plat* et *La persistance de la mémoire*, devient rapidement trop importante pour leur résidence de Cleveland et s'ancre définitivement à St Petersburg en 1983.

Si vous n'êtes pas fana des horloges molles qui se désintègrent et d'autres représentations fantastiques de Dalí, sachez que le musée accueille plusieurs expos temporaires de ses

Le Bodega pour des sandwichs cubains inégalés

contemporains, comme Pablo Picasso et Andy Warhol. Impossible aussi de résister à la symétrie quasi mathématique des jardins donnant sur la baie. Lors de notre passage, nous y avons surpris un pélican en plein vol, un poisson au bec ! De quoi ajouter une dose supplémentaire d'incongruité à notre visite du temple du surréalisme.

Psitt… Deux visites guidées sont incluses avec le billet d'entrée et permettent de découvrir les œuvres (départ toutes les 30 min) ou l'architecture du bâtiment (week-end seulement). Offerts gratuitement et en plusieurs langues, les audioguides vous assurent une découverte des lieux à votre rythme. Parmi les audioguides disponibles sans frais, on a conçu un parcours pour initier les jeunes à l'art. Intitulé *Mr. Moustache* (anglais seulement), le circuit fait découvrir les créations les plus colorées de Dalí aux enfants.

Après avoir fait une pause au fabuleux Cafe Gala du musée, dirigez-vous à huit coins de rue au nord, à la **Chihuly Collection** (400 NE Beach Dr., St Petersburg, FL 33701 ; moreanartscenter.org/chihuly).

Cette galerie permet de découvrir plusieurs installations colossales et inédites de Dale Chihuly, à qui, chers lecteurs montréalais, vous devez le *Soleil* aux rayons de verre rouges et jaunes qui trône fièrement devant le Musée des beaux-arts.

Nous vous rassurons tout de go : vous avez la bonne adresse. Malgré son allure de galerie contemporaine qui se démarque peu parmi les façades minimalistes des restos et bistros voisins, la Chihuly Collection propose une expérience originale qu'on pourrait comparer à une incursion dans les décors exubérants des films de Tim Burton. Une immersion dans l'art du soufflage de verre où chaque jardin aux mille fleurs ou aux sculptures en forme de bateau volant est illuminé à la perfection, ce qui fait rayonner davantage les fragiles tourbillons multicolores.

Il est possible de se joindre à une visite guidée (toutes les 30 min) qui vous assurera d'une exploration quasi privée de la collection. Le coût d'entrée comprend l'accès à un studio où vous pourrez observer des souffleurs former et déformer le verre.

À 13 min de St Petersburg, en empruntant la route I-275 puis la sortie 19 sud, vous atteindrez la pittoresque et paisible ville de Gulfport en bord de mer, un trésor caché de la Floride. Difficile de décrire cette petite communauté à l'esprit « Old Florida ». Ici, il n'y a pas de grandes chaînes de restauration, mais plutôt des petits commerces locaux sympathiques. Par son grand nombre d'artistes qui y résident, Gulfport nous rappelle parfois Santa Fe au Nouveau-Mexique. Il est plaisant de déambuler lentement sur les boulevards Beach et Shore pour découvrir les petites boutiques éclectiques, les galeries d'art et les restaurants aux formidables terrasses, tout en admirant l'abondante verdure et les résidences typiques. Au bout de Beach Boulevard à l'angle de Shore Boulevard se dresse le Gulfport Casino Ballroom, un immeuble historique construit en 1934. Détrompez-vous, il ne fait pas office de casino. Il s'agit plutôt de salles de réception où se déroulent mariages et événements de toutes sortes. Juste à côté, le Williams Pier, et sa vue sur la Boca Ciega Bay. On peut y admirer de beaux couchers de soleil. La plage de sable blanc avec ses tables de pique-nique et son aire de jeu est idéale pour passer de bons moments en famille.

Votre ventre crie famine ? Attablez-vous chez **Pia's Trattoria** (3054 S Beach Blvd., Gulfport, FL 33707 ; piastrattoria.com). L'atmosphère romantique de ce restaurant invite à s'y attarder. On y retrouve un authentique style italien tant aux fourneaux qu'en salle, si bien qu'on se croirait en Italie ! Dans cette trattoria rien n'est préparé à l'avance, il faut donc s'attendre à quelques minutes de plus avant que l'on vous apporte votre plat. En cuisine, c'est le savoir-faire italien tout simple qui constitue la base des recettes. Pia s'y affaire tandis que son mari, Tom, assure le service en salle. Au menu du midi jusqu'à 16 h : des entrées, des pâtes, des paninis et des moules. Le soir s'ajoutent le poulet et le veau. Les desserts, dont les fameux cannoli, sont faits maison quotidiennement. Accompagnez votre plat d'un bon vin, d'une bière Peroni ou Moretti ou d'une de leurs excellentes bières allemandes. Pour clore de belle façon, un espresso bien tassé viendra couronner le tout.

Pour un peu plus d'action, rendez-vous au **O'Maddy's Bar & Grille** (5405 S Shore Blvd., Gulfport, FL 33707 ; omaddys.com). On y vient pour le style désinvolte, les concerts, le menu varié incluant de bons fruits de mer à des prix alléchants et la vue imprenable sur la baie de Boca Ciega.

Gulfport est un incontournable pour découvrir une autre Floride. Une ville tolérante, à l'allure bohème, que nous avons adorée et qu'ont adoptée plusieurs membres de la communauté LGBT.

Quand on séjourne à St Petersburg, il est difficile de passer à côté du célèbre Vinoy Renaissance St Petersburg Resort, ce somptueux hôtel de style méditerranéen construit en 1925.

SAVIEZ-VOUS QUE ?

La ville des scientologues
Malgré son nombre important d'adeptes à Los Angeles, l'Église de scientologie a établi son siège spirituel mondial en bordure du golfe du Mexique à Clearwater. Depuis 1975, le mouvement religieux y occupe 67 édifices, grandes places et parcs, dont le plus imposant bâtiment du centre-ville, un ancien hôtel de style Renaissance italienne sur l'avenue Fort Harrison. On peut parfois y apercevoir le pianiste de jazz Chick Corea et l'actrice Kirstie Alley, deux scientologues-vedettes qui habitent le secteur, ou John Travolta, lorsque ce dernier séjourne à son ranch d'Ocala. Cela dit, aucun site n'est accessible au public. Les touristes qui visitent la région boudent donc souvent le cœur de Clearwater au profit des plages situées de l'autre côté du pont sur l'île de Clearwater Beach.

Pétersbourgeois célèbres
Depuis les années folles, « The Burg » attire les gens riches et célèbres, comme le romancier Francis Scott Fitzgerald, la star du baseball Lou Gehrig ou le couple présidentiel Roosevelt. Jusqu'au gangster Al Capone qui s'offrait des escapades dans la station balnéaire et séjournait régulièrement au Loews Don CeSar Hotel.

À une époque, cet édifice de couleur rose était le lieu de rassemblement favori de l'élite de St Petersburg. Après avoir connu des moments difficiles, il ferma ses portes en 1974, puis fut rouvert dans les années 1990. En plus de ses chambres luxueuses, son immense piscine, ses terrains de tennis, son spa et son golf, il offre cinq restaurants dont le **Marchand's Bar & Grill** (501 NE 5th Ave., St Petersburg, FL 33701 ; marriott.fr/hotel-restaurants/ tpasr-the-vinoy-renaissance-St-peterburg-resort-andgolf-club/...). Depuis sa rénovation complétée en 2012, sa très chic salle aux fenêtres serties de plomb et aux plafonds peints à la main donne le ton et l'on comprend tout de suite que nous sommes ici dans un grand restaurant où tous les efforts sont déployés pour satisfaire la clientèle. Si vous avez envie d'un vrai beau brunch, c'est LA place. Le menu est très diversifié, digne des plus grandes tables : repas chaud et froid, viennoiseries, menu déjeuner, viande, poisson, sans oublier les desserts d'un chef pâtissier, des *smoothies*, des cocktails et une carte des vins très élaborée.

À Clearwater, nous avons aimé le **Island Way Grill** (20 Island Way, Clearwater, FL 33767 ; islandwaygrill. com). Avec sa terrasse et la vue sur la marina à faire rêver, cette escale est parfaite pour déguster le brunch du dimanche. Crevettes et huîtres fraîches sur un lit de glace, croissants, salades de légumes subtilement assaisonnées, etc. Sous les cloches des réchauds, de la viande bien juteuse, et un grand choix d'omelettes. Et pour les passionnés de poisson frais, un excellent bar à sushis. Laissez-vous également tenter par les

Le Pia's Trattoria

dizaines de petits desserts tels que les cupcakes au chocolat, les carrés aux fruits ou les traditionnelles coupes glacées. Un mimosa est inclus dans le prix du repas.

13 H / À LA PLAGE !

Sortir des sentiers battus de la Floride, voilà bien la meilleure façon de découvrir ses trésors cachés. Pour voir des plages sauvages au sable immaculé, dirigez-vous 14 km au nord de Clearwater, à **Honeymoon Island State Park** (1 Causeway Blvd., Dunedin, FL 34698 ; floridastate-parks.org/park/ Honeymoon-Island). En chemin, profitez-en pour faire un arrêt à l'attrayante petite ville de Dunedin, fondée par des Écossais. On y trouve des parcs et d'élégantes résidences, dont certaines datent du début du XXᵉ siècle. Arpentez la vivante Main Street, dans le quartier historique, dont les pubs et galeries d'art offrent une belle vitrine aux artistes locaux. Pour vous dégourdir, découvrez le sentier Pinella, long de 75 km, reliant St Petersburg à Tarpon Springs, une piste

qui se prête aux multiples activités de plein air. À Dunedin, on aime les chiens, car en plus des nombreuses murales qui leur sont consacrées, plusieurs restos et pubs acceptent vos petits amis à quatre pattes ! Après avoir traversé l'imposant pont-jetée Dunedin, lieu de rassemblement de plusieurs jeunes de la région, qui stationnent sur la plage leurs gros camions pour y flâner quelques heures, vous accéderez au Honeymoon Island State Park, véritable panorama de carte postale avec ses 7 km de plages paradisiaques, sa végétation, sa faune et ses pistes de randonnée, dont la trépidante Ospreys Trail bordée de pins blancs, lieu favori des aigles pêcheurs. Apportez votre lunch, car vous trouverez des aires de pique-nique bien aménagées, ou encore, faites un saut à l'un ou l'autre des deux casse-croûtes de la plage, qui louent aussi des vélos. N'hésitez pas à visiter le Rotary Centennial Nature Center, aux abords du parc, pour en connaître davantage sur l'île.

La plage du Fort
de Soto Park

Pour encore plus de tranquillité, prenez le Caladesi Connection Ferry à l'entrée du parc pour découvrir au sud le **Caladesi Island State Park** (1 Causeway Blvd., Dunedin, FL 34698 ; floridastateparks.org/park/Caladesi-Island). Auparavant, les deux îles étaient reliées, mais l'ouragan de 1921 les a séparées. L'île Caladesi est un véritable havre de paix avec ses 5,6 km de plage de sable blanc. Elle fait partie des quelques îles barrières naturelles de la côte du golfe du Mexique. Elle a d'abord été habitée par la tribu Tocobaga, puis les colons et les soldats européens s'en sont servi comme territoire de chasse et de pêche. En 1888, Henry Scharrer, un immigrant suisse, y a établi une maison de ferme. Enfin, en 1967, on a fait de l'île un parc national. Baignade,

plongée en apnée, cueillette de coquillages, pêche et randonnée en canot ou en kayak dans les mangroves avoisinantes sont au rendez-vous. Sur ses 5 km de sentiers pédestres, on retrouve une marina, des aires de pique-nique et un restaurant où l'on peut aussi louer canots et kayaks. Restez aux aguets, il y a quelques années un dauphin femelle a donné naissance à un petit à la marina, devant des dizaines de curieux.

Autre escale à ne pas manquer, le **Fort de Soto Park** (3500 S Pinellas Bayway, St Petersburg, FL 33715 ; pinellascounty.org/park/05_ft_desoto.htm), à 13 km au sud de St Pete Beach. Il consiste en cinq îles de la baie de Boca Ciega reliées entre elles par des voies pavées dont un sentier cycliste de 10,5 km.

LE BUNGALOW KEROUAC

Après avoir sillonné les États-Unis et le Mexique, puis retracé ses origines en Bretagne, Jack Kerouac a finalement posé ses valises à St Petersburg en 1966, avec sa mère et sa troisième épouse. L'auteur-nomade de *Sur la route* habitait dans un bungalow de banlieue. Qui l'eut cru ? C'est pourtant derrière la façade plutôt quelconque et identique à celles des maisons voisines du 5169 N 10th Avenue que le père de la *Beat generation* a terminé ses jours prématurément à 47 ans. Dans le dernier entretien de Kerouac avec la presse, débarquée chez lui à l'improviste en 1969, l'écrivain, visiblement éméché, disait souffrir d'une hernie et de sa difficulté à vivre de ses droits d'auteur. Quelques semaines plus tard, il mourait d'une hémorragie interne, causée par une cirrhose. De nos jours, les adeptes du monument littéraire s'arrêtent devant la maison pour laisser un mot dans la boîte aux lettres ou pour jeter un coup d'œil par la fenêtre du salon et constater que le beau-frère de Kerouac et actuel propriétaire a laissé intact le décor des années soixante. On peut rapporter un souvenir bien plus joyeux de l'auteur en faisant un saut chez le bouquiniste Haslam's, une immense librairie indépendante. Entre les rayonnages du 2025 Central Avenue, on vous racontera notamment que Kerouac avait l'habitude de déplacer ses œuvres à l'avant-plan s'il les jugeait mal exposées en vitrine !

Avec ses 11 km de plage de sable blanc fin, il est un des joyaux de la Floride. Ses plages de North Beach et d'East Beach sont splendides, mais notre favorite est celle située entre le fort et North Beach. Sans nom officiel, elle est surnommée *sandbar* (banc de sable) par les locaux. Elle est idyllique avec ses nombreuses dunes. Contrairement aux deux autres plages, il n'y a pas de stationnement à proximité, et il faut se garer le long de la route. Si cela vous intéresse, faites un saut au Dog's Park, situé tout au nord et doté d'une tout aussi belle plage. Toujours mignon de voir ces toutous surfer la vague !

Fort de Soto est un paradis pour les randonneurs avec ses trois sentiers pédestres. Il est aussi une réserve naturelle pour oiseaux, car on en compte pas moins de 328 espèces répertoriées pas les ornithologistes depuis 60 ans. Autres possibilités d'activités : vélo, kayak, canot et pêche sur l'un des deux pontons. L'endroit compte une aire de pique-nique, des cafés, dont le principal, au nord du fort, est aussi un magasin de souvenirs, et un musée historique. Avis aux campeurs : il faut réserver au moins 6 mois d'avance pour pouvoir profiter d'un des plus beaux terrains de camping de Floride.

Le Fort de Soto (du nom de l'explo-rateur espagnol Hernando de Soto) ne peut pas être visité. Il remonte à l'époque de la guerre hispano-américaine de 1898 et a été construit sur la plus grande île de Mullet Key, d'abord habitée par la tribu amérindienne des Tocobagas. Pendant la guerre

Le Sunshine Skyway Bridge

de Sécession, les troupes de l'Union furent cantonnées ici et sur l'île d'Egmont Key. On peut visiter les vestiges du Fort Dade d'Egmont Key en empruntant le traversier depuis le parc. C'est également un endroit idéal pour faire de la plongée en apnée. À faire absolument : gravir l'escalier au haut du Fort de Soto pour avoir une vue saisissante de la plage.

SAVIEZ-VOUS QUE ?

Pont

Vous avez déjà vu le pont à haubans Bob Graham Sunshine Skyway ailleurs sur le globe ? Vous avez le sens de l'observation ! La structure en éventail qui relie St Pete à la rive sud de la baie de Tampa s'inspire directement du pont de Brotonne qui enjambe la Seine en Normandie. La chaîne télé Travel Channel classe le Sunshine Skyway parmi les 10 plus beaux du monde. Il vous en coûtera 1,25 $ pour franchir le péage de ce parcours long de près de 7 km. Chemin faisant, un arrêt s'impose au mémorial de l'aire de service Pinellas. Le monument a été érigé en mémoire des 35 victimes de l'effondrement d'une section du tablier en 1980, alors qu'un navire-cargo entrait en collision avec le pont, lors d'un violent orage.

Hulk

L'ex-lutteur Hulk Hogan a élu son domicile secondaire sur la plage de Clearwater. Qui sait si vous n'aurez pas la chance d'y prendre une photo avec la *star* du ring !

The Burg au cinéma

Les eaux cristallines de la région sont fort populaires auprès des cinéastes. À preuve, le réalisateur Ron Howard y a tourné *Cocoon*

en 1985. Plus récemment, les figurants et acteurs du film *Spring Breakers*, dont la chanteuse Selena Gomez, ont pris d'assaut le complexe hôtelier Coral Reef Beach Resort. Les courses de lévriers du Derby Lane ont quant à elles servi de décor à Brad Pitt et à Carl Reiner dans le film *Ocean's Eleven*.

Et en musique

En mai 1965, alors que les Rolling Stones résidaient à l'hôtel Clearwater, Keith Richards, leur guitariste, a joué pour la première fois le riff de guitare de *I can't get no Satisfaction*. En juin de la même année, le groupe enregistrait la chanson, sortait le *single* et le voyait atteindre rapidement le top des palmarès dans le monde.

Les chocolats *Hunger Games*

En 2012, quand le chocolatier William Brown est allé voir *Hunger Games* sur grand écran, il a eu la surprise de sa vie en voyant ses confiseries citronnelle-chocolat blanc et figue-choco en vedette dans plusieurs scènes du film. L'artisan de la localité de Belleair, au sud de Clearwater, n'aurait pu espérer une meilleure publicité pour sa chocolaterie William Dean Chocolates. Même s'ils portent un autre nom sur le menu, on n'hésite pas à lui demander des chocolats *Hunger Games*! Et dire que c'est en faisant des emplettes dans une épicerie fine pendant les tournages que la styliste culinaire du film a craqué pour les créations d'allure futuristes du Floridien et a choisi de les utiliser sur le plateau, en les disposant notamment sur la table de nuit de l'héroïne Katniss Everdeen (Jennifer Lawrence)!

Navette baseball

Ne tentez pas de trouver un stationnement aux abords du stade Tropicana si vous allez voir les Rays frapper des coups de circuit le week-end. Montez plutôt à bord de la navette gratuite aux coins de Central Avenue et de 2nd Street et profitez de votre après-midi de baseball sans vous soucier du trafic et des parcomètres.

Blue Jays de Toronto

Les Blue Jays de Toronto s'entraînent l'hiver dans la petite ville de Dunedin, au Stadium.

Vitesse

Avis aux amateurs de course automobile : le mois de mars est le meilleur moment pour visiter la région, alors que les monoplaces de la série IndyCar s'élancent sur le circuit urbain de St Pete (gpstpete.com).

Et aussi

Ville verte longtemps avant la mode, St Petersburg a implanté un système de traitement des eaux usées à la fin de la décennie 1970. Fortement concentrée en phosphore et en nitrate, l'eau traitée sert à irriguer les terrains résidentiels, parcs municipaux et terrains de golf. On réutilise ainsi 140 millions de litres chaque jour, soit l'équivalent de 6 piscines olympiques, ce qui réduit considérablement la consommation d'eau potable.

4,2 millions de livres de mérous sont pêchées et consommées chaque année dans la région.

Le concentré de jus d'orange surgelé Minute Maid a été conçu à Dunedin dans les années 1940.

Pass-A-Grille Beach, un endroit rêvé pour les amoureux.

Le festival de la fierté gaie, qui a lieu chaque année à St Petersburg à la fin de juin, est le plus important de Floride. D'une durée de trois jours, il attire quelque 250 000 participants. L'administration municipale montre son engagement envers la communauté LGBT par l'affichage du drapeau de la fierté gaie sur l'édifice de l'hôtel de ville et par l'organisation de nombreuses activités. L'événement culmine par un défilé dans les rues du quartier historique de Keenwood et de Grand Central, auquel participent des personnes et des chars représentant plus de 150 organismes et entreprises et par une fête de rue où se regroupent plus de 350 vendeurs.

La région de Tampa Bay est reconnue pour ses bières artisanales. St Petersburg regorge de microbrasseries. Il existe même un parcours de la bière artisanale entre Tarpon Springs et Gulfport.

ESCAPADE À TAMPA

Envie d'un saut à la plage ou d'une escapade en ville ? Et si vous pouviez profiter à la fois du sable et du bitume ? Tampa est la destination idéale pour les amoureux de nature comme les amateurs de culture. Centre zoologique de la Floride, la ville surnommée «capitale de la danse à 10 $» ne craint pas de vous montrer son côté sauvage.

Réglons la réputation sulfureuse de Tampa tout de suite. Si l'industrie du divertissement pour adultes de la métropole de la côte ouest de la Floride a directement inspiré le scénario du film *Magic Mike*, vous ne trouverez pas de quartiers chauds dans cette ville, d'autant plus que l'agglomération de la baie de Tampa ne compte qu'une cinquantaine de bars de danseuses nues. Alors, d'où vient cette renommée grivoise ? Du règlement municipal «*six foot rule*»,

qui oblige les clients à garder 6 pi de distance avec les danseuses exotiques. Introduite en 2001, la réglementation avait pour objectif de protéger les *stripteaseuses* contre les abus. Or, l'arrestation de dizaines d'effeuilleuses au lendemain de l'entrée en vigueur de la loi a fait grand bruit, offrant une vitrine à l'industrie qui a profité du *momentum* pour proclamer la cité l'épicentre mondial du XXX. Rarement appliqué depuis sa création, le règlement est resté en

À la tombée du jour, la promenade riveraine adossée au centre-ville s'illumine et devient le promontoire parfait pour admirer les minarets du musée Henry B. Plant.
© Visit Tampa Bay

vigueur, ce qui renforce le caractère licencieux de la ville.

En réalité, le cœur de Tampa est toujours fortement marqué par son héritage cubain et attire surtout les familles et les *foodies* avec ses Busch Gardens et ses restos branchés. D'ailleurs, les activités touristiques originales, comme la nage avec les tigres et la balade en Bixi amphibie, témoignent davantage du côté givré de Tampa que de ses cabarets érotiques. Courez-y avec les enfants pour profiter à fond d'un séjour aussi atypique que mémorable.

VENDREDI
16 H / DÉPOSEZ VOS VALISES
Les hôtels des grandes chaînes au centre-ville sont au cœur de l'action et à distance de marche des musées et des matchs de la LNH et de la NFL. Par contre, ils desservent surtout une clientèle d'affaires et leurs prix élevés s'en reflètent. Profitez de meilleurs tarifs en y séjournant durant la basse saison (de juin à septembre).

De tous les palaces du quartier central, on vous recommande **Le Méridien** (601 N Florida Ave., Tampa, FL 33602 ; lemeridientampa.com). Il s'agit sans doute de l'adresse la plus originale où l'on peut passer la nuit en Floride. L'hôtel est en effet établi dans un ancien palais de justice de style beaux-arts, érigé pendant la Belle Époque. On a méticuleusement restauré ses charmes de 1905, comme les colonnes gréco-romaines de la façade et le grand escalier du hall. Nommé parmi les meilleurs hôtels du globe par le magazine spécialisé en voyages *Condé Nast* en 2014, Le Méridien met toutes les technologies de la vie moderne à votre disposition dans ses 130 chambres, dont plusieurs étaient auparavant des antichambres de juges. De quoi séjourner dans une ambiance ancestrale avec tout le confort d'aujourd'hui. **Prix : $$$**

Vous trouverez des complexes balnéaires de moyenne gamme à quelques minutes de voiture du centre de Tampa et de son district historique sur l'îlet Rocky Point. Ces établissements vous donnent un accès direct aux plages urbaines et aux quartiers les plus branchés. C'est le cas de l'hôtel **Sailport Waterfront Suites** (2506 N Rocky Point Dr., Tampa, FL 33607 ; providentresorts.com/ sailport-waterfront-Suite). Récemment rénovées, toutes les chambres ont un balcon donnant sur la baie ou la piscine. Elles sont équipées d'un accès WiFi et d'une cuisine pratique, où l'on prépare son déjeuner tranquillement avant de partir explorer les environs.

Prix : $-$$

L'amateur de golf trouvera des terrains dignes des tournois de champions et des installations luxueuses pour la famille à environ 40 min au nord de Tampa. Au **Innisbrook Salamander Golf & Spa Resort** (36 750 US Hwy. 19 N, Palm Harbor, FL 34683 ; innisbrookgolfresort.com), la majorité des chambres sont en fait de mini-condos avec terrasses sur les verts. Outre les quatre terrains de golf, le site regroupe 11 terrains de tennis, six piscines, deux petites plages, une chute et plusieurs glissades. Bref, toutes les activités pour divertir petits et grands ! Et on n'a pas oublié les amateurs de farniente. On offre la navette entre l'hôtel et Honeymoon Island, où l'on peut profiter d'un lit de sable blanc et des eaux turquoise du golfe du Mexique (découvrez cette île à la p. 159). Pour voir les pros exercer leur swing, séjournez-y en mars. L'hôtel tient alors son annuel championnat Valspar de la PGA.

Prix : $$-$$$

16 H 30 / BIXI AMPHIBIE

Les vélos en libre-service de la **Tampa Bay Water Bike Company** (333 S Franklin St., Tampa, FL 33602 ; tampawaterbikes.com) offrent une perspective franchement inusitée sur les tours du centre-ville. On enfourche un vélo muni de flotteurs et on découvre la ville autrement en pédalant sur Hillsborough River et ses canaux. Les enfants âgés de six ans et plus peuvent contrôler leur propre engin, tandis qu'on propose la location de kayak tandem à pédales (bikayak) pour la balade

avec un tout-petit. Cette activité hors de l'ordinaire garantit d'hilarantes photos-souvenirs.

18 H 30 / OLÉ !

À proximité des quais de vélos aquatiques, on attrape le **TECO trolley** (tecolinestreetcar.org) à la station Cumberland Avenue en direction nord pour manger dans le quartier historique Ybor City. Notre astuce écono : plutôt que de payer 2,50 $ par trajet, procurez-vous un laissez-passer pour la journée à 5 $ (12,50 $ pour une famille de 5), également valide pour le transport en bus.

Secteur couru des visiteurs, Ybor City regorge de restos et de boutiques de souvenirs. Pour déjouer les attrape-touristes tout en découvrant les saveurs locales, rendez-vous au kitsch **Columbia Restaurant** (2117, E 7th Ave., Tampa, FL 33605 ; columbiarestaurant.com). De taille imposante, l'institution centenaire occupe tout un quadrilatère. On y sert une cuisine traditionnelle cubaine sur fond de spectacles de flamenco. Au menu : croquettes de langoustines, porc rôti accompagné de fèves noires, bœuf farci au chorizo et autres plats aussi succulents qu'à La Havane. Avis aux cuistots amateurs : la boutique du resto propose une belle sélection de céramiques peintes à la main par des artisans.

Si vous optez pour un trolley en direction ouest à partir du centre-ville, descendez à la station Boulevard Street pour vous attabler chez **Edison Food + Drink Lab** (912 W Kennedy Blvd., Tampa, FL 33606 ; edison-tampa.com). Le chef-proprio, à qui l'on doit le très populaire Bern's Steakhouse et son petit frère végé,

Une façon originale de se déplacer sur Hillsborough River : pédaler sur un vélo à flotteurs !
© Brian Adams Photo pour Visit Tampa Bay

Passer la nuit dans une antichambre de juge ? C'est possible au Méridien de Tampa !
Le chic hôtel est installé dans un ancien palais de justice.

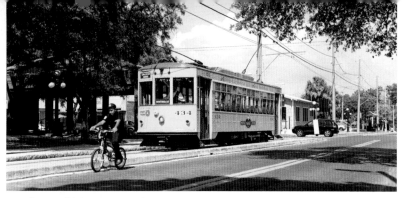

Le trolley Teco fait la navette entre le centre-ville de Tampa et les quartiers historiques Ybor City et Hyde Park. © Keir Magoulas / Visit Tampa Bay

Side Bern's, mitonne des expériences culinaires qui réveilleront vos papilles. Par exemple, des Cracker Jacks au jalapeño, des tacos de foie gras et de canard, des pogos au bacon et kimchi et des huîtres frites en croûte de pomme de terre. Le décor qui mélange l'esprit labo avec une ambiance loft n'est pas mal non plus !

En voiture, rendez-vous aux abords de l'aéroport pour manger avec les Tampaïens à **La Teresita Restaurant** (3248 W Columbus Dr., Tampa, FL 33607 ; lateresitarestaurant.com) où il règne une atmosphère de cafétéria. On s'installe au coude-à-coude à l'un des comptoirs en forme de fer à cheval pour déguster le plat du jour de ce *diner* ou le rôti de porc et les sandwichs cubains au bœuf effiloché. Après le repas, faites un saut à la pâtisserie de l'établissement pour choisir votre dessert parmi l'éventail de douceurs latines et cubaines, comme le chausson à la goyave ou à la noix de coco et des biscuits au beurre en forme de coquillages.

21 H / SORTIR AVEC LES ENFANTS

Avant de retourner à l'hôtel, allez prendre un verre chez **Skipper's Smokehouse** (910 Skipper Rd., Tampa, FL 33613 ; skipperssmoke-house.com). On vous y accueille en plein air le temps d'un concert de blues, de rock, de rockabilly ou de reggae. L'ambiance est si conviviale qu'on peut y amener les enfants. Profitez de votre visite pour goûter aux bouchées d'alligator grillé, au rouget fumé et à d'autres plats qu'on ne savoure normalement que dans le nord-ouest de la Floride et dans les bayous de l'Alabama.

Dans le secteur Ybor City, East 7th Avenue est bordée de bars et de boîtes de nuit. Cafés à narguilé, bistros lounge, bars sportifs : il suffit de parcourir la rue pour trouver l'adresse qui convient à son humeur. Nostalgique de Mario Bros. et de Pac-Man ? Testez votre dextérité et votre adresse sur les machines à boules et les jeux d'arcade, situés sur l'avenue voisine. **GameTime Tampa** (1600 E 8th Ave., Tampa, FL 33605 ; gametimeplayers.com) regroupe une pizzéria, un comptoir alimentaire, un pub et des dizaines de jeux vidéo sous un même toit.

Pour danser dans les discothèques du vieux quartier, on vous recommande le **Club Prana** (1619 E 7th Ave., Tampa, FL 33605 ; clubprana.com). Avec cinq étages offrant chacun un style musical différent, vous trouverez certainement de quoi vous déhancher jusqu'aux petites heures du matin. Sachez toutefois que pour franchir les cordons de velours de plusieurs boîtes de nuit, il vous faudra une tenue adéquate. Les Tampaïens aiment les vêtements de designer qui mettent en valeur leurs atouts : tenues seconde peau pour mesdames, vestons bien cintrés pour messieurs.

SAMEDI 8 H / DÉMARREZ DU BON PIED

Au centre-ville, chez **First Watch** (sept succursales en ville ; dont 520 N Tampa St., Tampa, FL 33602 ; first-watch.com), vous n'attendrez pas qu'on réchauffe votre café ; on vous laisse la carafe directement sur la table ! Vous trouverez peu d'aliments frits au menu. La cuisine privilégie les plats santé et sans gluten et les ingrédients frais. Même les crêpes et les gaufres sont préparées sur place.

Dans le quartier branché de Seminole Heights, on démarre la journée du bon pied autour de gaufres, d'œufs frits et d'omelettes sud-ouest au jalapeño et au fromage Monterey Jack épicé chez **Nicko's Fine Foods** (4603 N Florida Ave., Tampa, FL 33603 ; nickosfinefoods.com). Située dans un ancien wagon de train des années 1920, la cantine grecque a un décor si authentique qu'on croirait retourner dans le temps. Il y a jusqu'au King en personne qui a été séduit par l'endroit lors d'un concert à Tampa en 1956 ! La banquette où Elvis s'est attablé est d'ailleurs bien identifiée. Croquez-y votre égoportrait avant de partir. Et veillez à apporter de quoi régler en argent sonnant ; les cartes bancaires ne sont pas acceptées.

TRANCHE D'HISTOIRE

Aujourd'hui capitale des croisières de la côte ouest de la Floride, Tampa a un passé maritime bien ancré. Plateforme du commerce avec les Antilles au XIXe siècle, la région a aussi servi de base à l'armée sous le commandement d'un jeune Theodore Roosevelt lors de la guerre hispano-américaine, menant à l'indépendance de Cuba en 1898. On souffle qu'un message codé du père de la révolution cubaine, José Martí, inséré dans un cigare roulé à Tampa et livré secrètement sur l'île, aurait déclenché la révolte de la colonie espagnole.

Trois générations plus tard, les Tampaïens se regroupaient pour apercevoir le politicien de l'heure : John F. Kennedy. L'homme d'État a passé les quatre derniers jours de sa vie en Floride, devenant ainsi le premier président américain à visiter officiellement Cigar City.

De nos jours, la profonde baie de Tampa est davantage le terrain de jeu des touristes et des pêcheurs que l'arène des polémistes et des politiciens. La métropole prospère plutôt grâce à l'exploitation de son sous-sol, riche en phosphate.

9 H / LA JUNGLE OU LA VIRÉE URBAINE

Si vous souhaitez visiter le parc animalier **Busch Gardens** (10 165 N Malcolm McKinley Dr., Tampa, FL 33612 ; buschgardens.com), allez-y

Le refuge animalier Big Cat Rescue héberge 80 grands félins secourus dans des abattoirs, ou qui ont échappé aux griffes de l'industrie de la fourrure.
© Big Cat Rescue

tôt et parcourez le site à contresens pour éviter les files d'attente, en débutant par les attractions les plus éloignées de l'entrée principale, par exemple. En court-circuitant le trafic, vous mettrez tout de même une journée complète pour explorer ce parc à thèmes qui vous fera découvrir la faune et la flore de neuf régions africaines.

À pied ou à bord de petits trains, on y admire plus de 2000 animaux en mode safari. On fait monter notre adrénaline dans des montagnes russes à donner froid dans le dos, dont la Cheetah Hunt, qui reproduit la vitesse de pointe du guépard en passant en quelques secondes à peine de 0 à 120 km/h, et le manège SheiKra, qui plonge dans le vide après des virages serrés à 90°.

À nos yeux, cependant, l'expérience de vos enfants amoureux des animaux est vachement plus chouette à **Wild Things** (37 245 Meridian Ave., Dade City, FL 33525 ; dadecitywildthings. com), parce qu'elle leur assure notamment une plus grande proximité avec le monde sauvage. Ce zoo, au nord de Tampa, est un refuge pour jaguars, panthères de Floride, lions, lémuriens, macaques et autres bêtes sauvages maltraitées ou abandonnées. Dès 9 h 30, on les observe par petits groupes en compagnie d'un guide au détour d'une randonnée de 2 h sur le site, aménagé comme un jardin botanique. Les zoologistes en herbe peuvent aussi profiter d'une promenade guidée et rencontrer, nez à nez, quatre résidents du zoo, dont un bébé tigre, un coyote, un zèbre ou un spécimen parmi 12 autres espèces de mammifères et de reptiles. Pour une aventure encore plus inoubliable, on peut nager avec les tigres ou les alligators.

10 H / UN ZOO URBAIN

Pour ceux qui passent leur journée en ville, sachez que le **Lowry Park Zoo** (1101 W Sligh Ave., Tampa, FL 33604 ; lowryparkzoo.com) n'a rien à envier aux Busch Gardens. Girafes, hippopotames, rhinocéros, crocodiles, lions et tigres : toutes les espèces les plus populaires résident dans ce parc du quartier Seminole Heights. Le réputé magazine américain *Parents* a récemment élu le site «meilleur zoo au pays» en raison de son organisation claire et de la propreté de ses installations. Après la marche à travers les cinq continents (jardin asiatique, savane, monde des primates, jungle floridienne et zone australe), rafraîchissez-vous dans les jeux d'eau. Notre conseil : arpentez le zoo en matinée ; les bêtes semblent plus enjouées et la chaleur moins accablante.

13 H / LUNCH AU MUSÉE

Après le zoo, ou au retour de Dade City ou des Busch Gardens, cassez la croûte chez **Mel's Hot Dogs** (4136 E Busch Blvd., Tampa, FL 33617 ; melshotdogs.com). On y sert les classiques d'un restaurant-minute à bon prix et le hot dog de Mel n'est pas sans saveur, contrairement au moutarde-chou des stades de baseball. On le prépare avec une saucisse au bœuf et un pain aux graines de pavot. À garnir avec de la choucroute, des cornichons et des piments forts.

Au sud-ouest du centre-ville, le **Restaurant BT** (2507 S MacDill Ave., Tampa, FL 33629 ; restaurantbt. com) réchauffe les sens avec ses soupes tonkinoises et ses sandwichs bánh mì. Les fines herbes qui rehaussent la salade aux languettes de filet mignon sont cultivées à même le jardin du resto. Le menu propose aussi plusieurs plats de tofu braisé, grillé ou frit qui plairont aux végétariens.

Pour une expérience *slow food*, rendez-vous au **Sono Cafe** (120 W Gasparilla Plaza, Tampa, FL 33602 ; tampamuseum.org) au cœur du Tampa Museum of Art. Les chefs, aussi propriétaires du restaurant Mise en Place, l'une des meilleures tables en ville, proposent une cuisine du marché servie sur la terrasse avec vue sur Hillsborough River. Prenez le temps d'y savourer le panorama et le gelato maison.

Budget modeste ? Offrez-vous le menu midi chez **Mise en place** (442 W Grand Central Ave., Tampa, FL 33606 ; miseonline.com). Moins onéreuse qu'en soirée, la tablée est tout aussi inspirante : venaisons apprêtées sous vide, burgers de flanc de porc, poutine au canard braisé et mousse au chocolat aromatisée aux pacanes.

14 H / PROMENADE DIGESTIVE

On fait une petite marche pour digérer tout ça en visitant l'un des deux musées d'art du centre de Tampa. Au **Art Museum** (120, W Gasparilla Plaza, Tampa, FL 33602 ; tampamuseum. org), vous retrouverez les collections d'œuvres contemporaines. Tout au long de l'année, on y tient plusieurs activités originales et gratuites qui permettent de voir l'art différemment, en faisant du yoga ou de la méditation dans les galeries, par exemple. La politique *Pay as you will*, bien connue des visiteurs du MET de New York

Les installations lumineuses du Art Museum varient selon les saisons, transformant le bâtiment cubique en œuvre d'art évolutive.
© Visit Tampa Bay

SAVIEZ-VOUS QUE ?

Tampaïens célèbres

Parmi les 346 037 Tampaïens (4,3 millions si on compte les résidents de l'agglomération urbaine de la baie), on note quelques célébrités, dont l'auteur de polars Michael Connelly, qui cumule les *best-sellers*. La région est aussi réputée pour son académie de tennis qui a produit de nombreuses stars du circuit de l'ATP. Le tennisman Mardy Fish vit à Tampa, tandis que l'ancien n° 1 mondial Jim Courier est né au nord de la ville, à Dade City, et l'une des meilleures joueuses de tous les temps, Jennifer Capriati, s'est longtemps entraînée dans la localité de Wesley Chapel.

Musée à tribord !

Fait inusité, le musée d'art de Tampa est le seul des États-Unis à être accessible en bateau ! Deux quais sont prévus pour accueillir les visiteurs marins.

Un parcours ininterrompu

Joggeurs : lacez bien vos chaussures de course. Tampa a le plus long trottoir du monde ! Bayshore Boulevard suit le fil de Hillsborough River sur 10 km, du centre-ville jusqu'à la base aérienne MacDill. Ultra large et bien plate, la bande pavée permet de voir le bateau du pirate José Gasparilla de près et traverse les plus beaux quartiers de la ville, Hyde Park en particulier. Une vue panoramique et une petite brise rafraîchissante : que demander de plus pour sa session de mise en forme !

a aussi cours ici en basse saison. Ainsi, on acquitte les droits d'entrée en déboursant le montant qu'on veut. La bâtisse en forme de cube flottant est une œuvre d'art en soi. Le soir, une immense installation illumine la façade, faisant du bâtiment l'un des plus photographiés en ville.

Les minarets du **musée Henry B. Plant** (401 W Kennedy Blvd., Tampa, FL 33606 ; plantmuseum.com), situé sur la rive gauche de Hillsborough River, sont aussi fréquemment immortalisés par les visiteurs. Les jardins de cette institution valent le détour. Vous pourrez admirer de près cet ancien hôtel de style mauresque érigé au XIXe siècle par Henry B. Plant, un magnat des chemins de fer. À l'intérieur, on expose le mobilier qui décorait le palace à l'époque victorienne. De quoi être déçu du lit et des fauteuils sans personnalité qui meublent votre chambre d'hôtel...

Très peu pour vous les activités muséales ? Poursuivez votre virée nature de la matinée en passant l'après-midi à **l'aquarium de Tampa** (701 Channelside Dr., Tampa, FL 33602 ; flaquarium.org). Plus de 20 000 végétaux, poissons d'eau douce et salée et mammifères marins vous y attendent. Ne ratez pas le repas des requins et des raies, nourris deux fois par jour par des hommes-grenouilles. Pour une douzaine de dollars supplémentaires, les tout-petits peuvent découvrir l'arrière-scène des bassins, saluer les pingouins et manipuler tortues, reptiles et autres ambassadeurs de l'aquarium. Apportez vos maillots pour barboter dans les jeux d'eau après la visite.

Vous êtes amateur d'architecture ? Allez admirer les reproductions à l'échelle des grandes villes américaines, à 45 min de voiture à l'est de Tampa, au parc d'attractions **Legoland** (1 Legoland Way, Winter Haven, FL 33884 ; legoland.com). Plus de 32 millions de Lego ont été nécessaires pour ériger les immeubles de Miami, Duplo, City, Chima, Technic et Pirates. Petits et grands peuvent donc voir de près comment les briques colorées sont fabriquées et même concevoir leur propre univers et contrôler des androïdes Lego.

Legoland s'est établi sur le site du Cypress Gardens, le tout premier parc thématique de la Floride, qui a vu le jour en 1936. On a pris soin

L'aquarium de Tampa © Bill Serne / Visit Florida

de San Francisco, de Washington et de New York en miniatures. Avis aux amateurs de vaisseaux spatiaux et de lointaines galaxies : on a aussi construit des maquettes des scènes les plus marquantes de la saga *La Guerre des étoiles*.

Lego signifie « joue bien » dans la langue du pays d'origine du petit bloc, le Danemark. À ce parc d'attractions, vous trouverez donc des manèges éducatifs construits en Lego, du type apprendre à « piloter une voiture », « naviguer un bateau » ou « diriger une lance d'incendie ». Legoland se subdivise aussi selon les dix types de blocs favoris des enfants, dont

de préserver et de restaurer le jardin botanique de l'ancien parc. Cette zone verdoyante est parfaite pour se rafraîchir entre deux manèges.

Bon à savoir : Orlando se situant à moins d'une heure de route, ce parc rendant hommage aux petits blocs de construction est une solution de rechange rafraîchissante pour qui séjourne chez les souris et les princesses de Disney. Au coût de 5 $, une navette fait l'aller-retour entre le stationnement incitatif gratuit Universal Boulevard à Orlando et Legoland. On vous recommande de réserver ce transport sur le site web du parc d'attractions.

16 H 30 / *SHOPPING* POUR CHÉRI

Direction Ybor City en vue de l'apéro. À la fois bistro, boutique de mode et espace communautaire de travail, le **Blind Tiger Cafe** (1901 E 7th Ave., Tampa, FL 33605 ; blindtigercafe. com) est le magasin général version XXIe siècle. Pendant que vous sirotez un allongé ou un Earl Grey à la lavande, chéri fait le plein de t-shirts à imprimés graphiques et de jeans *made in the USA* de la marque Black & Denim.

17 H 30 / TAMPA, HAVRE DES AMATEURS DE BIÈRE

Le choix de brasseries artisanales ne manque pas à Tampa. Dans Ybor, on aime particulièrement le décor chaleureux de **Coppertail Brewing Co.** (2601 E 2nd Ave., Tampa, FL 33605 ; coppertailbrewing.com). De nombreux camions de rue se garent à proximité, permettant d'accompagner sa chope de grignotines.

En bordure du fleuve au centre-ville, **Ulele** (1810 N Highland Ave., Tampa, FL 33602 ; ulele.com) reproduit l'ambiance des *biergarten*. À essayer : la lager au miel et l'ambrée rouge. Psitt : évitez la file qui patiente pour une place en salle à manger et passez directement sur la terrasse adossée à Hillsborough River.

En rentrant des Busch Gardens, offrez-vous une ale Lord Chesterfield bien fraîche à la **Yuengling Brewery Company** (11 111 N 30th St., Tampa, FL 33612 ; yuengling.com). Si vous avez encore de l'énergie, visitez gratuitement cette brasserie parmi les plus anciennes des États-Unis.

18 H 30 / BBQ ÉPICURIEN

Quand on repère un fumoir et un BBQ à cuisson lente à l'arrière d'un resto en Floride, on peut s'attendre à goûter d'authentiques grillades du sud. C'est le cas à l'ouest du centre-ville de Tampa, au **Jimbo's Pit BBQ** (4103 W Kennedy Blvd., Tampa, FL 33609 ; jimbospitbarbecue.com). La viande cuite à point vous est servie avec une salade de chou bien relevée et des *hush puppies* (boulettes de semoule frites). Complétez votre repas avec une tarte aux pommes maison.

Direction SoHo pour souper à une table d'un des deux quartiers en vogue à Tampa. SoHo, ou South Howard Avenue, borde le secteur historique de Hyde Park à l'ouest et est aménagé pour favoriser la circulation piétonne. L'avenue SoHo est surnommée « *restaurant row* », car pas moins de 35 restos s'y alignent. Parmi tous ces établissements, essayez le menu de la Mecque des *foodies*, le bien nommé **Élevage** du **Epicurean Hotel** (1207 S Howard Ave., Tampa, FL 33606 ; elevagerestaurant.com). Pinces de crabe et leur rémoulade au basilic, raviolis farcis de joue de bœuf ou canard confit dans une crème au paprika : on infuse aux classiques culinaires de la fraîcheur et des influences cosmopolites. Avis aux chefs amateurs : l'hôtel offre des nuitées avec leçons de cuisine ou de mixologie incluses.

20 H / CINÉ-BAR ET CASINO

Après le repas dans SoHo, marchez jusqu'au district de *shopping* en plein air **Hyde Park Village** (742 S Village Circle, Tampa, FL 33606 ; hydeparkvillage.com). Immeubles de condos luxueux, restaurants haut de gamme et boutiques de designers : aux yeux des fanas de magasinage sur la côte est de la Floride, Hyde Park Village rappellera le secteur City Place de Palm Beach. La majorité des allées piétonnes sont couvertes, ce qui vous permettra de profiter de concerts de musique *live* en plein air ou de siroter un verre à l'un des nombreux bistros sans vous soucier de la météo capricieuse de Tampa.

Si le ciel menaçait toutefois de vous tomber sur la tête, courez vite au **CinéBistro** du quartier (1609 W Swann Ave., Tampa, FL 33606 ; cinebistro.com). Ce cinéma à l'européenne vous sert des en-cas et des cocktails pendant que vous regardez un film confortablement installé dans un fauteuil berçant en cuir.

Envie de miser gros tout en profitant d'une ambiance survoltée ? Terminez votre soirée au **Seminole Hard Rock Hotel & Casino** (5223 N Orient Rd., Tampa, FL 33610 ; seminolehardrocktampa.com). L'aire de jeu y est richement décorée et comprend une centaine de tables de poker et de blackjack, une salle de Baccarat et plus de 4000 machines à sous comme on les trouve à Las Vegas, dont certaines vous permettent notamment de miser de larges coupures.

DIMANCHE 8 H / BRUNCH AVEC LES TAMPAÏENS

À l'origine un service de livraison de pain – à cheval ! – dans le quartier de Hyde Park, **Alessi Bakery & Deli** (2909 W Cypress St., Tampa, FL 33609 ; alessibakeries.com) sert le déjeuner à l'italienne aux Tampaïens depuis 105 ans. On y va pour les

Le comptoir Chocolate Pi du resto Élevage à de quoi faire saliver ceux qui ont la dent sucrée.
© Bill Serne / Visit Florida

croissants farcis aux œufs et au fromage et les pâtisseries à la goyave.

Un peu plus au sud, **Datz** (2616 S MacDill Ave., Tampa, FL 33629 ; datztampa.com) mitonne des portions généreuses de gaufres nappées d'un sirop d'érable pimenté au jalapeño dans une ambiance de marché public. À quelques coins de rue, on fait la file devant **Pinky's Diner** (3203 W Bay to Bay Blvd., Tampa, FL 33629 ; pinkysdiner.com) pour goûter l'une des six frittatas au menu. L'adresse est aussi courue pour son pain doré garni de fromage à la crème aux petits fruits. Pendant que vous patientez, servez-vous un café au comptoir en libre-service.

9 H / GROS MATOUS

Big Cat Rescue (12 802 Easy St., Tampa, FL 33625 ; bigcatrescue.org) tient, entre autres, une visite guidée spécialement pour les enfants de 10 ans et moins à 9 h le week-end. L'organisme à but non lucratif, qui passionnera aussi les adultes, est un sanctuaire pour les grands félins de zoos et de cirques abandonnés ou secourus. On peut ainsi se retrouver face à face avec 80 gros matous qui ont frôlé le pire, comme ce lion de cirque rattrapé à quelques heures d'être transformé en viande hachée dans un abattoir ou cet ocelot dont la peau était promise à l'industrie de la fourrure. Tous les pensionnaires ont un passé singulier qui vous est raconté par un bénévole du refuge. On y apprend aussi pourquoi certains gros matous ont des points blancs derrière les oreilles et le croisement original qui a engendré la lignée des tigres blancs.

12 H 30 / TACO EN AUTOBUS

On mange sur le pouce en direction du quartier historique Ybor City. **Taco Bus** (913 E Hillsborough Ave., Tampa, FL 33604 ; taco-bus.com) prépare d'authentiques tacos mexicains dans un camion garé dans le secteur Seminole Heights depuis 20 ans. La tortilla est faite maison par le chef-conducteur du camion et les garnitures ne comprennent que des ingrédients frais.

13 H 30 / MECQUE DU CIGARE

Ne quittez pas Tampa sans avoir arpenté Cigar City. De son nom officiel Ybor City, ce quartier baigne dans une riche culture latino. On s'en imprègne totalement en visitant les installations muséales du **parc d'État Ybor City** (1818, 9th Ave., Tampa, FL 33605 ; floridastateparks.org). Installé dans une ancienne boulangerie, le musée vous fera découvrir les habitations des cigariers à l'âge d'or de cette capitale du cigare, soit les années 1880. En matinée, joignez la promenade commentée du quartier avec un rouleur de cigare pour en savoir plus sur les secrets de confection des fameux Montecristo.

Vous pouvez aussi observer les rouleurs à l'œuvre dans la vitrine de la **King Corona Cigar Factory** (1523 E 7th Ave., Tampa, FL 33605 ; kingcoronacigars.com). La manufacture en service depuis le XIXe siècle ne semble avoir jamais souffert de l'embargo américain contre Cuba. On dirait même qu'elle a été transplantée directement de La Havane, tant l'ambiance cubaine y est authentique.

15 H 30 / SIESTE SUR LA PLAGE

Il est maintenant grand temps de profiter des plages de la région. Et pas besoin de quitter le centre-ville pour vous étaler sur le lit de sable blanc. Il suffit de vous rendre à l'ouest d'Ybor City à **Ben T. Davis Beach** (secteur Rocky Point : 7740 W Courtney Campbell Causeway, Tampa, FL 33607 ; tampagov.net). L'accès à la plage municipale est gratuit, et l'endroit permet d'accéder à la piste de randonnée Courtney Campbell qui surplombe le golfe. La plage sert aussi de point de ralliement d'avant-match aux fans des Buccaners (NFL) ou du Lightning (LNH). Restez-y jusqu'en fin de journée pour observer l'un des plus beaux couchers de soleil de la région.

SAVIEZ-VOUS QUE ?

Pêcheurs novices

En plus des jeux d'eau pour enfants et du panorama sur les tours du centre-ville, le Ballast Point Park (5300 Interbay Blvd., Tampa, FL 33611) est doté d'un quai qui s'avance dans la baie, en faisant un site idéal pour s'initier à la pêche. Au pied de la jetée, une boutique d'appâts loue l'équipement et vous donnera quelques conseils. Pour goûter la prise du jour, sans devoir attendre patiemment qu'elle morde à votre hameçon, asseyez-vous sur la terrasse de Taste of Boston, le resto du parc.

Fusées de la NASA

Bien que située à près de 200 km de Cape Canaveral, Tampa est aux premières loges des décollages de la NASA. Par temps clair, il n'est pas rare d'apercevoir le lancement de satellites et d'autres équipements à destination de la station spatiale. Suffit de jeter un œil au ciel en direction nord-est pour apercevoir les fusées orangées percer l'atmosphère suivies de traînées blanches.

Éclairs sur la baie

Baptisée *Tanpa*, ou « baguettes de feu », par les peuples autochtones, la baie a été renommée Tampa lorsque les Espagnols ont cartographié la région au XVIIe siècle. Simple erreur orthographique ou mauvaise interprétation des langues amérindiennes ? Personne ne le sait. Chose certaine, ces baguettes de feu font, nul doute, référence aux violents orages qui balaient le ciel de Tampa chaque été. Ce n'est pas pour rien que l'équipe de la LNH locale se nomme le Lightning !

Football universitaire

Puisque la majorité des parties des Buccaneers de la NFL se disputent à guichet fermé, voir évoluer l'équipe de football universitaire est une option intéressante pour les amateurs du ballon ovale. Direction Raymond James Stadium pour un match des Bulls de l'University of South Florida (gousfbulls.com).

À deux pas du centre-ville, on rejoint les tampaïens sur le sable blond de la plage municipale Ben T Davis. © Bill Serne / Visit Florida

RÉGION SUD-EST

Le petit matin à Deerfield Beach

BOCA RATON
EVERGLADES
FORT LAUDERDALE
HOLLYWOOD BEACH
KEY WEST
MIAMI
SOUTH BEACH
UPPER KEYS
PALM BEACH
ᴇᴛ **WEST PALM BEACH**

Palm Beach
Boca Raton
Fort Lauderdale
Hollywood Beach
Miami
South Beach
Upper Keys
Key West Everglades

LA CÔTE D'OR : CHARME MILLÉNAIRE ET NATURE FOISONNANTE

Vous avez tout vu, tout goûté et tout essayé dans le Sud-Est de la Floride ? Détrompez-vous ! Îles retirées, canaux ombragés et rubans de sable blond : la côte atlantique vous réserve encore de nombreuses surprises. Surnommée Gold Coast en raison de l'or récupéré des épaves échouées au large de ses côtes, la région comprend certaines des enclaves les plus riches des États-Unis.

L'attrait des Rockefeller, Vanderbilt, Colgate et autres héritiers fortunés pour la Côte d'Or ne date pas d'hier. Il remonte aux premiers jours du chemin de fer floridien, vers 1890, alors qu'Henry M. Flagler, un magnat du pétrole, érigeait l'hôtel The Breakers pour héberger ses richissimes amis et clients. Le coup d'envoi pour développer Palm Beach et le sud de la côte était ainsi donné.

De nos jours, on explore la cité de milliardaires à vélo pour voir de plus près les luxueuses résidences du clan Kennedy, de la famille Trump et autres personnalités politiques ou du milieu des affaires. Laissez votre bécane le temps de faire du lèche-vitrine sur Worth Avenue, le Rodeo Drive de la Floride, ou de siroter un cocktail au bar en front de mer de l'hôtel The Breakers, dont l'architecture s'inspire de celle du palais royal de Gênes, en Italie.

Sachez que, peu importe la taille de leur portefeuille, même les mieux nantis doivent apporter leur lunch lorsqu'ils

Le parc Matheson
© Peter W Cross / Visit Florida

se prélassent sur la plage de Peanut Island, l'île n'étant pourvue que d'un kiosque de crème glacée !

Plus au sud, les villes de Boca Raton, Fort Lauderdale et Hollywood Beach ont la prescription pour contrer les blues de l'hiver : plus de 30 km de plage, une scène culturelle émergente, des promenades piétonnes et du magasinage haut de gamme ! Joggeurs et cyclistes préféreront chasser leur torpeur en empruntant le *broadwalk* (et non *boardwalk*), le trottoir ultralarge d'Hollywood Beach, qui rappelle la promenade balnéaire de Venice Beach, en Californie. Mais c'est en serpentant la A1A que vous apprécierez pleinement la beauté du secteur avec ses dunes de sable clair et ses manoirs de style néo-Renaissance méditerranéenne.

En franchissant les limites de Miami, on vous invite à quitter le centre-ville et ses gratte-ciel pour visiter une métropole authentique et pimentée. En canot, le quartier Coral Gables souligne le caractère vénitien de Miami, tandis que la marche entre les installations d'art public des districts artistiques (Design District, Midtown, Wynwood) révèle à quel point les Miaméens sont tournés vers l'avenir, ils demeurent les précurseurs d'un urbanisme à échelle humaine.

Échappez au rythme effréné de Miami en passant la fin de semaine dans l'immense réserve subtropicale des Everglades. Panthères de Floride, alligators, cerfs de Virginie et lynx roux trouvent refuge sous la canopée de ces marais éternels, ainsi que 36 espèces menacées, dont la tortue verte et le milan des marais (un oiseau de proie), qui se cachent dans la mangrove. L'aventure et l'exotisme se retrouvent également dans l'archipel des Keys. Au menu de cet éden tropical : vibrants couchers de soleil, sites de plongée en apnée et de plongée sous-marine de réputation mondiale et accès à l'Atlantique comme au golfe du Mexique.

LA BONNE SAISON

Avril à Miami et sur la côte du Sud-Est de la Floride est moins étouffant qu'en été et plus vert qu'en hiver. Les touristes y sont aussi moins nombreux. La faune des Everglades s'observe mieux pendant la saison sèche (décembre à février), mais les cours d'eau se parcourent plus aisément de mars à mai.

LES *MUSTS*

La plongée en apnée à **Peanut Island** ou à **Red Reef**.

Zieuter les vitrines de **Worth Avenue**, à Palm Beach, en s'imaginant la même artère en 1920, alors qu'elle était peuplée d'alligators !

Prendre le brunch comme un millionnaire à l'hôtel **The Breakers** de Palm Beach.

La promenade dans les jardins italiens du **Vizcaya Museum**, à Miami.

Une pause zen aux jardins japonais du **Morikami Museum**, à Delray Beach.

Mizner Park, le centre du magasinage haut de gamme de Boca Raton.

La **plage de Deerfield** pour s'offrir quelques acrobaties en surf.

Le **Water Taxi,** qui serpente les canaux de Fort Lauderdale et vous permet d'être aux premières loges pour observer des demeures opulentes et des yachts de milliardaires.

Le *broadwalk* d'Hollywood Beach, si large que vélos, passants et poussettes y circulent sans embouteillage.

Le vignoble **Schnebly Redland**, à Homestead, qui produit du vin sans vigne !

Réserver une excursion dans les Everglades avec **Garl Harrold**, l'aventurier intrépide de la Floride.

Dans les Everglades, arpenter le sentier pavé **Gumbo Limbo** en famille et repérer les alligators en liberté.

Les récifs de corail et les épaves au large de **Key Largo**, la Mecque de la plongée sous-marine dans les Keys.

Les édifices Art déco de **Collins Avenue**, à South Beach, les façades pastel de l'hôtel Essex et de la boutique Webster en particulier.

La musique *live* qui donne des airs de Mardi gras à **Duval Street**, à Key West.

Peanut Island, bel endroit
pour faire de la plongée en apnée
© The Palm Beaches

Le lever de soleil aux chauds reflets dorés sur la plage d'**Hollywood Beach**.

Les quelques 40 murales de **Wynwood Walls** ou l'art du graffiti à son apogée.

Tirer votre égoportrait avec les *jet-setters* de **South Beach** aux bars Nikki Beach ou Clevelander.

Célébrer la culture latino en savourant un *burger* vénézuélien dans une station-service, à **Miami**.

L'escapade d'un jour au paradis de la plongée, dans les eaux limpides entourant les sept îlots de **Dry Tortugas**.

ESCAPADE À BOCA RATON

Refuge hivernal préféré des *snowbirds* fortunés, la splendide ville de Boca Raton offre aux vacanciers l'occasion de goûter à certains des plus beaux atouts de la Floride. Ses nombreux attraits sont de véritables antidotes aux blues de l'hiver québécois.

Boca Raton jouit d'une sélection de plages magnifiques et son architecture de style néo-Renaissance méditerranéenne est époustouflante. C'est également le paradis du *shopping* haut de gamme, qui saura vous transporter dans un monde parallèle, où la misère n'existe pas. Cette ville est un endroit chic pour jouer au millionnaire retraité. Prenez votre plus bel air solennel et laissez-vous séduire par les charmes de ce paradis tropical embourgeoisé.

VENDREDI
18 H / DÉPOSEZ VOS VALISES

Il n'y a qu'une poignée d'hôtels à Boca Raton et très peu d'entre eux sont abordables ou situés sur la plage. Tentez quand même votre chance au **Ocean Lodge Florida** (531 N Ocean Blvd., Boca Raton, FL, 33432 ; oceanlodgeflorida.com), un *bed & breakfast* face à la plage offrant un excellent rapport qualité-prix. Sinon, optez pour un des hôtels de Deerfield

La belle plaza de Mizner (Mizner Place), entourée de nombreux cafés, boutiques et restaurants.
© The Palm Beaches

Beach, la station balnéaire située juste au sud, qui offre un bien meilleur choix d'hébergements. **Prix : $$-$$$**

Le **Comfort Inn** de Deerfield Beach (50 S Ocean Dr., Deerfield Beach, FL, 33441 ; comfortinnoceanside.com) ainsi que le **Wyndham Deerfield Beach Resort** (2096 NE 2ⁿᵈ St., Deerfield Beach, FL, 33441 ; wyndhamdeerfieldresort.com) sont localisés à quelques pas de la plage où vous trouverez également un choix intéressant d'endroits pour manger ou prendre un verre. Qui sait, vous y croiserez peut-être des personnalités du *show-business* québécois, car plusieurs d'entre elles ont choisi de s'établir à Deerfield Beach. **Prix : $$ -$$$**

22 H / CÉLÉBREZ VOTRE ARRIVÉE

Il n'y a pratiquement pas de *nightlife* à Boca Raton. Nous vous conseillons plutôt de vous tourner du côté de Deerfield Beach pour célébrer votre arrivée au pays des oranges. Gageons qu'une fois assis à la terrasse de **JB's on the Beach** (300 NE 21ˢᵗ Ave., Deerfield Beach, FL 33441 ; jbsonthebeach.com), un superbe resto-bar situé directement sur la plage, vous ne vous ennuierez pas du climat de la belle province.

Pour encore plus d'action nocturne, dirigez-vous à 15 km au nord, du côté de Delray Beach, récipiendaire en 2012 du titre de « Most fun small town in America ». Vous vous retrouverez ainsi aux abords de l'artère principale, Atlantic Avenue. D'innombrables bars et restaurants, tous débordants de vie, vous y attendent.

Pour un dépaysement total, nous vous suggérons d'aller déguster un des savoureux plats du réputé restaurant **Bamboo Fire Cafe** (149 NE 4ᵗʰ Ave., Delray Beach, FL 33483), reconnu pour sa cuisine caribéenne de grande qualité et son ambiance familiale apaisante. Quant à la terrasse du resto-bar **Salt Seven** (32 SE 2ⁿᵈ Ave., Delray Beach, FL 33483 ; salt7.com), c'est un endroit rêvé pour rencontrer un beau professeur de tennis célibataire au teint basané.

SAMEDI 7 H / AU SOLEIL LEVANT

Rien n'est plus spectaculaire que le lever du soleil sur l'océan Atlantique. Pour l'observer, les plages de **South Beach Park** (400 N State Rd., Boca Raton, FL 33432) et **Red Reef Park** (1400 N Ocean Blvd., Boca Raton, FL 33432) ainsi que la plage près du quai des pêcheurs de **Deerfield Beach** (200 NE 21ˢᵗ Ave., Deerfield Beach, FL 33441) sont tous d'excellents choix.

Atlantic Avenue à Delray pour manger,
magasiner et faire la fête!
© The Palm Beaches

Vue aérienne de Boca Raton
© The Palm Beaches

Pour les amateurs de sensations fortes, le *surf shop* **Island Water Sports de Deerfield Beach** (1985 NE 2nd St., Deerfield Beach, FL 33441 islandwatersports.com) offre des cours gratuits d'initiation au surf tous les samedis matin, de 7 h à 9 h. Réservations en ligne obligatoires.

Pour les friands de sports de raquette, le **Boca Raton Tennis Center** (271 NW Boca Raton Blvd., Boca Raton, FL 33432) offre aux non-résidents des cours de tennis pour débutants donnés par le très sympathique Greg Halder, ex-vedette canadienne de tennis qui s'est démarqué dans les plus grands tournois mondiaux. Réservez au préalable au 561 393-7978.

12 H / *FISH & CHIPS*

Un des meilleurs endroits pour découvrir la cuisine floridienne typique est le légendaire restaurant **The Whale's Rib** de Deerfield Beach (2031 NE 2nd St., Deerfield Beach, FL 33441 ; whalesrib.com). Nous vous suggérons fortement d'essayer leur chaudrée de palourdes, la *Key Lime Pie* ou leur sandwich au mahi-mahi frais qu'ils appellent en anglais *dolphin*. Soyez sans crainte, on ne vous servira pas un sandwich garni de la chair d'un des lointains cousins de Flipper.

13 H 30 / À LA PLAGE!

Les plages de Boca Raton bénéficient d'une sérénité peu commune. La plage de Red Reef Park, mentionnée plus haut, est sans doute l'une des plus jolies de toute la région. N'oubliez pas votre masque de plongée, car on peut y observer quelques poissons tropicaux nageant autour des récifs.

Cette plage donne également accès à un terrain de golf public et au **Gumbo Limbo Nature Center** (1801 N Ocean Blvd., Boca Raton, FL 33432 ; gumbolimbo.org), un centre d'interprétation de la nature accessible par un joli sentier.

18 H / CHIC ET DE BON GOÛT

Mizner Park est très certainement la pièce de résistance du centre-ville de Boca Raton. C'est le quartier du divertissement et du *shopping*. Vous y trouverez plusieurs restaurants, des magasins haut de gamme dont le nouvellement ouvert Lord and Taylor, un musée d'art ainsi que le fameux cinéma iPic qui, à lui seul, vaut le déplacement.

Une visite au **cinéma iPic** (301 Plaza Real, Boca Raton, FL 33432 ; ipictheaters.com) transformera pour toujours votre perception de ce qu'est une véritable soirée cinéma. Que ce soit le majestueux hall d'entrée, le décor à couper le souffle ou la salle à manger offrant un menu raffiné ainsi qu'un service de bar complet, rien n'est laissé au hasard afin de faire de votre soirée au cinéma une expérience inoubliable.

Si votre budget vous le permet, le **Truluck's Seafood Steak and Crabhouse** (351 Plaza Real, Boca Raton, FL 33432 ; trulucks.com) est certainement un des meilleurs restaurants de fruits de mer de toute la Floride.

DIMANCHE 10 H / EXPLOREZ LA NATURE FLORIDIENNE

La Floride bénéficie de 3000 heures d'ensoleillement par année. Il est donc à parier qu'il fera beau lorsque vous vous lèverez, dimanche matin.

SAVIEZ-VOUS QUE ?

Éliminer la laideur

L'architecte Addison Mizner, qui fut, dans les années 1920, l'homme le plus riche des États-Unis, rêvait de faire de Boca Raton une station balnéaire parfaite en éliminant tout ce qui était laid et superflu. L'héritage de son œuvre est encore visible aujourd'hui, car la ville maintient des règles très strictes sur le plan du zonage, du développement et de la publicité.

Golf et tennis à volonté !

Les passionnés de golf et de tennis seront comblés au plus haut point. Sur une superficie de 70 km^2, on trouve pas moins de 30 terrains de golf et plus de 50 courts de tennis publics. La beauté de cette ville a d'ailleurs charmé José Théodore et sa famille puisqu'ils ont choisi de s'y installer en 2011 lorsqu'il a joint les rangs des Panthers.

Une ville riche

Boca Raton regroupe trois des communautés de résidences sécurisées les plus dispendieuses des États-Unis. On dit même que plusieurs membres des familles mafieuses des États-Unis y auraient élu domicile. Mais rassurez-vous, Boca Raton est reconnue comme étant une ville très sécuritaire.

Profitez-en pour explorer la beauté naturelle d'un des rares endroits encore sauvages du sud de la Floride, en vous embarquant sur l'une des excursions-nature de la **Spanish River Paddle Company de Boca Raton** (bocapaddle.com). Muni d'un kayak ou d'une planche SUP, suivez votre guide qui vous fera découvrir la faune et la flore du littoral des rivières avoisinantes. Les marais maritimes, ou mangrove, sont des écosystèmes totalement dépaysants. Vous aurez peut-être même la chance de voir un lamantin se pointer le bout du nez.

15 H / BOTANIQUE À LA JAPONAISE

Terminez votre séjour en beauté en visitant le **Morikami Museum & Japanese Gardens** (4000 Morikami Park Rd., Delray Beach, FL 33446 ; morikami.org). Ce magnifique musée dédié à l'art japonais ainsi que ses somptueux jardins constituent le plus beau bijou de la culture nippone de tout le sud-est des États-Unis.

La plage de Deerfield Beach

Le musée Morikami
et ses jardins japonais
(c) Morikami Museum
and Japanese Gardens

ESCAPADE DANS LES EVERGLADES

Besoin d'aventure et d'exotisme ? Vous n'êtes pas les seuls. Pas moins d'un million de personnes visitent le parc national des Everglades (les marais éternels) chaque année. Plus grand milieu naturel subtropical des États-Unis, on s'y rend pour les paysages uniques, la nature sauvage, les dauphins de la baie de Floride... et les alligators !

La ville de Homestead, à environ 50 km de Miami, est le meilleur endroit pour accéder au parc. Incorporée en 1913, elle est la plus ancienne ville du comté de Dade après Miami. Sortez vos appareils photo, vos chaussures de marche et place à l'expédition la plus extraordinaire de votre vie !

VENDREDI 17 H / DÉPOSEZ VOS VALISES

De nombreux voyageurs venant visiter les Everglades optent pour le **Travel Lodge** (409 SE 1st Ave. / US Hwy. 1, Florida City [ville voisine], FL 33034). La qualité de l'accueil y est exceptionnelle, et les chambres sont d'une propreté et d'un confort exemplaires. Inclus dans le prix : des déjeuners copieux et variés. Parfait pour bien commencer la journée. Les clients peuvent profiter de rabais de 10 % à 20 % sur certains restaurants des alentours. Le propriétaire des lieux, Sunny Patel, à l'instar du personnel, est d'une extrême gentillesse. L'endroit

Highland Beach dans les Ten Thousand Islands

est réputé pour offrir le meilleur rapport qualité-prix. Trip Advisor estime même que cet hôtel est le meilleur de tous les Travel Lodge aux États-Unis. **Prix : $$**

Pas très loin, le **Quality Inn** (333 SE 1st Ave., Florida City, FL 33034 ; qualityinnfloridacity.com) est également un choix sûr. Les 124 chambres climatisées sont confortables, les lits et les oreillers moelleux. Il y a même un espace pour votre BBQ, si le cœur vous en dit. Ici aussi sont inclus les déjeuners avec un beau choix de plats chauds ou froids. Une mention spéciale pour la piscine agrémentée d'une jolie cascade. **Prix : $$**

Le **Paradise Farms B & B** (19801 SW 318 St., Homestead, FL 33030 ; paradisefarms.net) est une autre façon de se loger : quatre petits bungalows au milieu d'une immense ferme de cultures biologiques, dont des fleurs comestibles. Il n'est pas rare de voir les visiteurs humer les plantes odorantes tout autour. Dans cet écrin de verdure, au bord de la piscine naturelle creusée dans le roc, vous vous sentirez à mille lieues de la civilisation. Comme déjeuner, du yogourt frais et des fruits exotiques. **Prix : $$-$$$**

19 H / SOIRÉE DE RÊVE

L'immense bâtisse aux allures de vieille maison du Sud du **Schnebly Redland's Winery** (30 205 SW 217th Ave., Homestead, FL 33030 ; schneblywinery.com) renferme un lieu magique, à la déco chaleureuse et moderne. Remarquez l'architecture de la salle à manger avec sa fresque au plafond. Magnifique ! Ici, les vins sont élaborés à partir d'avocats, de litchis, de mangues ou de fruits de la passion et les jardins en toile de fond transforment les dégustations d'après-midi en moments inoubliables. En entrée, au restaurant le Red Lander, le ceviche de mahi-mahi frais du jour est une pure merveille. À essayer aussi : les pâtes aux champignons, poulet et crevettes dans une sauce crémeuse.

DANSER SOUS LES ÉTOILES

Dans la cour arrière, de petits sentiers sont aménagés au milieu d'arbres et de fleurs exotiques. De l'autre côté du petit pont de bois, des chutes jaillissent du roc avant de plonger dans un bassin rempli de dizaines de poissons colorés. Les fins de semaine, ce lieu de rêve est le rendez-vous des gens du coin. Des musiciens, des pistes de danse, des discussions dans la nuit… On se croirait au milieu des tropiques, mais avec tout le confort nord-américain.

La Paradise Farms

SAMEDI 9H / AU CŒUR DE L'AVENTURE

Pour vraiment apprécier le parc national des Everglades, nous vous conseillons les services de **Garl's Coastal Kayaking** (lieu de rencontre au 19 200 SW 344th St., Homestead, FL 33034; garlscoastalkayaking. com). Garl Harrold a collaboré avec le *National Geographic* et Disney, captant finement toute la beauté sauvage des lieux avec sa caméra. Il est aussi un spécialiste des serpents et de leur capture dans les résidences. Lui et ses guides vous mèneront au cœur des Everglades pour vous faire découvrir cet écosystème, véritable merveille naturelle. Les guides connaissent l'arrière-pays des Everglades comme leur propre cour. Excursion en kayak, safari-photo, expédition en camping, plongée… l'offre est vaste pour découvrir les Everglades et les Keys.

MARCHER DANS L'EAU

Avec Garl Harrold, vous pourrez pagayer tranquillement dans les mangroves, faire de la plongée ou profiter tranquillement d'une journée dans la baie de Floride et de ses magnifiques couchers de soleil. Peu importe votre âge, des circuits sont spécifiquement conçus pour vous offrir une expérience mémorable. Pour les plus téméraires, le *wet walking* constitue une expérience exceptionnelle et notre façon préférée de découvrir les Everglades. L'espace d'un après-midi, avec de l'eau jusqu'aux genoux, vous pourrez marcher dans les sentiers marécageux pour vous imprégner du silence et des odeurs de cette nature à l'état brut. Une expérience unique ! Vous y croiserez des oiseaux de toutes sortes, des serpents, des alligators, etc. Garl Harrold y marche pieds nus, en feriez-vous autant ?

DAUPHINS À L'HORIZON !

Une autre suggestion pour vivre l'expérience des Everglades avec un budget plus limité est le **Flamingo Visitor Center** (40 001 State Rd. 9336, Homestead, FL 33034; nps. gov/ever/planyourvisit/flamdirections. htm), situé à 60 km au sud de l'entrée

À la découverte des Everglades avec Garl Harrold
© Mac Stone

du parc. En haute saison, une foule d'activités sont proposées, dont des randonnées pédestres et des balades en kayak ou en canot avec guides.

Plusieurs excursions en mer sont également offertes à des prix abordables. Dans la baie de Floride, la rencontre des dauphins dans leur habitat naturel est un moment fort que vous n'oublierez jamais !

Le Flamingo Visitor Center est aussi un point de ralliement en fin de journée pour contempler les couchers de soleil. Pour être encore plus près de cette nature généreuse, pourquoi ne pas y séjourner ? Le camping Flamingo offre de nombreux espaces où planter votre tente ou stationner votre motorisé, dont certains donnent directement sur la mer.

DES SENTIERS POPULAIRES

On accède au Ernest Coe Visitor Center par l'entrée principale, via la route 9336 (40 001 State Rd. 9336, Homestead, FL 33034 ; nps.gov/ever/planyourvisit/coedirections.htm).

Quelques kilomètres plus loin se dressent le Royal Palm Visitor Center et ses deux sentiers pédestres que vous pourrez parcourir sans l'assistance d'un guide. Le Gumbo Limbo Trail de moins d'un kilomètre est pavé et accessible à tous ; vous pourrez y apercevoir des alligators en liberté, des oiseaux rares et la végétation typique des milieux humides (les crocodiles, qui se font plus rares, se voient plutôt à proximité du Flamingo Visitor Center). L'Aningha Trail d'environ un kilomètre a un large ponton de bois permettant d'observer les alligators en toute sécurité. Un autre sentier, le Coastal Prairie Trail (situé au Flamingo Visitor Center), fait 12 km et longe la baie de Floride en empruntant une ancienne route jadis utilisée par les pêcheurs et les cueilleurs de coton. Comme le parc est ouvert 24 h sur 24 h, il est possible de faire une expédition en soirée. Muni d'une lampe de poche, vous pourrez apercevoir les yeux des alligators briller dans la nuit comme des étoiles. Frissons garantis !

Pagayer dans le Parc National des Everglades
© Mac Stone

SAMEDI 18 H / RESTO TYPIQUE

Fréquenté par la faune locale, le **Farmer's Market Restaurant** (300 N Krome Ave., Florida City, FL 33034) offre une nourriture maison simple, loin des restaurants-minute, dans un cadre rétro avec des photos de pêches mémorables et des nappes à carreaux. Les prix sont avantageux, et le poisson et les fruits de mer y sont à l'honneur.

SAVEURS DES CARAÏBES

Chefs on the Run Assorted Cuisine (10 E Mowry Dr., Homestead, FL 33030 ; chefsontheruninhomestead.com) est un tout petit resto très couru. Ne vous fiez pas à l'extérieur de la bâtisse qui ne paye pas de mine. La nourriture aux accents exotiques est d'une grande qualité. Le chef travaille avec des produits frais, locaux et saisonniers. Le service est amical, l'ambiance décontractée et même les plats les plus simples sont toujours savoureux. Les crevettes à la purée de bananes plantains, le churrasco de style argentin (grillade de poulet, bœuf ou porc), le gâteau au chocolat ou au rhum et le flanc à la mangue sont exceptionnels !

DIMANCHE 11 H / LE TERROIR À L'HONNEUR

Ayant pignon sur rue depuis 1959, **Robert Is Here** (19 200 SW 344th St., Homestead, FL 33034 ; robertishere.com) est une véritable institution dans la région. Cet immense marché est spécialisé dans les fruits et les légumes, tant locaux qu'exotiques. Il est le rendez-vous de centaines de clients réguliers et de visiteurs de passage. Le fameux Robert est présent dans l'entreprise depuis son tout jeune âge, alors qu'il vendait les légumes de son père sur le bord de la route. Aujourd'hui, la tradition familiale se perpétue, son fils œuvrant à ses côtés. Robert a même écrit un livre sur son histoire au sein du commerce et il le dédicace avec plaisir.

Les dizaines de sortes de miel, les célèbres laits frappés aux fruits frais, les confitures, marinades, salsas et les beurres de fruits font fureur !

Profitez-en pour visiter leur petite fermette. Les enfants vont adorer !

12 H 30 / À LA BOUFFE

Envie de vous délecter de nourriture mexicaine ? Plusieurs restaurants mexicains sont regroupés sur l'avenue Krome. Notre favori : **El Toro Taco**

Mexican Restaurant (1 S Krome Ave., Homestead, FL 33030). Le service est impeccable et vous pourrez manger comme un roi pour moins de 15 $. En plus, c'est un «apportez votre vin».

14 H / CHÂTEAU DE CORAIL

Pour un après-midi paisible à l'extérieur, nous vous proposons une petite visite agréable et inusitée au **Coral Castle** (28 655 S Dixie Hwy., Homestead, FL 33033 ; coralcastle.com), un ensemble impressionnant de blocs de corail érigé par Edward Leedskalnin et dédié au grand amour de sa vie. La légende raconte que Leedskalnin, né en Lettonie en 1887, devait, à 26 ans, épouser son amoureuse âgée de 16 ans, mais que la veille de ses noces, le trouvant trop âgé, la belle changea d'idée. Après avoir déménagé en Amérique du Nord, il choisit la Floride et entreprit l'élaboration d'une structure mégalithique de pierre et de corail. Il y travailla seul de 1920 à 1940, essentiellement de nuit et dans la plus grande discrétion. Encore aujourd'hui, on ignore quelle technique l'homme de 5 pi a utilisée pour tailler et transporter les blocs de pierre souvent très lourds sur une distance de parfois 16 km. Lors de votre visite, vous verrez des blocs de pierre représentant, entre autres, un télescope, une fontaine, des chaises de lecture, etc. Le grand amoureux de celle qu'il appelait «Sweet Sixteen» est mort à Miami en 1951, à l'âge de 64 ans. La chanson *Sweet Sixteen* de Billy Idol est inspirée de son histoire.

EVERGLADES CITY

Everglades City, ce petit village de pêcheur au sud de Naples, est une autre porte d'entrée pour se rendre au parc national des Everglades.

Avec ses maisons sur pilotis, ses petits restaurants et les Ten Thousand Islands (dont une partie est protégée par le parc national des Everglades), Everglades City, qui baigne dans une atmosphère du passé tout en étant résolument pimpante et pleine de vitalité, est un incontournable en Floride. Pourtant, l'endroit est encore méconnu des Québécois.

OÙ LOGER ?

Pour un petit chalet de bois rustique, intime et typique, ou encore une maisonnette plus moderne sur pilotis, dotée de 2 chambres, deux salles de bain, cuisine, salon et salle à manger, rendez-vous chez **Miller's World** (801 S Copeland Ave., Everglades City, FL 34139 ; theevergladesflorida.com). Sur place, vous trouverez également un restaurant et un bar (Oyster house Restaurant) et une marina donnant sur la Chokoloskee Bay. On peut y faire aussi la location de vélos, de bateaux, de kayaks et de canots. Des guides hors pair sont à votre disposition pour vous faire visiter les magnifiques Ten Thousand Islands. **Prix : $$-$$$**

L'auteure, en pleine session de «Wet Walking» en compagnie du guide Garl Harrold.
© Garl Harrold

Le **Bed & Breakfast Ivey House** (107 Camelia St., Everglades City, FL 34139 ; iveyhouse.com) propose des chambres au charme typique de Floride. Selon vos goûts et votre budget, trois choix s'offrent à vous. Dans le bâtiment principal se trouve The Inn, aux 18 chambres spacieuses avec salle de bain privée, chauffage et réfrigérateur. Un peu plus rudimentaire vient ensuite The Lodge. Dans une bâtisse datant de 1920 qui servait à loger les travailleurs du Tamiami Trail, on retrouve l'ambiance d'autrefois. Les 11 chambres en boiserie rappellent les camps de vacances. Les toilettes et les douches sont à l'extérieur des chambres, les femmes d'un côté, les hommes de l'autre. Un salon commun avec feu de bois invite à passer d'agréables soirées. À noter qu'il n'y a pas de radiateurs dans les chambres ; ils se trouvent dans les corridors. deux bungalows sont aussi disponibles, un petit pour quatre personnes et The Homestead, plus luxueux, pouvant accueillir jusqu'à huit visiteurs. Tous les résidents du Ivey House ont accès à la piscine située dans un jardin tropical avec une belle cascade. L'endroit est populaire auprès des amoureux de la nature puisqu'en plus de louer des kayaks et des canots, on y organise des visites dans le parc national des Everglades et les Ten Thousand Islands.

Les mordus de camping pourront planter leur tente sur certaines îles des Ten Thousand Islands, comme sur celle de Pavilion Key ou celle de Highland Beach. Étant isolées, certaines n'offrent que des toilettes chimiques. Pour en savoir plus : nps. gov/olym/planyourvisit/wilderness-trip-planner.htm

OÙ MANGER ?

Le **Havana Café** (191 Small-wood Dr., Chokoloskee, FL 34138 ; myhavanacafe.com) est installé sur une charmante petite île à deux pas de Everglades City. Le chef Carlos crée des plats cubains tout à fait délicieux. Ses *Huevos Rancheros* sont particulièrement réputés : ils sont composés d'œufs au plat servis avec des tortillas de maïs et surmontés d'une sauce chili, le tout étant accompagné d'un plat de haricots frits et d'avocats. La paella, les fruits de mer et les différents poissons sont aussi recommandés. Sous les parasols, la terrasse est l'endroit parfait pour manger et profiter de l'abondante végétation tout autour. L'endroit est un rendez-vous populaire, de jour comme de soir, et vous vous sentirez comme chez vous.

Vous aimeriez goûter à des plats qui sortent de l'ordinaire ? Nous vous conseillons le super taco au crocodile du **Camellia St Grill** (208 W Camellia St., Everglades City, FL 34139). Vous

On peut camper sur certaines îles du Parc National des Everglades.

La piste à Shark Valley est idéale pour croiser des alligators
© Everglades & Dry Tortugas National Parks

serez surpris de la tendreté de la chair et du goût fin de ce célèbre animal. Ici, les repas sont autant copieux que savoureux. Le hamburger est dans une classe à part et le pâté aux palourdes vaut à lui seul le détour. Comme dessert, il vous faut absolument essayer la tarte au beurre d'arachide, une vraie merveille! Et la traditionnelle *Key Lime Pie* est particulièrement réussie. Niché sur un bras de mangrove, le resto jouit d'une ambiance décontractée, où toute la famille est la bienvenue. En plus, les prix sont raisonnables.

Au **Oyster House Restaurant** (901 Copeland Ave., Everglades City, FL 34139; oysterhouserestaurant. com), les repas sortent de l'ordinaire, tout comme la déco composée de centaines de photos de vedettes. Les poissons frais du jour sont mis à l'honneur et apprêtés de différentes façons. Les pinces de crabe accompagnées de mayonnaise maison, les crevettes géantes frites et enrobées de noix de coco croustillantes ou le homard et sa salsa tropicale, tout reflète la cuisine typique floridienne.

QUOI FAIRE?

Pour découvrir les mangroves et les îles des Ten Thousand Islands, dont certaines ont des plages désertes magnifiques regorgeant de coquillages, faire la rencontre de dauphins, de lamantins et d'oiseaux de toutes sortes, cognez aux portes du **Gulf Coast Visitor Center** (815 Oyster Bar Lane, Everglades City, FL 34139; evergladesnational-parkboattoursgulfcoast.com). Sur place, des rangers pourront répondre à vos questions. Le **Everglades National Park Boat Tour**, situé dans le même édifice, organise des expéditions en bateau, en plus de louer des kayaks et des canots.

Autre option: partir en bateau à l'aventure dans les Ten Thousand Islands avec l'incroyable **Bobbie Miller** (naplesfishingadventures. com). Les Robinson Crusoé seront comblés par la nature encore vierge qu'ils découvriront à quelques minutes de la ville, un endroit idéal également pour les pêcheurs. Au large de la côte, les poissons n'attendent que votre ligne pour mordre à l'hameçon. Le très aimable Bobbie Miller, passionné des lieux, ne rentrera au port que lorsque vous serez satisfait de vos prises.

SHARK VALLEY

Un autre moyen de visiter le parc national des Everglades est de se rendre au **Shark Valley Visitors Center** (36000 SW 8th St., Miami, FL 33194; nps.gov/ever/planyourvisit/svdirections.htm), du côté centre-nord de la Tamiami Trail. Vous y trouverez un circuit de 24 km, à faire à pied ou à vélo. Attention: vous risquez de croiser des alligators en route! On peut également faire le circuit en tram d'une durée de 2 h sur cette même piste. Ne manquez pas la tour d'observation avec sa vue imprenable sur le paysage. Des sentiers pédestres, dont le Bobcat Boardwalk Trail, un beau sentier tout en bois, vous permettent de parcourir le parc.

SAVIEZ-VOUS QUE ?

L'écosystème des Everglades menacé

On a donné le nom «Everglades» à l'écosystème constitué de la rivière d'herbes hautes qui couvrait à l'origine la majorité du territoire du sud de la Floride. Les marais, rivières et lacs suivent un parcours naturel qui va du sud d'Orlando jusqu'à la péninsule de la Floride, en passant par le lac Okeechobee. Le parc national des Everglades a été créé dans le but de protéger en partie cet écosystème. Par ailleurs, l'évolution démographique des 150 dernières années a détruit pratiquement la moitié du territoire d'origine des Everglades.

TRANCHE D'HISTOIRE

Le Congrès américain a autorisé la création du parc national des Everglades en 1934. À la suite d'une campagne de financement auprès du public et d'un investissement important de la part de l'Assemblée législative de la Floride, le parc a enfin été établi le 6 décembre 1947 dans le but de conserver le paysage naturel et de prévenir la dégradation de son territoire, de ses plantes et de ses animaux.

Il y a 60 ans, les démographes prédisaient que la population du sud de la Floride atteindrait les deux millions au début du XXIe siècle. Il s'avère que celle-ci atteint actuellement les sept millions, et croîtra du double d'ici 50 ans. Bref, avec l'augmentation de la population est venue la pollution, entre autres causée par les engrais utilisés pour les sols. Ces engrais encouragent la prolifération d'espèces qui menacent l'équilibre de l'écosystème, telles que les quenouilles, les algues et les lentilles d'eau, et l'accumulation de mercure toxique pour les poissons, les oiseaux, les reptiles et les mammifères qui y vivent. Les animaux exotiques, comme le python birman, et les plantes non indigènes, tel le pin australien, menacent également l'écosystème du parc des Everglades.

La perte ou les modifications de l'habitat des animaux vivant dans les Everglades ont donc causé la rupture de la chaîne alimentaire et des changements importants à leurs habitudes de reproduction, ce qui a provoqué le déclin d'un grand nombre d'espèces.

Une spatule rosée rencontrée dans les Ten Thousand Islands.

LA FAUNE DES EVERGLADES

La faune des Everglades compte :

- plus de 400 espèces d'oiseaux identifiées ;
- 25 espèces de mammifères, y compris le cerf de Virginie, la panthère de Floride et l'ours noir ;
- 60 espèces d'amphibiens et de reptiles, dont la rainette faux-grillon de Floride, la grenouille de la lagune, la rainette, le crocodile américain, l'alligator américain, le serpent mocassin d'eau ;
- 125 espèces de poissons provenant de 45 familles ;
- plus de 20 espèces menacées ou en danger, dont la tortue imbriquée (en danger critique d'extinction), la panthère de Floride (en danger), l'alligator américain (menacé), le crocodile américain (menacé) et le lamantin des Caraïbes (menacé).

Les oiseaux des
Ten Thousand Islands

ESCAPADE À FORT LAUDERDALE

Située à une trentaine de minutes au nord de Miami, la ville de Fort Lauderdale est très prisée par les amateurs de golf et par ceux qui souhaitent profiter du soleil et de la mer dans un cadre plus tranquille que South Beach. Cette ville est également surnommée « la Venise de l'Amérique » en raison des nombreux canaux qui la sillonnent et le long desquels habitent des gens très fortunés et où les yachts, voiliers et catamarans sont légion.

VENDREDI 17 H / DÉPOSEZ VOS VALISES

Comme il s'agit de l'une des destinations les plus populaires de la Floride, les hôtels de chaînes américaines ne manquent pas à Fort Lauderdale. Voici deux hébergements indépendants pour lesquels nous avons eu un coup de cœur.

Villa Venezia (132 Isle of Venice Dr., Fort Lauderdale, FL 33301 ; villa-venezia.com) comprend 12 habitations, dont des studios ou des unités de une ou deux chambres à coucher. Décorée avec goût et de façon différente, chacune possède une cuisine ou une cuisinette bien aménagée. Les balcons s'ouvrent sur une paisible marina bordée de palmiers et de bateaux. Il est même possible d'y venir avec sa propre embarcation et de s'y amarrer le temps d'un séjour. Une piscine, au cœur d'un magnifique jardin, permet de se détendre et de profiter des chauds

Les magnifiques canaux de Fort Lauderdale

rayons du soleil. Une véritable oasis de paix. On s'y rend pour le calme des lieux tout en profitant de la proximité de la plage, du centre commercial The Galleria at Fort Lauderdale, et, surtout, du boulevard Las Olas, avec ses boutiques et restaurants. **Prix : $$-$$$**

À 15 min au nord-est de Fort Lauderdale, et loin de la cohue, se trouve la charmante ville de Lauderdale-by-the-Sea. Sa plage est calme et bordée de palmiers matures. Oubliez les immeubles en hauteur, ici c'est le paradis des petits restaurants sympathiques, des charmantes boutiques et de la douceur de vivre. C'est l'une de nos petites villes préférées en Floride. Pour ceux qui aiment avoir les deux pieds dans le sable et se jeter à l'eau dès le réveil, c'est au **Windjammer Resort & Beach Club** (4244 El Mar Dr., Lauderdale-By-The-Sea, FL 33308 ;

windjammerresort.com) qu'il faut aller. On peut s'y installer dans une suite, un studio ou un appartement de une ou deux chambres. Chaque unité est dotée d'une cuisine tout équipée et la plupart possèdent une vue imprenable sur l'océan Atlantique. Le propriétaire du Windjammer, John Boutin, est un Québécois qui vit sous le chaud soleil de la Floride depuis l'âge de 18 ans. Sa famille tient l'établissement depuis trois générations. Il prend toujours plaisir à recevoir ses cousins du nord en français. Ici, le service est courtois, les chambres sont propres et on peut profiter de deux belles piscines chauffées. Le matin, on s'installe sur la terrasse pour observer les spectaculaires levers de soleil sur l'océan. De plus, cette petite ville balnéaire offre un point de départ parfait pour découvrir l'univers passionnant du troisième plus grand récif corallien au monde. On s'équipe d'un masque et d'un tuba, on sort de sa chambre et en moins de deux, on nage avec les poissons colorés et les tortues marines. Pour les curieux, rendez-vous sur le site Internet de l'hôtel et cliquez sur la webcam de l'établissement pour voir la plage en temps réel. Cette caméra permet aussi aux visiteurs qui le désirent de conserver leurs souvenirs en photo ou en vidéo. Demandez au personnel de l'hôtel de vous dire exactement où aller sur la plage, faites de beaux bonjours à la caméra, et demandez ensuite qu'on vous remette les images captées en direct ! **Prix : $$-$$$**

À proximité de l'hôtel se trouve l'excellent restaurant **La Cucina** (256 E Commercial Blvd., Lauderdale-by-the-Sea, FL 33308 ; lacucinafl.com). Il est tenu par un couple de Québécois

Le Villa Venezia

sympathiques d'origine italienne qui offrent les meilleurs plats italiens en ville à des prix très abordables.

19H / UN PEU DE MAGASINAGE

Profitez de votre soirée pour faire vos emplettes au centre commercial **Sawgrass Mills** (1281 W Sunrise Blvd., Sunrise, FL 33323 ; simon.com/mall/sawgrass-mills) à seulement 15 min de Fort Lauderdale. Il s'agit du plus grand centre d'achat de Floride, avec plus de 350 magasins, dont plusieurs entrepôts (*outlets*), où vous pourrez faire de belles économies. On y trouve également un cinéma et plusieurs bons restaurants.

22H / COCKTAIL À LA MAIN !

Pour célébrer vos vacances, arrêtez-vous au **Stache Drinking Den Coffee Bar** (109 SW 2nd Ave., Fort Lauderdale, FL 33301 ; stacheftl. com). À la fois *cocktail lounge*, café-bar, discothèque et salle de concert, Stache propose trois bars, des sofas, des tables de billard et même un foyer. On met l'accent sur la mixologie, puisque les barmans et barmaids sont experts dans l'art de concocter de nouveaux cocktails,

tout en continuant de préparer les classiques. La musique est variée, passant du rock, au funk ou au techno. Également au programme : des groupes de musiciens, des spectacles burlesques ou de cabaret et la présence de DJ.

Pour une tout autre atmosphère, on sort au **Rhythm & Vine** (401 NE 5th Terrace, Fort Lauderdale, FL 33301 ; rhythm-vine.com) en plein cœur de Fort Lauderdale. Un lieu de rassemblement en plein air, tel un grand jardin populaire, avec de grandes tables à pique-nique et un bar unique, aménagé à l'intérieur d'une roulotte Airstream, avec de grandes fenêtres s'ouvrant sur un comptoir de bois, où l'on sert des bières artisanales et des cocktails originaux. Rhythm & Vine est fréquenté par des *hipsters* et une clientèle jeune en général. Un bar sans pareil avec également, à l'intérieur, une salle à l'éclairage tamisé. Et s'il vous prend une petite fringale, un *food truck* est sur place pour vous sustenter.

Une autre façon de goûter à la vie nocturne de Fort Lauderdale est le **Blue Martini** (2432 E Sunrise Blvd., Fort Lauderdale, FL 33304 ;

fortlauderdale.bluemartinilounge. com), une chaîne de bars populaire qui a pignon sur rue dans plusieurs villes de Floride. Vous pourrez tout aussi bien prendre un verre sur la terrasse que vous trémousser sur la piste de danse à l'intérieur. Il faut essayer le cocktail Blue Martini !

SAMEDI 9 H / ON DÉJEUNE !

Pour l'un des meilleurs déjeuners en ville, faites un saut au **O-B House** (333 Himmarshee St., Fort Lauderdale, FL 33312 ; o-bhouse.com). Situé dans le quartier des bars de la rue Himmarshee, l'endroit est idéal pour savourer un déjeuner rustique. Tout est cuisiné sur place, et on y sert les meilleures crêpes à la ronde.

Pour côtoyer la clientèle locale, attablez-vous au **Riverside Market Cafe** (608 SW 12th Ave., Fort Lauderdale, FL 33312 ; theriversidemarket.com). Cet établissement,

en plein cœur du quartier résidentiel de Riverside Park, est l'un des secrets les mieux gardés de Fort Lauderdale. D'abord réputé pour sa grande sélection de bières artisanales, cet endroit sympathique sert également d'excellents déjeuners dans une atmosphère conviviale. Le reste de la journée, le menu consiste en un grand choix de salades, de soupes, de sandwichs et de pizzas.

10 H / À LA PLAGE

La plage de Fort Lauderdale, longue de 12 km, autrefois populaire pour ses *spring breaks*, est l'une des plus belles de Floride. Sa promenade aux magnifiques palmiers longeant la A1A et son petit mur coquet de brique blanche sont particulièrement agréables. Idéal pour s'adonner à la photographie, faire du vélo, du skateboard, du rollerblade ou simplement pour faire une marche

Le Windjammer Resort and Beach Club, à Lauderdale-By-The-Sea

santé. De l'autre côté de la rue, vous trouverez plusieurs restaurants et commerces. Afin de vous assurer d'avoir une place de choix sur la plage, allez-y tôt. Cela vous permettra de profiter le plus possible du soleil, histoire de travailler sur votre bronzage et, pourquoi pas, de faire un peu de *people watching*.

12 H / L'HEURE DU LUNCH

Pour une escale marocaine, on casse la croûte au **Casablanca Cafe** (3049 Alhambra St., Fort Lauderdale, FL 33304 ; casablancacafeonline.com), qui se dresse sur la route A1A devant la plage de Fort Lauderdale. Le restaurant propose une expérience culinaire *al fresco* avec une vue imprenable sur la mer. À défaut d'obtenir une table sur la populaire terrasse, rabattez-vous sur la salle à manger de la villa. Construite pendant les années folles, elle ne manque pas de charme : murs en stuc, lanternes ouvragées en bronze, boiseries foncées et ferronneries. Le menu du midi est quelque peu disparate, mais les tacos de poissons, le craquant *fish & chips* et le sandwich au porc effiloché constituent des valeurs sûres. On y retourne en soirée pour siroter un verre tout en profitant de la musique *live*.

Arrêtez-vous quelques rues plus au sud au Ritz Carlton pour un lunch rafraîchissant qui sort de l'ordinaire. Le **Burlock Coast Seafare & Spirits** (1 N Fort Lauderdale Beach Blvd., Fort Lauderdale, FL 33304 ; riztcarlton. com/en/hotel/florida/fort-lauderdale/ dining/burlock-coast-safare-spririts) n'avait pas encore soufflé sa première bougie qu'il était déjà l'un des restos les plus courus de la ville. Les habitués lui ont même déjà trouvé un surnom :

BC. Ce restaurant-café-marché-bar à la mode, moderne, innovateur, au menu révolutionnaire, fait face à la mer. Son atmosphère à la fois informelle et dynamique en a vite fait un lieu prisé par la faune locale et les clients des hôtels environnants assurés d'y vivre une expérience gastronomique unique. Œufs bénédictine sur flanc de porc, burgers relevés d'une gelée au bacon et au rhum, pommes de terre confites, ceviche déposé sur du cresson vinaigré à la grenade et huîtres dans leur mignonette champagne-pamplemousse : la surprise est au rendez-vous, que l'on pige dans la tablée du brunch (servi jusqu'à 17 h le week-end) ou dans l'offre du midi. Le lieu est aussi très fréquenté pour les brunchs du dimanche avec sa formule *1 $ for one oyster* (1 $ par huître). De plus, pour 20 $, vous aurez droit au mimosa et au bloody Mary illimités !

Qui dit repas au Ritz sous-entend habituellement facture salée. Eh bien, sachez que les prix sont abordables, voire comparables à ceux des restos des grands hôtels de ce quartier. Avec du vin, de la bière en fût ou un cocktail à base de rhum des Keys à 6 $ le verre, et un plateau garni de crevettes *popcorn* au fruit de la passion, de croustilles maison et de fromages signés Winter Park Dairy offerts au même prix, on peut goûter à l'inusité même avec un budget de routard. Suffit de s'attabler chez BC en semaine à l'heure de l'apéro.

13 H 30 / ADRÉNALINE SUR L'EAU

Profitez de votre après-midi pour vivre de nouvelles aventures sur l'eau. Vous aurez l'embarras du choix, entre la location de motomarines, la pêche en

Tout amateur de *shopping* doit fréquenter le Sawgrass Mills à Sunrise.
© Greater Fort Lauderdale Convention & Visitors Bureau

Le bateau-taxi à Fort Lauderdale, un moyen de transport économique
qui vous permettra de voir d'impressionnantes demeures.

haute mer, la plongée en apnée ou le parachute ascensionnel (tiré par un bateau). De nombreux commerces offrent ces services au bord de la plage. Les plongeurs s'en donneront également à cœur joie puisqu'à moins d'une heure se trouvent les épaves d'une vingtaine de navires, dont le Cargo Mercedes et The Captain Dan, de même que les récifs artificiels des

Tenneco Towers. Adrénaline garantie !

Les friands de *shopping* seront aux petits oiseaux sur le célèbre Boulevard Las Olas, surtout de la 6e à la 11e Avenue, où vous trouverez des boutiques uniques et un grand nombre de restaurants aux belles terrasses. Las Olas signifie « les vagues » en espagnol. Si, en 1900, ce n'était qu'un petit chemin de terre

Au Wreck Bar de l'hôtel B Ocean Resort à Fort Lauderdale, on peut assister à des spectacles de sirènes en direct !

qui menait à la mer, la rue est devenue le cœur et l'âme de Fort Lauderdale et accueille aujourd'hui de nombreuses boutiques, des galeries d'art, des restaurants délicieux, des cafés sympas, des bars et des boîtes de nuit où faire la fête !

16 H / VENISE VERSION AMÉRICAINE

Puisque que Fort Lauderdale est appelée «la Venise de l'Amérique», impossible de passer par là sans aller naviguer sur ses fameux canaux. Vous avez plusieurs options, que ce soit le Water Taxi (watertaxi.com), qui vous permet de débarquer où vous voulez pour reprendre le bateau au même endroit un peu plus tard, ou les croisières plus traditionnelles comme celles offertes par le Jungle Queen Riverboat (junglequeen.com).

Dans tous les cas, des guides vous parleront de l'histoire de la région, en plus de vous montrer les splendides demeures qui valent toutes plusieurs millions de dollars. Vous pourrez ainsi savoir quel président de compagnie ou quelle grande vedette y habite. Ils vous raconteront aussi quelques anecdotes savoureuses.

18 H 30 / DE VRAIES SIRÈNES !

Avez-vous déjà rêvé de rencontrer de vraies sirènes ? C'est possible au **Wreck Bar at B Ocean Resort** (1140 Seabreeze Blvd., Fort Lauderdale, FL 33316 ; bhotelsandresorts.com), situé tout près de la plage de Fort Lauderdale. Les vendredi et samedi soirs, à 18 h 30, vous pouvez assister à un spectacle de sirènes que l'on peut contempler à travers les «hublots» du bar... Les enfants sont les bienvenus, et ceux que nous y avons vus avaient les yeux grands ouverts.

Si vous vous attardez un peu après le spectacle, vous aurez peut-être l'occasion de serrer la pince à Marina et à sa troupe de sirènes particulièrement sympathiques. Pour plus d'information sur la troupe : the fireeatingmermaid.com

Que vous soyez amateurs de jeu ou non, allez faire un tour au **Gulfstream Racing & Casino Park** (901 S Federal Hwy., Hallandale Beach, FL 33009 ; gulfstreampark.com), à 20 min de Fort Lauderdale. Au programme : courses de chevaux, casinos, boutiques, expositions, spectacles et restaurants. On y trouve assurément son compte. Et pourquoi ne pas en profiter pour jouer une partie de quilles en famille à l'impressionnant et très moderne **Strike 10 Bowling & Sports Lounge** (801 Silks Run #1505, Hallandale Beach, FL 33009 ; strike10bowling. com), dans le village du Gulfstream Park. Sur place également, un immense bar, des tables de billard, une trentaine d'écrans HD surdimensionnés et, bien sûr, du beau monde ! Envie de relaxer ? Prenez un verre sur la terrasse en profitant des sofas moelleux.

Si vous voulez danser jusqu'aux petites heures du matin, deux endroits méritent le déplacement. Le **America's Backyard** (100 SW 3rd Ave., Fort Lauderdale, FL 33312 ; myamericas-backyard.com). Avec sa superficie de 15 000 pi^2, c'est le plus grand espace extérieur du centre-ville de Fort Lauderdale pour faire la fête. Toutes les fins de semaine, la boîte de nuit est remplie à craquer de gens de tous horizons qui viennent y déguster des cocktails originaux et danser au son de la musique des DJ. Le **Vibe Las Olas** (301 E Las Olas Blvd., Fort Lauderdale, FL 33301 ; vibelasolas.com) a aussi la cote à Fort Lauderdale. Là encore, les cocktails sont à l'honneur dans la grande salle de danse.

Il y a plusieurs bons restos pour bruncher à Fort Lauderdale, mais le **Sweet Nectar Charcoal Grill & Spirits** (1017 E Las Olas Blvd., Fort Lauderdale, FL 33301 ; sweetnectarbuzz.com) est un incontournable. Ce restaurant se spécialise dans les grillades sur charbon de bois selon la tradition japonaise. L'endroit est cool, relax et fréquenté par une clientèle locale. Le dimanche, dès 11 h 30, on offre, entre autres, un brunch avec mimosa à volonté. À goûter absolument : leurs fameux œufs bénédictine au crabe.

L'arrêt numéro 9 du Water Taxi est un incontournable pour tout amateur d'art et de botanique puisque vous y trouverez le **Bonnet House Museum & Gardens** (900 N Birch Rd., Fort Lauderdale, FL 33304 ; bonnethouse. org). Si vous êtes des habitués de Central Beach, sachez que vous pouvez accéder à la propriété directement de la plage.

Classé patrimoine national, le site et ses vergers, ses parterres et ses étangs aménagés n'ont rien à envier aux jardins botaniques des grandes métropoles. On a craqué pour les sentiers où l'on croise cygnes, singes-écureuils du Costa Rica et tortues gaufrées.

Le Bonnet House Museum & Gardens, pour les amateurs d'art et de botanique
© Greater Fort Lauderdale Convention & Visitors Bureau

Pour le double du coût d'entrée, offrez-vous la visite guidée de la maison-musée. Si son architecture rappelle celle des maisons des plantations des Caraïbes, son décor est franchement extraordinaire. En effet, la propriété était un cadeau de mariage offert par Hugh Taylor Birch à sa fille Helen et à son époux Frederic Bartlett. Ceux-ci commencèrent la construction de la maison vers 1920, mais après la mort prématurée d'Helen, son mari continua d'améliorer le domaine avec sa seconde épouse. Le couple d'artisans et amateurs d'art européen a conçu la majorité du mobilier coloré et fantaisiste. En parcourant la demeure, on aperçoit, par exemple, un lounge tiki, un pavillon japonais et une cour intérieure fuchsia de style hispanique.

La dame de la maison était passionnée d'orchidées. Sa collection, qui comprend 1500 spécimens, est l'une des plus importantes du sud des États-Unis. Une fois par mois, Bonnet House organise la visite des serres par petits groupes en compagnie d'un conservateur du musée. Avis aux horticulteurs amateurs, lors de cette activité, on peut se procurer des boutures de la fragrante et violacée Vanda Cindy Banks, histoire de rapporter un petit coin de paradis dans ses bagages.

14 H / VISITE AU CENTRAL PARK DE FORT LAUDERDALE

À deux pas de l'animation de la ville, ibis, aigrettes, hérons et autres échassiers nichent tranquillement au cœur d'une île barrière qui fait deux fois la taille du Vatican. Situé entre l'océan Atlantique et le canal Intracoastal, l'immense parc d'État **Hugh Taylor Birch** (3019 E Sunrise Blvd., Fort Lauderdale, FL

33304 ; floridastateparks. org/park/Hugh-Taylor-Birch) était le domaine privé d'un richissime avocat de Chicago, avant que ce dernier ne lègue sa propriété et sa villa de style Art déco à l'État en 1941. Amateurs d'immobilier, faites le calcul : Me Birch s'était offert cette parcelle paradisiaque de 0,8 km^2 pour un peu moins de 180 $ en 1893 ! Quelques années plus tard, sa propriété occupait plus de 5,6 km du littoral. Voilà qui illustre la faible valeur qu'on accordait aux propriétés de bord de mer à l'époque.

De nos jours, cette échappée verte au nord du Sunrise Boulevard constitue l'une des dernières oasis de la région. À l'image du Central Park de New York, on y croise, le matin, joggeurs et cyclistes sur la piste pavée. En attendant la fin des rénovations sur Terramar, la résidence-musée de Me Birch, on y va pour pagayer en canot sur la lagune (service de location à l'entrée du parc) et pour parcourir les 3 km de sentiers bordés de chênes-liège. Afin d'en savoir davantage sur la faune et la flore du parc, arrêtez-vous au kiosque des gardes forestiers pour télécharger gratuitement l'audioguide sur votre téléphone intelligent.

TRANCHE D'HISTOIRE

En 1838, les premiers colons américains ont construit un fort appelé Fort Lauderdale sur les rives de New River pendant la Seconde Guerre séminole. Cette année-là, le major William Lauderdale a conduit un détachement de volontaires du Tennessee le long de la côte est de la Floride pour s'approprier les terres agricoles des Séminoles par la force. En fait, à Lauderdale, trois forts ont été construits à l'époque : le premier à l'embouchure de New River, le deuxième à Tarpon Bend et le plus grand sur la plage appelée aujourd'hui Bahia Mar.

Après cette guerre, la région sud-est de la Floride est restée pratiquement déserte en raison du manque de moyens de transport. On a remédié à cette situation à partir de 1890 en construisant une route jusqu'à la zone nord de Miami, en établissant un service de traversier sur la New River et en prolongeant le chemin de fer Florida East Coast Railway jusqu'à Fort Lauderdale. Finalement, l'augmentation de la population a amené la création du comté de Broward en 1915.

Fort Lauderdale a acquis sa réputation de station balnéaire dans les années 1920. Sa population a triplé au cours des premières années de cette décennie. Par contre, son essor a été interrompu par le terrible ouragan de 1926, qui a conduit au déplacement de milliers de ses habitants, et par la dépression économique des années 1930 qui a suivi.

Comme à peu près partout aux États-Unis, Fort Lauderdale ne s'est pas vraiment remise de la Grande Dépression, jusqu'à ce que, peu de temps après la Seconde Guerre mondiale, des soldats revenant de guerre viennent s'établir à Fort Lauderdale pour se refaire une vie. Pendant les quarante années suivantes, la ville n'a cessé de croître.

Bon à savoir : tous les vendredis et samedis à 13 h, les rangers présentent quelques résidents des lieux, comme la tortue gaufrée, le serpent des blés et le serpent indigo, dont la survie est menacée. Au plus grand bonheur des futurs vétérinaires et biologistes, ces bestioles se laissent manipuler.

Psitt... le droit d'entrée de 6 $ – une bouchée de pain pour ce secteur – vous permet d'accéder à une plage sauvage. De quoi oublier le tourbillon urbain pendant de longues heures !

SAVIEZ-VOUS QUE ?

Le cinéma et les téléséries

L'industrie du film est florissante dans la grande région de Fort Lauderdale. Depuis les années 2000, les films et les séries pour la télévision tournés dans le comté de Broward ont totalisé 220 millions de dollars de chiffre d'affaires. Depuis 2010, la grande région de Fort Lauderdale a été l'hôte de plus de 800 productions, créant plus de 23 892 emplois. Dans la longue liste de téléséries produites ici en tout ou en partie, on retrouve : *The Glades, Graceland, Dexter, Rock of Ages, The Sopranos, Iron Man, Hotel Impossible, Gator Boys* et plusieurs *telenovelas*.

Le fameux *spring break*

La ville de Fort Lauderdale a longtemps été perçue comme une destination annuelle pour étudiants et jeunes venus profiter d'une pause au printemps pour faire la fête, faisant parfois fuir les autres touristes. À partir de 1986, la ville a entrepris un virage qui, peu à peu, a transformé Fort Lauderdale en une station balnéaire prisée de tous, petits et grands, et à longueur d'année. Le succès d'un tel virage se reflète dans la qualité des boutiques, des restaurants et des hôtels qui longent son bord de mer.

Sur les canaux de Fort Lauderdale

Propreté des plages

Fort Lauderdale Beach et cinq autres plages autour (Hollywood Beach, Deerfield Beach, Pompano Beach, Dania Beach et Lauderdale-by-the-Sea) ont reçu la certification Blue Wave, attribuée par la Coalition des plages propres attestant que ces plages sont propres, saines et bien gérées. La région possède des récifs de corail naturels et plus de 76 récifs artificiels, qui font de la Floride une des destinations les plus populaires pour la plongée.

Croisières

Neuf compagnies gérant 41 bateaux de croisière se partagent la clientèle des croisiéristes, dont près de 4 millions ont pris la mer en 2015.

Fans de sport

Les amateurs de sport seront comblés dans ce coin de la Floride puisque plusieurs équipes professionnelles y jouent. La plus proche est à Sunrise : le domicile des Panthers (LNH) se trouve tout juste en face du centre commercial Sawgrass Mills. Il y a également les Dolphins (NFL), les Marlins (MLB) et le Heat (NBA), qui sont à une trentaine de minutes de Fort Lauderdale, évoluant tous à Miami.

La plage de Fort Lauderdale
© Greater Fort Lauderdale Convention & Visitors Bureau

Escapade à Fort Lauderdale

ESCAPADE À HOLLYWOOD BEACH

Avec sa forte affluence de Québécois en hiver, des préjugés tenaces circulent encore à l'égard d'Hollywood Beach. Pourtant, ce petit coin de pays est à mille lieues de la description qu'on en fait parfois : son immense plage de sable blanc est magnifique, l'eau émeraude est parmi les plus limpides et les plus belles de Floride et le prestigieux magazine *Travel + Leisure* estime que sa promenade piétonne est l'une des mieux aménagées et des plus appréciées aux États-Unis. Ça n'est pas pour rien que des joggeurs, des cyclistes et des marcheurs s'en donnent à cœur joie pendant des kilomètres et des kilomètres.

De plus, bien qu'une grande partie de sa clientèle soit constituée de francophones du Québec qui s'y réfugient l'hiver, il en est tout autrement l'été. Vous aurez alors l'occasion de faire un saut dans la culture hispanique et découvrirez son art de faire la fête à la plage. Dépaysement garanti ! Visiter la Floride l'été ? Pourquoi pas ? C'est beaucoup plus abordable et même si la température est plus instable en saison estivale, le mauvais temps ne dure jamais longtemps au pays des oranges.

Le *broadwalk* d'Hollywood Beach, et non pas le *boardwalk*, est un vrai paradis pour les joggers, les cyclistes et les marcheurs.

VENDREDI 17 H / DÉPOSEZ VOS VALISES

Pour un séjour paisible dans un site enchanteur, tournez-vous vers le **Desoto Oceanview Inn** (315 Desoto St., Hollywood, FL 33019 ; thedesoto.com), où vous serez accueilli chaleureusement par Steve et Josia. À seulement une minute à pied de la plage, avec son magnifique jardin fleuri, cet endroit est une petite oasis de paix. Les chambres sont équipées de cuisinettes, et des vélos sont mis à votre disposition. **Prix : $$-$$$**

Le **Manta Ray Inn** (1715 S Surf Rd., Hollywood, FL 33019 ; mantarayinn.com) offre un bon rapport qualité-prix. En plus de sa belle piscine, ce petit motel familial, à quelques pas du *broadwalk* d'Hollywood Beach, propose également des chambres avec cuisinette. **Prix : $$-$$$**

Envie de vous réveiller au son des vagues ? Rendez-vous à l'extrémité nord d'Hollywood Beach, au **Ocean Queen Inn** (5600, N Surf Rd., Hollywood, FL 33019). Les chambres avec cuisinette sont tellement près de l'eau qu'elles vous donneront l'impression d'être à bord d'un bateau. Ne soyez pas surpris d'y croiser des mannequins et des photographes, car l'endroit est à ce point unique qu'on s'y rend pour des séances de photographie mode. **Prix : $$-$$$, deux nuits minimum.**

Le **Margaritaville Hollywood Beach Resort** (1111 N Ocean Dr., Hollywood, FL 33019 ; margaritavillehollywoodbeachresort.com) est un hôtel 4 étoiles tout nouveau, ouvert en octobre 2015. C'est aussi un lieu de divertissement, que nous vous recommandons chaudement. Les lieux sont inspirés par le mode de vie de son fondateur, le célèbre chanteur Jimmy Buffet. En 1977, il composait un de ses plus grands succès, *Margaritaville*, qui a donné son nom à une chaîne hôtelière, dont celui de Hollywood. Situé directement sur la promenade du *broadwalk* Hollywood Beach, l'établissement est un véritable paradis aux couleurs de la mer. L'hôtel possède 349 chambres, dont certaines offrent une vue sur l'océan. On y trouve trois piscines, dont une dotée d'un simulateur de surf. Il est aussi possible d'y louer une planche à pagaie (*paddleboard*) ou un kayak, que l'on peut pratiquer sur l'Intracoastal Waterway, cette voie constituée de canaux qui longe le continent américain.

On y trouve également restaurants, bars et cafés, dont l'ambiance rappelle encore une fois le mode de vie de Buffet. Pour ceux qui ne souhaiteraient pas y loger, il est possible de profiter de leurs restaurants en tout temps. Vous pouvez également recevoir un soin au **St Somewhere Spa** (situé au 2ᵉ étage : margaritavillehollywoodbeachresort.com/spa). Massage, soins du visage, aromathérapie, manucure, pédicure et coiffure y sont proposés. Du lundi au jeudi, des forfaits proposent un accès aux piscines. Et n'oubliez pas de prendre un *selfie* devant cette immense sandale de plage bleue qui orne l'entrée de l'hôtel. Plutôt rigolo ! **Prix : $$$**

L'hôtel **Beachwalk Resort** (2600 E Hallandale Beach Blvd., Hallandale Beach, FL 33009 ; beachwalkresortfl.com) est situé au carrefour de Hallandale Beach Blvd., qui se dirige tout droit vers l'océan Atlantique, et de l'Intracoastal.

Du haut de ses 33 étages, vous bénéficierez d'une magnifique vue soit sur la voie navigable, la ville ou l'océan. Bien que l'hôtel ne soit pas construit directement sur la plage, vous n'êtes qu'à un pâté de maisons à pied du sable chaud en plein cœur de l'action, des restaurants et des boutiques. « C'est le meilleur des deux mondes ! » comme se plaisent à le dire les tenanciers de l'hôtel. Bien qu'il soit simple de se rendre à la plage à pied, une petite navette électrique est offerte toute la journée aux clients qui préfèrent s'y rendre en véhicule. Terminus au **Hyde Beach Kitchen + Cocktails** (111 S Surf Rd., Hallandale Beach, FL 33009 ; sbe.com/restaurants/locations/hyde-beach-kitchen-cocktails), où vous pourrez vous prélasser sur les chaises longues sous les parasols. Vous pourrez également y manger et boire un excellent cocktail les pieds dans le sable ou sur la belle

Vue spectaculaire du Beachwalk Resort

Le Margaritaville Hollywood Beach Resort

terrasse aménagée. L'hôtel offre des unités pour tous les goûts, allant de la chambre de base de 357 pi^2 à la suite de plus de 2000 pi^2, dotée de trois chambres et d'une cuisine tout équipée. **Prix : $$$**

19 H 30 / ASSISTEZ AU COUCHER DE SOLEIL

Pour admirer de splendides couchers de soleil floridiens en sirotant un cocktail dans une ambiance festive, rendez-vous au *Tiki Hut* **Jimbo's Sand Bar** (6200 N Ocean Dr., Hollywood, FL 33019), sur le bord de l'Intracoastal. Vous dégusterez d'excellents tacos de poisson et une cuisine BBQ au son de musique *live* le week-end. Avec un peu de chance, vous pourrez voir à l'œuvre la talentueuse fille de Gloria Estefan, Emily, jouer de la batterie au sein du groupe Grove Dogz.

Pour un restaurant plus haut de gamme, dirigez-vous plutôt vers l'incontournable **GG's Waterfront Bar & Grill** (606 N Ocean Dr., Hollywood, FL 33019 ; ggswaterfront.com). Au soleil couchant, vous apprécierez sa spacieuse terrasse longeant le canal et pourrez y déguster de succulents fruits de mer qui ont fait la réputation de la maison.

Vous êtes un oiseau de nuit ? Optez pour le **Whiskey Tango** (1903, Hollywood Blvd., Hollywood, FL 33020 ; whiskeytangofl.com), au cœur du quartier historique de Hollywood. Un bar réputé pour sa musique *live*, son karaoké et son billard. Un endroit également idéal pour regarder vos matchs préférés puisqu'on y trouve pas moins de 32 écrans de télévision. À la recherche d'un endroit plus intime ? Vous aimerez le **Harrison's Coffeebean Bar** (1916, Harrison St., Hollywood, FL 33020 ; coffeebeanbar.com). Avec sa sélection de vins au verre, ses canapés et son ambiance feutrée, c'est l'endroit tout indiqué pour faire des rencontres.

SAMEDI 7 H / DEBOUT, C'EST LES VACANCES !

Avis aux photographes en herbe : dès l'aube, rendez-vous sur la plage d'Hollywood Beach et laissez-vous inspirer par les belles couleurs chaudes du ciel au soleil levant. Restez aux aguets, vous risquez d'apercevoir des dauphins à quelques pas de la plage.

9 H / À LA PLAGE !

Avec son petit air de Venice Beach de Californie, cette plage de 11 km longeant l'Atlantique et sa jolie promenade pavée de 4 km sont un véritable paradis pour les amateurs de jogging, de vélo, de rollerblade et même de *Segway*. Le **Bike Shack** (coin Tyler Street et The Broadwalk [à l'Oceanwalk] ; hollywoodbikeshack.com) fait la location de vélos de toutes sortes dont des quadricycles. Une excursion en *Segway* avec guide est une autre belle façon de découvrir les charmes d'Hollywood Beach (sur rendez-vous seulement : 954 804-0253 ; segwayhollywood.com).

Le sud de la Floride offre des conditions idéales pour pratiquer le *Stand Up Paddleboard* (planche à pagaie). Le **South Florida Paddle Boards & Water Sports Association** (101 North Ocean Dr., unit F10, Hollywood, FL 33019 ; sofwaterparts.com) en fait la location, en plus d'offrir des cours d'initiation.

Si vous avez envie d'explorer les environs, ne manquez pas non plus les plages de **Sunny Isles** (l'un des stationnement pour accéder à la plage est au Heritage Park, 19 200 Collins Ave., Sunny Isles Beach, FL 33160) et de **Haulover Beach Park** (10 800 Collins Ave., Miami Beach, FL 33154). Vous serez impressionné par la couleur de l'eau, d'un bleu turquoise.

12 H / L'HEURE DU LUNCH

Il y a mieux en fait de gastronomie que ce qui est proposé aux abords du *broadwalk* d'Hollywood Beach. Toutefois, deux restaurants ont la cote. De l'extérieur, il ne paye pas de mine, mais selon Oprah et *GQ Magazine*, **The Le Tub Saloon** (1100 N Ocean Dr., Hollywood, FL 33019 ; theletub.com) offre les meilleurs hamburgers aux États-Unis. Autre arrêt obligatoire, le **Taco Spot** (1500 N Broadwalk, Hollywood, FL 33180 ; thetacospot-hollywood.com), et son imprenable vue sur la mer. Un restaurant parfait pour se délecter de bons plats mexicains et s'adonner au plaisir du *people watching*.

14 H / PLONGÉE ET VÉLO

Envie de tranquillité, loin de la cohue d'Hollywood Beach ? À vélo, dirigez-vous vers le nord pour atteindre le Hollywood North Beach Park avec ses kilomètres de sable blanc. Baignez-vous dans une eau vert émeraude et enfilez masque et tuba pour aller à la rencontre de nombreux poissons multicolores. Plus au nord encore, vous découvrirez la plage de Dania Beach et son immense quai, qui attire de nombreux pêcheurs. Profitez-en pour faire un arrêt au **Dania Beach Bar & Grill** (65 N Beach Rd., Dania Beach, FL 33004 ; daniabeachbargrillmusic.com), un petit bar de plage sympathique.

16 H / VIRÉE *SHOPPING*

Un peu au nord d'Hollywood se trouve le **Aventura Mall** (19501 Biscayne Blvd., Aventura, FL 33180 ; aventuramall.com), un centre commercial qui abrite 300 enseignes dont Macy's, Nordstrom et

Sunny Isles Beach capté par Marc-André Thibault, grand gagnant de notre concours de photos.

Coucher de soleil à Haulover Beach Park

Bloomingdale's. Pour les meilleurs gnocchis en ville, arrêtez-vous à la **Trattoria Rosalia's**, au rez-de-chaussée du centre commercial, et qui possède une magnifique terrasse extérieure. Pour faire de bonnes affaires, rendez-vous au **Sawgrass Mills** (12 801 WS Sunrise Blvd., Sunrise, FL 33323, simon.com/mail/sawgrass-mills) et profitez de sa marchandise soldée. À 25 min d'Hollywood Beach et avec plus de 300 magasins, il est le quatrième plus grand centre commercial aux États-Unis et le plus grand en Floride. Attention aux excès !

Envie de jouer au millionnaire et de faire du lèche-vitrine ? Allez faire un tour au **Bal Harbour Shops** (9700 Collins Ave., Bal Harbour, FL 33154 ; balharbourshops.com) à une vingtaine de minutes en voiture. Il s'agit d'un centre commercial en plein air où l'on retrouve un grand nombre de boutiques de luxe dont Chanel, Gucci et Dolce & Gabbana, pour ne nommer que celles-là.

22 H / AU CASINO !

Vous avez encore de l'énergie ? Dirigez-vous vers le **Seminole Hard Rock Hotel & Casino** (1 Seminole Way, Hollywood, FL 33314 ; seminolehard-rockhollywood.com/hard-rock-live-events.htm). Ce Disney World pour adultes comprend un casino, des restaurants, des boutiques et de nombreux bars, dont certains présentent des spectacles *live*. C'est d'ailleurs la place de prédilection pour assister à des concerts rock.

DIMANCHE 10 H / BRUNCH DOMINICAL

Pour un brunch santé mémorable fait de produits biologiques, rendez-vous au **Chillbar** (1940 N 30th Rd., Hollwyood, FL 33021 ; hollywoodchillbar.com), à l'intérieur du Yellow Green Market (pendant hollywoodien du marché Jean-Talon). C'est le secret le mieux gardé d'Hollywood. Le légendaire **Grampa's Baker & Restaurant** (17 SW 1st St., Dania Beach, FL 33004 ; grampasbakery.com), petit restaurant familial fondé en 1956 et offrant des déjeuners américains typiques, vaut aussi le détour.

12 H / LE WATER TAXI

Une autre façon inusitée de visiter Hollywood et même de vous rendre à Fort Lauderdale est le **Water Taxi** (watertaxi.com). En naviguant sur l'Intracoastal et les petits canaux environnants, vous en aurez plein la vue : de somptueuses demeures rivalisent de splendeur avec des yachts tout aussi impressionnants. Vous découvrirez des sites historiques, le port Everglades, le parc naturel **John U. Lloyd Beach State Park** et le **Anne Kolb Nature Center**. À Hollywood, il y a trois quais d'embarquement. Le bateau-taxi fait une quinzaine d'arrêts, où vous pourrez descendre pour remonter plus tard, comme bon vous semble. Le tour complet dure environ 3 h.

SAVIEZ-VOUS QUE ?

Écologie

Depuis 10 ans, Hollywood Beach est classée «Blue wave», ce qui signifie qu'elle est une des plages les plus propres, sécuritaires et écologiques du pays.

Québec en Floride

On appelle souvent Hollywood le «Petit Québec» ou «Floribec» puisque des milliers de Québécois s'y retrouvent, surtout en hiver. Chaque année, en janvier, quelque 150 000 personnes se donnent rendez-vous sur le *broadwalk* pour assister au CanadaFest, dont le but est de divertir principalement les résidents et les visiteurs canadiens.

Le Margaritaville Hollywood Beach Resort

ESCAPADE À KEY WEST

Selon le dicton local bien connu, si vous récoltez du sable de Key West dans vos souliers, vous y retournerez à coup sûr. Parlez-en à Michel Tremblay et à Marie-Claire Blais, qui ont choisi d'y passer l'hiver depuis des années.

Ancien repaire de pirates, il y règne une fascinante ambiance de village en fête qui s'étire tout au long de l'année.

Mecque du plaisir et de la liberté à l'américaine, l'île de Key West regorge d'attraits qui attirent les épicuriens du monde entier. Situé au carrefour de la culture cubaine, caribéenne et américaine, l'endroit nous invite à nous balader tranquillement en nous enivrant de son charme historique. Fière de son titre de l'endroit le plus au sud des États-Unis, l'île est à seulement 144 km de Cuba. On s'y sent comme dans les Caraïbes sans avoir à quitter le continent.

VENDREDI 17 H / DÉPOSEZ VOS VALISES

Un séjour à Key West n'est pas à la portée de toutes les bourses, surtout en haute saison. À part quelques rares exceptions, il est presque impossible de trouver une modeste chambre de motel durant l'hiver offerte à moins de 200 $, et ce, dès le mois de novembre. Pour éviter une cure minceur à votre portefeuille, optez plutôt pour la basse saison, du mois de juin au mois d'octobre. Néanmoins, si vous faites partie des heureux élus qui peuvent se permettre les charmes ensoleillés de Key West en hiver, nous vous suggérons les hôtels suivants.

Vue aérienne de Dry Tortugas National Park, accessible par avion ou bateau de Key West. Le parc est situé à 110 km à l'ouest de Key West.
© Laurence Norah / Florida Keys News Bureau

Pour apprécier toute la splendeur de Key West, arrêtez votre choix sur l'un des hôtels du quartier historique de la ville, dont le splendide **Cypress House** (601 Caroline St., Key West, FL 33040) ainsi que le **Albury Court Hotel** (1030 Eaton St., Key West, FL 33040). **Prix : $$$**

Si vous réservez au moins trois mois à l'avance, vous aurez de bonnes chances d'obtenir une chambre au **Key West Bed & Breakfast** (415 William St., Key West, FL 33040). Ce *bed & breakfast* offre de l'hébergement abordable pour l'endroit. **Prix : $$**

À seulement 30 min de route au nord, le **Parmer's Resort** (565 Barry, Ave., Little Torch Key, FL 33042 ; parmersresort.com) est un hôtel très recommandé, situé au bord de la mer et qui offre une ambiance apaisante appréciée dans cette région ultra-touristique. **Prix : $$-$$$**

Si le camping vous intéresse, il faut absolument découvrir le **Bahia Honda State Park** (36850 Overseas Hwy., Big Pine Key, FL 33043 ; bahiahondapark.com). Situé à 60 km au nord, ce magnifique parc naturel offre 78 espaces pour tentes ou caravanes et donne accès aux plus belles plages des Keys, soit du côté de l'océan Atlantique ou du golfe du Mexique. Les réservations s'effectuent jusqu'à 11 mois à l'avance et le prix est imbattable pour la région. **Prix : $**

18 H / AU SOLEIL COUCHANT

Pour vous tremper dans l'ambiance festive des lieux dès votre arrivée, allez rejoindre la foule de touristes du plus grand rassemblement quotidien de Key West, la célébration du coucher de soleil à **Mallory Square** (400 Wall St., Key West, FL 33040 ; mallorysquare. com). En plus du spectacle du soleil couchant, vous pourrez compter sur un grand nombre d'amuseurs de rue pour vous en mettre plein la vue. Ne manquez surtout pas le spectacle de *Dominique the Cat Man of Key West,* un français d'origine, orchestrant une formidable équipe de chats acrobates.

SAMEDI 9 H / FAITES LE TOUR

Afin de vous familiariser avec l'endroit, optez pour un tour de la ville. En 90 minutes, le circuit proposé par **Old Town Trolley Tours** (1 White-head St., Key West, FL 33040 ; trolleytours.com/key-west/) vous permet de découvrir plus d'une centaine de lieux intéressants dont la trépidante Duval Street. Pour ceux qui préféreraient se dégourdir les jambes, les excursions à vélo de **Key Lime Bike Tours** (122 Ann St., Key

L'hôtel Cypress House est l'un des nombreux petits trésors architecturaux de Key West.

La maison d'Ernest Hemingway, aujourd'hui un musée, se trouve à Key West.
Il y a résidé une dizaine d'années avec sa femme et ses deux enfants.
© Rob O'Neal

West, FL 33040 ; keylimebiketours. com) vous conduiront aux adresses incontournables du quartier historique de Key West.

12 H / GASTRONOMIE FLORIDIENNE

Question d'expérimenter la cuisine «floribéenne», rien de mieux que de goûter à un des plats du célèbre restaurant **Margaritaville** (500 Duval St., Key West, FL 33040 ; margaritavillekeywest.com) sis sur l'artère principale de Key West. Le propriétaire, Jimmy Buffet, chansonnier américain passionné d'exotisme, est devenu milliardaire en popularisant sa chaîne de restaurants reconnus surtout pour les fruits de mer et les boissons tropicales. On vous suggère fortement d'essayer ses tacos de poisson.

14 H / VERDURE DES PAYS CHAUDS

Il existe une très grande sélection d'activités à faire à Key West, et il est facile de se surmener. Pourquoi ne pas vous la couler douce, par exemple en parcourant les allées et en admirant la végétation luxuriante du **Key West Garden Club** (1100 Atlantic Blvd., Key West, FL, 33040 ; keywestgardenclub.com). Ce jardin botanique, situé le long de l'océan Atlantique, vous émerveillera et vous transportera dans un monde à un million de lieues du pays de la gadoue et des abris tempos.

16 H 30 / PLAISIRS GARANTIS

Si vous aimez les sensations fortes et que vous voulez vous payer la traite, faites le tour de l'île de Key West en motomarine. Euphorie garantie ! Les tours guidés de **Fury Water Adventures** (furycat.com), d'une distance de 45 km, vous permettront de filer à vive allure sur les eaux cristallines avoisinantes de Key West. Votre guide expérimenté sélectionnera une série d'arrêts qui vous permettront de reprendre vos esprits et de vous imprégner du paysage époustouflant. Vous pourrez, entre autres, jeter un coup d'oeil du côté de Sunset Key, une île privée tout près de Key West où Oprah Winfrey s'est offert une énorme résidence au bord de l'eau. C'est aussi à cet endroit qu'on tournerait la majorité des publicités télévisées de la bière Corona.

20 H / LE CRÉOLE À SON MEILLEUR

Pour dénicher un restaurant offrant un excellent rapport qualité-prix, il faut sortir un peu des sentiers battus. En vous dirigeant du côté de **Mo's Restaurant** (1116 White St., Key West, FL 33040), vous ne serez pas déçu. Si vous aimez la cuisine typique des Caraïbes ou que vous aimeriez l'essayer, ce petit restaurant créole à l'ambiance familiale comblera vos papilles, et votre compte de banque n'en souffrira pas trop. Le poulet barbecue qu'on y sert pourrait même vous convaincre qu'il existe de meilleures recettes que celles de St-Hubert !

DIMANCHE 10 H / BIENVENUE CHEZ PAPA

Une visite à Key West ne serait pas complète sans visiter la demeure d'un des résidents les plus connus de la ville, l'écrivain américain **Ernest Hemingway** (907

Au coucher du soleil, les gens se rassemblent sur le port, à Mallory Square, pour une célébration magique.
© Bob Krist, Florida Keys News Bureau

Whitehead St., Key West, FL 33040 ; hemingwayhome.com). Il y a vécu durant environ 10 ans, à partir des années 1930, et y a écrit la majorité de ses livres. Des guides touristiques très compétents vous donneront tous les détails de son séjour dans cette maison qui a su conserver son cachet d'autrefois. L'endroit n'est pas conseillé à ceux qui sont allergiques aux chats : on en compterait plus d'une cinquantaine sur les lieux. Ne soyez pas surpris à la vue de leurs énormes pattes : ils ont six orteils ! Hemingway, en effet, affectionnait particulièrement les chats polydactyles.

13 H / TOUT LE MONDE À L'EAU
Bien qu'il ait été relativement malmené par les changements climatiques et un raz-de-marée de visiteurs, le récif corallien des Keys est le seul récif vivant d'Amérique du Nord. Si vous entendez l'appel du grand large,

embarquez-vous à bord du superbe voilier de la compagnie **Floridays** (Hyatt Resort & Spa ; 601 Front St., au coin de Front et Simonton, Key West, FL 33040). Celle-ci offre des excursions de plongée en apnée de 3 h qui vous permettront de terminer votre séjour en beauté, en pataugeant dans l'eau chaude turquoise, entouré de bancs de poissons multicolores.

PARADIS MARIN
À environ 100 km au large de Key West, les sept îlets du **Dry Tortugas National Park** (drytortugas.com et nps.gov/drto) invitent les amateurs de plongée et de farniente à se la couler douce dans des eaux émeraude serties de récifs coralliens.

Nommé « tortugas » en raison de la forte présence de tortues de mer et « dry » étant donné l'absence d'eau douce sur les petites îles, ce sanctuaire marin est à cheval sur le golfe du

Mexique, sur la mer des Caraïbes et sur l'océan Atlantique. Ce paradis des amoureux de la nature était autrefois une souricière pour les pirates osant naviguer entre les hauts-fonds et les eaux peu profondes. En raison de sa position stratégique, Dry Tortugas a longtemps servi de base avancée des États-Unis contre d'éventuels attaques en provenance du Mexique, de Cuba ou de l'Amérique latine.

De nos jours, les remparts peuplés de coraux, d'éponges et de végétaux marins font le bonheur des nageurs. Muni d'un masque et d'un tuba, vous pourrez y observer le ballet coloré de poissons-anges, de mérous et de poissons-papillons. En barbotant à quelques mètres des plages de Garden ou de Loggerhead Key, on atteint des récifs naturels où l'on peut admirer une trentaine d'espèces de coraux. Les plongeurs certifiés peuvent par ailleurs explorer plusieurs épaves. On récupère une carte plastifiée des sites sous-marins à l'accueil du parc national avant de plonger.

Sur la terre ferme, les visiteurs déambulent le long des fortifications en compagnie d'un ranger ou apprécient les envolées de 300 espèces d'oiseaux, dont le cormoran, le fou et l'épervier. Accessible seulement par bateau ou par hydravion, les fervents de plein air et de calme absolu peuvent passer la nuit dans le parc. Dix emplacements de camping sont disponibles sur la plage déserte aux abords du fort Jefferson. Les installations sont des plus rustiques et, en plus de votre équipement, il vous faudra apporter de l'eau potable, votre nourriture, et de quoi rapporter tous vos déchets sur le continent.

Le site web du parc national tient à jour la liste exhaustive des avions nolisés et des hydravions proposant des excursions à Dry Tortugas. On peut aussi atteindre le parc depuis Key West à bord du catamaran Yankee Freedom II.

SAVIEZ-VOUS QUE ?

Parce qu'on peut y accéder par la route, l'extrémité sud de l'île est considérée comme étant le point le plus au sud des États-Unis.

Key West bénéficie de la plus chaude température moyenne des États-Unis. Ce serait la seule ville américaine du continent nord-américain n'ayant jamais connu de gel au sol.

On y compte plus de bars et d'églises par habitant que dans toute autre ville américaine.

Key West est l'hôte d'un des carnavals les plus endiablés de toute l'Amérique, FantasyFest, s'étirant sur les trois derniers week-ends d'octobre.

La couleur de l'océan dans la région de Key West
© Laurence Norah / Florida Keys News Bureau

ESCAPADE DANS
LES UPPER KEYS

Composés de sable et de corail et parsemés tels des confettis sur une mer bleu cobalt, des milliers d'îles et d'îlots forment l'archipel des Keys. Une brise rafraîchissante, des cocotiers majestueux, des dizaines de marinas et de petits restos font de l'endroit un éden tropical. Réputées pour leurs sublimes couchers de soleil, les îles des Keys vous transporteront dans un autre monde.

On connaît Key West, ce refuge d'artistes en tous genres et résidence de l'écrivain Michel Tremblay. À l'autre extrémité, dans les Upper Keys, se trouvent Key Largo et Islamorada, véritables paradis de la plongée, de la pêche, du kayak et autres sports nautiques. En chemin, des kilomètres de routes pittoresques et de magnifiques petits ponts relient les îles entre elles. Bienvenue au paradis!

VENDREDI 16 H / DÉPOSEZ VOS VALISES

Il faut le dire, il y a un prix à payer pour séjourner dans ce paradis tropical : il n'y a pas vraiment d'endroits bon marché. Mais rassurez-vous, au moins vous serez logé en tout confort!

En arrivant au **Tarpon Flats Inn & Marina** (29 Shoreland Dr., Key Largo, FL 33037 ; tarponflatsinn. com), il y a de fortes chances que

Vue aérienne d'Indian Key
© Andy Newman, Florida Keys news Bureau

Dans ces petits appartements privés dispersés au cœur d'une luxuriante végétation et bénéficiant d'une aire de repos privée, vous aurez l'impression d'une parfaite intimité. Une table de ping-pong, des kayaks, des chaises longues confortables, une piscine éclairée le soir… Tout a été pensé pour que vous ayez un séjour parfait. L'endroit est réservé aux adultes, mais reçoit les jeunes à partir de 16 ans. Les couchers de soleil sont à couper le souffle. **Prix: $$$**

Le **Cheeca Lodge & Spa** (81801 Overseas Hwy., Islamorada, FL 33036; cheeca.com), avec ses eaux turquoise, les palmiers qui dansent sous une douce brise, et sa cuisine délectable, est tel un paradis sous les tropiques. Planté au cœur d'un parc extraordinaire où ont élu domicile des familles d'oiseaux colorés, l'hôtel de rêve a sa propre plage privée pour bronzer tranquillement. Les chambres sont confortables, spacieuses et dotées de superbes salles de bains dont plusieurs avec vue sur la mer.

Dans une atmosphère de pure détente, vous pouvez vous faire dorloter au spa. Le lagon est tout aussi invitant; vous aurez l'impression que le temps s'arrête, dans cette eau saline au milieu de la végétation luxuriante. Le soir venu, le tiki bar situé devant la mer est l'endroit parfait pour admirer les couchers de soleil et refaire le monde.

L'établissement vous propose de découvrir les environs à vélo ou de profiter de la mer en kayak, ou encore en plongée en apnée. Six courts de tennis, deux piscines et une salle d'entraînement attendent les sportifs. Pour les amateurs de golf, le parcours de neuf trous de l'endroit a été dessiné par le champion Jack Nicklaus lui-même!

vous soyez accueillis par Frank et son chien Tikki. Frank a parcouru les mers sur son voilier et réside encore dans l'embarcation accostée à la petite marina qui borde les lieux. L'immense maison jaune pâle aux balcons donnant sur le port de plaisance compte des appartements douillets. À l'intérieur, le décor est fait de charmantes boiseries et de carpettes colorées. Il y a même un coin cuisine où vous pourrez concocter vos déjeuners ou peut-être le poisson que vous aurez pêché l'après-midi. Des kayaks sont à votre disposition et la petite plage est privée. L'emplacement du Tarpon Inn est aussi parfait pour admirer de magnifiques levers de soleil. **Prix: $$$**

Autre choix: le **Kona Kai Resort, Gallery and Botanic Gardens** (97802 Overseas Hwy., Key Largo, FL 33037; konakairesort.com). Pénétrez dans ce complexe fleuri et laissez-vous enivrer par les odeurs qui s'en dégagent.

Aux trois restaurants de l'endroit, vous découvrirez des mets savoureux. De la cuisine toscane aux sushis, le choix est varié. Nous vous suggérons de réserver, car les restos sont souvent très achalandés. Attention : vous n'aurez peut-être plus le goût de quitter le Cheeca Lodge. **Prix : $$$**

Le célèbre **Marriott Beach Resort** (103 800 Overseas Hwy., Key Largo, FL 33037 ; marriott.fr/hotels/travl/ithkl-Key-largo-bay-marriott-beach-resort) est une autre bonne option. L'endroit est magnifique avec ses balcons qui donnent sur la mer, et l'emplacement est parfait pour relaxer au bord de l'eau, le jour comme le soir. Mention spéciale pour les biscuits au citron qui vous attendent à la réception. Rendez-vous au Breezer's Tiki Bar de l'hôtel pour voir le soleil s'éteindre. **Prix : $$$**

Pour ceux qui voyagent à moindre coût et veulent faire du camping, nous vous proposons le **Key Largo Kampground & Marina** (101 551 Overseas Hwy., Key Largo, FL 33037 ; keylargokampground.com). Le site compte une marina et de nombreuses activités y sont proposées. Vous pouvez aussi camper sur l'une des nombreuses îles de la région, comme celle de Little Rabbit Key, ou bien sur des emplacements de bois flottants sur l'eau. **Prix : $**

17 H / COUCHERS DE SOLEIL SUBLIMES

Quand le soleil descend sur l'horizon, les résidents et les touristes se rendent dans les hôtels ou petits restos au bord de l'eau. À chaque endroit, un musicien, à la guitare, chante des airs de blues ou de soul, d'une voix suave. Attablez-vous au **Sundowners** (103 900 Overseas Hwy., Key Largo, FL 33037 ; sundownerskeylargo.com) ou au **Bayside Grille** (99 530 Overseas Hwy., Key Largo, FL 33037 ; keylargo-baysidegrill.com) et détendez-vous en sirotant un cocktail exotique ou une bière locale et en admirant Galarneau plonger lentement dans le golfe du Mexique. Extase garantie !

19 H / REPAS DE ROIS

Ici, il n'y a pas de chaînes de restaurants ; chaque établissement se fait un devoir de vous proposer la nourriture la plus fraîche possible. Le poisson est toujours à l'honneur. On vous propose les meilleures prises de la mer, pêchées le matin même, chaque endroit les apprêtant de différentes façons. Vous n'aurez jamais mangé de poissons et de fruits de mer si délectables !

On ne va pas au **Fish House** (102 401, Overseas Hwy., Key Largo, FL 33037 ; fishhouse.com) pour la vue, mais pour la cuisine incroyable. Le choix est si vaste et si savoureux que vous voudrez y revenir encore et encore. Pour un coût très acceptable, délectez-vous du célèbre homard de la Floride ou du traditionnel *crab cake*. L'accueil est particulièrement sympathique. Le décor typique et chaleureux fait de guirlandes lumineuses en formes de poissons et de coquillages vous charmera. Ici, des couples autant que des familles viennent partager de bons moments autour de tables en bois remplies des dizaines de plats succulents.

Pour un repas plus abordable, faites un saut au **Shipwreck's Bar and Grill** (45 Garden Cove Dr., Key Largo, FL 33037), un restaurant décoré de centaines de billets d'un dollar signés par les clients. Pour un prix dérisoire,

Paysage typique de Key Largo au petit matin

les crevettes géantes, les rondelles d'oignon frites enrobées de noix de coco croustillante, l'appétissant *fish & chips* ou encore le mahi-mahi avec steak frites feront votre bonheur. L'endroit est très typique et vous aurez tout de suite l'impression de faire partie des résidents du coin. Ne soyez pas surpris de croiser capitaines et matelots!

Que ce soit pour manger ou simplement profiter de l'emplacement extraordinaire, il faut vous rendre au **Snook's Bayside Restaurant & Grand Tiki Bar** (99 470 Overseas Hwy., Key Largo, FL 33037 ; snooks.

com). La propriété est entourée d'arbres majestueux et de plantes tropicales luxuriantes, et la vue sur le front de mer est à couper le souffle, peu importe où vous êtes assis. Le soir, il fait bon se retrouver aux comptoirs entourant l'immense terrasse doucement éclairée et manger tout en admirant l'eau qui se change en or liquide. Plus loin, à la lumière des torches, des canapés confortables permettent de profiter d'une détente totale. Des musiciens de talent complètent l'ambiance onirique. Au menu : une assiette géante de pinces de crabe frais, tendres et juteuses servies avec une traditionnelle sauce à la moutarde et au miel, le poisson du jour enrobé d'un concassé de pistaches servi avec une salsa de mangue ou encore les pâtes aux fruits de mer, tomates, bacon et petits pois à la sauce à la crème…

SAMEDI 9 H / BALADE EN MER

Partir s'évader en mer est l'une des options les plus tentantes pour débuter le week-end. Toutes les marinas offrent des excursions en bateau à un coût somme toute raisonnable. Si vous avez un peu plus de budget, offrez-vous les services d'un guide. Le capitaine **David Borras** (linesout@aol.com), pêcheur expérimenté et véritable passionné, dont le bateau est situé à la Marina Lorelei à Islamorada, vous emmènera, entres autres, à plus d'une heure des côtes, dans la baie de la Floride. Le nombre de types de poissons que vous pouvez prendre là est impressionnant. Des ladyfish aux rougets en passant même par de petits requins ! Et même si vous ne lancez pas la ligne à l'eau, vous ne serez pas en reste puisque des dauphins à l'état sauvage pourraient bien venir vous dire bonjour. **Matt Pribyl** est un autre capitaine chevronné (mattprib@bellsouth.net) ; son bateau est situé au même endroit. À Key Largo, retenez les services du capitaine **Jesse LeBœuf** (jesseleboeuf@hotmail.com). Pêche miraculeuse assurée !

13 H / J'AI FAIM !

L'air du large vous a certainement creusé l'appétit ! Tant mieux, car en revenant de votre balade dans la baie, vous pourrez faire un saut au **Lorelei Restaurant & Cabana Bar** (96 Madeira Rd., Islamorada, FL 33036 ; loreleicabanabar.com). On y va pour le cadre enchanteur, les oiseaux qui nous tiennent compagnie et la vue magnifique. La nourriture y est fraîche et pleine de saveurs. Les deux pieds dans le sable, laissez-vous porter par la douceur du moment.

14 H 30 / DÉCOUVRIR ROBBIE'S

On ne peut passer par Islamorada sans se rendre chez **Robbie's** (77 522 Overseas Hwy., Islamorada, FL 33036 ; robbies.com), une institution dans les Keys et l'une des attractions les plus populaires qui permet de nourrir les tarpons. Les poissons sautent hors de l'eau pour saisir la nourriture de votre main, à moins que les oiseaux ne soient plus rapides ! À la petite marina de l'endroit, vous trouverez, entre autres, des kayaks en location afin de faire une belle balade sur les eaux claires et chaudes. En seulement une petite demi-heure, vous pourrez vous rendre sur une petite île appelée Indian Key. **Brad Bertelli** (whypanic.com), un guide expérimenté et d'une grande gentillesse, peut aussi vous y accompagner et vous raconter l'histoire fascinante de l'île. Ce site historique a déjà abrité un village entier, dont un magasin général. Plusieurs ruines témoignent de cette époque.

L'eau étant limpide et peu profonde à certains endroits, plusieurs en profitent pour faire de la plongée en apnée. L'intimité des lieux est aussi propice à une balade en amoureux. Vous vous sentirez seuls au monde. À noter qu'au gré des sentiers, on peut apercevoir Tea Table Key. L'acteur Gene Hackman loue le petit îlot 14 000 $ la semaine !

Le célèbre Christ of the Abyss dans les fonds marins
du John Pennekamp Coral Reef State Park.
© Stephen Frink, Florida Keys News Bureau

Les bateaux sont rois à Key Largo.

15 H / PLONGÉE VERS LE BONHEUR

Plusieurs vous le diront : Key Largo est la Mecque de la plongée sous-marine. Des visiteurs de partout accourent chaque année pour s'adonner à leur passion. Dans la mer chaude, des centaines de poissons aux couleurs chatoyantes nagent tranquillement. Un lieu incontournable pour les amateurs ou les initiés est le **John Pennekamp Coral Reef State Park** (102 601, Overseas Hwy., Key Largo, FL 33037 ; pennekamppark.com). Ce parc d'État d'une superficie d'environ 130 km² fut le premier parc marin des États-Unis et il est inscrit au registre national des lieux historiques depuis 1972. En plus d'une grande variété de végétation tropicale, les mangroves, les magnifiques oiseaux et la riche vie marine vous raviront à coup sûr. C'est une expérience unique dont vous vous souviendrez toute votre vie !

Si vous préférez ne pas trop vous mouiller, les gens de chez **Caribbean Watersports : Enviro-Tour** (97 000, Overseas Hwy., Key Largo, FL 33037 ; caribbeanwatersports.com) vous invitent à une excursion en zodiac, en hors-bord ou en voilier.

Encore une fois, dans ces eaux turquoise de la baie de Floride, il est fréquent de croiser des dauphins. Les balades peuvent se faire à plusieurs ou en petits groupes. Les plus jeunes préféreront peut-être le jet ski, le kayak ou le *paddleboard*.

19 H / MANGER COMME AU PARADIS

Après toutes ces activités, prenez le temps de vivre, tout simplement. À Islamorada, entrez au **Morada Bay** (81600 Overseas Hwy., Islamorada, FL 33036 ; moradabay.com). Dans cette magnifique propriété sur le bord de mer se trouve le célèbre restaurant Pierre's construit dans le style colonial français d'Afrique de l'Ouest. Le domaine comprend également le très décontracté Beach Café, où vous pourrez vous régaler de mets exquis. Romantique à souhait, l'endroit est un site populaire pour les mariages. Le menu est un parfait mélange de cuisine américaine et de cuisine des Caraïbes. Nous vous conseillons les moules à la Morada, aux tomates et au vin blanc, servies avec le pain maison. Le demi-poulet bien rôti et apprêté avec du citron et de l'avocat est un plaisir divin.

Plus simplement et à moindre coût, vous aimerez aussi le **Skippers Dockside** (528 Caribbean Dr., Key Largo, FL 33037; skippersdockside. com). Le décor tout en bois, au look de chalet douillet, assure une atmosphère de vacances au parfum de nostalgie. Pour bien manger, essayez le rouget, le mahi-mahi grillé ou le tartare de thon: tout simplement délicieux!

Vous pourriez également vous diriger vers le coloré **Snapper's Waterfront Restaurant** (139 Seaside Ave., Key Largo, FL 33037; snapperskeylargo.com). Les murs et les chaises aux couleurs pastel ainsi que les petites tables au bord de la jetée donnent à ce coin une ambiance des plus décontractées. Les petits bateaux viennent s'y amarrer en toute simplicité. Goûtez la salade de conques à la façon des Bahamas ou le filet mignon à la croûte au bleu, vous n'en reviendrez pas! Et lorsque la nuit tombe, le doux éclairage qui se reflète sur l'eau vous donnera l'impression d'être complètement hors du temps.

21H / SORTIR EN BOÎTE

La vie dans les Keys est surtout faite d'activités nautiques. On s'y promène le soir et on s'attable à la lueur des chandelles pour manger tranquillement, mais passé minuit, il n'y a pas de vie nocturne à proprement parler. Le **Caribbean Club** (101 080 Overseas Hwy., Key Largo, FL 33037; caribbeanclubkl.com) fait exception. En 1947, l'endroit a servi de lieu de tournage pour les plans extérieurs du film *Key Largo*, avec Humphrey Bogart et Lauren Bacall. On vient dans ce lieu chargé d'histoire et rempli de souvenirs pour entendre des musiciens, boire un verre entre amis, admirer un coucher de soleil et refaire le monde.

La belle plage du Cheeca Lodge & Spa

DIMANCHE 10H / DÉJEUNER LOCAL

Pour un déjeuner gargantuesque et hors de l'ordinaire, dirigez-vous vers le **Hideout** (47 Shoreland Dr., Key Largo, FL 33037). La plupart des gens qui s'y rendent habitent les environs. À notre passage, nous y avons rencontré l'ancienne mairesse du comté et son amie, âgée de 100 ans. Le look aux reflets du passé du restaurant crée une ambiance chaleureuse et conviviale. Il y a une section qui donne sur la terrasse, où l'on peut aussi savourer son repas. Pour un prix abordable, essayez les œufs accompagnés d'un tendre morceau de viande hachée avec sa sauce béchamel. Comme ailleurs, le service est des plus sympathiques et les sourires sincères.

11H / FARNIENTE SUR LA PLAGE

Parmi l'archipel, Bahia Honda dispose d'une magnifique baie et de merveilleuses plages de sable blanc. On peut y voir également de nombreux animaux sauvages. Un plan vous sera distribué à l'entrée du **Bahia Honda State Park** (36 850 Overseas Hwy., Pine Key, FL 33043 ; bahiahondapark.com). Quatre plages différentes s'offrent à vous, les plus prisées étant les trois orientées vers l'est. Selon la marée, vous pouvez marcher longtemps dans le sable avec de l'eau chaude jusqu'à la taille : un pur plaisir. Tout près, les Saddlebunch Keys, inhabitées, sont faites de lagons et de mangroves fantastiques. Comptez 1 h 30 en voiture pour vous y rendre, mais le jeu en vaut la chandelle !

Au retour, profitez-en pour visiter **The Turtle Hospital** (2396 Overseas Hwy., Marathon, FL 33050 ; turtlehospital.org). Il s'agit d'un organisme dédié à la sauvegarde des tortues de mer. Vous pourrez visiter l'hôpital bien équipé qui sauve des dizaines de tortues chaque année. Des bassins sont aménagés pour soigner les blessures causées par les hélices de bateaux ou divers objets liés à la pollution. Les enfants seront éblouis de voir de près ces petites cousines des dinosaures.

Dans le même ordre d'idée, on vous suggère le **Florida Keys Wild Bird Rehabilitation** (93 600 Overseas Hwy., Tavernier, FL 33070 ; keepthemflying.org). Il s'agit d'un endroit privilégié où les oiseaux peuvent vivre une retraite heureuse. En effet, ce sanctuaire permet à des oiseaux blessés de se reposer. Pendant cette visite gratuite de 30 min, vous pourrez observer de magnifiques spécimens. Une sortie parfaite pour la famille.

L'ART EN TÊTE

Si vous préférez vous la couler douce en ce dimanche, il est temps de penser à faire quelques emplettes. Pénétrer dans l'extraordinaire boutique **Shell World** (97 600 Overseas Hwy., Key Largo, FL 33037 ; shellworldflkeys.com), c'est se retrouver dans la caverne d'Ali Baba. Bijoux, milliers de coquillages vendus en vrac, lampes, couettes, vaisselles, linge de maison, objets de déco aux influences de la mer… Il y a fort à parier que vous n'aurez jamais vu une telle profusion de si beaux objets !

Les paysages sublimes et l'ambiance exceptionnelle de la Floride ont inspiré les artistes depuis toujours. Vous y trouverez donc de nombreuses galeries d'art. Rendez-vous d'abord à la **Key Largo Art Gallery** (103 200 Overseas Hwy., Key Largo, FL 33037 ;

Le Tarpon Flats Inn and Marina,
l'un de nos petits hôtels préférés en Floride

Moment de détente à Key Largo

keylargoartgallery). Vous y découvrirez les œuvres de 27 artistes locaux dont plusieurs sont vouées à l'art maritime et aux sirènes. Les illustrations, dessins et conceptions graphiques tous plus originaux les uns que les autres raviront l'artiste en vous.

De son côté, la **Gallery Morada** (81 611 Old Hwy., Islamorada, FL 33036 ; gallerymorada.com) représente plus de 200 artistes américains contemporains travaillant avec une merveilleuse variété de médiums. Vous y trouverez bijoux, accessoires de mode, articles ménagers ou autres œuvres de verre, de céramique, de métal ou de bois.

De quoi reprendre la route avec des souvenirs impérissables dans vos bagages !

SAVIEZ-VOUS QUE?

Géographie

L'archipel est situé à l'extrémité méridionale des États-Unis, dans le détroit de Floride qui relie l'océan Atlantique au golfe du Mexique. Les îles des Keys sont reliées entre elles par le célèbre Overseas Highway, une autoroute qui surplombe l'eau et rejoint le continent.

Du beau temps, tout le temps!

Dans les Keys, il fait beau à l'année. Le climat est d'ailleurs essentiellement tropical, plus près de celui des Caraïbes que de celui de la Floride. La pointe la plus au sud des îles est d'ailleurs à environ 140 km de Cuba.

Lieu d'inspiration

Key Largo a inspiré plusieurs réalisateurs. Au petit écran, c'est au complexe Morada Bay, à Islamorada, qu'on tourne la célèbre série *Bloodline*, présentée sur Netflix.

Scène typique de la circulation
nautique à Islamorada

ESCAPADE À MIAMI

Une partie de dominos plongée dans l'épaisse fumée de cigare, des rues tapissées de graffitis, une station-service qui sert les meilleurs burgers de la métropole floridienne… À Miami, ce sont les petits détails qui charment le visiteur.

À deux pas de la fête éternelle de South Beach, l'abondance de gratte-ciel et de manoirs grands comme des palais vénitiens confirme que la ville a su conserver toute sa superbe, malgré les ouragans et les crises financières. Mais il faut quitter le centre pour découvrir une Miami authentique et pimentée.

Montez à bord de votre voiture et plongez dans un véritable bain de culture afro-latine sans quitter l'Amérique du Nord.

VENDREDI 18 H / DÉPOSEZ VOS VALISES

Entre les chaînes internationales desservant une clientèle d'affaires et les cinq étoiles, Miami compte encore quelques chambres à prix raisonnable. En particulier, la poignée de motels du quartier MiMo, qui scintillent à nouveau de leurs plus beaux atours rétro. Les amateurs d'Andy Warhol et de design des *sixties* seront comblés au **New Yorker Boutique Hotel** (6500 Biscayne Blvd., Miami, FL 33138 ; hotelnewyorkermiami.com). **Prix : $-$$**

Dans le Design District, le **Motel Bianco** (5255 Biscayne Blvd., Miami, FL 33137 ; motelbianco.com) se démarque du décor kitch qui habille d'autres établissements du secteur. Entièrement rénové, le motel au décor blanc et orangé a deux atouts de taille : le déjeuner servi dans la cour

Des airs de salsa, des notes épicées de cigarillos et un drapeau cubain: la terrasse de la boîte de nuit Hoy Como Ayer, du quartier Little Havana invite les noctambules à faire escale à La Havane sans quitter Miami!
© Patrick Farrell / Visit Florida

intérieure et le stationnement gratuit!

Prix: $-$$

Envie d'un séjour au centre urbain? Au pied du pont Brickell, qui enjambe la rivière Miami se dresse le chic **Kimpton Epic Hotel** (270, Biscayne Blvd., Miami, FL 33132; epichotel. com). La piscine extérieure dominant le parc portuaire et le resto-bar du 16e étage attirent les jeunes professionnels, ce qui ranime l'atmosphère pépère qui règne au centre-ville après 17 h.

Prix: $$$

19 H / PRISE DU JOUR

Difficile de dénicher un resto de fruits de mer sans le flafla et la facture salée des institutions étoilées. Si dîner près d'un comptoir réfrigéré ne vous gâche pas l'appétit, on vous recommande le **Captain Jim's Seafood Market** (12 950 W Dixie Hwy., North Miami, FL 33161; captainjimsmiami.com). D'octobre à mai, on y sert le crabe épineux (*stone crab*) dans une ambiance des plus décontractées.

Le **Kush** (2003 N Miami Ave., Miami, FL 33127; kushwynwood.com) est une autre table qui propose une cuisine fine sans prétention. Hamburgers préparés minute avec du bœuf élevé sans hormones et bouchées d'alligator local se dégustent avec une bière maison dans cette microbrasserie de quartier.

21H / CITÉ MAGIQUE

Avant minuit, armé de votre appareil photo, admirez le panorama du centre-ville à bord du train aérien **Metromover**

Le couple amateur d'art Rosa et Carlos de la Cruz opère un musée adjacent à leur domicile du Design District. © Patrick Farell / Visit Florida

© Patrick Farell / Visit Florida

Impossible de rater les Wynwood Walls du secteur Design District! Il s'agit de 40 murales de taille imposante, signées par les maîtres internationaux de l'art urbain. © Patrick Farell / Visit Florida

À quelques pas du parc Bayfront et voisins de l'aréna American Airlines, les jardins suspendus du musée Perez Art offrent une vue panoramique sur le centre-ville de Miami.
© Patrick Farell / Visit Florida

L'impressionnant stade du Heat de Miami
© David Alvarez / Miami HEAT

À bord du train aérien Metromover,
on peut admirer gratuitement le centre de Miami.
Le trajet de 7 km suit le fil du fleuve Miami
entre la maison symphonique Adrienne Arsht,
située dans le sud du Design District,
et le quartier financier de Brickell.
© Peter W. Cross / Visit Florida

(miamidade.gov/transit/mover). Le circuit gratuit donne une autre perspective sur les hautes tours de cette métropole qu'on surnomme *Magic City*. Le Heat est en ville ? Descendez à Museum Park. Repérez l'immense OVNI qu'est l'**American Airlines Arena** et offrez-vous un match de basket ! (601 N Biscayne Blvd., Miami, FL 33132 ; aaarena.com)

SAMEDI 7 H 30 / COUR TROPICALE

Si votre portefeuille ne permet pas la nuitée au Biltmore, offrez-vous le déjeuner du restaurant de ce palace hôtelier. Au **Fontana** (1200 Anastasia Ave., Coral Gables FL 33134 ; biltmorehotel.com), on s'attable autour d'une fontaine vénitienne dans une cour intérieure bordée de palmiers. Au menu : frittata, crêpe salée jambon-gruyère, pain doré à la cannelle, granola maison et fruits frais. En plus d'offrir plusieurs champagnes au verre, le brunch comprend une sélection de thés de luxe, une rareté en Floride ! Un anniversaire ou une occasion spéciale à souligner ? Ne ratez pas le *Champagne Brunch* du dimanche. Le buffet à 85 $ par convive présente alors une tablée de délices comme du caviar, des coquillages et du saumon fumé, le tout accompagné de bulles à volonté.

Comme nous, vous avez peut-être besoin d'un café bien serré avant d'entamer les activités au programme ce matin. Faites un saut au **Graziano's Market** (2301 Galiano St., Miami, FL 33134 ; grazianosgroup.com) et commandez un espresso double glacé au comptoir de cette épicerie fine argentine. Ajoutez un *tostado*, un

grilled cheese au jambon ou un panini au prosciutto et à la mozzarella fraîche, à déguster sur place ou sur le pouce.

9 H / OHÉ DU CANOË !

Une façon mémorable de goûter le caractère vénitien de Miami est de pagayer sur **les canaux du quartier Coral Gables**. À bord de votre canot, admirez les ponts ouvragés, les manoirs façon *Gatsby le magnifique* et les verts du mythique hôtel Biltmore (location de 3 heures, sur réservation : biltmorehotel.com/golf).

Si vous préférez rester sur le plancher des vaches, empruntez la piste cyclable **Old Cutler** (accès SW 72th St. et Old Cutler Rd.). Depuis Coral Gables, un parcours d'environ 20 km mène à la plage de Matheson Hammock ou au jardin botanique Fairchild.

12 H / SANDWICH CUBAIN

Rechargez vos batteries au **El Palacio de Los Jugos** (5721 W Flagler St., Miami, FL 33144; elpalaciodelosjugos. com) en dégustant le meilleur flanc de porc frit (*chicharrón*) de Miami, meilleur même que celui servi dans les institutions cubaines de la célèbre Calle Ocho dans Little Havana (huit succursales en ville).

Pour bien démarrer votre exploration du district du design, cassez plutôt la croûte au **B & M Market** (219 NE 79th St., Miami, FL 33138). Derrière les allées de l'épicerie, on sert un poulet grillé à la jamaïcaine dont vos papilles se souviendront longtemps.

13 H / ESCALE À PORT-AU-PRINCE

Il suffit d'arpenter **Little Haïti** (2nd Avenue, entre 54th et 60th Street)

pour s'imprégner de culture afro-caribéenne. Poussez plus loin le dépaysement en passant la porte d'une boutique vaudou, comme **3x3 Santa Barbara Botanica** (5700 NE 2nd Ave., Miami, FL 33137). Faites-y vos emplettes d'onguents et d'eau de Cologne aux propriétés uniques. On est loin des épingles et des poupées de chiffon !

14 H / PAUSE MACARONS

Poursuivez sur 2nd Avenue pour parcourir le Design District. En passant, attrapez une pâtisserie chez **Crumb on Parchment** (3930 NE 2nd Ave., Miami, FL 33137), le café de Michelle Bernstein, chef vedette du Food Network ou des macarons chez **Ladurée** (4025 NE 2nd Ave., Miami, FL 33137). Vous avez bien lu : les gâteries parisiennes ont leur salon de thé à Miami !

Savourez votre dessert devant les installations d'art public, notamment **le Living Room** (angle Miami Avenue et NW 40th Street) ou devant les chaises suspendues **Netscape** (140 NE 39th St., terrasse du niveau 2, Miami, FL 33137). Vos petits, eux, seront aux anges à la boutique de jouets **Genius Jones** (2800 NE 2nd Ave., Miami, FL 33137 ; geniusjones.com).

Quelques rues plus loin, sur la 2nd Avenue ; entre la 25th et la 26th Street, 40 murales de **Wynwood Walls** (themynwoodwalls.com) attendent votre œil critique. Explosions de couleurs et personnages plus grands que nature : les œuvres impressionnent petits et grands amateurs de *street art*.

17 H / APÉRO *AL FRESCO*

Avec 24 fûts différents, **The Butcher Shop** (165 NW 23rd St., Miami, FL 33127 ; thebutchershopmiami.com) invite les amateurs de bière à faire des découvertes. L'abondance de verdure ajoute un supplément d'âme à l'espace industriel, ceinturé de façades bétonnées.

Après New York et Chicago, Miami occupe la troisième place des villes dont le panorama est dominé par les plus hauts gratte-ciel des États-Unis. Près du tiers des 300 tours de la Magic City dépassent 120 m, environ 40 étages !
© Greater Miami Convention & Visitors Bureau

18 H / LABO CULINAIRE

Menu latino ou italien, bar à vin ou barbecue texan : **Wynwood** est la Mecque des *foodies* de Miami. Essayez la nouillerie **Gigi** (3470 N Miami Ave., Miami, FL 33127 ; giginow.com), qui sert des dumplings farcis au canard, au porc ou aux champignons et des choux de Bruxelles qui passent le test de goût des convives les plus difficiles.

Vous ne savez pas de quoi vous avez envie ? Direction : **The Wynwood Yard** (56 NW 29th St., Miami, FL 33127 ; thewynwoodyard.com). La cuisine en plein air regroupe quatre restos, dont un camion de rue et un comptoir végétalien.

21 H / VINO ET DISCO

Le deuxième samedi du mois, moyennant 25 $, participez à **l'Art Walk** (wynwoodartwalk.com). Vin et bouchées accompagnent cette virée artistique de galerie en galerie, conférant une ambiance festive à la soirée.

Pour découvrir les *hits* latinos avant le reste de la planète et vous déhancher parmi la faune locale, roulez 20 km à l'ouest du centre-ville jusqu'à **La Covacha** (10 730 NW 25th St., Doral, FL 33172 ; lacovacha.com).

DIMANCHE 9 H / DÉJEUNER AU PARC

Le parc Maximo Gomez de Little Havana (près de 15th Avenue sur Calle Ocho ou SW 8th Street) vous plongera dans le Cuba d'avant la révolution castriste. Commandez un espresso cubain (un café corsé versé sur du lait moussé) et asseyez-vous pour observer ces retraités qui enchaînent les parties de dominos, cigare aux lèvres.

À deux pas du parc, on commande son café à 75¢ au kiosque extérieur du resto **El Exquisito** (1510 SW 8th St., Miami, FL 33135 ; elexquisitomiami. com). Pour trois dollars de plus, vous obtenez un déjeuner complet, pain grillé, œufs et bacon ou saucisse compris !

TRANCHE D'HISTOIRE

C'est une femme qui met Miami sur la carte à la fin du XIXᵉ siècle. En échange de la moitié de ses plantations d'orangers, la visionnaire Julia Tuttle convainc le richissime Henry M. Flagler de prolonger sa ligne de train de St Augustine à Miami. Souhaitant fuir l'hiver ou les autorités, les familles aisées comme les gangsters affluent, transformant en moins de 30 ans le paysage rural en vibrant tableau urbain qui compte aujourd'hui 2,6 millions habitants.

Un peu plus à l'ouest, l'atmosphère conviviale, le jus d'orange fraîchement pressé et les délicieux *empanadas* de **La Carreta** (neuf succursales à Miami : lacarreta.com) attirent une clientèle locale depuis 40 ans. Une assiette remplie à ras bord d'œufs ou d'omelette avec pain grillé et pommes de terre rissolées ou frites maison pour moins de 5 $ à Miami ? On y retourne en courant !

10 H / COMME AU CIRQUE

Au bord de la baie de Biscayne, le parc **Bayfront** (301 N Biscayne Blvd., Miami, FL 33132 ; bayfrontparkmiami. com) attire le visiteur avec les installations de l'artiste américano-japonais Isamu Noguchi, reconnu pour ses luminaires sculpturaux. Admirez-les avant de vous élancer en trapèze volant (cours sur réservation seulement : theflyingtrapezeschool.com).

12 H / MESSE HISPANIQUE

L'église St Bernard de Clairvaux (16711 W Dixie Hwy., North Miami Beach, FL 33160 ; spanishmonastery. com) est une véritable machine à voyager dans le temps. Le cloître, érigé en Espagne au XIIᵉ siècle, a été démonté et reconstruit pierre par pierre à deux pas des plages de Miami. Un organiste accompagne le chœur lors de la messe du dimanche.

14 H / *FAST FOOD* ETHNIQUE

À 15 min de l'aéroport, le burger à la vénézuélienne — des étages de bœuf, de jambon et d'œuf grillé nappés de sauce et accompagnés de patates rôties — du **Pepito's Plaza** (10 701 NW 58ᵗʰ St., Doral, FL 33178) vous remettra d'aplomb. Vous pourrez aussi faire le plein : l'endroit est une station-service après tout !

SAVIEZ-VOUS QUE ?

Jour de pluie

Rien ne vaut le musée History Miami pour un aperçu de l'histoire singulière des esclaves en fuite, ainsi que des gangsters, des pirates et autres pionniers au passé suspect qui ont bâti le sud de la Floride (historymiami.org).

Le Miami Children's Museum est la salle de jeux des enfants quand il pleut. Ces derniers peuvent entre autres s'imaginer policier, reporter ou capitaine de paquebot, en arpentant les expositions consacrées à divers métiers (miamichildrensmuseum.org).

Évitez le bus !

En raison des horaires irréguliers et des longs trajets à parcourir entre les quartiers, le bus n'est pas votre meilleur allié pour découvrir Miami.

Le son Miami

Dans les années 1960, Détroit avait Motown Records et Miami, Deep City. Ce studio d'enregistrement est à l'instar du *Miami Sound,* mélangeant les airs gospel, la cadence des parades militaires, la langueur d'une salsa et les notes cristallines du *steeldrum* caribéen. On écoute les compilations *Eccentric Soul* du *label* Numero Group pour retrouver ce son original.

Une fresque à l'intérieur de la discothèque Hoy Como Ayer évoque Cuba avant la révolution castriste.
© Patrick Farell / Visit Florida

ESCAPADE À SOUTH BEACH

Surnommée SoBe, la pointe sud de la ville de Miami Beach attire les *beautiful people* comme M. et Mme Tout-le-Monde en quête d'une escapade exaltante dans une atmosphère à la fois luxueuse et décontractée.

Difficile de croire que South Beach a déjà figuré sur la liste noire des destinations touristiques ! Pourtant, jusqu'aux années 1990, le secteur était synonyme de bâtiments décrépits et de violence. Porte d'entrée pour les narcotrafiquants, South Beach était loin du paradis touristique qu'il est aujourd'hui. De nos jours, l'endroit a tout d'une carte postale.

Avec ses boîtes de nuit branchées, ses hôtels extravagants et ses plages de sable blanc, SoBe séduit les hordes de noctambules et de sportifs. Munissez-vous de vos lunettes de soleil, de vos talons hauts et d'une bonne dose de pep (ou d'espresso !)

pour faire l'expérience d'un quartier en pleine effervescence.

VENDREDI 18 H / DÉPOSEZ VOS VALISES

Réputé pour ses hôtels de facture Art déco, SoBe compte la plus forte concentration d'hôtels-boutiques aux États-Unis. Les établissements s'affichent donc à prix forts, voire prohibitifs.

Vous trouverez quelques bonnes adresses à l'ouest de l'avenue Pennsylvania, comme le **SoBe You Bed & Breakfast** (1018 Jefferson Ave., Miami Beach, FL 33139 ; sobeyou. us). Ce *bed & breakfast* propose cinq

Servant le déjeuner toute la journée à South Beach depuis 1992, le car du 11th Street Diner est né en 1948 dans une manufacture du New Jersey spécialisée en reproductions des voitures-restaurants des trains de la Pullman & Co. © Miami Design Preservation League.

chambres, une piscine et une terrasse intime où savourer votre déjeuner. **Prix : $$$**

Pour profiter du confort d'un hôtel-boutique sans vous ruiner, déposez vos valises à l'immaculé **Townhouse Hotel Miami** (150 20th St., coin Collins Ave., Miami Beach, FL 33139 ; townhousehotel. com). La terrasse sur le toit avec sa vue imprenable sur la mer est populaire à l'heure de l'apéro. **Prix : $$-$$$**

Vous avez envie de faire une folie ? Rendez-vous au **Mondrian South Beach** (1100 W Ave., Miami Beach, FL 33139 ; mondrian-miami.com) pour son design féérique digne d'un mariage entre *Alice au pays des merveilles* de Tim Burton et *Casino Royale* de la saga James Bond. **Prix : $$$**

22 H / PAILLETTES, CHAMPAGNE ET MOJITO

Après un savoureux burger dégusté à bord du wagon Pullman en inox du **11th Street Diner** (1065 Washington Ave., Miami Beach, FL 33139 ; eleventhstreetdiner.com) ou une pizza aubergine et fromage de chèvre chez **Pizza Rustica** (trois adresses à SoBe ; pizza-rustica.com), allez siroter un Miami Vice au **Clevelander** (1020 Ocean Dr., Miami Beach, FL 33139 ; clevelander. com). Immortalisez ce moment sur les lieux de tournage de la série culte du même nom en prenant un égoportrait.

Si les boîtes de nuit Juvia, Delano et Mint Lounge vous invitent à jouer les célébrités pour voir et être vu, le bar **Mac's Club Deuce** (222 14th St., Miami Beach, FL 33139 ; macsclubdeuce.com), ouvert depuis près de 100 ans, attire quant à lui une clientèle locale et vous permettra d'échapper à l'ambiance guindée de Collins Avenue.

SAMEDI 7 H / NAMASTÉ !

Au coloré stand des surveillants de plage, l'école **3rd Street Beach Yoga** (3rdstreetbeachyoga.com) donne des cours de yoga gratuits. Apportez votre serviette, une bouteille d'eau et un pourboire pour le maître yogi qui travaille bénévolement.

8 H / LA VIE EN ROSE

Quoi de mieux pour poursuivre votre lancée positive que d'aller reprendre des forces chez **Big Pink**, où on voit la vie en rose (157 Collins Ave., Miami Beach, FL 33139 ; bigpinktakeout. com). Dans cette salle à manger où tous les accessoires déco, les

Imaginé par le designer néerlandais Marcel Wanders, le Mondrian de South Beach est une ode contemporaine à la Belle au bois dormant. Escaliers flottants, murs laqués, meubles épurés: le blanc règne en maître dans cet univers néo-baroque.
© Marc Alt pour Marcel Wanders

Parmi les plus belles leçons de symétrie que permet l'architecture de type Art déco, on retient l'hôtel Leslie sur Ocean Drive.
© Visit Florida

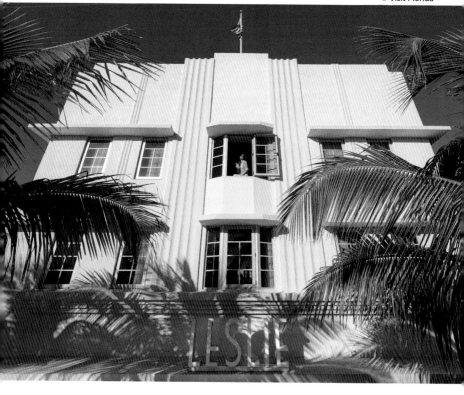

tables et les chaises sont déclinés en fuchsia, corail et rose bonbon, on sert le déjeuner toute la journée sur un plateau métallisé. L'ambiance fantaisiste n'a d'égal que la qualité de la cuisine, notamment l'omelette craquante à la tortilla et au maïs sucré et les crêpes aux biscuits Oreo.

Un peu plus au nord, le **Front Porch Cafe** (1458 Ocean Dr., Miami Beach, FL 33139 ; frontporchoceandrive.com) sert des déjeuners préparés comme à la maison. Le restaurant de l'hôtel-boutique Z a pensé aux noctambules et aux lève-tard : il cuisine ses omelettes Reuben – une sorte de sandwich à la viande fumée déconstruit – jusqu'à 18h. On y va pour les œufs apprêtés à toutes les sauces, offerts à prix raisonnables étant donné cette zone ultratouristique, mais aussi pour la vue qu'on y a sur Ocean Drive.

9H / SENTIER NATURE
Au nord de SoBe, le parc municipal **Arch Creek** (1855 NE 135th St., North Miami Beach, FL 33181 ; 305 944-6111) vaut le détour. Parmi les circuits pédestres proposés, le jardin de papillons émerveillera les enfants.

11 H / SE GÂTER !
En quête d'une œuvre d'art ? Faites un saut au **ArtCenter South Florida** (924 Lincoln Rd., Miami Beach, FL 33139 ; artcentersf.org). Le centre représente exclusivement la relève. Un lieu tout indiqué pour repérer le prochain grand nom de l'art contemporain.

12 H / LE *FRENCH LUNCH*
Opérée par un chef français depuis plus de 25 ans, **La Sandwicherie** (229 14th St., Miami Beach, FL 33139 ; lasandwicherie.com/sobe/index.html) constitue une des meilleures adresses pour bien manger sur le pouce. À essayer : le *Tropical* (mozzarella, avocat, mangue, papaye), servi avec un trait de vinaigrette à base de Dijon. Pas de moutarde jaune ici !

13H30 / À LA PLAGE !
N'ayez crainte, entre les petits qui barbotent dans les eaux du **Lummus Park** (accès tout le long d'Ocean Drive), les célébrités en bikini et les sportifs hyper musclés, la sirène ou le triton qui affiche quelques rondeurs passera inaperçu. Avec un peu de chance, vous croiserez Iggy Pop, icône du rock et Miaméen d'adoption.

Pour éviter les foules, direction South Pointe, la plage au sud de la 5th Street. Vous y trouverez notamment des jeux d'eau, pour rafraîchir les enfants quand les vagues sont trop fortes.

17H / UN APÉRO LES PIEDS DANS LE SABLE
Au retour, rafraîchissez-vous, un cocktail à la main, sous les palapas de l'institution pour *jet-setters* qu'est **Nikki Beach Miami** (1 Ocean Dr., Miami Beach, FL 33139 ; nikkibeach.com). Photographiez ensuite les immeubles Art déco au soleil couchant depuis **The Promenade**, sur la plage entre les 5th et 15th Street. Attention aux adeptes de patin à roues alignées qui circulent à toute vitesse !

18H / MENU CARIBÉEN
À SoBe, le mélange des saveurs exotiques est au menu. On vous recommande la table haïtienne **Tap Tap** (819, 5th St., Miami Beach, FL 33139 ; taptapmiamibeach.com) qui sert un surprenant vivaneau avec

TRANCHE D'HISTOIRE

Dès 1932, sous l'impulsion du *New Deal* de Roosevelt qui visait entre autres à contrer le chômage après le krach boursier, les édifices Art déco se multiplient sur Ocean Drive. Les façades colorées tout en courbes semblent neutraliser la morosité ambiante de la Grande Dépression. En effet, dès 1940, l'architecture originale des hôtels, la plage de sable blanc et la température favorable attirent annuellement 2 millions de curieux.

De nos jours, 7,5 millions de touristes gonflent temporairement les statistiques démographiques. Car si 2,6 millions de personnes habitent le comté qui englobe Miami et ses banlieues, moins de 100 000 d'entre elles vivent à South Beach.

créations de la haute couture. Le dimanche, faites des provisions au marché en plein air et improvisez un pique-nique au jardin du **New World Center** (500 17th St., Miami Beach, FL 33139 ; nws.edu), une salle de concert d'allure futuriste conçue par l'architecte Frank Gehry. Avis aux mélomanes fauchés : plusieurs concerts sont transmis en direct sur la façade du bâtiment.

DIMANCHE 8 H / AU PAS DE COURSE

Quoi de mieux qu'un petit 5 km de jogging pour se revigorer ? La piste du **parc Flamingo**, située à l'est d'Alton Road, entre la 11th et la 12th Street, est surtout fréquentée par de sérieux coureurs.

10 H 30 / BRUNCH AU BOURBON

Une tour de crêpes nappées de sirop d'érable au bourbon, des crevettes et des *grits* (maïs concassé préparé comme un gruau), des gaufres au *dulce de leche*... Faites le plein de calories chez **YardBird** (1600 Lenox Ave., Miami Beach, FL 33139 ; runchickenrun.com). La cuisine inspirée des traditions culinaires du sud des États-Unis a été propulsée au firmament de la gastronomie par le chef et animateur vedette Anthony Bourdain.

14 H / IMMERSION ART DÉCO

Le circuit pédestre organisé par la **Miami Design Preservation League** donne un bon aperçu de l'histoire de SoBe (1001 Ocean Dr., Miami Beach, FL 33139 ; mdpl.org). Accompagné d'un guide passionné, vous apprendrez les règles d'or de l'architecture Art déco et quelques secrets qui se

sauce à la lime et des conques grillées au feu de bois.

En couple ou en groupe, partagez des tapas à la fine table du **Yuca** (501, Lincoln Rd., Miami Beach, FL 33139 ; yuca.com). À commander absolument : le flanc de porc à la gelée de goyave, les poivrons farcis façon cubaine et les côtes levées aux fruits tropicaux. Certains soirs, l'établissement offre gracieusement des leçons de salsa.

Question de bien digérer, une virée de magasinage au **Lincoln Road Mall** s'impose (Lincoln Road, entre Alton Road et Washington Avenue ; lincolnroadmall.com). Soignez toutefois votre tenue, car les Miaméens déambulent vêtus des plus récentes

La maison symphonique New World Center a été pensée par l'architecte américano-canadien Frank Gehry. L'exiguïté de la salle et l'angle accru d'inclinaison des sièges sont voulus: ils assurent aux mélomanes de s'asseoir le plus près possible de l'orchestre, soit jamais plus loin que 13 rangées!
© New World Center

Au plus grand bonheur des Miaméens et des visiteurs, une plage de sable blanc s'étale tout le long d'Ocean Drive. Malgré la popularité de Lummus Park, chacun y trouve son petit coin de paradis.
© Vic Harris / Visit Florida

cachent derrière ces façades pastel aux allures de gâteaux de mariage géants. Par exemple, l'ornementation du lobby de **l'hôtel Essex House Hotel** (1001 Collins Ave., Miami Beach, FL 33139; clevelander.com) n'est pas qu'une simple fioriture. Lors de la prohibition, les flèches gravées à même le sol en terrazzo menaient au bar clandestin de l'endroit!

SAVIEZ-VOUS QUE?
Le vrai SoBe
Tous les guides touristiques ne s'entendent pas sur les limites du quartier, mais le voyageur avisé qui y séjourne s'aventurera du sud au nord entre la 6th et la 23th Street, et d'est en ouest entre la plage bordant l'océan Atlantique et Alton Road.

Ménagez vos transports!
Avec la multiplication des interdictions de stationner et les parcomètres qui gobent vos sous de 9 h à 3 h du matin, misez donc sur la marche pour visiter le quartier sans souci. Ou attrapez le bus bleu au logo fuchsia Local Circulator qui va et vient sur Washington Avenue et Alton Road toutes les 15 min (25 ¢ le déplacement). SoBe a aussi son Bixi, baptisé DecoBike (decobike.com).

Devenez VIP
Pour être dans le coup, consultez la liste des plus récents bars et restos branchés dans l'hebdo *Miami New Times*. Demandez au concierge de votre hôtel de téléphoner pour vous inscrire sur la liste des clubs qui contrôlent jalousement leur accès. Vous éviterez ainsi la file d'attente!

Ocean Drive dans le quartier Art Deco à South Beach
© Visit Florida

ESCAPADE À PALM BEACH ET WEST PALM BEACH

Si l'espace d'un week-end, l'envie vous prend de vivre comme un millionnaire et de côtoyer une certaine classe huppée de la société américaine, ne manquez pas de visiter l'île de Palm Beach et ses environs, le refuge préféré des gens riches et célèbres aux États-Unis. Mais rassurez-vous, inutile d'explorer les lieux en Bentley ou en Ferrari ! Palm Beach et sa ville voisine, West Palm Beach, sont parmi les plus belles cités du pays des oranges, à découvrir à vélo. Enfourchez alors votre bécane, pour y découvrir des résidences, pardon, des palais à couper le souffle, une panoplie de boutiques luxueuses et des hôtels plus époustouflants les uns que les autres. Vous serez également impressionné par la vie nocturne de West Palm Beach. Profitez également des nombreux attraits de la région, à la portée de toutes les bourses, dont la visite de Peanut Island et de son univers marin fascinant.

La célèbre Worth Avenue
© The Palm Beaches

VENDREDI
18 H / DÉPOSEZ VOS VALISES

Ne cherchez pas en vain, il n'y a pas d'hôtels abordables à Palm Beach. Pour un séjour agréable sans vous ruiner, tournez-vous plutôt vers West Palm Beach, la cité voisine. Le **Palm Beach Hibiscus** (213 S Rosemary Ave., West Palm Beach, FL 33401 ; palmbeachhibiscus.com) est un ravissant *bed & breakfast* construit en 1917. Son architecture rappelle celle des magnifiques résidences de Key West. À quelques pas des restaurants et des boutiques, il offre un excellent rapport qualité-prix, et le déjeuner est inclus dans le prix. **Prix : $$**

Dans la zone résidentielle de Grandview Heights, au cœur du centre de West Palm Beach, se dresse l'hôtel de charme **Grandview Gardens Bed & Breakfast and Vacation Homes** (1608 Lake Ave., West Palm Beach, FL 33401 ; grandview-gardens.com/hotel/french.html). Petite oasis de paix, le prix des chambres inclut le déjeuner et l'accès à un vélo et à une piscine attrayante. **Prix : $$$**

Sinon, optez pour la station balnéaire de Singer Island, située à quelques kilomètres de West Palm Beach. Bien que les hôtels en bord de mer coûtent très cher en haute saison, le **Singer Island Paradise and Cottages** (2621 Park Ave., Singer Island, FL 33404 ; singerislandhotel.com) vaut le détour. Situé à quelques pas de la plage et du **Blue Heron Bridge**, il propose une agréable ambiance décontractée. L'hôtel est très populaire et il faut réserver plusieurs mois d'avance. **Prix : $**

Bien que modeste, le **Ocean surf Motel** (3021 N Ocean Dr., West Palm Beach, FL 33404 ; oceansurfmotel.com) est un autre endroit intéressant à peu de frais. On y trouve aussi une panoplie d'endroits pour manger ou prendre un verre. Qui sait, vous croiserez peut-être des personnalités du show business québécois, car plusieurs d'entre elles ont choisi de s'installer à Singer Island. **Prix : $$**

20 H / SORTIR À WEST PALM BEACH

Les petits cafés, restaurants et bars abondent à West Palm Beach. À pied ou en trolley, dirigez-vous vers la rue animée de Clematis, en plein cœur du centre-ville. Un choix éclectique de restaurants s'offre à vous, de quoi vous mettre bien en appétit ! Le **Rocco's Tacos and Tequila Bar** (224 Clematis St., West Palm Beach, FL 33401 ; roccostacos.com) en est un à ne pas manquer pour son ambiance festive, son impressionnante carte de tequilas, sa guacamole maison et sa grande variété de tacos.

Pour une atmosphère tendance, pour son menu et ses cocktails, essayez le **Hullabaloo** (517 N Clematis St., West Palm Beach, FL 33401 ; sub-culture. org/hullabaloo).

Le **CityPlace** (700 S Rosemary Ave., West Palm Beach, FL 33401 ; cityplace. com), haut lieu de divertissement familial, est parfait pour casser la croûte. De nombreuses boutiques ont pignon sur rue tout autour, ainsi que des bars, un cinéma, et on y présente des concerts gratuits en plein air la fin de semaine.

Si vous tenez à côtoyer les millionnaires de Palm Beach, mettez vos plus beaux atours, traversez le pont et dirigez-vous vers la célèbre Worth Avenue. Arrêtez-vous chez **Pizza Al Fresco** (14 Via Mizner, Palm Beach, FL 33480 ; pizzaalfresco.com), à l'angle de Worth Avenue, le secret le mieux gardé de tout Palm Beach. Les pizzas sont succulentes et les prix des plus intéressants.

SAMEDI 9 H / ESCAPADE À PEANUT ISLAND

Pour une journée de rêve à se prélasser sur une plage de sable fin et pour croiser une multitude de poissons tropicaux dans une eau cristalline, direction **Peanut Island** (6500 Peanut Island Rd., Riviera Beach, FL 33404 ; pbcgov.com/parks/peanutisland).

Le meilleur moyen d'atteindre ce petit paradis tropical demeure le *taxi boat* avec **Captain Joe's Peanut Island Ferry Aboard the Seafare** (Riviera Beach Municipal Marina, 200 E 13rd St., Riviera Beach, FL 33404 ; peanutislandferry.com). N'oubliez pas votre lunch, car il n'y a pas de restaurant sur l'île, sauf un petit comptoir servant des crèmes glacées et des boissons rafraîchissantes. Sachez qu'au nord de l'île, le site est aménagé pour les amateurs de pêche. Vous pourrez y faire de belles randonnées et admirer des paysages magnifiques et des yachts absolument impressionnants. Enfin, Peanut Island possède un abri antiatomique construit pour John F. Kennedy peu après son élection en 1960. Le **Palm Beach Maritime Museum** (pbmm.info) propose des visites guidées du bunker.

14 H / ENCORE DES POISSONS

À quelques minutes de Peanut Island, faites un saut au **Phil Foster Park** (900 Blue Heron Blvd., Riviera Beach, FL 33404 ; pbcgov.com/parks/locations/philfoster.htm). Situé sous le fameux Blue Heron Bridge, l'endroit est apprécié des amateurs de plongée pour son abondante et inoubliable faune marine, notamment en raison des récifs.

15 H / PLACE AU MAGASINAGE À BAS PRIX

Vous pouvez toujours faire du lèche-vitrine sur la célèbre et chic **Worth Avenue** (worth-avenue.com), mais si votre budget de vacances est restreint, magasinez plutôt aux **Palm Beach Outlets** (1751 Palm Beach Lakes Blvd., West Palm Beach, FL 33401 ; palmbeachoutlets.com). Avec plus

La rue Clematis pour bien manger et sortir le soir
© The Palm Beaches

On voit de tout à Palm Beach,
un cygne gonflable et une Corvette !

Il y a toujours beaucoup d'action au CityPlace avec ses restaurants, ses bars et ses boutiques.
© The Palm Beaches

Le Palm Beach Hisbicus, un *bed & breakfast* qui vaut assurément le détour.

Le célèbre hôtel The Breakers.
© The Palm Beaches

d'une centaine de boutiques représentant les plus grandes marques, vous y ferez de bonnes affaires.

19 H / CUISINE TYPIQUE

À 20 min en voiture des Palm Beach Outlets, rendez-vous à l'incontournable **Guanabanas Waterfront Restaurant** (960 N Hwy. A1A, Jupiter, FL 33477 ; guanabanas.com). Fondé par des surfeurs, il s'agit d'une institution à Jupiter. Dans une ambiance exotique et tropicale, vous dégusterez des mets typiquement floridiens sous les cocotiers. Le **Square Grouper Tiki Bar** (1111 Love St., Jupiter, FL 33477 ; squaregrouper.net) vaut aussi le détour.

DIMANCHE 10 H / BRUNCH DE MILLIONNAIRE

Gâtez-vous un peu ! Pour un brunch du dimanche gargantuesque, dans un décor somptueux, rendez-vous à l'hôtel **The Breakers** (1 S County Rd., Palm Beach, FL 33480 ; thebreakers. com). Fondé en 1896, ce complexe de 550 chambres emploie pas moins de 2300 personnes. Il compte deux golfs, quatre piscines, une magnifique plage et deux terrains de croquet. Son gigantesque hall d'entrée s'inspire du Palazzo de Gênes. Il est possible de visiter gratuitement, librement ou avec un guide, certains emplacements du complexe, fondé par Henry M. Flagler.

14 H / À VÉLO

Trop mangé ? Roulez à vélo sur la **Palm Beach Lake Trail** (Royal Palm Way et Intracostal Gateway), que vous pouvez notamment rejoindre à partir du Henry Flagler Museum. Sur ce superbe sentier pavé, longeant le bord de mer, vous pourrez admirer de richissimes demeures et des yachts majestueux.

Pour ceux qui aiment moins les promenades à vélo, visitez le **Henry Flagler Museum** (1 Whitehall Way, Palm Beach, FL 33480 ; flaglermuseum. us), un palais de 55 pièces, datant de 1902, qu'a fait construire Henry Flagler pour sa troisième épouse, et qui est devenu un musée en 1960.

SAVIEZ-VOUS QUE ?
Une ville de millionnaires
Palm Beach est la plus riche des petites villes de Floride, et l'une des plus aisées aux États-Unis. Le clan Kennedy y possède une résidence, tout comme Donald Trump, Rod Stewart, Howard

Le magnifique Flagler Museum
© The Palm Beaches

Stern, Evelyn Lauder (la fille d'Estée Lauder), la famille Desmarais et Brian Mulroney, pour ne nommer que ceux-là. Même John Lennon et Michael Jackson y ont résidé.

Un voiturier avec ça ?
La ville de Palm Beach compte un Publix, une épicerie à grande surface, vendant entre autres des produits fins, située à Bradley Place, où l'on offre un service plutôt inusité de voiturier.

Un couple typique de Palm Beach, chic à souhait

RÉGION CENTRE-SUD

SEBRING
ARCADIA

Sebring

Arcadia

SEBRING

Bien plus qu'une voiture !

Sebring n'a pas qu'inspiré le nom d'une berline à Chrysler. La petite ville au sud d'Orlando est une belle destination floridienne pour les amateurs de voitures. En mars, chaque année, on y tient le **12 Hours of Sebring**, une course d'une durée de 12 heures, entre des bolides Porsche, Ferrari, Audi et autres sportives (sebringraceway.com).

La chaleur tropicale et le circuit en ciment (composée d'anciennes pistes d'atterrissage) de Sebring offrent des conditions idéales pour tester l'endurance des pilotes, qui s'affronteront trois mois plus tard au championnat français Le Mans qui, lui, s'étire sur 24 heures.

Surnommée « The City on the Circle » en raison de son plan d'urbanisme circulaire, la ville semble baigner dans la culture automobile. Même les noms de rues rendent hommage aux grands constructeurs, tels Peugeot Street, Corvette Avenue ou Thunderbird Road. Paradis du char, dites-vous ? Et bien, le fervent de plein air trouve aussi son compte parmi les pistes de randonnées et de vélo de Sebring. Celles bordées de cyprès du parc d'**État Highlands Hammock** (5931 Hammock Road, Sebring, FL 33872 ; floridastateparks. org) permettent d'observer des lynx, des loutres et des biches avec leurs faons, loin de la cacophonie des klaxons et des moteurs !

À la plage de Pier Beach, Sebring
© Mathew Baker

© DeSoto County Tourist Development Council

ARCADIA

Le Far West en Floride

Pas besoin d'une escapade au Montana ou en Arizona pour assister à un rodéo ou pour observer le cowboy moderne guider son bétail à travers champ. Direction Arcadia, ou le Far West floridien, situé à l'est de Sarasota. Entourée de ranchs de bovins et de pâturages, la municipalité est reconnue pour son championnat annuel de rodéo. Chaque printemps, pendant le **All-Florida Championship Rodeo**, on dispute des chevauchées d'étalons fougueux, on tente de monter des taureaux ou d'attraper des veaux en cavale à l'aide d'un lasso (124 Heard St., Arcadia, FL 34266 ; arcadiarodeo.com). Le reste de l'année, Arcadia est l'hôte de plusieurs rodéos pour jeunes cowboys, tandis que le centre historique se transforme en Western Spaghetti le temps de reconstituer les premiers jours de cet ancien village de pionniers au XIXe siècle.

Arcadia a aussi une culture bien ancrée dans les traditions du Sud. À preuve, le **De Soto County Fair** (100 Heard St., Arcadia, FL 34266 ; desotocountyfair.org) au mois de janvier. Cette foire agricole associe salon des races bovines, compétition de la meilleure tarte et concours de «Miss».

L'atmosphère vieux-sud se mêle ainsi à celle de l'Ouest américain. Qui dit mieux? Sinon la présence d'orangeraies où il fait bon se prélasser et la rivière Peace, naturellement creusée pour une paisible descente en canot.

RÉGION
SUD-OUEST

NAPLES
SANIBEL ET CAPTIVA

Sanibel et
Captiva

Naples

Des coquillages à Keewaydin Island

ÎLES ISOLÉES ET PARADIS DES SPORTS NAUTIQUES

La Gulf Coast comprend des destinations uniques, telles les eaux turquoise du golfe du Mexique, mais également des endroits historiques qui vous plongent à l'époque de ses plus célèbres résidents, tel l'inventeur Thomas Edison. Si Fort Myers et ses environs attirent les amateurs d'art et de sciences, les sportifs y trouvent leur compte aussi. Les plages de la région trônent régulièrement au sommet d'une majorité des palmarès du monde entier. Ainsi, bains de soleil, natation, pêche, kayak de mer et chasse aux coquillages font partie du quotidien des locaux.

Autre activité favorite des côtiers à adopter illico lors de votre séjour dans le sud-ouest de la Floride : l'excursion d'île en île. Parmi la centaine d'îlets au large de Fort Myers, ce n'est pas le choix qui manque pour pique-niquer ou lancer votre ligne à l'eau ! Reliées à la terre ferme, les îles de Sanibel et de Captiva permettent l'observation des oiseaux et la cueillette d'une quantité impressionnante de coquillages quand la marée se retire. Les propriétés de taille imposante qui s'élèvent en bordure de mer à Captiva vous captiveront également.

Naples, la sophistiquée, vaut le détour. Véritable version miniature de Palm Beach, sans parfois l'étalage vulgaire de la richesse aperçu de la côte Est, la ville possède une culture culinaire qui rivalise avec celle des grands centres et des parcours de golf entretenus comme ceux du circuit de la PGA. Vous aimerez aussi vous

La plage de Delnor-Wiggins Pass State Park près de Naples

promener devant les demeures de style colonial avec toitures en terre cuite et les façades jaune canari des boutiques du quartier historique. Ne manquez pas non plus de visiter Marco Island et ses plages paradisiaques, tout en faisant un saut à Goodland, un petit village de pêcheurs. Vous vous transporterez alors dans la vieille Floride, celle d'avant l'arrivée des complexes balnéaires et de leurs hautes tours d'habitation.

Porte d'entrée ouest du parc national des Everglades, le sud de Naples, mieux connu sous le nom de Ten Thousand Islands National Wildlife Refuge, forme un labyrinthe préservé de mangroves et d'îles à explorer lors d'une sortie en bateau ou en kayak.

LA BONNE SAISON

La région est l'une des plus agréables l'hiver. Alors que le mercure tombe parfois à moins de 10 °C à Fort Lauderdale, en janvier, les Napolitains se font dorer à 20 °C. Réservez toutefois votre séjour hivernal à l'avance, puisque la haute saison bat son plein de février à avril.

LES *MUSTS*

Le coucher de soleil à **Turner Beach** sur l'île de Captiva.

Andy Ross Lane, à Captiva, pour les charmantes boutiques et les restaurants.

Une balade sur la **5ᵗʰ Avenue South** et la **3ʳᵈ Avenue South**, destination *shopping* des VIP de Naples.

Une baignade au **Naples Pier**, en plein coucher de soleil.

Une escapade romantique à **Cabbage Key**, une île voisine de Fort Myers.

La maison des papillons, la cabane dans les arbres et le bassin de nénuphars du **Jardin botanique de Naples**.

Admirer le vol du pélican blanc, de l'aigrette et de la spatule rosée dans la réserve naturelle **J.N. «Ding» Darling National Wildlife Refuge**, à Sanibel.

Explorer **Keewaydin Island**.

Une visite nautique des milliers d'îlots du parc marin **Ten Thousand Islands National Wildlife Refuge**.

Marco Island, pour vivre l'expérience d'un séjour sur une île aux plages extraordinaires, remplies de dizaines de milliers de coquillages.

ESCAPADE À NAPLES

Difficile de ne pas avoir un coup de foudre pour la coquette ville de Naples, souvent comparée à Palm Beach. Dans cette petite localité balnéaire du golfe du Mexique, tout est propret, les maisons sont somptueuses, la végétation abondante et touffue, et les jardins parfaitement entretenus. Après tout, c'est ici que l'on dénombre le plus de millionnaires par personne en Floride. Pas étonnant, donc, que Naples soit l'une des rares villes au monde à avoir deux hôtels de la chaîne Ritz Carlton.

Relaxer au Edgewater Beach Hotel à Naples

Célèbre pour ses couchers de soleil majestueux et son fameux Pier, l'emblème de la ville, Naples est également renommée mondialement pour sa gastronomie, son *shopping*, sa vie culturelle et ses nombreux golfs. Et que dire de ses plages de sable blanc poudreux!

Sa position stratégique n'est pas sans ajouter à son charme. Naples est à 24 km au sud de Marco Island, une île aux plages paradisiaques, et un point de départ pour de nombreuses excursions nature.

De toutes nos expéditions, c'est dans la région de Naples que nous avons aperçu le plus grand nombre de dauphins. Ne cherchez pas ces créatures ailleurs en Floride, c'est ici qu'elles se trouvent!

VENDREDI 17H / DÉPOSEZ VOS VALISES

Il ne faut pas se leurrer, les hôtels abordables à Naples, cette ville chic, sont plutôt rares. Le **Holiday Inn Express & Suites Naples Downtown** (1785 5th Ave. S, Naples, FL 34102; ihg.com/holidaysinnexpress/hotels/fr/fr/naples/apfin/hoteldetail) offre un excellent rapport qualité-prix, d'autant plus qu'il est situé à 5 min du centre-ville. Dans cet hôtel construit en 2008, les chambres sont spacieuses et le déjeuner, copieux, est inclus. Magnifique piscine et location de vélos disponible. **Prix: $-$$$**

Surplombant le golfe du Mexique, et offrant une superbe vue sur les 11 km de plage au sable blanc et les palmiers qui l'entourent, le **Edgewater Beach Hotel** (1901 Gulf Shore Blvd. N, Naples, FL 34102; edgewaternaples.com) est une icône parmi les hôtels de Naples. Avec ses 125 suites luxueuses munies de cuisinette et au décor confortable et enveloppant, ses deux piscines chauffées et son centre de mise en forme, cet hôtel vous offre l'occasion d'échapper au brouhaha de la ville ou des plages bondées. La salle à manger permet de savourer le repas du soir à l'intérieur ou sur la terrasse dans une ambiance détendue et sophistiquée. Pour les familles, il y a des suites avec deux chambres et, à proximité, différentes activités pour les enfants dont le **Naples Zoo** (1590

Le célèbre Pier (jetée) de Naples et ses couchers de soleil extraordinaires

Goodlette-Frank Rd., Naples, FL 34102; napleszoo.org), le **Sun-N-Fun Lagoon Waterpark** (5000 Livingston Rd., Naples, FL 34109; napleswaterpark.com) et le **King Richard's Family Fun Park** (6780 N Airport Pulling Rd., Naples, FL 34109; kingrichardspark.net). **Prix: $$$**

Pour un peu d'ambiance des Keys au cœur du vieux Naples, tournez-vous vers le **Lemon Tree Inn** (250 S 9th St., Naples, FL 34102; lemontreeinn.com), un hôtel abordable et agréable pour passer des vacances en famille. Il est situé tout juste à deux coins de rue de la fameuse 5th Avenue South, où se retrouvent concentrés commerces, bars et restaurants, galeries d'art, musées et courts de tennis. L'hôtel n'est pas en bord de mer – on doit franchir huit pâtés de maisons pour s'y rendre – mais le **Lemon Tree Inn** offre une piscine chauffée et une cour intérieure joliment aménagée, entourée de palmiers et de verdure. Un déjeuner léger est inclus, et on peut y faire la location de vélos. Les 34 chambres ont été récemment rénovées et elles comprennent toutes four à micro-ondes, frigo et cafetière.

Sont également offertes des excursions dans les Everglades, où vous aurez peut-être la chance d'apercevoir alligators, crocodiles, requins et plus de 400 espèces d'oiseaux. **Prix: $$-$$$**

À 30 min au sud de Naples, sur Marco Island, l'île la plus septentrionale au nord de l'archipel des Ten Thousand Islands, le **Olde Marco Island Inn & Suites** (100, Palm St., Marco Island, FL 34145; oldemarcoinn.com) accueille les visiteurs dans une auberge victorienne construite en 1883. Située dans le quartier historique de l'île, ses suites au look moderne sont dotées de deux chambres, de deux salles de bain, d'une cuisinette et d'une véranda privée. Mention spéciale pour les jolis jardins tropicaux, la piscine et le «jacuzzi». L'une des plus belles plages de l'endroit, Tigertrail Beach, réputée pour son lagon et ses oiseaux, est à moins de 10 min en voiture. La cuisine française du réputé Bistro Soleil contribue également à la notoriété de Olde Marco. Autre incontournable: les boutiques adjacentes à l'hôtel. **Prix: $$-$$$**

18 H 30 / DES COUCHERS DE SOLEIL RENVERSANTS !

Les plages du golfe du Mexique sont parmi les meilleurs endroits du « Sunshine State » pour admirer les couchers de soleil. En fin d'après-midi, c'est la fête au célèbre quai historique **Naples Beach & Fishing Pier** (25 S 12th Ave., Naples, FL 34102). En plus d'être un bel endroit pour la baignade, c'est le lieu par excellence d'où regarder le soleil disparaître lentement à l'horizon. De la jetée, admirez la beauté de la plage municipale avec son sable blanc farineux, ses coquillages et sa végétation luxuriante. Remarquez qu'il n'y a aucun bâtiment à plusieurs étages sur cette petite tranche de paradis. Apportez votre canne à pêche ou louez-en une au quai, car on peut y lancer sa ligne à l'eau 24 h sur 24 h. Soyez attentif, il n'est pas rare d'apercevoir des dauphins et même des requins !

Autre incontournable pour admirer le coucher de soleil tout en sirotant un cocktail bien frais dans une ambiance décontractée : le **Gumbo Limbo** de la plage du Ritz Carlton (280 Vanderbilt Beach Rd., Naples, FL 34108 ; ritzcarlton.com/en/hotels/naples/naples-beach/dining/gumbo-limbo/menu). Non seulement vous aurez droit à toute une féérie de couleurs, mais vous aurez en plus l'impression de vivre la vie d'un millionnaire, l'espace de quelques instants.

TRANCHE D'HISTOIRE

Les Indiens Calusa ont un temps été les seuls à fouler le sable blanc des plages de Naples, qui totalisent 11 kilomètres.

Au cours des années 1870 et 1880, les articles de magazines et de journaux vantent le doux climat et l'abondance de poissons et de gibier de la région, comparant celle-ci à la péninsule italienne ensoleillée. Le nom *Naples* s'est répandu quand des promoteurs immobiliers ont décrit la baie comme surpassant celle de Naples, en Italie. En 1887, un groupe de riches Kentuckiens, dirigé par Walter N. Haldeman, ont acheté presque toute la ville de Naples.

L'une des premières améliorations qu'Haldeman et la Naples Company ont apportées à la ville fut la construction d'une jetée de 183 m dans le golfe du Mexique, dont la forme inhabituelle en T permettait aux gros navires de se mettre à quai facilement. Bien que la jetée ait été détruite et reconstruite trois fois, elle conserve sa forme en T.

L'emblématique jetée Naples Pier s'étend sur 300 m dans le golfe du Mexique à partir de la plage de Naples à l'extrémité ouest de la 12th Avenue South. La jetée d'origine a été construite en 1888, puis détruite par le feu en 1922. Après sa reconstruction, elle a été endommagée par des ouragans en 1910, en 1926 et en 1960. La jetée est très appréciée des touristes et des pêcheurs, qui y trouvent largement l'espace pour lancer leur ligne. C'est l'un des meilleurs endroits de la région pour contempler le spectaculaire coucher de soleil au-dessus du golfe du Mexique.

Le restaurant USS Nemo est tenu par un couple de Québécois.

Campé sur la plage de Marco Island, le **Sunset Grille** (900 S Collier Blvd., Marco Island, FL 34145 ; sunsetgrilleonmarcoisland. com), un restaurant et bar sportif, est un excellent endroit pour voir le jour faire place au crépuscule. Attention au stationnement ! Les 30 premières minutes sont gratuites, mais il faut ensuite s'assurer de faire valider son coupon de stationnement à la caisse. En présentant la facture de vos consommations, vous aurez droit au stationnement gratuit et éviterez ainsi des frais de 25 $.

20 H / UN CHEF QUÉBÉCOIS À NAPLES

Saviez-vous que l'un des restaurants les plus en vue de Naples, **USS Nemo Restaurant** (3745 N Tamiami Trail, Naples, FL 34103 ; ussnemorestaurant.com), appartient au chef québécois Nicolas Mercier et à son épouse Nathalie Savoie ? Pour la petite histoire, Nicolas Mercier, dont la passion pour la gastronomie lui vient de sa mère, Lucie Mercier, animatrice d'une émission de cuisine à la télévision communautaire à Ottawa dans les années 1960, a ouvert à l'âge de 23 ans un premier restaurant à Québec, puis un deuxième. Après 10 années de succès, il a eu envie de s'établir ailleurs. Aventureux, il a fait avec Nathalie le tour du Canada et des États-Unis pour finalement s'établir avec sa famille à Naples, une ville pour laquelle il a eu un véritable coup de cœur. Encensé par le *New York Times,* le USS Nemo Restaurant est réputé pour savoir apprêter le meilleur bar noir du Chili. On s'y rend également pour ses tacos de poisson, sa poutine et pour le décor insuté qui rappelle un sous-marin, œuvre de Nicolas lui-même.

Le **Turtle Club** (Vanderbilt Beach Resort, 9225 Gulf Shore Dr., Naples, FL 34108 ; windwardhospitality. com, naples/index.html) se trouve sur une superbe plage, avec une vue spectaculaire sur le golfe du Mexique, et est l'un des restaurants les plus courus du coin. Dans la confortable salle à manger ou sous les parasols, on y vient pour prendre l'apéro et pour ensuite déguster une cuisine inventive et variée. Les fruits de mer et les poissons d'une parfaite fraîcheur sont à l'honneur. Le ceviche de crevettes relevé de piments jalapeño comblera vos papilles, tout comme la délectable bisque de homard. Pour les amateurs de viande, le porc rôti avec jambon et fromage suisse est un délice. Avec en plus une carte des vins exceptionnelle, cet endroit est tout indiqué pour contempler les couchers de soleil et passer de romantiques moments.

Si vous avez envie de fêter, le **7th Avenue Social** (849 S 7th Ave., Suite101, Naples, FL 34102 ; 7thavenuesocial.com) est un bel endroit pour terminer la soirée en beauté puisque l'endroit ferme à 1 h du matin. Que vous optiez pour la terrasse garnie de parasols ou pour l'intérieur qui offre de nombreuses places au bar, en salle ou sur le canapé, c'est le lieu tout désigné pour observer la clientèle colorée. Petite fringale ? Le menu est créatif et basé sur les produits saisonniers. La fraîcheur de la Floride dans votre assiette ! Pour ceux qui préfèrent tout simplement y terminer la soirée un verre à la main, on y retrouve une excellente sélection de cocktails, de bières et de vins. Du mercredi au dimanche, des musiciens viennent réchauffer l'ambiance en soirée.

Autre option pour sortir un vendredi soir, le **Blue Martini** (9114 Strada Pl., suite 12105, Naples, FL 34108 ; naples.bluemartinilounge.com) situé au Mercato, un complexe de boutiques et de restaurants de la ville. L'endroit attire les jeunes professionnels et retraités. Au menu, martini, champagne, tapas, musique *live* et, bien sûr, talons hauts !

SAMEDI 9 H / MEILLEUR DÉJEUNER EN VILLE

Savourez un bon déjeuner dans la charmante cour intérieure en admirant les carpes de koï de l'étang du **Jane's garden Cafe on 3rd** (1209 S 3rd St, Naples, FL 34102 ; janesgardencafe. com). Délectez-vous d'un bon café accompagné soit d'un muffin frais, d'un yogourt ou des fameux œufs bénédictine qui font la réputation de la maison. En plein cœur du quartier historique de Naples, cet endroit est un incontournable pour frayer avec la faune locale. Dernier détail et non le moindre : on y sert des déjeuners toute la journée !

Un autre resto beau, bon, pas cher pour le déjeuner : le sympathique **Sunburst Cafe** (2340 Pine Ridge Rd., Naples, FL 34109 ; sunburstnaples. com). L'endroit est ouvert depuis 1998 et les propriétaires, peuvent se vanter de servir le meilleur café de Naples. Ne manquez surtout pas de goûter aux muffins, aux pâtisseries et aux biscuits.

À Marco Island, ne manquez pas les expéditions du Dolphin Exlorer.
© Kent Morse

Le **Bad Ass Coffee Company of Hawaii** (1307 S 3ʳᵈ St., South Naples, FL,34102 ; thebadasscoffeecompany. com) est un autre bel endroit pour boire son café. Le leur est cultivé dans le district de Kona sur l'île de Big Island, à Hawaii. On y offre également des chocolats chauds, des *smoothies*, des *shakes* et d'excellentes pâtisseries.

10 H / VOYAGE AU PAYS DES FLEURS

S'il y a une seule visite obligatoire à faire à Naples, c'est celle du **Naples Botanical Garden** (4820 Bayshore Dr., Naples, FL 34112 ; naplesgarden. org). Le jardin, qui compte plus de 1000 orchidées, explose de couleurs et d'odeurs. L'endroit est un havre de beauté et de calme. Le jardin botanique de Naples possède le plus vaste jardin d'exposition de frangipaniers du pays et peut-être du monde, et est la réserve officielle de toutes les variétés cultivées connues (on en dénombre plus de 300). En parcourant un joli sentier de 4 km, vous irez à la découverte de six jardins thématiques : The Florida Garden, The Carribean Garden, The Brazilian Garden, The Asian Garden, The Water Garden, ainsi que le fameux Children's Garden dont la serre aux papillons est tout simplement magique ! Comptez un bon deux heures pour la visite des lieux, d'autant plus que, pour le plus grand bonheur des visiteurs, plusieurs aires de repos se trouvent sur le site. On peut même s'y détendre dans un hamac. Les amoureux des chiens seront comblés, car il est permis de venir marcher avec toutou certains jours de la semaine, en laisse bien sûr !

12 H / J'AI FAIM !

Pour prolonger votre expérience sensorielle, dînez au **Fogg Café**, le nouveau restaurant du jardin botanique. Le décor est enchanteur, et la vue donne sur l'étang et ses nénuphars. En plus de servir des spécialités de saison à base de produits locaux, on y offre des mets inspirés des thèmes du jardin. Une sélection de bières et de vins est aussi au menu.

Envie de crabe ? Cassez la croûte chez **Pinchers** (1200 S 5ᵗʰ Ave., Naples, FL 34102 ; pinchersusa.com/naples-tin-city. php), une chaîne de restaurants connue pour ses plats de crabe et ses poissons frits. Profitez-en pour visiter les commerces de **Tin City** (1200 S 5ᵗʰ Ave., Naples, FL 34102 ; tin-city.com), nommée ainsi à cause des toits de tôle des bâtiments qui constituaient vers 1920 le cœur du port de pêche du vieux Naples. À l'époque, on y trouvait des usines de transformation et des conserveries de moules et d'huîtres ainsi que des hangars pour la construction et l'entretien des bateaux. Aujourd'hui, le lieu s'est transformé en une enfilade de boutiques de vêtements, de cadeaux et de souvenirs ayant souvent pour thème la nature et la mer. De bons restaurants de poissons et de fruits de mer à prix abordables longent la rivière Gordon. Une multitude de forfaits d'excursions en mer pour la pêche ou tout simplement pour le plaisir sont également proposées.

14 H / VISITE DE NAPLES

À court de temps pour découvrir les principaux points d'intérêt de la ville ? Montez à bord des petits bus du **Naples Trolley Tours**

Le jardin botanique de Naples

La belle folie d'un résident de Naples

Le vélo est un bon moyen pour visiter Naples et pour admirer ses coquettes demeures.

(1010 S 6th Ave., Naples, FL 34102 ; naplestrolleytours.com). Au gré des commentaires d'un guide sympathique, vous découvrirez, en moins de 2 h, les plus beaux hôtels, les centres commerciaux, les édifices, les rues et les plages, en plus d'apprendre que Sean Connery, Barbra Streisand, Elton John, Steven Spielberg et Judge Judy possèdent tous des résidences secondaires dans cette station balnéaire. Des résidents nous ont même confié que Matt Damon et Nicole Kidman étaient aussi des habitués de l'endroit.

Autre manière de visiter la ville la plus au sud du golfe du Mexique : le vélo ! Avec plus de 30 miles de pistes cyclables, Naples est la ville idéale pour flâner sur deux roues. En 2015, Naples a reçu la médaille de bronze de la ligue des cyclistes américains. De cette façon, vous pourrez vous arrêter à votre guise pour admirer les somptueuses demeures et leur immense jardin. Commencez votre circuit au **Naples Pier** (25 S 12th Ave., Naples, FL 34102). Profitez-en pour admirer le **Historic Palm Cottage** (137 S 12th Ave., un coin de rue à l'est du Naples Pier), la plus vieille maison de Naples construite avec du mortier tabby, un ciment fait de sable, d'eau salée et de coquillages d'huîtres. La Naples Historical Society (naplehistoricalsociety.com), propose des visites guidées de la maison et de ses jardins. Ensuite, vous pourrez pédaler tout le long du South Gulf Shore Boulevard, qui vous mènera vers le magnifique Port-Royal, une enclave adjacente au Gordon Dr., un des plus beaux quartiers de Naples. Vous pourrez ainsi apprécier la beauté des lieux et des luxueux manoirs entourés de végétation luxuriante. Faites attention de ne pas perdre le contrôle de votre guidon et n'oubliez pas votre maillot ! Plusieurs points d'entrée à la plage sont accessibles du Gulf Shore Boulevard.

Pour la location de bicyclettes, tournez-vous vers **Extreme Family Fun Sport** (423 Bayfront Pl., Naples, FL 34102 ; extremefamilyfunspot.com). On y loue aussi des *Segways* et des bateaux, et on y offre des excursions de pêche en mer. En plus, le stationnement est gratuit !

16 H / PLACE AUX EMPLETTES !
Si Palm Beach est l'une des plus belles villes de Floride pour faire du lèche-vitrine, Naples n'arrive pas très loin derrière. Il fait bon déambuler sur les deux grandes artères commerciales que sont 5th Avenue South et la très jolie 3rd Street South où s'alignent maisons colorées, jardins fleuris, restos et boutiques de toute sorte : chaussures, bijoux, cadeaux, antiquités, et, bien sûr, des tenues habillées ou chic décontractées, en passant par des vêtements d'allure sportive aux tissus vaporeux, parfaits pour la douceur de vivre floridienne. Chemin faisant, humez le parfum des bougainvilliers et des eucalyptus, et admirez les banians qui se dressent dans le quartier. Pour savoir où faire les plus belles trouvailles et bien manger, profitez des conseils gratuits du concierge extérieur installé dans un kiosque sur la 3rd Street South entre la 12th Avenue South et la 13th Avenue South.

19 H / SUR L'ÎLE DE MARCO
Au sud de Naples, franchissez le pont qui mène à Marco Island, la plus grande des îles des Ten Thousand Islands (un labyrinthe d'îlots et de marais de mangroves) situées le long de la frontière sud-ouest de la Floride. Bien que Marco Island, la seule île développée de l'archipel, n'ait rien d'une île tropicale typique

et qu'il s'agisse plutôt d'un paradis pour les retraités avec ses golfs, ses complexes hôteliers et ses condos, l'endroit mérite le déplacement pour ses plages aux mille coquillages et, bien sûr, sa gastronomie.

Le golfe du Mexique et le meilleur des saveurs du sud de l'Italie : voilà ce que vous offre le restaurant **Sale e Pepe** (480 S Collier Blvd., Marco Island, FL 34145 ; sale-e-pepe.com). L'intérieur est décoré de planchers de marbre, de colonnes imposantes et de fresques italiennes, alors qu'à l'extérieur, des tables aux nappes blanches permettent d'admirer de fabuleux couchers de soleil sur le golfe. La terrasse est chauffée lors des soirées plus fraîches. Ici, rien n'est laissé au hasard pour créer une ambiance enveloppante et romantique. Tout est pensé, des bouquets de fleurs aux lampions qui décorent les tables. Comme en Italie, on vous propose un choix d'entrées, de premiers plats et de deuxièmes plats issu des produits de la terre comme de la mer. Le restaurant a été couronné neuf années consécutives par le magazine *Wine Spectator* pour son impressionnante cave qui comprend plus de 350 vins de marque.

Autre incontournable : le **Marco Polo Restaurant** (30 Marco Lake Dr., Marco Island, FL 34145 ; marcopolomarcoisland.com). Le décor nous plonge dans une autre époque, avec ses murs pourpres, son plafond de bois, ses rideaux de franges scintillantes et son bar garni. On s'accoude à quelques centimètres du pianiste, au bar sur le pourtour du piano, pour écouter sa musique. On s'y sent comme dans un cabaret feutré des années 1960-1970. Le menu est varié et inclut pâtes, viande et produits de la mer.

Le paradis de la bière se trouve à la **Marco Island Brewery Tap House** (1089 N Collier Blvd., Marco Island, FL 34145 ; marcoislandbrewery.com), qui offre plus de 40 bières, dénichées partout à travers le monde. Vous pourrez aussi goûter les quelques bières locales brassées à même la microbrasserie, dont la Tigertail Red Ale, la Pelican Pilsner ainsi que la Rock IPA. C'est aussi le lieu parfait pour regarder votre équipe sportive favorite dans le feu de l'action, puisqu'il y a presque autant d'écrans que de sortes de bière. La nourriture sans prétention est faite de recettes éprouvées, à base d'aliment frais. Salades, pizzas, spécialités de la mer sont au menu.

GOODLAND

Pourquoi ne pas aller goûter aux poissons frais dans un vrai village de pêcheurs ? Quand on vient à Marco Island, il faut absolument faire un saut à **Goodland**, ce charmant petit village de pêcheurs, au sud-est de l'île. Le temps d'une balade paisible, découvrez ses nombreux quais de pêche, ses petits bars et ses restaurants. Ne soyez pas surpris si vous croisez des chats et des chiens qui font la sieste en plein milieu de la rue. Goodland est le royaume de la tranquillité et du farniente ! Vous aurez l'impression d'être à mille lieues de Miami. Et bien sûr, on y sert des fruits de mer parmi les meilleurs de la Floride.

Entrez d'abord au **Little Bar Restaurant** (205 N Harbor Pl., Goodland, FL 34140 ; littlebarrestaurant.com). Comme le disent si bien les propriétaires de ce «petit bar» sympathique, «c'est en voyageant au bout du monde qu'on est susceptible de rencontrer les gens les plus sympathiques, la meilleure nourriture et les activités les plus enlevantes !» La terrasse est perchée au bord d'une anse, dont les eaux proviennent de la Goodland Bay. On y relaxe en regardant les bateaux et les pélicans, et en se délectant de succulents fruits de mer. Le personnel est reconnu pour être des plus accueillants et les prix, pour être doux. Ambiance assurée grâce à la présence de musiciens en soirée.

Le chef Michael Duncan du **Marker 8.5** (123 Bayshore Way, Goodland, FL 34140 ; marker8goodland.com) est un passionné de sport nautique et de sculpture sur glace, mais aussi de cuisine. Venez déguster une de ses créations culinaires inspirées de la cuisine du sud des États-Unis, de la cuisine cubaine et de la bonne cuisine familiale réconfortante. On y mange au bord de l'eau sur des tables à piquenique, on sirote une bière ou un verre de vin sur une chaise Adirondack ou on s'installe à l'intérieur pour dévorer des fruits de mer. On y va autant pour manger que pour relaxer.

Ne manquez pas les rendez-vous du dimanche chez **Stan's Idle Hour Restaurant** (221 Goodland Dr., Goodland, FL 34140 ; stansidlehour. net), le plus vieux restaurant de Marco Island. Au son de la musique *live*, vous vous délecterez de fruits de mer bien frais. Il est même possible que des locaux vous invitent à danser !

DIMANCHE 9 H / RENCONTRE AVEC LES DAUPHINS

En arrivant à Marco Island, vous serez sans doute frappé par les dizaines de boîtes aux lettres en forme de dauphins devant les résidences.

Vue aérienne de Keewaydin Island
© Florida Department of Environmental Protection Rookery Bay National Estuarine Research Reserve

En effet, le golfe du Mexique est le paradis de Flipper! Et si vous rêvez de voir un jour ces créatures faire mille et une acrobaties en toute liberté, vous devez absolument faire une excursion de bateau sur le **Dolphin Explorer** (dolphinexplorer.com). Une activité à ne pas manquer (point de rencontre à la Rose Marina; 951 Bald Eagle Dr., Marco Island, FL 34145; rosemarina. com)!

L'étude *10 000 Islands Dolphin Project* (projet sur les dauphins des 10 000 îles) est peut-être la seule étude scientifique financée par le tourisme. Des invités payants montent à bord du navire de croisière Dolphin Explorer pour des croisières biquotidiennes et participent, avec les naturalistes et les chercheurs, à la collecte de données sur la population de grands dauphins non migrateurs centrée autour de Naples et de Marco Island.

À notre passage, nous avons pu en compter des dizaines. Le moment le plus riche en émotions? Lorsque le capitaine a augmenté la force des moteurs et que les dauphins se sont mis à surfer la vague en s'adonnant à toutes sortes d'acrobaties. Les passagers étaient comblés! En cours de route, vous arrêterez également sur l'île barrière de Keewaydin.

ENVIE DE SORTIR DES SENTIERS BATTUS?

Découvrez l'île de Keewaydin, une île barrière entre Naples et Marco Island offrant près de 13 km de sable blanc. Malgré quelques résidences qui y sont érigées, 80 % de l'île est déserte. En plus des embarcations du Keewaydin Express (keewaydinexpress.com) plusieurs marinas situées à Naples et à Marco Island font la location d'embarcations pour s'y rendre. En outre,

Promenade et magasinage sur la belle 3rd Avenue South

plusieurs excursions organisées proposent des arrêts sur l'île pour flâner ou ramasser des coquillages. Le **Rookery Bay National Estuarine Research Center** (300 Tower Rd., Naples, FL 34113 ; rookerybay.org) offre des excursions guidées en bateau ou en kayak. Votre guide naturaliste vous permettra d'en apprendre davantage sur la faune et la flore environnantes, en plus de vous enseigner tout ce qu'il y a à savoir sur les coquillages de l'île. En route, vous découvrirez également l'estuaire de mangrove de la Rookery Bay, l'un des plus riches et des plus féconds écosystèmes de la planète.

12 H / À LA BOUFFE !

Une belle terrasse sur le toit vous attend au **Snook Inn** (1215 Bald Eagle Dr., Marco Island, FL 34145 ; snookinn. com). La vue sur l'eau et les quais de la région de Marco Island est splendide. On vous invite à y venir en bateau si le cœur vous en dit. Parasols bleus, musique sous les palapas, cocktails glacés, observation des dauphins joueurs et des pélicans sont à l'honneur. Le menu propose des plats conçus à partir de ce que la mer et la terre nous offrent de meilleur, mais également de la nourriture toute simple comme des sandwichs et des salades. Un endroit idéal pour relaxer et profiter du meilleur de la Floride.

13 H / *SHOPPING*

Plusieurs centres commerciaux à Naples et dans ses environs méritent le détour. Pour magasiner parmi des cascades et des jardins fleuris, rendez-vous au **Waterside Shops** (5415 N Tamiami Trail, Naples, FL 34108 ; watersideshops.com), un centre commercial à aire ouverte de plus d'une soixantaine de magasins et de restaurants dans le quartier de Pelican Bay. On y trouve les grands classiques : Saks Fifth Avenue, Nordstrom, Louis Vuitton, Gucci, Burberry, Tiffany & Co, Michael Kors et bien d'autres. Puis, direction Gulf Shore Boulevard où vous attendent **The Village Shops on Venetian Bay** (4200 N Gulf Shore Blvd., Naples, FL 34103 ; venetianvillage.com) et sa trentaine de boutiques et de restaurants. L'architecture méditerranéenne de l'endroit nous donne l'impression d'être dans une petite Italie en plein cœur de la Floride. S'y promener est extrêmement agréable puisque les commerces sont au bord de l'eau. Au nord de Vanderbilt Beach Road, et dans un cadre plus urbain, se dresse le **Mercato** (9132, Strada Pl., Naples, FL 34108 ; mercatoshops.com). On y compte plusieurs commerces, comme Whole Foods Market, Nordstrom Rack, Tommy Bahama, sans compter l'immense choix de restaurants. Ne manquez pas le Silverspot, un cinéma luxueux avec des sièges de cuir hyper confortables. On peut même y acheter bière, vin ou cocktail à consommer tout en visionnant la nouveauté en salle ! Enfin, pour réaliser des économies, rendez-vous aux **Miromar Outlets** (10 801 Corkscrew Rd., Estero, FL 33928 ; miromaroutlets.com.), situé dans la ville de Estero à environ 30 min de Naples. Avec plus de 140 magasins à rabais, vous devriez y trouver votre compte !

SAVIEZ-VOUS QUE ?

Plages

Il y a plus de 48 km de plages de sable blanc sur la Paradise Coast. Les plages bordent les côtes de la région de Naples et de l'île de Marco Island, et il y a de nombreuses îles désertes aux plages de sable blanc accessibles par bateau. Le trajet part de Naples pour aller vers le sud, en passant par l'île de Marco, jusqu'au parc national des Everglades.

Tous les ans, le célèbre Dr Beach, Stephen Leatherman, dresse la liste des plus belles plages des États-Unis. En 2015, deux des dix plus belles plages se trouvaient dans la région de Naples : Barefoot Beach, à Bonita Springs, est située à 30 min de la ville, tandis que Delnor-Wiggins Pass State Park, qui occupe la 9e place, est à Naples.

Sports

La Paradise Coast a été nommée « destination idéale pour le golf de l'année » en Amérique du Nord, en 2014, par l'*International Association of Golf Tour Operators*. Reconnue comme la capitale mondiale du golf, Naples compte le plus grand nombre de trous par habitant aux États-Unis.

Naples accueille les courses de voitures amphibies Swamp Buggy Races. Si vous aimez les démonstrations de vitesse, les véhicules originaux et la boue, ces événements uniques sont pour vous. Ces courses se tiennent trois fois par année, en novembre, en janvier et en mars. Y participent toutes sortes de véhicules, des voitures amphibies artisanales et fonctionnelles aux machines de course de haute technologie. La piste est boueuse, dans un état épouvantable. Elle comporte une immense flaque, appelée Sippy Hole (la « gorgée »), qui représente souvent la fin du parcours pour les véhicules moins performants.

Faits divers

Marco Island est la plus grande des prétendues dix mille îles (archipel Ten Thousand Islands), chapelet d'îles de mangrove (forêt impénétrable de palétuviers croissant en pleine vase), pour la plupart inhabitées, allant de Naples à la pointe sud de la partie continentale de la Floride. Ces îles constituent un habitat naturel préservé, véritable havre pour les pêcheurs en eau salée, les amoureux de la nature, les kayakistes et canoteurs, et les photographes.

ESCAPADE À SANIBEL ET CAPTIVA

Les îles barrières de Sanibel et Captiva sont un véritable petit paradis. Dotées de 25 km de plage de sable blanc éclatant, d'une multitude de coquillages, d'une végétation abondante, de petites boutiques, de restaurants et de galeries d'art, Sanibel et Captiva nous rappellent la douceur des Caraïbes. Surtout, elles représentent une destination idéale pour les voyageurs en quête de repos à l'écart de la vie trépidante d'Orlando ou de Miami.

Avec leurs 35 km de pistes cyclables, rien n'est plus agréable que d'en découvrir les trésors cachés à vélo, et ce, sans jamais apercevoir un feu de circulation. Sur la route, portez attention aux boîtes aux lettres colorées, aux jardins fleuris et aux maisons au cachet unique que leurs propriétaires ont fièrement baptisées de noms comme : «Paradise Found», «Heaven Can't Wait», «The Mermaid Place», etc.

Ici, tout est beau et sauvage. Aucune grande chaîne autour. L'une des deux épiceries principales est même agrémentée d'un jardin tropical. Néanmoins, ne soyez pas surpris par les bouchons de circulation : les oiseaux ont autant de droits que les piétons !

Sanibel abrite le J.N. «Ding» Darling National Wildlife Refuge, un véritable trésor qui occupe les deux tiers de l'île. Ce refuge naturel, rempli d'oiseaux, de

Blind Pass Beach à Sanibel

reptiles et de mammifères de toutes sortes, est le plus visité des États-Unis, en plus d'être la plus grande zone de mangroves du pays. Oui, la magie opère à Sanibel et à Captiva !

VENDREDI 17 H / DÉPOSEZ VOS VALISES

On ne peut pas se tromper en logeant au **Tween Water Inn** (15 951 S Captiva Dr., Captiva Island, FL 33924 ; tween-waters.com). Cet hôtel, qui n'était en 1931 qu'une succession de camps de pêche, est devenu avec le temps un établissement réputé et élégant. Les 13 acres regroupent 137 unités comprenant des chalets (de une à trois chambres) et des studios érigés soit du côté du golfe du Mexique, soit du côté de la baie ou de la piscine. Les équipements sont dignes des grands hôtels : WiFi, centre de mise en forme, piscine de grandeur olympique et

pataugoire pour les plus petits. Une marina permet d'y accoster son bateau et le spa invite à la détente. **Prix : $$$**

Le complexe hôtelier **Jensen's Twin Palm Cottages & Marina Resort** (15107 Captiva Dr., Captiva, FL 33924 ; gocaptiva.com) est sans contredit notre coup de cœur à Captiva. Deux orientations sont proposées : côté plage ou côté marina. Les proprios, les trois frères Jensen, sont sympathiques et connaissent Sanibel et Captiva comme le fond de leur poche.

CÔTÉ PLAGE

Si votre idée de vacances est un chalet propret, simple et confortable, alors pensez à ceux qui se trouvent directement face au golfe du Mexique. Les chambres sont tout à fait charmantes : de vrais petits bijoux ! D'autres chalets donnent sur un agréable jardin luxuriant aménagé avec goût. Y séjourner est très agréable et, de plus, les prix sont abordables. À un prix plus élevé, les suites du 2e étage, plus luxueuses, offrent une vue imprenable sur la mer.

CÔTÉ MARINA

Si, par contre, vous préférez les excursions en bateau, la pêche ou encore l'observation de pélicans et de lamantins à quelques pas de votre porte, les chalets et suites du côté marina, dans un style plus rustique, mais toujours de bon goût, combleront vos attentes. Vous y trouverez tout l'équipement pour la pêche : appâts et autres, glacière, chapeau et même un t-shirt !

L'interdiction de fumer s'applique à tout le complexe et certains des équipements pour la plage sont gratuits : chaises, parasols, serviettes, jouets. Une buanderie est aussi mise à votre disposition. Important détail : il n'y a pas de service de réservation en ligne, il faut réserver par courriel ou téléphoner au 239 472-4684. **Prix : $$-$$$**

Les mignons petits chalets aux couleurs pastel de une à trois chambres font la joie des vacanciers au **Castaway Beach & Bay Cottages** (6460 Sanibel Captiva Rd., Sanibel, FL 33957 ; castawayssanibel.com). On y retrouve tout le charme de la Floride d'autrefois combiné au confort moderne. Toutes les unités incluent un four à micro-ondes, un petit réfrigérateur et une véranda avec moustiquaire. La grandeur des lits varie et certaines chambres ont des canapés-lits. Piscine chauffée, marina privée, location de vélos, de kayaks, de chaises pour la plage : tout se passe ici dans une ambiance décontractée. Le bien-être que procure un séjour à Sanibel est précieux, et l'éloge de la lenteur prend ici tout son sens. À noter que des restrictions s'appliquent pour les réservations : 2 nuits minimum les week-ends et 3 nuits minimum pendant les Fêtes. **Prix : $$-$$$**

Le **Holiday Inn** de Sanibel (1231 Middle Gulf Dr., Sanibel, FL 33957 ; ihg.com/holidayinn/hotels/fr/fr/sanibel/snbfl/hoteldetail) est très différent de ce à quoi nous a habitué cette chaîne hôtelière. Ici, l'immeuble, qui n'est pas très haut, est entouré de palmiers et de plantes de toutes sortes. Des hamacs suspendus attendent les clients et la piscine arrière donne sur la mer. Courts de tennis, tables de ping-pong et location de bicyclettes sont disponibles. **Prix : $$$**

Pour les amoureux de camping, le **Periwinkle Park Campground** (1119 Periwinkle Way, Sanibel Island, FL 33957 ; sanibelcamping.com) propose des emplacements pour ceux qui voyagent avec des tentes ou des caravanes. Idéalement situé à proximité de tous les services, il est à moins d'un kilomètre de la plage.

18 H / COUCHER DE SOLEIL

Pour un spectacle haut en couleur, direction Sanibel Captiva Road pour atteindre le petit Blind Pass Bridge reliant Sanibel et Captiva. Du côté de Sanibel, on se rend à la **Blind Pass Beach** (Bowman's Beach Rd., Sanibel, FL 33957) et du côté de Captiva, à la **Turner Beach** (17 200 Captiva Dr., Captiva, FL 33924). D'un côté ou de l'autre, le soleil plongeant à l'horizon est à couper le souffle. De plus, les plages regorgent de coquillages de toutes les couleurs.

20 H / À TABLE !

The Mad Hatter (6467 Sanibel Captiva Rd., Sanibel, FL 33957 ; madhatterrestaurant.com) vous convie à un véritable festin de classe mondiale. Les chefs y préparent une nouvelle cuisine américaine inspirée par les produits frais et saisonniers. Une expérience inoubliable avec en prime une vue saisissante sur la mer. Régalez-vous de leurs crevettes en pâte philo ou de leur *crab cake* à la crème de beurre blanc à la mangue. Au menu, également, du foie gras, du filet mignon grillé, un risotto au sirop d'érable et un filet de poisson aux truffes noires, sans compter les desserts qui sauront combler les plus gourmands.

Sanibel et Captiva, le paradis des boîtes aux lettres

Explorer le centre de Captiva

Moment de détente à Captiva

Paysage du J.N. «Ding» Darling National Wildlife Refuge à Sanibel

Difficile de trouver de l'action sur ces îles tranquilles. Pour une atmosphère animée, dirigez-vous sur la rue la plus populaire du village de Captiva, Andy Rosse Lane, qui mène directement à la belle Captiva Beach. Il s'agit d'une petite allée très populaire pour ses maisons typiques, ses boutiques, dont un magasin général d'époque, ses galeries d'art éclectiques et ses restaurants.

Pour voir la mer s'étirer à perte de vue à deux pas du centre-ville de Captiva, rendez-vous au **Mucky Duck** (11546 Andy Rosse Lane, Captiva, FL 33924 ; muckyduck.com). Installez-vous sur une des tables à pique-nique à quelques pieds de la plage pour voir le soleil plonger dans le golfe du Mexique en buvant l'une de leurs 16 bières en fût qui font la renommée de la maison. Dégustez des ailes de poulet, des huîtres, des calmars grillés ou des crevettes. Les prix sont bons et la bière est fraîche. On fait la fête !

C'est en 1979 que le **Bubble Room** (15 001 Captiva Dr., Captiva, FL 33924 ; bubbleroomrestaurant.com) a vu le jour. La famille Farquharson s'est alors mise à décorer les lieux de jouets datant des années 1930 et 1940. Depuis, la collection n'a cessé de grandir, transformant l'endroit en véritable musée du jouet. Un train électrique se promène même sur les trois étages du restaurant. La collection de pères Noël, les lumières de Noël et la salle des elfes raviront les petits et les grands qui ont gardé leur cœur d'enfant. Tout ça sur des thèmes musicaux des années 1920, 1930 et 1940. De nombreuses personnalités ont été immortalisées lors de leur passage au restaurant, et leurs photos garnissent aujourd'hui les murs. Ne manquez pas de goûter à leurs incontournables, comme le *Socra cheese*, le *Bubble Bread*, le *Carolina Moons*, le *Tarzan* ou le *Eddie Fisherman*, et surtout à leurs desserts surdimensionnés, qui font la joie des dents sucrées.

Pour prendre un verre en soirée, faites un saut au **Crow's Nest Beach Bar & Grille** (15 951 Captiva Dr., Captiva, FL 33924 ; crowsnest-captiva.com) de l'hôtel Tween Waters Inn. En plus de disposer d'une vue remarquable sur le golfe du Mexique et ses couchers de soleil, on vous propose de la musique *live* en soirée. En saison, participez aux courses de crabes (oui, oui, vous avez bien lu !). Que le meilleur gagne !

SAMEDI

7 H 30 / TANT DE BEAUTÉ !

Debout, les ornithologues ! L'un des meilleurs moments de la journée pour admirer les 245 espèces d'oiseaux du **J.N. « Ding » Darling National Wildlife Refuge** (1 Wildlife Dr., Sanibel Island, FL 33 957 ; ding-darlingsociety.org) est tôt le matin, à marée basse, et ce, dans le confort de votre voiture. Le long d'un trajet à sens unique de 6,5 km, le Wildlife Drive, et sans dépasser une limite de 24 km/h, admirez pélicans, spatules rosées, anhingas, grands pics, hérons, aigrettes et autres oiseaux aquatiques. Vous pourriez même apercevoir des alligators ! En chemin, garez votre voiture le long du côté droit de la route pour voir tous ces spécimens de plus près. En cours de trajet, admirez les marécages et les forêts de mangroves. Le refuge est aussi un paradis pour les amateurs de photographie animalière, de kayaks et de pêche. Enfin, n'oubliez surtout pas de monter dans la tour d'observation de 30 pi en milieu de parcours : tout simplement magique !

Autre façon de découvrir toute la beauté de cet endroit, et notre préférée : le vélo ! Vous pourrez en faire la location au **Tarpon Bay Explorers** (900 Tarpon Bay Rd., Sanibel, FL 33957 ; tarponbayexplorers.com) situé tout près.

Pour ceux qui préfèrent la randonnée pédestre, le refuge de 6480 acres offre plusieurs possibilités, dont le Indigo Trail, un sentier de 3 km permettant de voir des alligators, des échassiers et plusieurs autres espèces animales. Il est même possible, dès le lever du jour, d'y croiser des spatules rosées. Le vélo, encore une fois, n'est pas une mauvaise idée si vous vous y rendez en après-midi, alors qu'il fait 33 °C !

Faites un détour par le Centre des visiteurs avant votre périple, vous y trouverez une mine d'informations dont les conseils judicieux de bénévoles adeptes de nature. C'est aussi de cet endroit que vous pourrez embarquer à bord d'un tram pour faire une visite commentée du circuit Wildlife Drive.

Attention, ce circuit est fermé au public tous les vendredis. Pour donner congé aux animaux, mais également pour que les employés du parc puissent faire l'entretien de la route sans mettre le public en danger. Les biologistes en profitent aussi pour procéder à leurs recherches en l'absence des touristes.

On peut aussi découvrir la vie animale de Sanibel en canot, en kayak et même en *paddleboard* dans la Tarpon Bay, située en plein cœur du refuge J.N. « Ding » Darling National Wildlife Refuge. Pour ce faire, tournez-vous vers **Tarpon Bay Explorers** (900

Tarpon Bay Rd., Sanibel, FL 33957 ; tarponbayexplorers.com). On y propose des expéditions en compagnie de naturalistes qualifiés et passionnés. Restez à l'affût, car en plus d'apercevoir des oiseaux sur le parcours de 3,2 km de la Commodore Creek Water Trail, cours d'eau entouré d'arbres formant un tunnel dans les mangroves, vous pourriez apercevoir dans la baie des dauphins et des lamantins. Plusieurs autres types d'expédition sont offerts.

10 H / À LA BOUFFE !

Pour un bon déjeuner, ou même le dîner, optez pour **The Island Cow** (2163 Periwinkle Way, Sanibel, FL 33957 ; sanibelislandcow.com). La salle à manger est chaleureuse, lumineuse et aérée, et la jolie terrasse égayée de couleurs tropicales. À l'extérieur, on trouve également des jeux pour toute la famille, des chaises Adirondack pour relaxer, et les animaux sont acceptés. Le menu est impressionnant, avec son choix de *pancakes*, d'œufs apprêtés à votre goût, de sandwichs déjeuner, sans oublier les spécialités de la maison, comme l'omelette aux fruits de mer ou le crabe bleu servi sur une omelette.

12 H 30 / UN PEU DE CULTURE

Sanibel et Captiva sont reconnues à l'échelle internationale pour la beauté et la diversité de leurs coquillages. On en compte environ 400 variétés. Avant d'en faire la cueillette et pour en savoir plus sur ces bijoux tout droit sortis de la mer, pourquoi ne pas visiter le **Bailey-Matthews Shell Museum** (3075 Sanibel Captiva Rd., Sanibel, FL 33957 ; shellmuseum.org), le seul musée de la sorte aux États-Unis.

Ce musée présente des coquillages

La belle terrasse du Island Cow à Sanibel

de la région et des collections venues du monde entier. En plus d'admirer leur aspect et leurs couleurs vibrantes, vous pourrez y apprendre le rôle important que jouent ceux-ci dans l'histoire, la culture, les arts, le design, la médecine, etc. Vous découvrirez ainsi des coquillages passionnants, dont vous ne soupçonniez même pas l'existence.

Pour les férus d'histoire, et pour un aperçu de la vie des colons de l'époque, une visite au **Sanibel Historical Museum & Village** (950 Dunlop Rd., Sanibel, FL 33957 ; sanibelmuseum.org) s'impose. Ce petit village reconstitué est composé de dix édifices historiques datant de 1890 à 1940, dont des cottages ou *cracker houses*, un bureau de poste, une école et un magasin général. Toutes les maisons ont été déplacées de leur lieu original pour en faire un musée captivant dont prennent bien soin un grand nombre de bénévoles. Fermé de la mi-mai à la mi-octobre.

14 H / À LA PLAGE

Les plages de Sanibel et de Captiva ont des allures de carte postale. Mais attention, si vous cherchez des plages urbaines parfaitement nettoyées à la South Beach, aussi bien rebrousser chemin. Ici, elles sont restées à l'état naturel, ce qui fait d'ailleurs la fierté des résidents.

Elles sont de plus reconnues pour leurs milliers de petits coquillages.

On trouve sept plages sur ces îles barrières. La plupart sont dotées de stationnements et de toilettes. N'oubliez pas votre pique-nique, car il n'y a pas de casse-croûte aux alentours. Une belle façon de les découvrir est de s'y rendre en

Les plages de Causeway Islands - Island A et Island B – font le bonheur des planchistes.

vélo. Chez **Billy's Rentals** (1470 Periwinkle Way, Sanibel, FL 33957 ; billysrentals.com), on offre toutes sortes de bécanes. Turner Beach, Blind Pass Beach et Captiva Beach sont des incontournables. À la pointe orientale de l'île, ne manquez pas non plus **Lighthouse Beach** (112 Periwinkle Way, Sanibel, FL 33957), emblème de Sanibel avec son phare historique datant de 1884, son petit quai duquel on peut pêcher, son *boardwalk* et ses sentiers nature. Malheureusement, il est impossible de visiter le phare.

La pittoresque **Bowman's Beach** (1700 Bowmans Beach Rd., Sanibel, FL 33957) est l'une des plages les plus populaires de Sanibel. Une fois votre voiture stationnée, marchez à travers le parc, puis traversez le petit pont. Vous y découvrirez une plage isolée, sans aucun hôtel, avec des milliers de coquillages colorés. Le rêve ! Pour ceux qui ont la bougeotte, vous trouverez dans le parc de jolis petits sentiers pédestres.

Un peu moins connues des touristes, les plages de Causeway Islands sont situées après le pont à péage, sur les îles artificielles reliant l'île de Sanibel à la terre ferme (Sanibel Causeway). La route menant aux îles artificielles divise en deux la baie de San Carol, près de l'embouchure de Caloosahatchee River, donnant à la fois sur la baie et le golfe du Mexique. On appelle la première des deux îles Causeway Beach Island A et la deuxième, Causeway Beach Island B. Vous pouvez stationner votre véhicule directement au bord de la mer sur les plages de Sanibel Causeway. On peut y pratiquer une variété d'activités, dont la pêche, la baignade, le canoë, le kayak, la planche à voile, la planche aérotractée, la cueillette de coquillages et, évidemment, le bain de soleil !

La plage **Causeway Beach Island A** (19 500 Sanibel Causeway, Sanibel, FL 33957) offre des tables de pique-nique, tandis que **Causeway Beach Island B** (19 925 Sanibel Causeway, Sanibel, FL 33957) offre en plus des toilettes et des fontaines. On peut même apporter son BBQ ! Par ailleurs, sur la plage B, les grands pins australiens fournissent beaucoup d'ombre. Ces plages sont également un lieu propice à l'observation des dauphins.

Nous vous le disions, les îles de Sanibel et de Captiva sont réputées dans le monde entier pour la rareté de leurs coquillages multicolores. Un grand nombre viennent s'échouer sur la plage en raison de l'orientation est-ouest du plateau des îles qui s'étend sur plusieurs kilomètres le long du golfe du Mexique. Le plateau est un véritable réservoir propice à la pêche aux coquillages. Ne soyez donc pas surpris si vous croisez des dizaines d'amateurs de coquillage, qu'on distingue par leur *Sanibel Stoop*, en référence à leur position courbée, penchés sur le sable, à la recherche de la perle rare.

19 H / À LA BOUFFE

Le **Sweet Melissa's Cafe** (1625 Periwinkle Way, Sanibel, FL 33957 ; sweetmelissascafe.com) est appelé ainsi en l'honneur de la très sympathique chef propriétaire Melissa Talmage, qui fera voyager vos papilles avec son menu varié aux ingrédients d'origines diverses, jouant de saveur et de texture. Elle propose des plats en petites portions, afin de permettre aux gourmands de goûter une plus grande variété de ses délices et de les partager avec les autres convives. Les critiques sont dithyrambiques. On y mange, par exemple, des fettucines aux palourdes, fenouil et Pernod, un crabe à carapace molle croustillant, un ventre de porc au bourbon glacé, une poêlée de magret de canard… Ne manquez pas son ragoût de poisson, qui fait vibrer les plus

difficiles et qui a fait chavirer certains critiques culinaires. On en profite pour observer de la salle la chef et sa brigade à l'œuvre.

Le **Doc Ford's Rum Bar & Grille** (975 Rabbit Rd., Sanibel, FL 33957 ; docfords.com) est un endroit parfait pour encourager votre équipe sportive favorite, tout en dégustant les meilleurs fruits de mer de la région. Une grande variété de rhums haut de gamme y sont également proposés. Ne manquez pas de goûter à leur mojito maison ! Le restaurant porte le nom d'un célèbre personnage de l'auteur de polars Randy Wayne White. Depuis 1990, avec son roman *Sanibel Flats*, White a fait de Doc Ford le personnage central de 23 de ses romans. L'auteur est d'ailleurs parfois attablé au restaurant, affairé à rédiger un de ses romans, dans lesquels la Floride figure pratiquement toujours en toile de fond. Deux autres Doc Ford's Rum Bar & Grille se trouvent à proximité, dont celui de Captiva (5400 S Seas Plantation Rd., Captiva, FL 33924) et celui de Fort Myers Beach (708 Fishermans Wharf, Fort Myers Beach, FL 33931).

Le Cabbage Key Inn and Restaurant

Ce dernier offre une formidable vue sur l'eau et la marina.

DIMANCHE 9 H / PARTONS, LA MER EST BELLE !

Mise à part leur propre beauté, ce qui distingue Sanibel et Captiva sont les petites îles dont elles sont entourées (Cayo Costa, Cabbage Key et Useppa Island), uniquement accessibles par bateau. À Captiva, plusieurs compagnies offrent des excursions d'une journée pour s'y rendre, dont **Captiva Cruises** (11 401 Andy Rosse Lane, Captiva, FL 33924 ; captivacruises.com) et **Jensen's Beach & Marina Resorts** (15 107 Captiva Dr., Captiva, FL 33924 ; gocaptiva.com).

Cayo Costa, au nord de Captiva Island, est à voir pour sa longue plage déserte de 14 km, ses dauphins et ses coquillages. Avis aux campeurs, le **Cayo State Park** (floridastateparks/park/Cayo-Costa) au nord de l'île, offre la possibilité d'y installer votre tente (réservation 11 mois d'avance) et même de louer des petits chalets rudimentaires, sans eau ni électricité. Pour les aventuriers, sachez qu'on peut y faire du vélo, de la randonnée dans une jungle de pins australiens et de palmiers et même du kayak dans les mangroves. Dépaysement garanti !

Direction **Cabbage Key**, une petite île paisible de 100 acres dans le golfe du Mexique. En 1938, c'est dans ce petit éden fleuri et foisonnant que l'écrivaine Mary Roberts Rhinehart a fait construire sa demeure, sur un monticule de coquillages laissés derrière par le peuple Calusa. Cette maison est devenue depuis le **Cabbage Key Inn & Restaurant** (Pineland, FL 33945 ; cabbagekey.com/dining/). On peut y louer l'une des six chambres. Sept petits cottages rustiques, mais très confortables, sont aussi disponibles. L'auberge est célèbre pour sa nourriture, dont les fruits de mer, les hamburgers et la *Key Lime Pie,* mais sa notoriété est surtout due aux murs du restaurant qui sont garnis de billets de 1 $ signés et remis à des œuvres de charité chaque année (on estime qu'une somme d'environ 15 000 $ est amassée annuellement). Cabbage Key est également l'endroit tout indiqué pour une escapade romantique. On peut y faire de jolies randonnées et croiser des tortues et de multiples oiseaux. La tour d'observation, un château d'eau de 12 m de haut, offre une vue sensationnelle.

Cette petite tranche de paradis qu'est **Useppa Island** se situe entre Boca Grande et Sanibel. Autrefois fréquentée par Rockefeller, Thomas Edison et Henry Ford, elle abrite le prestigieux **Useppa Island Club**. Île privée, il est possible de la visiter uniquement dans le cadre d'une excursion d'une seule journée. À voir sur place : des maisons somptueuses, mais sans *bling bling,* entourées de jardins opulents. Le **Barbara Sumwalt Useppa Island Historical Museum** (useppahs.org), est intéressant. Ne manquez pas, non plus, de savourer un repas au seul restaurant de l'île, le Collier Inn, et de marcher sur la Pink Promenade, où vous verrez de fantastiques fleurs exotiques et une série de majestueux arbres banians.

Mais avant de partir en mer, il vous faut absolument faire un saut à la **Captiva Chapel by the Sea** (11 580 Chapin Lane, Captiva, FL 33924 ; captivachapel.com). Construite en 1903, et faisant anciennement office d'école, elle est l'une des plus charmantes petites églises de Floride. Entourée de palmiers et d'arbres Gumbo Limbo, elle est aujourd'hui classée comme monument historique. On y vient pour la messe du dimanche ou tout simplement pour se recueillir en admirant les lieux au son des vagues. Ouverture dès le deuxième dimanche de novembre jusqu'à la fin avril.

SAVIEZ-VOUS QUE ?

Le J.N. «Ding» Darling National Wildlife Refuge porte le nom de l'un des pionniers de la conservation des espèces, Jay Norwood «Ding» Darling, qui possédait un cottage à Captiva. «Ding» est une abréviation de son nom de famille. Au cours de sa carrière, Darling a dirigé le U.S. Biological Survey, précurseur du Fish & Wildlife Service sous l'administration du président Franklin Roosevelt. Il a aussi tenu un rôle clef au sein du National Wildlife Refuge System.

Le phare de Sanibel

Sur l'île de Sanibel, vous pourrez visiter le phare emblématique de l'île situé à l'extrémité est. Les premiers colons eurent l'idée de sa construction dans le but d'augmenter le commerce et de faciliter l'approche des voyageurs dans le golfe du Mexique. Le phare a été conçu en 1833, mais, après de nombreuses péripéties, n'a été inauguré que le 20 août 1884. On utilisait le kérosène, à l'époque, pour l'allumer. Le gardien du phare devait y monter par un escalier extérieur en spirale.

TRANCHE D'HISTOIRE

En 1513, l'explorateur Juan Ponce de León accosta sur les côtes de la Floride et nomma l'île de Sanibel *Ybel* en l'honneur de la reine Isabelle de Castille.

Les pirates Jean Lafitte, Barbe Noire, Henri Caesar et Gasparilla auraient établi des campements sur les îles de Sanibel et de Captiva.

José Gaspar, surnommé Gasparilla, était un pirate espagnol qui attaqua plus de 400 navires dans le golfe du Mexique pendant 38 ans. Son campement principal était situé à Charlotte Harbor, devenu aujourd'hui Fort Myers. À la fin du XVIIIe siècle et au début du XIXe siècle, il aurait enlevé des jeunes filles de bonne famille, les aurait gardées en captivité sur l'île de Captiva et aurait exigé une rançon pour leur libération. L'île de Captiva tiendrait d'ailleurs son nom de cette légende.

En 1972, la garde côtière des États-Unis, propriétaire du phare, a proposé de le mettre hors service. Cependant, la population de l'île l'a convaincue d'en faire la reconversion, si bien qu'en 1982, les habitants de l'île pouvaient vivre près du phare tout en en assurant l'entretien. La garde côtière a finalement donné le phare à la ville de Sanibel en 2004.

Mariage express dans le comté de Lee

Ici, le couple qui désire se marier peut le faire en l'espace de 24 h, comme à Las Vegas. Le comté de Lee a fait de ces mariages express sa spécialité. Il suffit au couple de présenter un passeport valide et d'être accompagné, au besoin, par un interprète détenteur d'un permis de conduire américain valide. Pour obtenir votre licence de mariage ou pour procéder immédiatement à votre cérémonie de mariage, présentez-vous aux

bureaux du tribunal du comté de Lee (2115 2nd St., 2e étage), à Fort Myers. Les bureaux sont ouverts du lundi au vendredi de 8 h à 16 h 30. La licence est valide 60 jours et ne coûte qu'une centaine de dollars. Rien de plus simple !

Escapade à Sanibel et Captiva

LE CARNET DES ARTISTES

JEAN AIROLDI

FRANCE ARCAND

MICHEL BARRETTE

DENISE BOMBARDIER

JOSÉE BOUDREAULT

PATRICK BOURGEOIS

JOCELYNE CAZIN

ARLETTE COUSTURE

PHILIPPE DAGENAIS

YVON DESCHAMPS
ET JUDI RICHARDS

SOPHIE DESMARAIS

CLODINE DESROCHERS

DENISE DION

LISE DION

ANNIE DUFRESNE

DENISE FILIATRAULT

GAÉTAN FRIGON

BENOÎT GAGNON

LOUIS GARNEAU

SOPHIE GRÉGOIRE-TRUDEAU

COREY HART

CHARLES LAFORTUNE

CHANTAL LAMARRE

RICARDO LARRIVÉE

MANON LEBLANC

GUY A. LEPAGE

FRANÇOIS LÉVEILLÉE

MICHEL LOUVAIN

FRANÇOIS MASSICOTTE

DOMINIQUE MICHEL

CAROLINE NÉRON

CHANTAL PETITCLERC

LUC POIRIER
ET ISABELLE GAUVIN

GINETTE RENO ET
NATACHA WATIER

DENISE ROBERT

VALÉRIE TAILLEFER

SOPHIE THIBAULT

SASKIA THUOT

MICHEL TREMBLAY

LISE WATIER

© Marie Poupart

JEAN AIROLDI

Je fréquente la Floride depuis une quinzaine d'années, particulièrement le quartier de South Beach. Je voue une affection particulière à la Floride, car, premièrement, les vols sont directs, en plus d'être fréquents, et ils ne durent pas une éternité ! Deuxièmement, c'est un peu comme vivre chez nous, c'est-à-dire avec les mêmes commodités et de plus, les magasins ferment plus tard ! Pour un mordu du magasinage comme moi, ce n'est pas rien !

On aime la Floride d'abord pour son climat, bien sûr, et son côté tropical : les palmiers, la mer et la plage. Est-ce que je résiderais en Floride à l'année ? Non, je suis un fervent des quatre saisons, mais j'avoue que de me sauver dans le Sud me fait beaucoup de bien !

Mes deux filles visitent la Floride depuis qu'elles sont bébés. Aller en Floride avec les enfants, c'est génial avec Orlando et Walt Disney World. Il y a également les safaris en *airboat* pour voir des crocodiles. Les zoos sont extraordinaires, tout comme les nombreux aquariums. Ce ne sont pas les activités qui manquent ! La nourriture est comme chez nous et la tourista n'existe pas et cela, avec des enfants, c'est le *fun* !

Les Everglades : un nom qui fait rêver pour observer la nature sauvage de la Floride ! Pour environ 20 $ par adulte et 11 $ par enfant de 12 ans et moins, vous pourrez vous balader et observer la faune des marais au **Sawgrass Recreation Park** (1006 N US Highway 27, Weston, FL 33327). Des tours privés de 60 min sont aussi offerts à partir de 250 $, selon le nombre de passagers. Il y a même des tours de nuit, où vous partirez avec des guides munis de lampes à la découverte des alligators, en repérant leurs yeux brillants dans le noir. Après la balade, vous aurez tout votre temps pour admirer les animaux des Everglades dans un parc naturel emménagé pour que vous puissiez les voir de plus près. Vous serez fascinés par les spécimens d'alligators, de tortues, de reptiles et autres animaux sauvages totalement impressionnants.

Le super hôtel **ME Miami** (1100 Biscayne Blvd., Miami, FL 33132) a une déco vraiment impressionnante se déclinant en gris, blanc et beige, et son style est moderne et dépouillé. Il offre une vue imprenable sur la baie de Biscayne et le centre-ville de Miami. Il est tout près des musées et des édifices Art déco de South Beach, et à une dizaine de pâtés de maisons des quartiers de design (Design District, Midtown, Wynwood). Le spa du 14e étage, qualifié de sanctuaire urbain, offre tous les soins désirés dans une atmosphère de grand luxe. La piscine à débordement offre une vue splendide sur la ville. Et votre chien est le bienvenu avec une longue liste de services conçus tout spécialement pour lui.

Donnant directement sur l'océan dans le quartier de South Beach, **The Richmond Hotel** (1757 Collins Ave., Miami Beach, FL 33139) est situé à quelques minutes du Miami Conference Center. La même famille assure la gestion de ce magnifique hôtel dans un style Art déco depuis son inauguration, en 1941 ! Il faut y séjourner pour goûter au charme de ce petit hôtel historique très bien situé, près de tout. Le décor n'a pas changé depuis le début avec de jolis petits fauteuils aux formes recourbées dans les chambres, des miroirs ronds et des lavabos sur pied et la céramique typique des années 1940. Récemment, les proprios ont adopté une attitude responsable en ce qui a trait à la consommation d'eau et d'énergie dans tout l'hôtel : ampoules à basse consommation, température dans les chambres contrôlée par des thermostats spéciaux, température ambiante constante dans tout l'hôtel, débit d'eau contrôlé de façon responsable par des régulateurs. Et le recyclage est de mise dans tout l'établissement. Il est aussi entièrement non-fumeur. Le design et l'ameublement autour de la piscine sont magnifiques et le gym offre l'essentiel.

La réception de l'hôtel ME Miami

FRANCE ARCAND

J'ai découvert la Floride il y a maintenant 16 ans. J'étais alors enceinte de ma dernière, Alicia. Quel État magnifique ! Le soleil, les oranges, la mer turquoise et limpide comme nous pouvons la retrouver dans les Caraïbes. J'ai eu le coup de foudre et, depuis ce temps, je me suis mise à rêver d'avoir un pied-à-terre dans ce paradis qu'est le merveilleux pays des oranges !

Mon amoureux Stéphane et moi avons cherché pendant près de deux ans afin de trouver le condo de nos rêves. Nous y avons vécu les plus beaux moments de notre vie...

Lorsque nous nous rendons à Miami, nous faisons à peu près toujours le même circuit. Nous partons de la 79 Causeway et prenons Collins pour nous rendre à South Beach, où nous pouvons apprécier le bleu turquoise de la mer. Nous remontons Ocean Drive pour zieuter les terrasses bondées de touristes pour ensuite retourner à notre condo. Les jours qui suivent sont toujours pleins de beaux moments.

Il est vrai que la Floride est le pays des oranges, mais également le paradis pour les golfeurs ! Stéphane et moi-même sommes des amoureux du golf. Nous avons un sac de golf en Floride et un autre, ici, au Québec.

Nous avons eu le bonheur et la chance de parcourir plusieurs terrains dans le secteur de Miami et un peu plus au nord. Mon coup de cœur est sans aucun doute **Crandon Golf at Key Biscayne** (6700 Crandon Blvd., Key Biscayne, FL 33149). Tout simplement hallucinant. Sur le terrain, nous sommes enchantés par les jardins, la verdure, la mer omniprésente et la vue sur le centre-ville de Miami. Sans oublier, bien entendu, les superbes iguanes ! De purs moments de bonheur ! D'ailleurs, mon meilleur coup à vie fut exécuté à Miami : une belle drive de 203 verges sur un par 3 ! Dans ce temps-là, tous tes mauvais coups sont oubliés. Vive le golf !

Il est impossible de se rendre en Floride sans aller au restaurant **Duffy's Sports Grill of North Miami Beach** (3969 NE 163rd St., North Miami Beach, FL 33160). Ce sympathique resto est fréquenté par les résidents américains plutôt que par les touristes, une raison de plus pour adorer la place. Le menu est simple, mais varié, et les prix sont très abordables. La salade César aux crevettes est délicieuse et fait TOUJOURS partie de mon repas ! Les grands écrans se multiplient pour présenter les meilleures joutes du moment. Une superbe terrasse directement sur le canal ainsi qu'une grande piscine nous sont proposées pour passer l'après-midi en bonne compagnie. Convivial, amical

Le Crandon Golf at Key Biscayne

et confortable ; j'adore le Duffy's ! Nous pouvons même nous y rendre en bateau. Quelle belle vie !

Avant de trouver le condo de nos rêves, on se promenait le long de la côte entre Sunny Isle et Bal Harbour, où nous pouvions apercevoir de grands regroupements de bateaux. À cet endroit se trouve une « passe » pour entrer en mer ou en sortir. Un banc de sable, le **Haulover Sandbar** (10 800 Collins Ave., Miami, FL 33154), y apparaît en début d'après-midi. La mer est limpide et turquoise, je vous le jure ! Durant les fins de semaine, un resto bateau nous offre ses spécialités : fruits de mers, hot-dogs et autres bouchées à se mettre sous la dent (parfait pour ceux qui n'ont pas mangé). Attention ! L'ambiance parfois un peu trop festive nous oblige à déplacer notre bateau afin de nous ancrer un peu plus loin pour ne pas choquer nos jeunes invités !

MICHEL BARRETTE

Du côté de ma famille maternelle, chez les Asselin, la Floride était une destination soleil coup de cœur. Mes grands-parents et mes parents y ont possédé des roulottes, des condos et même des maisons. À cette époque, je dois l'admettre, ce n'était pas ma tasse de thé. Mon amour pour la Floride s'est révélé tardivement ! Avant de le découvrir, j'ai sillonné d'autres États en voiture, mais je n'allais pas en Floride. J'étais plus du genre à traverser l'Arizona par la mythique route 66. Pour moi, la Floride était un lieu pour prendre sa retraite ou jouer au golf ! Ma vision a changé lorsque ma sœur Sylvie a décidé de s'y installer à temps plein, il y a une vingtaine d'années. Elle n'avait pas l'air de s'y ennuyer, et cela a attisé ma curiosité. J'ai décidé d'aller voir ce qui s'y passait. Je suis non seulement tombé amoureux du coin, mais j'ai aussi acheté un condo à West Palm Beach, plus précisément à Singer Island. Je m'amusais à descendre là-bas avec mes voitures de collection. Par exemple, j'y suis allé en Pontiac 1956 et en Corvette 1964, en évitant les autoroutes le plus possible et en suivant la route 1, à partir du Nouveau-Brunswick. Cela prend une bonne semaine, mais j'ai pu découvrir des coins formidables. J'ai vendu mon condo après la naissance de mon fils Jonathan, car on avait moins le temps d'y aller avec l'école, mais je m'y rends encore souvent pour donner des spectacles et visiter ma sœur.

L'historique St Augustine est sans doute la plus belle ville de la Floride ainsi que la plus chargée d'histoire. C'est un incontournable que plusieurs manquent en tentant de se rendre rapidement au sud en empruntant les autoroutes. J'encourage les Québécois à emprunter la sortie vers St Augustine. C'est une ville magnifique avec son Fort Caroline, ses fantômes, son cimetière... La ville fut colonisée à tour de rôle par les Français et les Espagnols, qui y ont laissé des traces. On le voit bien dans l'architecture. On se balade dans ses rues piétonnières, bien garnies de restaurants, de bars et de petites boutiques charmantes. La plage y est aussi magnifique ! C'est vraiment un endroit qui gagne à être connu.

J'adore quitter la côte atlantique de la Floride pour rejoindre le golfe du Mexique en empruntant l'autoroute des Everglades et en remontant ensuite vers le nord, le long du golfe. On croise plein de petites boutiques et de restaurants délicieux. Je me rends souvent à Naples, qui est une ville très agréable. C'est un coin de la Floride beaucoup plus reposant que le côté atlantique et c'est, encore une fois, peu connu des Québécois, qui devraient vraiment aller y faire un tour ! C'est également l'occasion de découvrir les petites villes à l'intérieur des terres, qui ont beaucoup à offrir et qu'on oublie trop souvent. Le paysage change beaucoup ! On a même parfois l'impression d'être au Texas.

Ceux qui me connaissent savent que je suis un nostalgique. Je suis un passionné d'objets d'époque et à Fort

Pierce, il y a de nombreux antiquaires réunis le long de la A1A. J'y ai acheté de nombreux objets pour décorer mon condo. Cela vaut le coup de prendre une journée pour visiter ces petites cavernes d'Ali Baba, comme **Vienna Trading Antique Mall & Highwaymen Gallery** (3401 S US-1, Fort Pierce, FL 34982) ou l'antiquaire **Unique Antique Shop** (4559 US-1, Fort Pierce, FL 34946), mais il y en a plusieurs autres tout le long de la route.

Kuro est situé dans le complexe **Seminole Hard Rock Hotel & Casino** (1 Seminole Way, Hollywood FL 33314). Pour moi, c'est le Japon sous les palmiers! C'est un super restaurant où l'on cuisine avec les produits locaux et des importations venues directement du Japon. Ma conjointe et moi adorons ce restaurant où l'on peut manger de délicieux sushis, mais également de nombreux plats d'inspiration japonaise. C'est bon, c'est frais et le décor est très inspirant!

J'adore le resto-bar **Sloppy Joe's Bar** (201 Duval St., Key West, FL 33040), car il y a des groupes de musique pratiquement toute la journée. C'est une ambiance à découvrir à tout prix! L'écrivain Ernest Hemingway y avait même ses habitudes. Il y a des photos de lui partout. Les portes de l'établissement sont si grandes que la police montée vient faire son tour à l'intérieur en restant bien assise sur ses chevaux. Elle entre presque tous les jours à l'intérieur de l'emplacement, pour la joie des grands et petits. C'est très décontracté ; on peut sortir de l'endroit avec son verre d'alcool. Le soir, sur la piste de danse, il y a une faune colorée et diversifiée. J'y vais moins pour la nourriture, plutôt ordinaire, que pour l'ambiance géniale et pour prendre un verre.

Avant 1958, les courses de voiture qui se déroulaient à Daytona se faisaient en partie sur la plage et portaient le nom de Daytona Beach & Road Course. Le restaurant **Racing's North Turn** (4511 S Atlantic Ave., Ponce Inlet, FL 32127) se situe exactement à l'endroit où les courses ont commencé, en 1936. Si vous regardez des vidéos de cette époque, lorsque les voitures arrivent à ce qu'on appelait le virage nord à Ponce Inlet, vous remarquerez qu'il y avait déjà ce restaurant. Aujourd'hui, c'est devenu un véritable musée. Sur les murs, il y a de nombreuses photos et objets liés aux courses de cette époque, dont plusieurs articles offerts par des pilotes eux-mêmes. Pour un fanatique de voiture comme moi, c'est extraordinaire de visiter ces lieux mythiques et de s'imaginer cette belle époque. J'y entends presque le vrombissement des moteurs.

DENISE BOMBARDIER

Je me souviens de mes premières visites en Floride, chez ma belle-mère, qui séjournait alors dans un motel pour l'hiver. Je me disais : « Jamais de la vie je ne viendrais ici l'hiver », mais au fil des ans, j'ai découvert un autre visage de cet état qui attire des milliers de Québécois chaque année. Disons que c'est un amour tardif. J'habite un endroit, Deerfield Beach, qui ressemble à l'ancienne Floride, et qui me fait penser aux années 1960, où il n'y a presque pas d'immeubles en hauteur, et avec des plages fantastiques !

Pour ceux qui disent que la Floride est « quétaine », je dis qu'il y a de la « quétainerie » à Montréal aussi. La Floride a beaucoup changé ! D'ailleurs, c'est un état qui attire de plus en plus de jeunes familles. Les investissements culturels à Miami, dont ceux accordés aux musées, sont les plus importants des États-Unis. Et l'on vit à la température de son corps, c'est formidable !

La Floride n'a rien à envier au reste du monde, surtout en matière de nourriture. Il y a des restaurants de qualité, de la bouffe extraordinaire. J'ai un poissonnier qui vend des crevettes vivantes ; même à Paris, il est difficile d'en trouver. Pour ceux qui aiment, on peut manger bio tout le temps, c'est beaucoup moins compliqué qu'à Montréal.

Comme à Montréal, en Floride, je partage mon quotidien avec mon mari, Jim. Nous sommes fusionnels, toujours collés l'un sur l'autre. Il ne vient pas magasiner avec moi, par contre !

Ici, mes journées sont surtout consacrées à l'écriture de mes livres, à mes chroniques dans le *Journal de Montréal*, et à mes courses, que j'adore faire. Évidemment, j'aime profiter de la douceur du climat et de tout ce que l'État peut offrir comme coins paradisiaques. Je ne crains pas de sortir des sentiers battus. Dans ma voiture bien climatisée, j'écoute de la musique classique pour réfléchir et m'émouvoir, et Johnny Cash, les Platters et Céline, par sentimentalisme, et je roule. Ainsi, je visite la Floride de l'intérieur. Je peux rouler pendant une heure, deux heures. Je marche beaucoup aussi.

Au **Grand Lux Cafe** (1780 Sawgrass Mills Cir., Sunrise, FL 33323), dans un formidable décor, on vous sert des aliments simples, toujours frais et d'une saveur exquise. En plus de la cuisine classique, on y retrouve des plats originaux, comme les nems à la mode asiatique, faits de poulet tendre dans une sauce aigre-douce aux arachides, des ailes de poulet à la sauce au fromage bleu, des côtelettes de porc juteuses à la croûte de parmesan ou le bœuf épicé au gingembre. Je mange peu souvent au resto le soir, mais le midi, j'adore me rendre au Grand Lux Cafe, une chaîne qu'on retrouve dans presque tous les centres commerciaux de Floride. C'est comme ma cantine, si vous voulez. J'ai mes habitudes, je mange presque toujours la même salade. Et il faut absolument essayer le *Lux Margarita on the Rocks*!

De temps en temps, je vais au **Rustic Inn Crabhouse** (4331 Anglers Ave., Fort Lauderdale, FL 33312), un des plus vieux du genre de l'État, qui rappelle la Floride du début du XXe siècle. Il est situé tout prêt de l'aéroport de Fort Lauderdale. Parfois, on ne s'entend pas à cause du bruit des avions, il faut choisir les bonnes heures. Le décor est sans prétention, mais on y va surtout pour le crabe, dont les pattes géantes, que l'on mange avec les doigts, et ce, sont divinement apprêtées et de plusieurs façons. C'est délectable! On peut même vous le servir dans de grands seaux. Si vous préférez autre chose, les crevettes, moules ou hamburgers sont aussi délicieux. De plus, les prix sont vraiment raisonnables et le personnel, sympathique.

Il y a un restaurant mexicain où j'aime me rendre, c'est l'**El Camino** (15 NE 2nd Ave., Delray Beach, FL 33444). La clientèle est joyeuse et diversifiée, et j'adore l'atmosphère. Le guacamole fait maison est excellent et les tacos, garnis de poulet épicé, de bœuf ou de poisson croustillant, sont tout simplement délicieux. On y sert également des classiques revisités, comme les quesadillas au chorizo, les fajitas aux crevettes ou les burritos à la poitrine de bœuf fumé. Certains des plats sont accompagnés de riz mexicain, d'un choix de salsa, de

© Melissa Korman

haricots, de tomates ou de Monterey Jack, d'oignons caramélisés… à votre choix. Le décor, particulièrement les banquettes couleur lime, s'harmonise parfaitement à l'ambiance de fête qui y règne. D'ailleurs, pour vous amuser entre amis, l'agréable *happy hour* débute à 16 h. Et là aussi, les margaritas sont extras!

Si je veux aller au casino, je choisis le **Seminole Hard Rock Hotel & Casino** (1 Seminole Way, Hollywood, FL 33314). C'est immense, il y a plus de 90 tables de jeu, mais je ne joue qu'aux machines à sous. J'y ai déjà gagné 5550 $. La musique est joyeuse et crée une belle ambiance. On peut aussi y séjourner. Les chambres et suites luxueuses offrent un confort parfait. Il y a aussi de bons spectacles, souvent professionnels, comme le groupe Boston, Paul Anka ou les Gipsy Kings, par exemple. À l'extérieur, une piscine de style lagon avec de jolies cascades est extraordinaire. Mon coup de cœur est un des restaurants de l'établissement, le **Council Oak Steaks & Seafood**. C'est un des meilleurs *steakhouses* du sud de la Floride. On y suspend le bœuf dans une chambre froide pour le vieillir, un véritable festin. Et ils ont une carte des vins incroyable!

Je ne suis pas une magasineuse, mais pour mes vêtements, je vais presque exclusivement au **Neiman Marcus Last Call**, situé au complexe **Sawgrass Mills** (12 801 W Sunrise Blvd., Sunrise, FL 33323), qui regroupe une multitude d'*outlets,* comme on les nomme. C'est un des plus grands complexes de ce genre au monde. Robes, vestons, chemisiers… Quand je veux m'acheter des vêtements de qualité, c'est là que je vais. Les rabais vont de 40% à 80%. On y trouve également des chaussures, des bijoux, des

sacs à main et même des produits de beauté. Sawgrass Mills regroupe des centaines de boutiques et des petits comptoirs aux articles variés. Une partie du centre commercial est couverte et climatisée et une autre est à l'extérieur. Guess, Michael Kors, Gucci, Prada et d'autres marques plus luxueuses affichent aussi des prix plus bas qu'ailleurs. Les gens des boutiques sont d'une extrême gentillesse et plusieurs vous demandent même votre prénom. N'hésitez pas à faire appel à eux pour vous informer des meilleurs prix. Évidemment, il y a de bons choix d'endroits où se restaurer. Ce centre comprend aussi des jackpots! J'ai acheté des chaussures de marque Prada de 780 $ pour 190 $! Tout pour devenir accroc et, surtout, on n'achète plus jamais, nulle part ailleurs, des vêtements qui ne sont pas soldés.

Le Seminole Hard Rock Hotel & Casino, à Hollywood
© Greater Fort Lauderdale Convention and Visitors Bureau

312

JOSÉE BOUDREAULT

J'ai découvert la Floride sur le tard dans mon existence. J'y suis allée une première fois autour de 30 ans, à Miami, avec mon amoureux. Et c'est avec mes enfants, 15 ans plus tard, que j'ai découvert la Floride version familiale. Nous avons loué une magnifique maison dans la ville de Palm Coast, visité St Augustine et Daytona Beach. Palm Coast est une petite ville tranquille, où les nombreux restaurants de BBQ sont attirants pour la famille.

J'aime ce coin de la Floride pour ses plages de sable couleur cannelle, son climat doux et ses orages d'été. Oui, j'aime la pluie! J'aime que les Américains soient courtois et nous saluent au passage. La famille est bienvenue partout et l'on s'amuse bien dans les différents attraits touristiques du coin.

Le restaurant **Blackfly** (108 Anastasia Blvd., St Augustine, FL 32080) offre un accueil chaleureux et surtout l'un des menus les plus différents de l'habituelle friture à l'américaine. Il faut y aller pour manger poissons et fruits de mer, saumon wasabi et salades d'edamame. St Augustine est la plus vieille ville américaine, une sorte de Vieux-Québec à l'espagnole qui charme par ses terrasses illuminées et son côté rustique des plus féerique.

Pour une sortie différente en famille, il faut visiter le **St Augustine Alligator Farm Zoological Park** (999 Anastasia Blvd., St Augustine, FL 32080). On y trouve des centaines de spécimens tous plus impressionnants les uns que les autres. Nos filles avaient les yeux grand ouverts et les adultes aussi! Les trottoirs de bois dans les nombreux sentiers, les caractéristiques des espèces bien expliquées aux visiteurs et la présence d'immenses tortues gravent à jamais des souvenirs dans le cœur des petits et des grands. Ce parc zoologique, ouvert depuis mai 1893, est l'un des plus vieux parcs d'attractions de Floride. On peut y voir toutes les espèces de crocodiles ainsi que le fameux dragon de Komodo, sans compter des oiseaux de partout dans le monde et même des lémuriens.

Plusieurs vedettes québécoises débarquent au **Houston's** (2821 E Atlantic Blvd., Pompano Beach, FL 33062). C'est hallucinant de voir les grands yachts accoster au quai de l'endroit. Les steaks sont délicieux, le vin coule à flots et, encore une fois, l'ambiance familiale a vite fait de nous séduire!

PATRICK BOURGEOIS

© Mélanie Savard

J'adore la Floride. Pour sa proximité avec le Québec, son climat, son éventail d'activités et surtout pour les belles promenades à vélo, qui me mènent de la maison à la plage.

J'ai adopté la ville d'Hypoluxo, située entre Lake worth et Boynton Beach. Je ne suis pas le seul, une communauté de Finlandais, des gens que je trouve particulièrement sympathiques, y a également élu domicile. Nous louons une petite maison directement sur l'Intracoastal. D'ailleurs, Jon Bon Jovi habite juste en face de chez moi. Devinez qui de nous deux a une vue sur la plus belle résidence ?

Je suis profondément amoureux des États-Unis. Toute ma jeunesse, j'ai passé mes étés sur la côte est,

soit au New Jersey, au Maryland ou en Caroline du Sud. Cela m'a marqué et dès que j'ai mis les pieds en Floride, je m'y suis senti tout de suite comme chez moi.

Le vent, le soleil, la mer me font toujours beaucoup de bien. Et je suis un grand amateur de pêche. Je pêche directement du quai de notre maison et je prends un plaisir fou à apprêter mes prises pour le repas du soir ! Il m'arrive fréquemment de me rendre à la marina, tout près. J'aime voir les bateaux accoster, avec à leur bord tous ces vacanciers si fiers d'avoir attrapé tant de poissons.

J'espère pouvoir passer de plus en plus de temps en Floride. J'ai également plusieurs amis qui y ont des résidences. La Floride, pour moi, est synonyme de détente, de bonheur et d'agréables moments passés en famille et avec les amis !

Je suis un passionné de cuisine et quand j'ai envie de préparer des produits frais de la mer, je me rends au **Fish Depot** (1022 N Federal Hwy., Boynton Beach, FL 33435). Les propriétaires sont des Jamaïcains hyper sympathiques ; ils ont toujours une grande variété de poissons de la plus grande qualité. Un *must* !

Total Wine & More (850 Congress Ave., Boynton Beach, FL 33426) est mon magasin préféré, d'autant plus que j'ai collectionné le vin pendant plus de 20 ans. Ils possèdent un vaste choix de bons produits, dont plusieurs vins français moins chers que chez nous. Je m'y sens comme un petit garçon dans un magasin de jouets !

À Boynton Beach, il ne faut pas manquer le restaurant **Banana Boat** (739 E Ocean Ave., Boynton Beach, FL 33435), à la marina de Boynton Beach. L'ambiance est cool et décontractée. Un coin parfait pour prendre un petit verre et goûter à de bons fruits de mer avant d'embarquer à bord d'un bateau pour aller à la pêche au gros. Que du bonheur !

Quand j'ai envie de me gâter, je prends mon vélo pour me rendre au camion de bouffe de rue **Cape Cod Lobster Roll Company** (2810 Hypoluxo Rd., Lake Worth, FL 33462). Maniaque de homard, je me régale d'une bonne chaudrée de homard avec du maïs (très américain) et d'un *lobster roll* bien « mayonnaisé ». Bon à s'en lécher les doigts !

La plage de Boynton Beach

Légende

JOCELYNE CAZIN

En 2006, j'étais encore loin de penser retraite et encore plus loin d'imaginer qu'elle se vivrait sous le chaud soleil de la Floride. Pourtant, je me suis laissée convaincre par des amis qui avaient déjà commencé à y faire leur nid. Bien sûr, son premier attrait me touche particulièrement ; ses centaines de terrains de golf aux prix séduisants sur la côte est me permettaient de savourer mes hivers sans trop de soucis. Et voici que la superbe ville de Naples me fait signe en 2012. Le dollar canadien plus fort et la chute du marché immobilier américain me font traverser l'Alligator Alley sans trop de regret.

La Floride se veut synonyme de plaisirs, de santé, d'activités sportives, de vie communautaire. On prétend que ses rayons lumineux et l'absence de stress nous offrent 10 ans de vie supplémentaire. J'y crois lorsque je vois des partenaires de tennis octogénaires me battre à plate couture ; je me dis qu'il y a de l'espoir !

Le **Bistro 821** (821 S 5th Ave., Naples, FL 34102) se veut un incontournable lorsqu'on séjourne à Naples ou que la visite s'amène. Trois de mes amies golfeuses arrivées directement du Québec voulaient se délecter d'un bon repas, autre part que chez moi bien sûr, tout en visitant une des plus belles villes de la Floride. Je connaissais quelques bonnes tables de la ville, mais le Bistro 821 m'avait fortement été recommandé par mes chics partenaires de tennis. Il s'est avéré un excellent rapport qualité-prix. Dans un décor chaleureux, urbain et coloré, mes trois amies et moi ne savions plus où arrêter notre regard tout en dévorant le menu des yeux ! Nous nous sommes offert une petite traite en commençant avec de succulents calmars croustillants. J'avais déjà goûté ceux du restaurant **USS-Nemo** (3745 Tamiami Trail N. Naples, FL 34103 N), tenu par le Québécois Nicolas Mercier. Eh bien, Nicolas a une solide compétition ! Juste d'y penser, j'ai encore l'eau à la bouche de ces calmars miso-sake au beurre blanc citronné. Le service était impeccable, sans jamais nous sentir pressées de partir.

« Ce n'est pas important d'être millionnaire, ce qu'il faut, c'est d'agir en millionnaire. »

J'aime cette phrase, surtout lorsque je me promène sur les terres du Ritz et du club de golf **The Tiburon** (2620 Tiburon Dr., Naples, FL 34109), à Naples. Un cachet totalement italien, une décoration et une ambiance à couper le souffle et personne ne vous prend pour un intrus. Le Tiburon est l'un des plus beaux terrains de golf de Naples ; il porte la signature du non moins célèbre Greg Norman. En saison basse, je me suis offert le plaisir de frapper la balle au prix dérisoire de la voiturette. N'essayez même pas dans les mois d'hiver, à moins de payer le gros, gros prix ! Naples est une des villes où on compte le plus grand nombre de multimillionnaires par personne aux États-Unis. Elle a donc son deuxième Ritz-Carlton, situé au bord de la mer, ce qui en fait un autre endroit de rêve à Naples.

Le temps d'un après-midi sous un soleil vif, je me suis crue sur l'île de Paros, en Grèce, à une époque lointaine et beaucoup moins fréquentée. C'est sur la côte ouest de la Floride, devant le golfe du Mexique, que j'y ai retrouvé mon instant de perfection. En traversant le très long pont qui relie Sanibel Island à la côte, j'ai vite compris que je m'échappais de toute activité polluante.

À une quarantaine de kilomètres de Fort Myers et 45 min de Naples, l'île de Sanibel inspire la détente et un grand respect de la nature. Ses plages garnies de millions de coquillages en font un lieu de prédilection pour les amateurs. Je profite toujours de la visite de mes amis québécois pour découvrir ma Floride. Nous nous sommes régalés à l'inclinaison du soleil jusque dans le ventre de la mer. J'ai particulièrement apprécié ma visite au refuge **J.N. «Ding» Darling National Wildlife Refuge** (1 Wildlife Dr., Sanibel, FL 33957) pour sa faune et sa flore magnifiques.

Le très sympathique quartier de Venetian Bay, à Naples, nous en met plein la vue sans toutefois être ostentatoire. Si vous rêvez de la Californie et de Laguna Beach, vous serez comblé en marchant le long de la baie, tout en savourant une glace, ou encore en vous délectant dans l'un des six restaurants qui ont pignon sur rue.

À l'heure du lunch, je dois avouer ma préférence pour la terrasse du **Bayside Seafood Grille & Bar** (4270 N Gulf Shore Blvd., Naples, FL 34103), qui m'offre, pratiquement les pieds dans l'eau, un menu varié et surtout rafraîchissant. Le soir, sans conteste, je me tourne vers le célèbre **M Waterfront Grille** (4300 N Gulf Shore Blvd., Naples, FL 34103), qui invite à la paresse dès notre arrivée, en offrant le service de voiturier. Ses fruits de mer valent le détour ! Des amis de la côte est inscrivent à chacune de leur visite un repas d'amoureux dans ce fabuleux restaurant.

Le coucher du soleil à Sanibel

ARLETTE COUSTURE

Le restaurant **Two Georges at The Cove Restaurant & Marina** (1754 SE 3rd Court, Deerfield Beach, FL 33441) se trouve juste avant le pont qui conduit à la A1A. Il y a en effet un centre commercial dont le stationnement nous y mène. Le restaurant au toit d'ardoises est situé sur le canal et nous offre une vue imprenable sur la marina et le pont-levis qui permet aux hors-bord et yachts d'y circuler ; on observe aussi les iguanes se prélasser sur le quai. Le menu est un menu raisonnable – on peut manger à moins de 20 $ – et nous offre une cuisine de poissons, de salades et *tutti quanti*.

Coup de cœur pour le restaurant **JB's on the Beach**, décoré de bleu et de blanc (300 NE 21st Ave., Deerfield Beach, FL 33441). Il y a un stationnement payant et un service de voiturier. Il longe la plage, tout près du quai emprunté par les pêcheurs, et ils sont nombreux. C'est du bout de ce quai qu'on a pu voir des milliers de requins, il y a deux ans ; on racontait qu'ils étaient en route vers le nord. Drapeau rouge, baignade interdite. Le menu est typique, peut-être une coche au-dessus de la qualité du Two Georges at The Cove Restaurant & Marina, mais je n'oserais le dire, n'ayant jamais encore goûté à tous les plats ni de l'un ni de l'autre. J'y vais pour une salade bien précise et ceux

Et voilà qu'il y a une vingtaine d'années, j'ai trouvé que les « cons » – comprendre les cons à la Brel – de ma jeunesse n'étaient peut-être pas si bêtes. Ils disaient les hivers trop longs, trop froids, trop sales, et que ceux-ci n'avaient rien à voir avec les hivers d'autrefois. J'imagine qu'avec le réchauffement de la planète, c'est maintenant tristement et dangereusement vrai. J'ai donc pensé qu'il n'était peut-être pas bête, en effet, de le couper en deux. J'ai donc commencé à courtiser le soleil, en Martinique, au Mexique fréquemment, au Chili, en Argentine et en Floride. La Floride m'a plu par sa proximité, ses plages et ses palmiers. Les prix des billets d'avion sont également alléchants. Rien de comparable avec l'Amérique du Sud ni même le Mexique.

Voilà pourquoi, aujourd'hui même, j'écris ce court texte les vagues à l'âme et aux oreilles.

que j'ai initiés à y goûter récidivent. C'est une salade goûteuse à souhait, légumes et mangue, un demi-homard et 10 crevettes de belle grosseur. Vous avez bien lu! J'y vais le midi et m'en sors pour 21 $. La vinaigrette lime et mangue est à se rouler par terre! Si vous allez au JB's, profitez de la beauté et roulez jusqu'à West Palm Beach. Pâmez-vous devant l'océan et mentez en disant que vous ne souhaitez pas visiter les *mansions,* celle des Desmarais ou de Donald Trump… entre autres.

Le **Living Room Theater**, à Boca Raton, se situe dans les locaux de la Florida Atlantic University (FAU) (777 Glades Rd., Boca Raton, FL 33431). On y trouve quatre salles de 49 places chacune et des fauteuils avec petite tablette pour poser son plateau si on y mange. Oui, oui! En entrant dans le théâtre, il y a un bar-restaurant où plusieurs clients prendront qui une salade, qui un sandwich, ou tout simplement un *pop-corn*. Vous le mangez au restaurant ou dans la salle. On m'y a livré un *pop-corn* dans une assiette de porcelaine blanche et un Coca servi dans un verre en verre! La

spécialité de ces salles est de passer les films qu'on a ratés. Ainsi, j'ai pu voir *The Lady in the Van* et *45 Years*.

Le site Internet est parfait. Tapez «Living Theater Boca»; vous obtiendrez la liste des films et horaires. Maintenant, le prix. Il est certain qu'avec tout ce qu'on reçoit, on s'attend à payer trop cher, comme 28 $ dans un autre cinéma synchronisé avec les sorties de film. Ici, il vous en coûtera 9,50 $ tous les jours, 8 $ les matinées, 7 $ pour les aînés et 5 $ les lundis et mardis. Non, non, il ne manque pas de 1 ou de 2 devant ces prix! Un coup de cœur, je vous dis!

Et s'il y a des amateurs de golf parmi vous, mon club de golf préféré est le **Jacaranda Golf Club** (9200 W Broward Blvd., Plantation, FL 33324). Je l'aime parce que je suis nulle au golf et lorsque je joue comme un pied, je ne me choque jamais, je me désespère, sans plus. La nature, avec ses canaux, ses verts si verts qu'on les mangerait, ses palmiers, ses fleurs, ses ibis, ses aigrettes et ses pélicans, ne me permet pas de décrocher du bonheur que je ressens d'être assise dans la voiturette.

Deerfield Beach

PHILIPPE DAGENAIS

À 20 ans, je suis tombé follement amoureux de la plus belle ville du monde, Paris. J'y ai vécu, travaillé et trouvé une source d'inspiration à mon âme de créateur. Paris sera toujours pour moi comme un billet d'avion de première classe pour atterrir au cœur de la beauté.

Mais ce n'est pas être infidèle que d'avoir maintenant un grand coup de cœur pour la Floride avec ses plages blondes, son soleil si fidèle et sa mer aux horizons sans fin. Mon nouveau coin de paradis s'appelle Delray Beach. C'est ma nouvelle joie de vivre, ma nouvelle façon de me ressourcer. Delray Beach, c'est mon village non loin des gratte-ciel, des super boutiques design, des voitures de grand luxe et des restos gourmands qui reflètent la vie moderne, la vie extravagante. J'adore me rincer l'œil à Mizner Park, à Boca Raton, avec ses beaux magasins et ses terrasses magnifiques. Et tout près de chez moi, je choisis des soirées gourmandes sur Atlantic Road. Un dernier verre de vin avec de bons amis et je me retrouve dans mon chez-moi, mon havre de paix et de calme douillet. Je m'endors en rêvant que demain, j'ai rendez-vous avec la mer, le soleil, la plage, mon maillot de bain et mes verres fumés. C'est merveilleux, la liberté! J'aime, j'aime Delray Beach!

J'ai deux amours. Paris, Ville-Lumière. La Floride, pays de soleil!

Le surprenant **Sundy House** (106 S Swinton Ave., Delray Beach, FL 33444) est un hôtel-restaurant que

Le Sundy House, à Delray Beach

j'ai découvert par hasard. Le menu est délicieux et très copieux. Ne manquez surtout pas de goûter aux côtelettes d'agneau ! Sublimes pour les papilles ! Autrement, le décor intérieur du restaurant reste d'un goût douteux, mais le jardin où sont disposées des tables, dont certaines sont un peu en retrait pour les conversations qu'on souhaite plus intimes, est magnifique. À ne pas manquer : le brunch du dimanche !

Dans le vieux village de Delray, je fréquente le **Brule Bistro** (200 NE 2nd Ave. #108, Delray Beach, FL 33444) pour son ambiance parisienne et sa nourriture française, dont l'incomparable filet mignon.

Le **Vic & Angelo's** (290 E Atlantic Ave., Delray Beach, FL 33444) est un restaurant italien au décor très moderne et très coloré. Un endroit sympathique et idéal pour la drague. On y va pour les 5 à 7, les pizzas et les ailes de poulet, les

meilleures au monde ! Je l'ai surnommé «le bar sur la *track*», étant donné qu'il donne sur un chemin de fer.

À Boca Raton, j'ai un faible pour **Mizner Park** (327 Plaza Real, Boca Raton, FL 33432), D'abord, pour la belle architecture des boutiques et des restaurants.

J'aime la boutique **Sur la table** (438 Plaza Real, Boca Raton, FL 33432). On y trouve une panoplie d'ustensiles de cuisine pour concocter de bons petits plats, en plus de pouvoir suivre des cours de cuisine. Faites également un saut chez **Max's Grille** (404 Plaza Real, Boca Raton, FL 33432), un bistro américain sympathique et abordable, réputé pour ses grillades. Enfin, à Mizner Park, il faut absolument faire un arrêt à la formidable boutique **Z Gallerie** (309 Plaza Real, Boca Raton, FL 33432) pour le mobilier d'appoint, les accessoires et les choix de luminaires.

YVON DESCHAMPS
ET JUDI RICHARDS

Yvon et moi, nous nous aimons beaucoup. Nous avons élevé notre famille, et quand les enfants ont quitté la maison, nous avons entamé une grande tournée du Québec ensemble avec notre spectacle *Judi et Yvon font une scène*. Après cette aventure, nous avons ressenti le besoin de nous retrouver en tant que couple. Notre désir était de nous retirer ailleurs ; pourquoi pas dans une cachette, NOTRE cachette ? Cette oasis de paix, loin des tracas du quotidien, nous l'avons trouvée en Floride dans la région de West Palm Beach. Dans une maison avec piscine, située sur un golf, que nous avons rénovée à notre goût. Une maison dépouillée qui déborde de cette belle lumière propre à la Floride. Nous l'avons peinte de bleu, de blanc et de couleur sable. Et ici, il n'y a personne… On se croirait au bout du monde puisque nous habitons la dernière maison de la rue. Les palmiers, le soleil, la tranquillité, le bleu de notre piscine… C'est un environnement qui fait du bien à nos vieux os !

Ce qui ne veut pas dire que nous vivons comme des ermites. En Floride, nous côtoyons plusieurs de nos amis comme Lise Dion, Dominique Michel, François Léveillée, Clémence Desrochers et bien d'autres. Non seulement socialement, mais on en profite également pour aller voir leur spectacle, ce que nous ne prenons pas le temps de faire au Québec. La Floride, pour nous, c'est prendre le temps de vivre…

Nous adorons le restaurant **Prime Catch** (700 E Woolbright Rd., Boynton Beach, FL 33435). John Therien et ses fils, Pierre, Luc et Gilles, ont débuté dans la restauration en 1971, et leur passion est demeurée intacte. Sur la terrasse donnant sur l'Intracostal, ce magnifique réseau de canaux, la vue est superbe ! C'est idéal pour boire un verre afin de laisser tomber le stress du voyage. Nous vous le conseillons. Ensuite, le chef John Bonk ravira votre palais avec ses plats succulents de poissons frais du jour. On dit même que c'est là qu'on retrouve le poisson le plus frais de la région ! Les amateurs de fruits de mer seront aussi comblés avec les crevettes, pétoncles, homards ou les croquettes de crabe croustillantes. Le poulet, les steaks ou les côtelettes sont également apprêtés d'une façon sublime. Pour nous, se retrouver là est le signe du début des vacances !

Pour manger en toute simplicité, avant ou après le cinéma, nous nous rendons chez **Mario The Baker** (1007 N State Rd. 7, West Palm Beach, FL 33411). Ici, pas de chandelles ni de violons, mais de la nourriture italienne délectable et les meilleures pizzas des environs, surtout ! Leurs croûtes minces sont recouvertes d'une sauce aux tomates d'un goût exquis. Qu'elles soient garnies de saucisses ou de boulettes de viandes maison, de jambon ou d'artichauts, elles sont parfaites ! Et que dire des

© Marie Toussaint

pâtes ? Lasagnes, gnocchis, raviolis, spaghettis sont arrosés des sauces les plus divines ! Ce resto unique appartient à la même famille depuis 1969. Le secret de l'entreprise repose sans doute sur la parfaite combinaison d'un service chaleureux, de la qualité des produits locaux et des prix plus que raisonnables. De plus, l'ambiance décontractée est idéale pour une sortie en famille ou entre amis ; vous y serez accueillis avec les plus grands égards.

On le sait, le soleil et l'eau forment un parfait mariage. Pour les jeunes et les moins jeunes, **Rapids Water Park** est donc l'endroit par excellence pour s'amuser ferme dans les nombreux jeux aquatiques (6566 N Military Trail, Riviera Beach, FL 33407). Les glissades sont conçues autant pour les enfants et les amateurs qui veulent glisser tranquillement, que pour les experts qui désirent des sensations fortes. Certains passages vous plongent même dans l'obscurité, frissons garantis ! La descente sur la rivière est calme et rafraîchissante et

la piscine à vagues est très populaire. Côté pratique, il y a des casiers pour vous changer et des douches un peu partout sur le site. Malgré la présence de restos, les familles peuvent apporter leur nourriture et manger sur les nombreuses tables du site. Nous y passons toujours un bon moment, le sourire aux lèvres, et heureux de voir la joie des enfants.

Au centre commercial **CityPlace** (700 S Rosemary Ave., West Palm Beach, FL 33401), on trouve vraiment de tout ! Magasins, restaurants, divertissement. D'abord, nous aimons magasiner chez **Restoration Hardware** (700 S Rosemary Ave. #116, West Palm Beach, FL 33401). Les meubles, la literie, les luminaires, les accessoires… on y retrouve des articles vraiment inusités. De plus, il y a un cinéma, le **Muvico Parisian 20 and IMAX at CityPlace** (545 Hibiscus St., West Palm Beach, FL 33401), où nous adorons aller les jours de pluie. Le **Improv Comedy Club and Dinner Theatre** (550 S. Rosemary Ave. #250, West Palm Beach, FL 33401) présente de bons spectacles, nous y avons d'ailleurs vu le talentueux Sugar Sammy. Pour bien manger, nous vous conseillons l'**Il Bellagio** (600 S Rosemary Ave. , suite 170, West Palm Beach, FL 33401). Un succulent plat de pâtes, un verre de vin, du bon pain et le tour est joué ! Au deuxième étage, vous trouverez aussi le **City Cellar Wine Bar & Grill** (700 S Rosemary Ave., West Palm Beach, FL 33401). Sur la terrasse, nous y dégustons une cuisine raffinée tout en admirant la belle fontaine.

SOPHIE DESMARAIS

D'aussi longtemps que je me souvienne, j'ai toujours fréquenté la Floride. Depuis que je suis toute petite, nous y passions en famille les vacances de Pâques et de Noël. Mes parents louaient une maison d'abord à Delray puis, avec le temps, mon père a fait construire une maison à Palm Beach, que nous avons encore d'ailleurs,

25 ans plus tard. J'adore y venir parce que j'apprécie le court trajet, parce qu'il y fait chaud et beau et qu'on peut faire de tout : golf, tennis, vélo, et que tout est propre et bien organisé, en plus d'y trouver tout le confort. Bien que j'aime les îles des Caraïbes, tout est moins compliqué en Floride. Si on est malade, tous les services sont à proximité. Ma maison est située à 15 min de chez ma mère, je l'ai achetée pour être près d'elle. Quand mon père est décédé, je suis venue me réfugier ici ; j'avais

besoin d'être seule, et cet endroit m'a aidée à surmonter plus facilement son départ. J'allais faire du vélo, je regardais le ciel et lui parlais, j'avais l'impression qu'il pouvait lire dans ma tête, dans mon âme.

Mon plus beau souvenir floridien, c'est le temps de Noël que je passais ici. La décoration sur Worth Avenue était tellement belle avec un sapin énorme, j'avais toujours hâte de le voir, comme un dessert qu'on va savourer. Mon père et moi allions faire les courses de Noël ensemble, il était comme un gamin, il adorait l'esprit des Fêtes ! C'était surtout pour le cadeau de ma mère. Le lendemain, j'y retournais avec elle pour choisir son cadeau à lui, qui était souvent un pull de cachemire. D'ailleurs, après son décès, on a retrouvé 21 pulls de cachemire de toutes les couleurs imaginables. On en a donné à la famille, à des proches, à des employés.

Les gens ont une certaine réticence à s'aventurer sur Worth Avenue, ils pensent que ce n'est réservé qu'aux privilégiés, mais on peut tout simplement se balader, admirer les magnifiques maisons, ou encore prendre un verre de vin à une des belles terrasses. Et que dire de tous ces cafés qu'on peut s'amuser à découvrir dans les petites ruelles, toujours d'une propreté vraiment impeccable ! Parce qu'en Floride, tout est propre, et cela me plaît !

J'aime bien faire du *people watching* également. Il y a des familles qui habitent ici depuis toujours, dont certaines parmi les plus riches des États-Unis. Les gens sont tous très bien habillés et se promènent dans de grosses voitures. J'ai vu l'autre jour une dame, dans la rue, qui promenait son cochon. C'est une mode, paraît-il.

Quand on vient à Palm Beach, il ne faut pas négliger de visiter le **Flagler Museum** (1 Whitehall Way, Palm Beach, FL 33480), quel endroit extraordinaire! Ne manquez pas non plus l'immense arbre banian près du musée, vieux d'environ 80 ans. Il est tellement majestueux! Les mariés se font photographier devant – à voir absolument!

En Floride, il règne une forme de liberté, une certaine sécurité et l'architecture est superbe. Pour le magasinage, j'ai longtemps aimé **Bal Harbour Shops** (9700 Collins Ave., Bal Harbour, FL 33154), au nord de Miami, que je trouve maintenant trop grand. Je préfère fréquenter le **The Garden Malls** (3101 PGA Blvd., Palm Beach Gardens, FL 33410), un centre commercial sublime. On y trouve de tout. Autrement, je fais du vélo presque tous les jours, je pars près de l'hôtel **The Breakers** et je peux faire des kilomètres en direction sud. En ce moment, je prends un plaisir fou à catiner mon petit-fils, qui est en Floride avec moi! J'ai le bonheur d'être grand-mère pour la première fois. La Floride est d'ailleurs une destination de choix pour les familles, et je garde des souvenirs impérissables des moments que nous avons passés tous ensemble ici, à Palm Beach.

Le restaurant **Pizza Al Fresco** (14 Via Mizner, Palm Beach, FL 33480) est sûrement l'un des restaurants les plus abordables de Palm Beach. Sur place, on se croirait sur le bord de la Méditerranée. L'ambiance est décontractée, on peut y aller en shorts, mais il est toutefois préférable de réserver pour la terrasse, car il y a toujours plein de monde. La pizza est excellente. Ils servent aussi des plats variés pour tous les goûts : pâtes, viandes, sandwichs et hamburgers, mais leur réputation repose surtout sur la pizza.

Nick and Johnnie's (207 Royal Poinciana Way, Palm Beach, FL 33480) est le premier endroit où je viens quand j'arrive ; c'est un lieu parfait pour un repas savoureux sans être guindé et où le choix est abondant. Voilà un autre resto que j'apprécie pour son ambiance relaxe et tellement sympa ; il est fréquenté par des gens de tous âges. On peut y déguster une bonne salade ou encore un hamburger, et les frites sont succulentes. Une fois de plus, il faut réserver, car c'est toujours plein.

Chez Jean-Pierre (132 N County Rd., Palm Beach, FL 33480) est un restaurant très chic dans la plus pure tradition française. C'est peut-être l'un des seuls endroits qui exige une certaine étiquette vestimentaire. On y va quand on veut faire une belle sortie, prendre un bon repas. Le décor est raffiné et la cuisine, délicieuse. Les plats les plus renommés sont la sole meunière, le tartare de bœuf et le boudin blanc. Le restaurant est tenu par la famille Leverrier, venue tout droit de Normandie. Le propriétaire et chef Jean-Pierre s'affaire en cuisine, épaulé par son fils Guillaume, tandis que sa femme reçoit en salle la clientèle avec David, leur fils sommelier.

Je fréquente tous les jours le **Studios Etc**. (106 N County Rd., Palm Beach, FL 33480). Ce studio offre du yoga, des exercices à la barre, du pilates et du vélo à impact soutenu. J'y vais même en famille avec mon mari et mes enfants pour faire du *soul cycling* : dans le noir, éclairés seulement pas des chandelles, au son d'une musique très forte, nous pédalons énergiquement. Nous adorons ! Sur rendez-vous seulement.

Jennifer Miller Jewelry (5 Via Mizner, Palm Beach, FL 33480) a vraiment de beaux bijoux, dont de magnifiques longs colliers à la bohémienne. Il y a de vraies pierres et des fausses, qui font aussi un bel effet ; cette boutique est définitivement un coup de cœur pour moi !

Intermix (218 Worth Ave., Palm Beach, FL 33480) est une boutique de jolies fringues ; j'y achète plein de mes vêtements. À découvrir !

Je raffole des souliers. C'est pourquoi j'adore **Neiman Marcus** (151 Worth Ave., Palm Beach, FL 33480), – on en trouve une grande variété, à des prix abordables et il y a toujours des soldes – en plus d'aimer ceux de la boutique **Jimmy Choo**, qui a une succursale à Palm Beach (244 Worth Ave., Palm Beach, FL 33480).

Maje (249 Worth Ave., Palm Beach, FL 33480) est une boutique française de vêtements pour femmes avec de très beaux styles, qui cible une clientèle plus jeune. Palm Beach se rajeunit ; il y a de plus en plus de jeunes qui viennent y vivre.

J'ai un faible pour **Sandro** (247 Worth Ave., Palm Beach, FL 33480), cette chaîne française de prêt-à-porter, avec des chaussures et des accessoires chics. On peut y trouver de bons prix pour hommes et femmes.

Le restaurant Pizza Al Fresco, à Palm Beach

CLODINE DESROCHERS

Avant de rencontrer mon mari, j'imaginais la Floride comme le film québécois *La Florida*. Mis à part Walt Disney World à Orlando, que j'affectionnais particulièrement, je croyais à tort que Miami et Fort Lauderdale se trouvaient au pays des « chromés » et des « quétaines » en chemise à palmiers. Finalement, j'ai découvert un endroit si agréable et si près de nous que je songe à y passer mes hivers dans quelques années. Certes, j'aime trop voyager et découvrir le monde pour m'ancrer quelque part, mais j'aimerais bien y avoir un pied-à-terre, pour savourer toutes les couleurs de cet État surprenant, dont je ne connais qu'une infime partie.

J'adore y aller en vacances pour la mer, les superbes plages, les restaurants, les boutiques, le luxe et l'extravagance, mais surtout pour y trouver au cœur de l'hiver chaleur et soleil. En outre, ma fille et moi y avons découvert l'un des plus beaux sites équestres du monde ; c'est chaque fois un émerveillement sans commune mesure. Mon mari et moi adorons passer nos journées à la mer ou à la piscine au soleil, faire notre jogging sur la plage et découvrir les nouveaux restaurants de Miami, et pourquoi pas, flâner dans les immenses *outlets,* qui sont pour les *fashionistas* une véritable caverne d'Ali Baba. Chaque fois que nous marchons sur une plage de Miami, mon mari et moi rigolons en nous remémorant cette anecdote, alors que nous avons secouru un pélican mal en point avec un hameçon coincé dans le bec. François et moi avons réussi à jeter une serviette de plage sur lui afin de l'immobiliser et de lui retirer l'objet de ses souffrances, sous les applaudissements des vacanciers !

Le site merveilleux du **Palm Beach International Equestrian Center** (3400 Equestrian Club Dr. Wellington, FL 33414) est, comme je me plais à le dire, le Walt Disney World de l'équitation ! Et pas besoin d'être un cavalier pour apprécier ce lieu magique. Ouvert à tous et gratuit, vous aurez la chance de vous émerveiller devant ce parc qui couvre

500 acres, dont 80 acres dédiés aux manèges où se déroulent les compétitions et événements équestres. Ouvert de septembre à juin, ce site majestueux vibre littéralement lors du festival équestre d'hiver, qui se déroule pendant 12 semaines consécutives, de janvier à la mi-avril. Des milliers de cavaliers de tous âges représentant 33 pays et 50 États américains y compétitionnent. Vous y verrez 5000 splendides chevaux et, qui sait, peut-être croiserez-vous notre talentueux Éric Lamaze? Restaurant, magasinage et spectacles sur place. Ma fille et moi y allons chaque année comme un pèlerinage équestre. Rose a même eu la chance de concourir à cet endroit! Du pur bonheur pour les amoureux des chevaux!

Dans ma vie quotidienne, je ne suis pas du tout jet-set, mais lorsque mon mari et moi allons à Miami, nous mangeons toujours dans l'un des restaurants les plus *hot* de South Beach, le *steakhouse* **Prime 112** (Brown's Hotel, 112 Ocean Dr., Miami Beach, FL 33139). Il est situé dans le premier hôtel de Miami Beach, construit en 1915. L'extérieur de la bâtisse ne fait pas du tout *glamour,* mais lorsque vous voyez les voitures de luxe y déposer les clients, vous comprenez qu'il s'y passe quelque chose de spécial! Il est préférable de réserver plusieurs semaines à l'avance pour y manger un jeudi, un vendredi ou un samedi soir. Réservez pour 21 h, car c'est à ce moment que vous aurez la chance d'y croiser des vedettes. Prenez un cocktail au bar avant de déguster des fruits de mer savoureux, un steak hallucinant ou encore un *mac & cheese* au homard et à la truffe! Gardez-vous de la place pour une barre Oreo frite comme dessert!

Difficile de ne pas tomber amoureux d'un chiot lors de votre visite dans la superbe boutique **TeaCups, Puppies & Boutique** (5195 S University Dr., Davie, FL 33328)! Ils sont spécialisés dans les chiens de race de petite taille : Poméranien, caniche, carlin, bulldog français, yorkshire, etc. Ils sont tous plus mignons les uns que les autres. Plus de 100 vedettes américaines ont acheté leur chien à cet endroit. Les vêtements et accessoires divers pour toutous y sont tout simplement craquants. Plusieurs viennent de Paris, alors c'est le look chic et européen. Avant de vous y rendre, informez-vous des règles si vous désirez acheter un chien et le ramener au Canada.

© Marie Poupart

DENISE DION

D'abord, je le dis tout de suite, je n'aime pas l'hiver. C'est pourquoi depuis que j'ai acheté mon condo à Pompano Beach, en 2008, j'y passe de cinq à six mois par année !

J'ai commencé à fréquenter la Floride quand Céline s'y est d'abord établie, mais notre sœur Linda avait aussi une maison, et je m'y rendais quelquefois. Mes parents aimaient beaucoup visiter Céline en Floride, mon père en particulier. Il adorait s'étendre dans une chaise longue, même tout habillé, simplement pour prendre du soleil. Un jour, ma belle-sœur m'a offert son condo quelques jours et j'ai tellement aimé l'expérience qu'en revenant, je priais tous les soirs mon père, alors décédé, pour que je trouve quelque chose qui me conviendrait. Puis, mon beau-frère m'a appelée pour me dire qu'une vieille dame vendait son condo dans le même immeuble que le sien, avec vue sur le golf, alors nous y sommes allées et l'avons tout de suite acheté. J'aime à dire que c'est grâce à mon père que nous l'avons

trouvé. C'est pourquoi j'ai accroché sa photo au mur qui donne juste en face du golf. Petite anecdote : l'achat de mon logement en Floride découle d'une histoire d'amour plutôt insolite. J'ai acheté le condo d'une dame de 86 ans, amoureuse, qui devait s'en départir pour aller épouser son fiancé de 92 ans, en Arkansas !

Il est situé dans un complexe de plus de 7000 condos, le Palm Aire, qui se trouve à proximité de tout. Je peux aller faire mes petites courses à pied. Quand ma mère vient me rendre visite, nous en profitons pour nous adonner à des activités que maman aime bien faire : jouer aux cartes et magasiner, elle adore ! Cela lui donne l'occasion de marcher, ce qui lui fait beaucoup de bien. Ma mère aime le monde et quand nous recevons nos amis, elle est toujours très heureuse ! De mon côté, lorsque mes petits-enfants viennent me voir, nous visitons les Everglades et les aquariums. J'adore Key West également. Il faut prendre le bateau au fond de verre pour admirer le fond marin et ses coraux, puis s'attarder jusqu'au crépuscule pour y contempler le coucher de soleil. J'y ai vu les plus beaux couchers de soleil de ma vie. Autre beau moment passé en Floride : nos soirées à regarder le Canadien jouer contre les Panthers. J'adore l'ambiance qui règne à l'aréna, située à Sunrise, avec les Québécois qui portent fièrement leur chandail du Tricolore. De plus, les hot-dogs sont tellement bons! Deux ou trois fois par année, je vais au **Isle Casino Racing Pompano Park** (777 Isle of Capri Circle, Pompano Beach, FL 33069), mais je me limite aux machines à sous! Autrement, je suis une mordue de golf; je joue de cinq à six fois par semaine.

Le **Cap's Place Island Restaurant** est le plus vieux restaurant du sud de la Floride (2765 NE 28th Court, Lighthouse Point, FL 33064, adresse du quai d'embarquement pour prendre la navette qui mène au restaurant). Il existe depuis 85 ans et est situé sur une île dotée de magnifiques pins, près du phare Hillsboro, au nord de Fort Lauderdale. Pour s'y rendre, on doit prendre un bateau. Le restaurant est plutôt vieillot (le plancher en vieilles lattes de bois est un peu croche) et pas très grand; il faut donc réserver, mais cela vaut la peine pour le dépaysement total qui me rappelle la Louisiane pour son ambiance et sa bonne bouffe. Un repas pour deux peut coûter environ 150$, et ils servent de tout: fruits de mer, poisson, poulet, steaks bien apprêtés. C'est une bonne idée d'arriver plus tôt que l'heure de la réservation et d'en profiter pour prendre l'apéro au frais, au bar d'une petite cabane en bois près du resto. C'est très agréable.

Le **Montreal Bar-B-Q** (18401 Collins Ave., Sunny Isles Beach [North Miami Beach], FL 33160) est un restaurant situé dans l'hôtel Days Inn Thunderbird géré par Marie Suzie Steiner. Elle connaît bien la restauration, car son père était restaurateur et parce qu'elle-même fait ce travail depuis plus de 20 ans. On y sert du poulet, de la viande fumée, de la pizza et même de la poutine. Le sympathique Pierre Poirier anime des soirées dansantes; j'y ai chanté *Me and Bobby McGee,* et ma sœur Claudette y a donné quelques spectacle. Ma mère adore nous accompagner. On y va pour l'ambiance chaleureuse. Beaucoup de Québécois s'y rassemblent.

Administré depuis 2005 par Pat et Grant, **Galuppis** (1103 N Federal Hwy., Pompano Beach, FL 33062) est le restaurant du club de golf de Pompano Beach. Romantique, il offre une vue imprenable sur le terrain de golf et ses étangs. Il ouvre dès le matin pour les déjeuners et tous les jours de la semaine. Le service est impeccable et l'on peut déguster son repas tout en regardant sur écran géant l'événement sportif du jour. Les enfants sont les bienvenus et il y en a pour tous les goûts, car le menu comprend tous les classiques de la cuisine américaine: entrées, salades variées, hamburgers, steaks, poulet, poisson et desserts succulents et préparés avec soin. Des brunchs sont offerts lors d'occasions spéciales, comme la fête des Mères ou des Pères, et l'on propose des menus spéciaux pour la Saint-Valentin, *Thanksgiving,* Noël et le jour de l'An. C'est un bel endroit pour faire la fête!

Le **Brio Tuscan Grille** (600 Silks Run #1205, Hallandale Beach, FL 33009) est un restaurant rappelant la Toscane avec ses pâtes et ses pizzas faites maison avec des ingrédients de première qualité, dans un authentique four italien. Et les steaks sont vraiment exquis.

Le **Festival Flea Market Mall** (2900 W Sample Rd., Pompano Beach, FL 33073) est vraiment un marché aux puces de luxe. Il y a de tout: des vêtements importés de Paris, des

Le Hillsboro Lighthouse, tout près du Cap's Place Island Restaurant

bijoux, des montres, des nappes et des souliers pour tous les jours, à bon prix. On peut faire broder notre motif préféré sur des t-shirts. Maman en a achetés pour les enfants de Céline. Il y a aussi un marché de fruits et légumes à l'intérieur. C'est immense, et l'on peut facilement y passer une journée complète !

Au **Butterfly World** (3600 W Sample Rd., Coconut Creek, FL 33073), je me suis promenée dans des petits sentiers où j'ai vu des papillons de toute beauté, de 13 à 15 cm de large, d'un splendide bleu turquoise. Je n'avais jamais vu d'aussi gros papillons de ma vie. Quotidiennement, il n'est pas rare de voir une cinquantaine d'espèces différentes et il y a plein

d'oiseaux-mouches. Chaque fois que j'y vais, je me sens dans un autre monde !

La **maison d'Hemingway à Key West** (907 Whitehead St., Key West, FL 33040) vaut le déplacement. Ernest Hemingway y a vécu une dizaine d'années, jusqu'à son départ pour Cuba, mais sa femme Pauline y a demeuré jusqu'en 1951, l'année où elle est décédée. On y trouve plein d'objets et de meubles qui témoignent de la présence de l'écrivain ; la maison est maintenant un musée. J'adore visiter l'endroit !

J'aime fréquenter **The Promenade at Coconut Creek** (4443 Lyons Rd., Coconut Creek, FL 33073), un petit centre commercial d'environ 35 boutiques doté de petits restaurants avec terrasse ; un endroit très agréable pour courir les magasins. J'ai mes boutiques favorites : **Soma** (4467 Lyons Rd. Suite H1-104, Coconut Creek, FL 33073), pour des maillots de bain, des sous-vêtements, des vêtements d'intérieur aux choix variés et de belle qualité. Chez **Chico's** (4467 Lyons Rd. Suite H1-105, Coconut Creek, FL 33073), on offre de beaux vêtements et accessoires pour femmes, à des prix modérés. Au **White House Black Market** (4419 Lyons Rd., Suite C2-101, Coconut Creek, FL 33073), on retrouve de très beaux vêtements pour femmes et des accessoires, des foulards, des bijoux et des sacs de qualité. **DSW Designer Shoe Warehouse** (4401 Lyons Rd., Coconut Creek, FL 33073) est une chaîne de magasins de chaussures et d'accessoires. C'est LA place en Floride pour trouver des souliers à bas prix.

La chaîne de magasin **Stein Mart**, dont sa succursale à Pompano Beach, (1115 S Federal Hwy., Pompano Beach, FL 33062) est l'un des magasins préférés des Québécois. On y vend de tout à prix modique. Ils ont des vêtements pour hommes et femmes, des souliers et des bijoux ; j'y ai trouvé du Michael Kors à un prix vraiment intéressant !

Côté terrains de golf, le **Crystal Lake** (3810 Crystal Lake Dr., Deerfield Beach, FL 33064) a un très beau parcours, j'adore ! Le **Heron Bay Golf Club** (11 801 Heron Bay Blvd., Coral Springs, FL 33321) a été, de 1997 à 2002, l'hôte du tournoi de la PGA, l'Honda Classic. C'est maintenant le site permanent du prestigieux et historique tournoi amateur Dixie Amateur. Le **Indian Spring Country Club** (11 501 El Clair Ranch Rd., Boynton Beach, FL 33437) propose un très beau parcours et, à ma grande surprise, j'y ai retrouvé beaucoup de gens du Mirage de Terrebonne. **The Oak and the Cypress Courses at Palm Aire Country Club** (3701 Oaks Clubhouse Dr., Pompano Beach, FL 33069) est historiquement connu pour avoir reçu Frank Sinatra, Elisabeth Taylor et Jerry Lewis. À une époque, les Yankees de New York y habitaient pendant leur entraînement du printemps. Finalement, le **PGA National Resort & Spa** (400 Ave. of the Champions, Palm Beach Gardens, FL 33418), est l'hôte de l'Honda Classic et du Bear Trap. Très beau, chic et plutôt cher, il n'est pas à la portée de tous.

© Charline Lévesque

LISE DION

préfère et où je me plais à retrouver des amis chers que je n'ai pas vraiment le temps de voir à Montréal, comme Clémence Desrochers, Yvon Deschamps ou encore Dominique Michel, avec qui j'ai envie de placoter tout simplement autour d'un verre ou d'un repas. Un coin que j'affectionne au point d'avoir persuadé Marie-Claude Barrette et Maxime Landry d'y faire, eux aussi, leur petit tour.

J'y séjourne environ trois fois l'an, pour en savourer l'ambiance, la chaleur, la mentalité ; bref, pour me sentir en vacances. Je chéris ces moments en famille à rigoler et à s'amuser, car mon sens de l'humour est communicatif et mes enfants en ont aussi hérité. Bien que l'atmosphère soit à la détente, j'adore m'installer sur ma terrasse inspirante pour cogiter sur un prochain spectacle. Parmi mes activités préférées, j'aime le magasinage, les balades en bateau, la plage et surtout, surtout, la musique : avec mon fils et ma fille, on a déniché un bar de country et un autre de karaoké où on a passé de très joyeux moments qui demeurent parmi mes plus beaux souvenirs, tout comme les soirées passées au Cafe Centro, à danser au son d'une musique invitante.

Dès que je descends de l'avion, je m'empresse de faire un petit marché puis de vite sortir mes coussins sur ma terrasse et de me détendre en sirotant ma boisson préférée. Mon endroit de prédilection pour faire la fête à West

J'ai vraiment découvert et apprécié la Floride quand j'y ai passé une semaine avec ma fille, pour mes 55 ans. Auparavant, j'entretenais des préjugés, croyant à tort que cette région était surtout fréquentée par des personnes âgées. Maintenant, je trouve l'endroit vivant, excitant, et à la fois énergisant et reposant. À la blague, je me demande si c'est l'eau ou l'air de la Floride qui est spécial, car une fois arrivée, j'ai envie de m'habiller autrement, de porter des vêtements ou des bijoux plus voyants ou clinquants, des choses que je ne me permettrais pas chez moi. J'ai eu un véritable coup de foudre pour cette Floride aux mille possibilités, entre la mer et l'Intracoastal, et je sais maintenant où trouver de bons restos et des fruits et des légumes de qualité, loin du jambon enveloppé dans du plastique qui faisait partie de mes idées toutes faites. Tombée amoureuse, donc, surtout avec West Palm Beach, le vieux quartier que je

Palm Beach est sans contredit **City-Place** (700 S Rosemary Ave., West Palm Beach, FL 33401), ce centre commercial à aire ouverte où sont regroupés plus de 80 magasins, boutiques spécialisées, bars et restos. J'y vis des soirées sous le signe de la musique et de la danse. J'aime bien aussi les promenades en auto le long de la A1A jusqu'à Miami pour explorer son vieux quartier ; on y a fait du repérage pour de prochaines visites.

Je me promets de séjourner en Floride un bon bout de temps l'hiver, quand j'aurai finalement, un jour, ralenti mon rythme de travail.

Excellent restaurant italien, le **Cafe Centro** (2409 N Dixie Hwy., West Palm Beach, FL 33407) sert les classiques : entrées, pâtes et pizzas, viandes et fruits de mer. À tout hasard, si vous rentrez épuisés de toutes vos escapades touristiques, il est bon de noter qu'ils ont un service de livraison.

Amateurs de vins, vous risquez de vous attarder longtemps dans les allées du **Total Wine and More** (11 221 Legacy Ave., Palm Beach Gardens, FL 33410), d'autant plus que les prix y sont incomparables ! On y offre un grand choix de vins, de spiritueux et de cigares gardés dans une chambre humidor. Il y a même des dégustations de vins. S'y trouvent aussi tous les accessoires et cadeaux pouvant accompagner tous ces produits, comme des verres et ustensiles pour préparer vos cocktails préférés. Un détail intéressant : le champagne Veuve Clicquot Brut de 750 ml se vend à seulement 42,27 $!

L'épicerie **Joseph's Classic Market** (4409 Northlake Blvd., Palm Beach Gardens, FL 33410) a été fondée en 2005 par un homme venu tout droit de la communauté italienne de Brooklyn avec l'intention d'offrir des produits de la plus haute qualité. On y trouve donc de la viande et des fruits de mer. Le propriétaire a pensé à tout, car comme en vacances, on n'a pas trop envie de cuisiner ; il y a tout un choix de mets préparés délicieux à emporter, la pizza est cuite sur place et vous pourrez vous constituer un menu complet sans aller ailleurs pour le pain ou le dessert, puisque tout s'y trouve !

Le CityPlace, à West Palm Beach
© The Palm Beaches

ANNIE DUFRESNE

Pour fuir nos durs hivers, la Floride est l'escapade par excellence. J'y suis très attachée, car depuis les années 1960, plusieurs de mes tantes y vivent. J'y suis allée pour la première fois à l'âge de 11 ans, avec l'une de mes grandes sœurs, pour visiter la famille et pour faire un saut à Disney, l'endroit rêvé de tous les enfants ! J'en garde des souvenirs impérissables et j'ai vraiment hâte d'y retourner avec les miens.

© John Balzola

Mon fils a rencontré tante Olinda qui vivait en Floride, mais qui nous a quittés dernièrement à l'âge de 100 ans. À 99 ans, Olinda est revenue vivre au Québec. Mais trois mois plus tard, elle s'ennuyait déjà de la Floride. Elle sentait que ses articulations rouillaient au Québec. Elle est donc retournée en Floride, en se disant qu'elle allait en profiter jusqu'à la fin. Son secret ? Un gruau le matin, une marche au bord de la mer et un relaxant, son fameux verre de 2 oz de scotch avec de l'eau. Une force de la nature qui a profité de l'énergie du soleil de la Floride la moitié de sa vie.

Pour le moment, mes tantes sont heureuses d'accueillir ma famille, mais nous rêvons un jour d'avoir notre propre chez-nous pour y vivre en hiver. Je souhaite suivre les traces de mes épicuriennes de tantes, qui ont su profiter de la vie au maximum en Floride.

Pour moi, la Floride reste un rêve accessible, mais également un prolongement du Québec, où il fait bon vivre et où l'on entend souvent parler français. La plupart de mes amis y vont l'hiver, et il est agréable de s'y retrouver pour passer du temps ensemble.

Quand nous avons besoin de plus d'intimité, nous aimons loger au **Wyndham Deerfield Beach Resort** (2096 NE 2nd St., Deerfield Beach, FL 33441), qui a subi d'importantes rénovations récemment. J'adore surtout cet endroit pour sa vue imprenable sur la mer. En plus, il est tout juste à proximité du long quai de Deerfield Beach et de plusieurs bons restaurants.

J'adore me balader à **Mizner Park** (327 Plaza Real, Boca Raton, FL 33432). La promenade est très agréable, les deux rues étant séparées en leur centre par un large jardin à couper le souffle. Au bout de la rue, dans Mizner Park, se dresse le musée d'art contemporain, le **Boca Raton Museum of Art** (501 Plaza Real, Boca Raton, FL 33432), ainsi qu'un amphithéâtre où l'on peut entendre des chanteurs et des musiciens de renom. Que dire également du **iPic Theaters** (301 Plaza Real, Boca Raton, FL 33432), un cinéma luxueux avec ses sièges hyperconfortables et son menu raffiné. Mizner est un endroit idéal pour magasiner, mais aussi pour plusieurs bons restaurants. À Noël, l'endroit est féerique avec son immense sapin et sa musique qui émerveillent les enfants.

Mon restaurant préféré à Mizner Park est le **Truluck's** (351 W Plaza Real, Boca Raton, FL 33432), qui offre des fruits de mer exquis. Leur crabe est délicieux accompagné d'un bon vin!

Quant aux boutiques à découvrir, il y a le **Z Gallerie** (309 Plaza Real, Boca Raton, FL 33432), et sa collection incroyable de meubles. Également, le grand magasin **Lord & Taylor** (200 Plaza Real, Boca Raton, FL 33432), définitivement mon favori!

J'adore le **Little Moir's Food Shack** (103 US-1 Suite D3, Jupiter, FL 33477) à Jupiter Island, un autre restaurant de fruits de mer. La décoration rappelle celle des restos du Maine. La nourriture est présentée d'une façon unique avec plein de légumes superposés. Une vraie expérience culinaire!

Autre incontournable, l'**Old Key Lime House** (300 E Ocean Ave., Lantana, FL 33462). On s'y rend surtout pour le décor unique et pour déguster une bonne *Key Lime Pie*.

Le **Guanabanas Restaurant** (960 N Hwy. A1A, Jupiter, FL 33477) est situé sur le bord du canal. Avec son décor tropical, il mérite le détour! On y sert des mets typiquement floridiens. Un endroit à visiter pour son ambiance du Sud!

Pour me faire plaisir, je vais au **Charming Charlie** (4413 Lyons Rd., Coconut Creek, FL 33073). C'est une chaîne de boutiques, et on en retrouve un peu partout en Floride. On peut y dénicher des vêtements, bijoux et accessoires à la mode. Toute la marchandise – vêtements, bijoux, sacs – est regroupée par couleur. Très vivant et moderne comme boutique!

Outre Walt Disney World, pour passer du bon temps en famille, il faut se rendre au **Boomers Boca Raton** (3100 Airport Rd., Boca Raton, FL 33431) pour le mini-golf, les jeux d'eau et les arcades. On peut même y organiser des fêtes pour les enfants. Chaque fois que nous y allons, mon conjoint Renaud et moi, nous retombons en enfance et nous y prenons plaisir autant que nos petits!

DENISE FILIATRAULT

© Sébastien St-Jean agence QMI

Je viens en Floride depuis 1993. Au départ, c'est Élizabeth Chouvalidzé qui m'en a parlé. Elle m'en a dit tant de bien que je suis venue voir, et j'ai acheté tout de suite, tout de suite. Ici, à Deerfield Beach, il n'y a pas trop de monde, ce n'est pas comme Hallandale ou Hollywood. Mon condo donne directement sur la mer et j'ai l'impression d'être sur un bateau, c'est très agréable. En général, j'y passe les mois de décembre et de janvier. Ma fille Danielle aime bien y venir, elle a beaucoup d'amis et elle adore ses séjours. Par contre, Sophie n'aime pas la Floride et n'y vient pas. Mon petit-fils Mathieu vient parfois au temps des Fêtes.

Le matin, si j'ai à écrire, c'est devant la mer et c'est extraordinaire ; j'avais commencé mon autobiographie, mais j'ai dû arrêter, car j'ai eu du travail de mise en scène à faire. Le reste du temps, je ne fais vraiment pas grand-chose en Floride, je me repose. À mon âge, je ne vais plus visiter les environs, je ne prends pas de soleil, je ne me baigne pas, je ne joue pas au golf et j'ai horreur de magasiner, alors je ne sors pas vraiment beaucoup. J'apprécie le climat et le court trajet de 3 h 30 pour venir. Vu mon âge, j'aime aussi qu'il y ait des médecins québécois que je connais, ici. Je socialise un peu avec quelques amies qui habitent le même immeuble, comme Denise Robert ou Denise Bombardier, mais pas beaucoup non plus, je suis plutôt solitaire.

Le **Charm City Burger Company** (1136 E Hillsboro Blvd., Deerfield Beach, FL 33441) est un endroit qui n'a l'air de rien, un petit boui-boui, mais la bouffe est excellente, à des prix plus que raisonnables. Ils ont la réputation d'avoir les meilleurs burgers aux États-Unis, entre autres des hamburgers à la grecque avec de la viande d'agneau, mais ils en ont pour tous les goûts dont des hamburgers traditionnels apprêtés de toutes les façons.

Malheureusement, on retrouve de moins en moins de magasins comme le **Coconut Consignment Company** (68 S Federal Hwy., Boca Raton, FL 33432), où on peut acheter ou laisser en consigne des objets usagés, comme des meubles, des bibelots et des articles rétro de toutes sortes. J'y ai trouvé des choses ravissantes pour pas cher.

Deerfield Beach au petit matin

338

GAÉTAN FRIGON

Mon premier voyage en Floride date du début des années 1970, peu après l'ouverture de Disney World, à Orlando. Malgré l'originalité de l'endroit, le temps froid m'avait «refroidi» et ce n'est que plusieurs années plus tard, après avoir gagné un voyage tout inclus à Clearwater, sur la côte Ouest, que j'ai vraiment eu la piqûre de la Floride. Et c'est depuis ce temps que nous y allons le plus souvent possible. Ma conjointe Hélène Héroux et moi avons adopté la côte Est, que nous trouvons plus vivante et, surtout, plus facile d'accès par avion.

Notre premier pied-à-terre fut un *time share* à Pompano Beach, dans les années 1980, suivi d'un condo sur la mer à Sunny Isles, à la fin des années 1990. En 2010, nous avons découvert Fort Lauderdale, devenue depuis notre ville de prédilection grâce à son zonage bien planifié et à sa vision futuriste. Après y avoir acheté un premier condo sur la mer, nous avons décidé de changer notre style de vie floridien en achetant à la fois une résidence sur l'Intracoastal et un bateau électrique, en 2014. Ce n'est rien de moins que le bonheur total.

Nous aimons beaucoup le **Coconuts** Waterfront (429 Seabreeze Blvd., Fort Lauderdale, FL 33316). Il s'agit d'un restaurant à la mode sur l'Intracoastal avec un menu simple, un service impeccable et un slogan qui se retrouve partout : «Be nice…». Mon mets préféré, et aussi celui d'Hélène, est un *lobster roll* accompagné, dans mon cas, d'une bière mexicaine Modelo. Le Coconuts Waterfront a son propre stationnement avec voiturier et est aussi accessible par bateau.

Le restaurant italien **Quattro Gastronomica Italiana** (1014 Lincoln Rd., Miami Beach, FL 33139), près de Michigan Avenue, est notre restaurant italien favori en Floride. Le menu tient réellement de la vraie gastronomie italienne. Nos choix : le minestrone, le carpaccio et les raviolis au crabe. Et comme Lincoln Avenue est piétonnière, c'est toujours agréable d'y faire du lèche-vitrine après notre repas au Quattro.

Nous aimons bien également le **Casa d'Angelo Italiana** (1201 N Federal Hwy. #5A, Fort Lauderdale, FL 33304). Cependant, leur succursale de Boca Raton (171 E Palmetto Park Rd., Boca Raton, FL 33432) a certainement un meilleur service ainsi qu'une atmosphère plus conviviale.

Un brunch au **The Breakers** (1 S County Rd., Palm Beach, FL 33480) est un impératif au moins une fois par année. À 105 $ par personne, c'est assez cher pour un brunch, mais l'endroit, le menu, le service ainsi que l'atmosphère font en sorte qu'on en oublie le prix. Il y a aussi le brunch du **Sundy House** (106 S Swinton Ave., Delray Beach, FL 33444), servi dans une vieille maison de Delray Beach, un peu à l'écart de Atlantic Boulevard. C'est toutefois beaucoup plus bruyant qu'un arrêt au The Breakers !

Le restaurant **Secret Garden** de l'hôtel Pillars (111 N Birch Rd., Fort Lauderdale, FL 33304) est spectaculaire avec sa vue imprenable sur l'Intracoastal. Bien que la priorité soit accordée aux membres, il est souvent possible d'y faire une réservation.

Pour le magasinage, il y a **Worth Avenue,** à Palm Beach, le **CityPlace** aussi à West Palm Beach, ainsi que **The Bal Harbour Shops**, à Bal Harbour, un incontournable pour qui veut faire du lèche-vitrine.

Voilà la Floride qu'Hélène et moi aimons.

Le restaurant Quatro Gastronomica Italiana, à Miami Beach

BENOÎT GAGNON

J'aime la Floride. Beaucoup. J'aime y venir quelques fois par année. En partant de Plattsburgh, il y a des offres et des rabais complètement fous sur les vols, ce qui rend le voyage encore plus accessible.

En Floride, je me sens bien, j'y viens pour me reposer et faire le plein d'énergie. Le rythme est lent et j'adore cela. Et en même temps, il y a une tonne de trucs à faire. C'est génial.

Ma Floride, c'est autant les voitures de luxe, les penthouses à 25 millions $ et les yachts hors de prix, que le marché aux puces sur Sunrise, les buffets à 9,99 $ ou le mini-golf.

Encore aujourd'hui, je m'en veux de ne pas avoir profité du krach immobilier afin de m'acheter un condo en Floride. Ce n'est que partie remise.

Pour les golfeurs, la Floride, c'est le paradis! Il y a des centaines de terrains qui vous attendent. Les rondes de fin de journée sont mes préférées. Il y a souvent des rabais après 16 h, ce qui vous laisse amplement le temps de finir votre parcours. Attention aux alligators si votre balle termine sa course près d'un point d'eau. J'ai déjà eu la peur de ma vie. Sans blague!

Et en terminant, mon *trip* préféré, c'est une sortie de pêche. Magasinez et négociez vos capitaines. Que ce soit pour la pêche en haute mer ou encore dans les canaux, ne payez jamais le prix affiché. Il faut vraiment tenir son bout et, presque chaque fois, le prix va baisser d'environ 30 %. Visitez les quais des villes et faites comme moi, allez à la pêche. En famille, c'est incroyable. Mes enfants veulent toujours y aller.

J'ai la chance de bien connaître le chef Laurent Godbout, propriétaire du restaurant Chez l'Épicier, à Montréal. Depuis quelques temps maintenant, Laurent et sa conjointe Véronique Deneault ont ouvert **Chez l'Épicier** (288 S County Rd., Palm Beach, FL 33480). Un régal! Fidèle à lui-même, Laurent nous transporte dans une aventure gastronomique hallucinante. L'endroit est sympathique, le service précis et courtois. On y mange comme des rois.

Mes virées floridiennes sont souvent marquées par des découvertes bouffe, comme le **Pubbelly Boys** à Miami Beach (1418 20th St., Miami Beach, FL 33139). La salle à manger est conviviale, le personnel, à son affaire. On y est bien. L'entrée de homard et le plat de pieuvre sont des incontournables et pour ce qui est de la suite, bonne chance! Le choix n'est pas facile à faire entre le parfait risotto à la truffe noire, le *short rib* au cari vert ou la poitrine de poulet au foie gras.

Un incontournable pour les maniaques de fruits de mer, le **Rustic Inn Crabhouse** (4331 Anglers Ave.,

Fort Lauderdale, FL 33312), à Fort Lauderdale. Du crabe, du crabe et encore du crabe! La terrasse donne sur le canal, l'ambiance est au rendez-vous et le menu fait saliver. Vous devez commander l'assiette *Alaskan King Crab Legs*.

Un arrêt sur la terrasse de l'**hôtel W** (401 N Fort Lauderdale Beach Blvd., Fort Lauderdale, FL 33304), est toujours une bonne idée. Musique lounge, carte des cocktails au goût du jour, et vue sur la mer. Une note d'A+!

Le **Liv NightClub** (4441 Collins Ave., Miami Beach, FL 33140), au Fontainebleau, est assez *hot,* merci, pour les oiseaux de nuit. Pas rare d'y croiser plusieurs vedettes comme Diddy, Jennifer Lopez, Justin Bieber ou Jamie Foxx.

J'adore le restaurant **Scarpetta**, au Fontainebleau, du chef Scott Conant. Tout y est parfait.

Vous me remercierez de vous avoir recommandé la crème glacée maison du petit comptoir **Razzleberry's Ice Cream** (3412 E Atlantic Blvd., Pompano Beach, FL 33062). Le plus difficile sera de faire un choix parmi tous les parfums offerts. L'endroit se situe à 30 secondes de la plage.

Le coucher du soleil à Fort Lauderdale

LOUIS GARNEAU

Un passionné du vélo comme moi doit absolument avoir un endroit au soleil pendant l'hiver québécois. La Floride s'est imposée comme une évidence, d'autant plus que j'avais déjà des amis et beaucoup de clients là-bas – la Floride est l'un de mes plus importants territoires de ventes aux États-Unis –, et que nous avons trouvé un coin que nous aimons beaucoup! Toute la famille adore y séjourner d'ailleurs et ma femme Monik, qui adore le soleil, l'eau et la chaleur, s'y sent chez elle. De plus, comme de cette façon, je roule 12 mois par année, je peux tester nos nouveaux produits sur de longues périodes et dans des climats différents; c'est indéniablement un gros avantage! Cela me permet aussi de garder le contact avec nos consommateurs américains, avec qui je roule régulièrement. Je peux ainsi prendre le pouls du marché des deux côtés de la frontière. Finalement, depuis maintenant trois ans, je suis le commanditaire principal du Granfondo Garneau Florida, une randonnée cycliste dont les profits sont remis à l'organisme Gumbo Limbo, qui veille à la protection des aires côtières de reproduction des tortues de mer menacées. Je souhaitais aussi m'impliquer dans mon milieu, en Floride comme au Québec.

À Miami, j'adore le **Juvia** (1111 Lincoln Rd., Miami Beach, FL 33139) et à West Palm Beach, j'aime le **Pistache French Bistro** (101 N Clematis St., West Palm Beach, FL 33401). Il s'agit d'un bistro tenu par des Français. On y vient pour sa belle terrasse avec vue sur un parc, la bonne bouffe, et l'ambiance du quartier est très agréable!

Le parcours du **Granfondo Garneau Florida** suit la côte via la A1A, à West Palm Beach. Je suis un admirateur de la A1A pour la qualité de la route, la vue imprenable sur l'Atlantique, la sécurité aussi. Au départ très tôt (7 h), le lever de soleil sur l'Atlantique est d'une beauté extraordinaire.

Le **Casimir French Bistro** (416 Via De Palmas #81, Boca Raton, FL 33432) est aussi un restaurant tenu par des Français. Leur cuisine française authentique est excellente, on offre un bon rapport qualité-prix, et que dire de l'ambiance! Un incontournable!

SOPHIE GRÉGOIRE-TRUDEAU

© Pierre-Paul Poulin

La simple vue et l'odeur de l'océan me calment. En raison des fonctions de Justin, on ne peut pas partir souvent, mais c'est une destination facile d'accès, même si on n'a pas une semaine complète de congé. C'est aussi bien pour les enfants, car il y a plusieurs trucs à faire et à visiter.

Delray Beach nous interpelle particulièrement pour ses plages bordées d'herbes longues. On peut aussi y surfer à certains moments de l'année. Et Justin et moi adorons ce sport! Par contre, il faut faire attention aux requins, car ils peuvent être nombreux, parfois, à cet endroit.

Nous sommes aussi amateurs de Sarasota et de la côte Ouest, car on peut encore y trouver des endroits plus sauvages avec une nature magnifique!

Et que dire de Key West! Son architecture, ses petits restos «cachés» dans des jardins intérieurs… On se tient loin des grands boulevards achalandés, sauf pour un «saut» crème glacée chez Häagen-Dazs!

J'aimerais bien visiter les îles de Sanibel et de Captiva. Un endroit paisible sans trop de monde en basse saison. Les plages sont, paraît-il, magnifiques et remplies de coquillages. Une belle activité à faire avec les enfants!

Le **Gumbo Limbo Nature Center** (1801 N Ocean Blvd., Boca Raton, FL 33432) NDLR, est un centre de préservation et de conservation d'écosystèmes marins et côtiers. Leur but est de rendre les gens conscients de ces écosystèmes, de leur fragilité et de la nécessité de les préserver, tout particulièrement les tortues de mer. Il y a beaucoup à découvrir dans les quatre aquariums d'eau salée reproduisant quatre différents habitats du Sud floridien. On y trouve aussi un centre de la nature avec une pouponnière de papillons.

Le **Max's Harvest** (169 NE 2nd Ave., Delray Beach, FL 33444) NDLR, est un restaurant super, puisqu'on y sert des viandes biologiques, provenant d'animaux élevés sans stéroïdes, sans hormones de croissance et sans antibiotiques. Les fruits de mer sont pêchés en respectant l'écosystème. Les chefs ont développé des liens avec les petits producteurs locaux pour offrir de la nourriture biologique, ils ont du bœuf Wagyu, l'agneau est nourri à l'herbe et les porcs proviennent de l'espèce Hereford. Eux aussi ont à cœur d'offrir des aliments préparés selon les saisons. Et le plus naturellement possible. En prime, ils font la livraison !

House of Zen Dalí (424 E Atlantic Ave., Delray Beach, FL 33 483) est une boutique à la philosophie zen. NDLR, les vêtements et les bijoux ont un côté exotique, symbolique et spirituel. La propriétaire, Jen Scoz, voyage aux quatre coins de la planète pour trouver ces bijoux qui, dit-elle, apportent amour, énergie, prospérité et bonheur. Des colliers, des bracelets, des bagues et boucles d'oreille, il y a de tout ; Jen Scoz aime que ses clients repartent heureux.

Delray Beach

COREY HART

Quand j'étais jeune garçon, j'ai habité le sud de la Floride. J'ai vécu à Key Biscayne de 1972 à 1974. Vers l'âge de 10 ans, c'est là que j'ai découvert la musique pour la toute première fois; j'écoutais sans arrêt le *Top 40* sur ma petite radio transistor quand je me couchais, le soir. Le week-end, je me rendais à bicyclette chez le disquaire pour me procurer mon nouveau 45 tours préféré. Depuis ces premières années, je suis souvent retourné en Floride, où mes trois filles ont participé à de nombreux tournois de tennis et où elles ont fréquenté une école de tennis de réputation internationale.

Une année, on a dû faire face à un ouragan de catégorie 4 qui se dirigeait vers les côtes du sud de la Floride. Tout le monde était paniqué, sauf les enfants, y voyant là une aventure fabuleuse. La voiture remplie de toutes sortes de provisions, nous sommes partis au milieu de la nuit vers le nord pour échapper à cette tempête annoncée pour finalement aboutir tout au nord, à Jacksonville. Le lendemain, un des souvenirs gravés dans ma mémoire est de nous voir tous, par un beau matin d'octobre lumineux, mais froid, marcher pendant des heures sur une des belles plages de Jacksonville pour atterrir au Joe's Crab Shack pour manger. Je porte encore, après toutes ces années, les t-shirts achetés à cette occasion.

Uncle Tai's (Boca Center, 5250 Town Center Cir., Boca Raton, FL 33486) est un restaurant chinois de Boca Raton. Ma femme Julie Masse était tout simplement en amour avec leur bœuf croustillant du Sichuan! Elle aurait facilement pu dévorer tout le plat, mais les enfants attrapaient toujours quelques-unes de ces délicieuses bouchées, alors on finissait toujours par en commander un deuxième plat. Bien qu'on soit porté à croire que ce resto offre une cuisine thaïlandaise, c'est plutôt à un Chinois venu de Shanghaï qu'il doit son nom. Tai a ouvert son restaurant en 1987 après avoir passé par Houston et Dallas ; ce sont maintenant ses fils qui assurent la relève. Il est réputé pour offrir la meilleure cuisine chinoise dans la région.

Après le souper, traditionnellement, on allait chez **Hoffman's Chocolates** (Boca Center, 5250 Town Center Cir. Suite 135, Boca Raton, FL 33486), pas très loin du restaurant chinois. Chacun choisissait son chocolat préféré, et le mien était invariablement le chocolat noir au zeste d'orange. Ta'… que c'était bon !

Pour les meilleurs fruits de mer en ville dans une ambiance décontractée, je vous suggère de goûter aux calmars croustillants du **Joe's Crab Shack** (6 Beach Blvd., Jacksonville Beach, FL 32250). Ils sont panés à la main dans une trempette typique de casse-croûte. Prenez aussi le *Crab Cake Dinner,* un repas de galettes de crabe entièrement fait maison avec de gros morceaux de chair de crabe servis avec des frites, une salade de chou et une sauce rémoulade piquante sriracha. Enfin, ne partez pas sans avoir goûté au *Crabby Apple Crumble,* une croustade aux pommes maison, meilleure que celle de votre grand-mère, accompagnée de crème glacée à la cannelle. Vous ne trouverez rien d'aussi typiquement américain qu'au Crab Shack !

Jacksonville Beach
© Visit Jacksonville

CHARLES LAFORTUNE

En 2009, Sophie, Mathis et moi sommes partis en Floride pour visiter Walt Disney World. J'avais demandé à mon agente de voyage de prévoir aussi quelques jours à la plage, et elle nous a recommandé un hôtel à Singer Island, dans le coin de Palm Beach Gardens. On se promenait sur la plage et je me suis mis à regarder les condominiums. À cette époque, on était en plein cœur de la crise immobilière américaine. Les condos se vendaient pour une bouchée de pain. Le dollar canadien valait plus que l'américain. Je me suis dit que c'était peut-être le temps d'acheter. J'avais lu quelques articles sur le sujet, et l'on parlait déjà de ceux qui auraient acheté en 2009 et de ceux qui se mordraient les doigts de ne pas avoir profité d'une telle chance. On a donc acheté un condo dans lequel tout était à faire, en octobre 2009. J'ai piloté la plupart des rénovations à distance et nous y avons emménagé pour la période des Fêtes de la même année. Je dois avouer qu'avant d'acheter en Floride, je ne connaissais pas vraiment la région. J'avais l'impression que c'était un endroit un peu kitsch, comme dans le film *La Florida*. Rapidement, j'ai découvert que la Floride était beaucoup plus que cela. J'ai été agréablement surpris! Mathis adore cet endroit et surtout se baigner dans la mer!

Un des mes endroits favoris est **Carmine's Gourmet Market & La Trattoria** (2401 PGA Blvd., suite 172, Palm Beach Gardens, FL 33410). J'adore ce complexe et son comptoir-traiteur, où on propose du prêt-à-manger vraiment délicieux. On y retrouve surtout des mets italiens, comme de l'osso buco, des pâtes… C'est très pratique quand tu as un condo ou un hôtel avec cuisinette. Le Carmine's est aussi un complexe où l'on trouve de tout, comme du vin, des fromages, de la viande et du poisson. On y va aussi pour son restaurant italien, mais surtout pour le Carmin's Crab Shack. Avis aux amateurs de fruits de mer!

Je vous préviens, au **Captain Charlie's Reef Grill** (12846 US-1, Juno Beach, FL 33408), c'est tout le temps, tout le temps plein! Je peux vous dire qu'il y a des gens qui attendent l'ouverture dans le stationnement! C'est comme le Schwartz's du poisson! C'est un restaurant décoré avec des photos de pêcheurs sur les murs. Pour les amateurs de fruits de mer, c'est LA place! C'est vraiment très bon.

Pour le magasinage, je vous conseille l'**Harbourside Place** (200 US-1, Jupiter, FL 33477). En fait, c'est un espace sur le bord de l'Intracoastal, où il y a un peu de tout: des boutiques, des restaurants, un hôtel, une marina et un amphithéâtre, qui présente des spectacles. C'est également à cet endroit qu'on retrouve **The Woods Jupiter**, le restaurant de Tiger Woods (129 Soundings Ave., Jupiter, FL 33477). Pour les amateurs de golf, c'est super.

Le **CityPlace** (700 S Rosemary Ave., West Palm Beach, FL 33401) est comme un genre de DIX30, mais beaucoup plus intéressant! Ce sont des bâtisses de deux étages, très jolies et bien aménagées, avec de beaux espaces piétonniers et une place publique. J'adore un magasin en particulier qui s'appelle **Restoration Hardware** (700 S Rosemary Ave. #116, West Palm Beach, FL 33401); c'est le magasin parfait pour ceux qui s'installent en Floride et qui veulent décorer avec goût. Ce sont des meubles un peu néo-rustiques, mêlant le bois et le style contemporain. Le magasin est une salle d'exposition et les vendeurs passent leurs commandes avec une tablette électronique. J'y ai acheté plusieurs meubles pour notre condominium.

J'aime beaucoup manger chez **Vic & Angelo's** (4520 PGA Blvd. Palm Beach Gardens, FL 33418 et 290 E Atlantic Ave., Delray Beach, FL 33444). Même si le Vic & Angelo's le plus près de chez moi est à Palm Beach Gardens, j'ai un faible pour celui de Delray Beach, parce qu'il se trouve sur un pan de rue très agréable à visiter. C'est jeune et animé et tout autour, il y a beaucoup d'autres restaurants et de boutiques à découvrir.

Une promenade sur la **Worth Avenue** à Palm Beach vaut le détour. C'est 10% de la fortune américaine qui se trouverait à Palm Beach; Worth Avenue est l'artère des boutiques de luxe. C'est l'endroit idéal pour croire que tu regardes la réplique d'un Andy Warhol dans la vitrine d'une galerie d'art, avant de t'apercevoir que c'en est un vrai. C'est aussi la place pour voir passer des Rolls-Royce et des Bentley!

Lorsque je veux m'évader un peu dans la nature, je me rends au **John D. MacArthur Beach State Park** (10900 Jack Nicklaus Dr., North Palm Beach, FL 33408). C'est un parc où l'on protège l'habitat naturel de plusieurs animaux et trésors de la côte de la Floride. C'est 438 acres de nature, entre l'océan Atlantique et le Lake Worth Lagoon. Il y a une belle plage intacte pour pratiquer les sports nautiques. On peut aussi y louer un kayak pour aller observer les lamantins.

CHANTAL LAMARRE

Je ne viens pas spécialement d'une famille d'aventuriers. Mais mon père, à la fin des années 1950, est devenu le parfait « floridophile » ; les fous qui roulaient trois jours, pour à la fin se retrouver sur les petites « routes d'alligators » juste avant d'arriver à Miami en char, il en faisait partie.

Tant de souvenirs ; des olfactifs (la lotion Coppertone), des visuels (les femmes, dans les années 1960, sooooo chics avec leurs postiches, leurs robes Lilly Pulitzer et leurs sandales dorées au chic Bal Harbour Shops), des gustatifs (des sandwichs de poisson, des *grits* pour le déjeuner et les très sucrés *coconut patties*) ; et dans ma tête et dans mon cœur, des *scrapbooks* entiers de moments heureux en famille.

J'aime les Keys, Palm Beach et Miami, mais j'ai beaucoup d'affection pour la Floride familiale, moins clinquante et plus facile à vivre. La région de Daytona Beach, que je fréquente depuis les années 1970, est encore aujourd'hui le choix par excellence pour les grosses tribus ; moins chère, moins achalandée en décembre et janvier (il y fait plus frais qu'au sud de l'État), et quand on dépasse le premier coup d'œil, le coin a des attraits formidables. Oui, c'est un peu *rocker* avec la Daytona 500 qui laisse des traces à l'année, pas trop jet-set et même un peu *tacky*, mais c'est relax. La plage est fabuleuse, surtout là où les voitures ne roulent pas, il y a de l'espace, des chambres ou des condos très spacieux avec vue sur la mer et grands balcons, et du gros *fun* noir pour les petits, les ados, les sportifs et toute la famille élargie. C'est sans aucun doute un secteur à découvrir et à adopter. Parce que, oui, depuis que mes enfants sont devenus adolescents, on roule en voiture de Montréal jusqu'à Daytona, tradition familiale oblige.

Les **Ocean Walk Shoppes** (250 N Atlantic Ave., Daytona Beach, FL 32118) sont agréables avec les petits : manèges, arcades, cinémas, restaurants avec terrasse et animation près du Band Shell, une scène extérieure en pierres de style néo-gothique inaugurée en 1937 et déclarée monument historique. À deux pas du *boardwalk* et du *Fishing Pier.*

Bien qu'on puisse rouler sur la plage à Daytona autour de l'Ocean Walk, l'accès est limité aux véhicules autorisés seulement. Profitez-en pour louer des bicyclettes ou des « fun cycles », des trois-roues assez bas, très chouettes, et pédalez pendant des kilomètres sur la *world's famous beach,* dans ce sable si fin que même les très occasionnels joggers de mon calibre aimeront fouler. Je laisse le mot de la fin à mes deux rejetons de 11 et 13 ans : « Daytona Beach, c'est la vie ! »

Le **Don Pepper's Mexican Grill and Cantina** (794 S Atlantic Ave., Ormond Beach, FL 32176) appartient à une famille mexicaine et offre tous les classiques et incontournables des menus tex-mex, mais bien faits. C'est copieux, un peu bruyant, mais on y mange en grosse gang. Les margaritas servis en format « aquarium »

sont bons et vous chanterez peut-être *La Bamba* à tue-tête. Essayez l'entrée de champignons au fromage mexicain flambés en entrée. *Mucho fun.*

Down the Hatch Seafood Company (4894 Front St., Ponce Inlet, FL 32127) est au bout de la péninsule. Dans les années 1970, c'était une aventure floridienne que de s'y rendre. Un petit coin reclus, sauvage. Une maison sur pilotis, dans un très vieux village de pêcheurs. Tenez la main de vos petits qui pourraient avoir envie de toucher les poissons qui viennent tout près. Du classique floridien depuis 1977 ! Essayez le *Catch of the Day* (prise du jour), cuisiné *broiled, fried* ou *blackened*, et quelques nouveautés comme le *Black and Blue Tuna,* du thon noirci à la cajun avec une sauce au bleu. Arrivez à l'heure du coucher du soleil.

Beaucoup d'animation au **Riptides Raw Bar & Grill** (869 S Atlantic Ave., Ormond Beach, FL 32176) ! Pattes de crabe à volonté, *Po-boy* (sandwich aux huîtres frites digne de mention) et, petite touche « américaine », de la bière servie pour les groupes à savoir en trop grandes quantités, et des desserts pour ceux qui habillent du *XXXL.* C'est pour le spectacle, bien sûr. C'est bon et c'est joyeux. La Floride à la bonne franquette !

Daytona Beach

RICARDO LARRIVÉE

Jamais dans ma vie je n'aurais imaginé aimer autant la Floride. Toute ma famille s'amusait du plaisir que j'avais à haïr un endroit que je ne connaissais même pas! Et puis, je ne sais pas ce qui s'est passé, mais j'ai cédé et on a fait une surprise aux enfants en allant à Walt Disney World. Comme j'étais convaincu que jamais je ne remettrais les pieds là-bas, nous avons loué une voiture et sommes descendus jusqu'à Key West. Cela a été le coup de foudre avec le sud de la Floride. Je me suis mis à magasiner les aubaines et, comble de chance, le marché était très bas et nous avions l'argent pour investir.

Maintenant, nous y allons le plus souvent possible. C'est la première fois que Brigitte et moi avons un endroit où reprendre notre souffle. Un endroit où je cuisine autrement, sans prendre de notes. Chaque heure de la journée nous fait du bien. J'aime nos longues marches matinales, les lectures sur la plage, les cocktails de fin d'après-midi, le son des vagues. J'aime aussi le fait que le condo ne soit pas très grand et n'ait pas la télé câblée. Nous sommes collés sur nos filles, et ce, sans techno. Le bonheur!

Quand on va au **Yardbird Southern Table & Bar** (1600 Lenox Ave., Miami Beach, FL 33139), c'est comme si les vacances commençaient. Ce coin de la ville a quelque chose de tropical. D'habitude, on arrive à pied après avoir remonté Lincoln Street. C'est une rue piétonne des plus agréables. Elle est très vivante, pleine de terrasses, de boutiques, de galeries d'art, de fontaines et recouverte d'arbres. L'ambiance est toujours électrique. On y mange de la cuisine du sud des États-Unis, où la friture est à l'honneur. Si vous êtes du genre à calculer vos calories, c'est peut-être pas un resto pour vous... En fait, beaucoup de restaurants essaient de faire ce type de cuisine, mais peu la font aussi bien qu'eux. L'idéal consiste à commander des plats à partager. Vous ne pouvez pas passer à côté du poulet frit sur une gaufre avec melon d'eau au thym, ou encore des fameuses tomates vertes frites. Comme partout maintenant, ils ont une belle carte de cocktails, elle aussi influencée par le sud des États-Unis. Je vous conseille fortement de réserver. Et si, par hasard, vous passez par Las Vegas, il y a aussi un Yardbird à l'hôtel Venetian.

Le restaurant **Cibo Wine Bar** (200 South Pointe Dr., Miami Beach, FL 33139), de la pointe sud de South Beach, appartient à un groupe de restaurateurs de Toronto. Nous y allons surtout pour deux raisons. La terrasse sur le toit est grande et très belle. On a envie de flâner en buvant un bon verre de Barolo. D'ailleurs, la cave à vin est spectaculaire. Il y a des centaines de bouteilles de vin derrière une paroi de verre sur deux étages. Très Vegas. Avec les enfants, on y mange de bonnes pizzas au four à bois et des pâtes fraîches. Deuxièmement, rapport qualité-prix, le brunch du dimanche est vraiment imbattable. Il y a vraiment de tout. Fruits de mer, charcuteries et fromages, une station de pâtes fraîches et pizzas, des viandes rôties et, bien entendu, des omelettes. Pour terminer, le choix de desserts est impressionnant. Le dimanche, la carte des vins est souvent à moitié prix ! Une aubaine. Après avoir mangé, allez prendre l'air sur la promenade en bord de mer, à deux min du resto.

Avant de partir en Floride, on fait souvent la liste des endroits qu'on veut voir ou découvrir, et chaque fois, mes filles insistent pour qu'on ajoute le restaurant **Greek Islands Taverna** (3300 N Ocean Blvd., Fort Lauderdale, FL 33308) à la liste. Vous allez dire que j'exagère, mais c'est l'un des meilleurs restos grecs que je connaisse. Au premier coup d'œil, c'est un grec comme bien d'autres, et le décor n'est pas la raison pour laquelle on y vient. Ici, pas de réservation. C'est premier arrivé, premier servi. Ce resto est une véritable institution dans le coin, et la file d'attente témoigne de la popularité des lieux. En fait, il vaut la peine de patienter parce qu'à l'arrivée, devant la table du fromage flambé à l'ouzo, de la salade grecque, des côtelettes d'agneau fondantes, du poisson du jour et de la montagne de baklavas, vous allez vous féliciter d'avoir attendu. En plus, c'est abordable et comme partout en Floride, vous pouvez partir avec les restes.

Le Greek Island Taverna, À Fort Lauderdale

MANON LEBLANC

La Floride est un endroit tout désigné pour moi, car j'adore le soleil. Cela me vient de mon enfance. Ma mère est Vénézuélienne et, petite, je voyageais avec mes parents dans des endroits ensoleillés. J'ai toujours aimé les palmiers, la végétation tropicale, la mer.

La Floride me plaît à ce point que si je n'avais pas eu une famille, je me serais probablement établie en Floride, plus particulièrement à South Beach. Lorsque j'y viens, j'opte pour des hôtels ou des petits *bed & breakfast*. J'ai aussi une amie chez qui je peux loger. La saison prochaine, j'espère me louer un petit appartement pour me permettre d'y passer le plus de temps possible.

J'adore Miami et plus particulièrement South Beach, parce que je m'y sens comme si je me trouvais entre l'Europe et la Californie. Une ambiance *cool* y règne. C'est l'endroit où les résidents vont faire leur épicerie à bicyclette en sortant de leur cours de yoga. D'ailleurs, beaucoup d'Européens qui aiment la *dolce vita* ont décidé d'y passer leur hiver.

J'aime aussi la proximité de Miami. Et les billets d'avion deviennent abordables quand on fouille un peu. C'est extraordinaire d'être dépaysé à seulement trois heures et demie de la maison !

Sur place, ma routine est assez simple. Je me lève le matin et je vais prendre un bon café. On peut en trouver d'excellents à South Beach puisque plusieurs cafés sont tenus par des Européens. J'en profite pour socialiser. À South Beach, il n'y a pas de barrières, tout le monde se parle.

Les activités que j'aime faire à South Beach : la marche en bord de mer et le vélo sur le *boardwalk* de South Beach. Pour me baigner, je vais à la piscine, parce que les piscines des hôtels de South Beach sont *cool* et elles sont à voir absolument ! Leur couleur est incroyable et on peut s'y prélasser au son d'une bonne musique. Comme j'aime être à l'affût des dernières tendances et que le design est incomparable à South Beach, je visite les nouveaux hôtels et j'essaie les nouveaux restaurants. Je ne manque jamais d'aller dans le

Design District et, bien sûr, je vais faire mon petit tour sur Lincoln Road pour magasiner. On y trouve chaussures, vêtements et maillots de bain à prix abordables.

Key West est un autre endroit que j'affectionne particulièrement, notamment pour sa scène *artsy*. J'adore la route qu'il faut emprunter pour s'y rendre et sa vue imprenable sur l'océan.

Bref, je suis en amour avec la Floride, et je pourrais bien m'y installer de façon permanente un jour!

Selon moi, le **1 Hotel South Beach** (2341 Collins Ave., Miami Beach, FL 33139) est le plus bel hôtel de Miami. Un style *beach house* extraordinaire! Les meubles sont en coton et en lin. Je vous assure qu'il est réalisé avec beaucoup de talent. Construit avec différentes essences de bois délavé, ton sur ton, de pierres naturelles et avec des murs blancs, l'hôtel offre une ambiance zen, des jeux de lumières tamisées, le tout dans une atmosphère contemporaine et feutrée. Une ambiance unique qui nous habite. J'adore cet hôtel! S'il y a un seul hôtel à visiter à South Beach, c'est celui-là. On peut s'arrêter au bar, prendre un petit verre ou manger à son restaurant.

Pour passer des après-midi à la piscine, le **Mondrian South Beach Hotel** (1100 West Ave., South Beach, FL 33139), dont le design est signé Marcel Wanders, possède un site unique sur le bord du canal. Un peu surélevé, on peut y voir les bateaux passer, tout en étant confortablement allongé sur une chaise longue. À la piscine ou dans les petites tentes tout autour de cette dernière, tout comme au bar, l'ambiance permet de toujours y passer du bon temps. Les repas, la musique, le service à la piscine, tout est super! À vérifier : il y a des jours où ceux qui ne sont pas des clients de l'hôtel peuvent y passer l'après-midi.

J'adore le bar de l'hôtel **SLS South Beach** (1701 Collins Ave., Miami Beach, FL 33139) pour son design éclectique et unique. Dans la salle à manger pend un lustre de 4 m de haut par 6 m de large en coquillages. J'adore la piscine, décorée d'un immense canard de 2 m de haut. Et que dire de la mosaïque, des arbres… C'est magnifique! Lenny Kravitz est d'ailleurs l'un des fondateurs, et il a été dessiné par Philippe Starck. C'est un endroit où on rencontre des gens sympathiques et où on peut déguster de bons martinis et des petits plats fins, comme des *dumplings,* tout en discutant avec de nouveaux amis. Au bout de la piscine, il y a un autre petit bar, le *surf bar,* qui rappelle les bars de surfeurs californiens. C'est un hôtel où il y a beaucoup d'action! C'est un endroit tout désigné pour voir des vedettes comme Madonna et même des princes arabes! Le restaurant japonais **Katsuya** (1701 Collins Ave., Miami Beach, FL 33139), est aussi à ne pas manquer!

Un autre hôtel incontournable est **The Standard Spa Miami Beach** (40 Island Ave., Miami Beach, FL 33139). On s'y rend pour manger, tout en profitant de la superbe piscine surélevée et de sa magnifique vue sur le canal. La piscine est ouverte au public si vous consommez au bar ou au restaurant. L'ambiance est zen et il y a du beau monde! Des gens qui viennent de partout. Et c'est très facile de s'y faire des amis!

© Ghyslain Lavoie

GUY A. LEPAGE

Je n'aime pas la Floride. Il y a des plages magnifiques, d'excellents restaurants, des centres commerciaux démesurés, de magnifiques terrains de golf, deux équipes professionnelles de basket, des croisières, Disneyworld, Cap Canaveral, Miami, la vue sur la mer, mes enfants heureux… Je n'aime pas la Floride.

Laurent Godbout et Véronique Deneault offrent la version «palm-beachienne» de leur resto montréalais, **Chez L'Épicier** (288 S County Rd., Palm Beach, FL 33480). Excellente cuisine, ravissant décor, bondé de compatriotes cossus qui ont laissé leurs gougounes et leurs bermudas fleuris à la maison.

Derrière une vitrine miroir, qui devrait cacher un *sex-shop* ou un atelier de tatouages douteux avec des aiguilles usagées, se cache un trésor de resto familial, le **Captain Charlie's Reef Grill** (12846 US-1, Juno Beach, FL 33408), où tous les poissons sont délicieux. Arrivez tôt. Pas de réservation.

Le **Wynwood Walls** (2520 NW 2nd Ave., Miami, FL 33127) est un genre de musée à ciel ouvert dans un quartier d'ateliers et de galeries d'artistes. Le plus laid y côtoie le plus excentrique, mais il y a aussi des bijoux d'œuvres d'art moderne et des créations audacieuses. De grands artistes graffitistes y exposent. Un incontournable.

Chez L'Épicier, à Palm Beach

FRANÇOIS LÉVEILLÉE

Quand j'étais enfant et que j'écoutais ma parenté parler de la Floride, j'imaginais un immense terrain de camping ensoleillé sur le bord de la mer, réservé aux personnes âgées. J'avais l'impression qu'il n'y avait que les retraités qui s'intéressaient à cette destination. Il a fallu que j'attende à la fin des années 1970 pour vérifier par moi-même si mon préjugé était fondé.

À cette époque, j'étais chansonnier, auteur-compositeur-interprète. Je composais des chansons plutôt sérieuses à saveur nationaliste. C'était dans l'air du temps. Un jour, je reçois un appel de la Floride. L'organisateur d'un festival de chansons m'invite à présenter mon tour de chant en plein air dans le cadre de sa programmation hivernale. En prime, si je signe le contrat, j'aurai droit, tenez-vous bien, à une remise officielle de la clé de la ville d'Hollywood. Flatté, il n'en fallait pas plus pour que j'accepte l'engagement. Je me préparai donc avec enthousiasme à ma première expérience professionnelle en sol floridien.

Quelques mois plus tard, après plus de trois heures de vol sur un tapis roulant, je foulais le sol américain. Le temps était radieux. Tout allait pour le mieux jusqu'à ce que j'arrive sur le site du fameux festival. Un parfum festif indéfinissable me fit soudainement douter de la pertinence de ma présence sur les lieux. Cuba avait beau n'être qu'à 180 km des côtes de la Floride, l'esprit révolutionnaire de mes chansons était

à des années-lumière de l'atmosphère qui régnait ce jour-là à Hollywood.

Le spectacle débuta dans un parc en fin d'après-midi, devant un public à l'image de celui que j'imaginais quand j'étais gamin : dans le genre campeur retraité sur le bord de la mer. Mais comme dit l'expression : *the spectacle must go on…*

En guise de réchauffement, le regretté Gérard Vermette, humoriste et animateur de la soirée, raconta quelques bonnes blagues bien dodues, histoire de mettre le public dans le ton. Il présenta ensuite les premiers invités de la soirée : des mariachis qui exécutèrent durant une bonne demi-heure des extraits de leur répertoire patrimonial. J'étais sans mot. Ce choix était aussi pertinent à mes yeux que si on avait mis des danseurs à claquette avant un discours de René Lévesque. Vint enfin le tour de votre humble serviteur. Je montai sur scène avec le sentiment d'un révolutionnaire devant une guillotine. On me remit la fameuse clé, je pris ma guitare et me mis à chanter mes tounes patriotiques. Comme je l'avais anticipé, mes chansons glissèrent sur le dos du public comme de l'eau sur un sac poubelle. Je repris l'avion le lendemain, piteux, tel un enfant revenant de l'école avec un mauvais bulletin, avec ma clé hollywoodienne dans le cou, convaincu, après mon périple de trois jours dans le sud, que la Floride était assurément une destination réservée au troisième âge.

Ce n'est que quelques années plus tard, au milieu des années 1980, que mon opinion changea du tout au tout. Toujours sur le plan professionnel, on m'offrit l'occasion de faire une tournée de type spectacle et conférence sur la chanson québécoise dans plusieurs universités et collèges de la Floride. Malgré quelques appréhensions, j'acceptai le projet. J'ai bien fait... Durant trois semaines, tel Félix parcourant son tour de l'île, j'ai parcouru la péninsule, j'ai goûté au climat, marché sur des kilomètres de plages, admiré sa flore et sa faune. J'ai également fait la rencontre de gens super sympathiques qui m'ont aidé à comprendre et à apprécier la réalité de ce havre aux héritages multiples. Si quelques années plus tôt on m'a offert la clé, je trouvais maintenant la serrure qui m'ouvrait la porte de la véritable Floride. Depuis trois ans, nous avons la chance d'avoir notre coin de paradis sur la côte est de la péninsule et chaque hiver, nous avons hâte d'y retrouver nos petits plaisirs coupables.

Pour ceux qui s'y rendent pour la première fois, une excursion dans le **parc national des Everglades** est un incontournable. On y retrouve une variété impressionnante d'espèces d'oiseaux et la végétation est paradisiaque. Les centaines de kilomètres de canaux de la Floride sont également à visiter absolument; Venise, c'est beau, mais la Floride, c'est impressionnant.

Sur la côte ouest, l'**île d'Anna Maria**, située au sud de la baie de Tampa, est également un arrêt incontournable. Les plages y sont magnifiques et l'on peut y louer de belles petites maisons à prix abordables. Je me souviens d'un restaurant datant de 1947, le **Rod & Reel Pier** (875 N Shore Dr., Anna Maria, FL, 34216) situé sur le flanc nord de l'île, au bout d'un long quai s'avançant dans la mer. Une cuisine simple, mais mémorable.

Pour les amateurs de spectacles francophones, on peut trouver à Hallandale, petite ville du comté de Broward, la salle de spectacle **Le Club Tropical** (211 SE 1st Ave., Hallandale, FL 33009). Chaque hiver, le propriétaire Jean Forand offre en formule souper-spectacle une programmation d'humoristes et de chanteurs très populaires au Québec.

Pour ceux qui s'intéressent davantage aux artistes américains, toujours en formule souper-spectacle, je vous suggère de jeter un œil à la programmation du **Royal Room Cabaret** du Colony Hotel (155 Hammon Ave., Palm Beach, FL 33480). On y présente des artistes de renommée internationale. J'ai eu la chance de voir le guitariste de jazz John Pizzarelli en quatuor. C'était magique!

Si vous êtes installé dans le coin de Boynton Beach, de Delray Beach ou de Boca Raton et que vous cherchez une épicerie originale, je vous suggère **The Boys Farmers Market** (14 378 S Military Trail, Delray Beach, FL 33484). Le stationnement est exigu, les allées sont tellement étroites que les paniers d'épicerie s'entrechoquent, mais les produits sont de première qualité et valent le détour.

MICHEL LOUVAIN

J'adore la Floride, mais je ne viens pas ici pour la plage ! Je préfère prendre mon vélo et partir à l'aventure deux ou trois heures par jour. J'ai ma routine. Je m'arrête en cours de route une petite demi-heure, toujours au même endroit sur le bord de l'Intracoastal, pour prendre un bain-de-soleil. J'en profite pour retrouver mes amis les iguanes qui, à six mètres de moi, me regardent tout en se faisant bronzer. Je me plais à dire qu'ils sont mes amis et que c'est notre rendez-vous quotidien !

Ensuite, je repars de plus belle et je roule sur le célèbre *broadwalk* d'Hollywood Beach. Le vélo est mon sport favori, ma plus belle évasion ! Je profite aussi de mes excursions à bicyclette pour me promener dans les beaux quartiers et je me rince l'œil à regarder les grosses villas de 2 ou 3 millions $ avec leur piscine et leur magnifique jardin. Chaque fois, je suis étonné de constater qu'il n'y a personne dans ces résidences luxueuses.

Contrairement à d'autres, je ne suis pas un golfeur, même si l'on m'a souvent dit que j'avais un beau *swing*. Je joue aux quilles et j'ai bien l'intention de me mettre au tennis. Les terrains de tennis sont si bien aménagés en Floride !

J'ai choisi de m'établir à Hallandale Beach, un endroit que j'adore, d'autant plus que tous les gens que je fréquente ou presque habitent à cinq ou dix minutes de chez moi. Je vis dans un endroit très calme, où règne une grande paix. Mon condo est situé en face d'un golf ; et j'ai une vue imprenable sur quatre grands lacs et leurs magnifiques fontaines. J'ai l'impression de vivre à la campagne, entouré de grands palmiers. À l'autre coin de rue se trouve toute l'action avec les centres commerciaux. J'adore vivre ici, car tout est à proximité et je me rends aux épiceries Publix et Winn-Dixie à pied. Je m'arrête souvent prendre une bouchée à mon restaurant préféré de pizza, la **Piola** (1703 E Hallandale Beach Blvd., Hallandale Beach, FL 33009). Cela me rappelle la vie de quartier, alors que je vivais à Outremont.

Mes premiers voyages en Floride remontent à l'époque du Suez Motel, situé au nord de Miami, et qui n'existe plus aujourd'hui. Comme bien d'autres petits hôtels, il a été remplacé par des tours à plusieurs étages. Dans le temps, il n'y avait que des Québécois ou presque qui logeaient à cet endroit. Son propriétaire d'origine grecque adorait les Québécois et il faisait beaucoup de publicité pour vanter les mérites de son établissement.

Un jour, l'idée lui est venue d'organiser des spectacles et j'ai été le premier artiste à donner une prestation sur la scène du Suez Motel. Cela a été le début de ma carrière en Floride. J'ai donné quelques spectacles, mais bien vite, j'ai décidé d'arrêter, car je préférais y venir pour les vacances et relaxer.

En plus de la belle température, j'ai choisi la Floride parce que plusieurs de mes amis y étaient installés. Et surtout, la Floride est à la porte du Québec! Il y a des avions qui décollent pour le Québec à toute heure de la journée, alors si une urgence se présente, c'est très facile de rentrer à la maison.

Plusieurs artistes sont établis ici également. Il m'arrive de fréquenter Diane Juster, Clémence Desrochers, Marie Denise Pelletier, mais la plupart de mes amis en Floride ne sont pas dans l'industrie du spectacle.

L'un de mes plus beaux souvenirs en Floride est le Noël que j'ai passé à l'hôtel Driftwood, à Hollywood, en 2000. Un hôtel que j'affectionnais particulièrement et qui n'a plus pignon sur rue. La gérante, avec qui je suis devenu ami, avait même décoré une suite de mes photos. Elle l'appelait amicalement «la suite Michel Louvain». Cela me faisait bien rire de savoir que des touristes logeaient dans cette suite affichant mes photos! Ils devaient bien se demander ce que je mangeais en hiver! Bref, ce fameux Noël, j'étais accompagné d'une trentaine d'amis, tout était parfait, mais je n'avais pas de sapin de Noël, alors mon amie m'a suggéré d'aller chercher celui de la réception. Ce que j'ai eu la brillante idée de faire. Quelle histoire! Moi et un de mes amis avions l'air de deux clowns à transporter cet immense arbre jusqu'à ma chambre. Miraculeusement, nous n'avons laissé tomber qu'une seule boule! Un Noël extraordinaire que je n'oublierai jamais, passé en compagnie de Michel Desrochers et de Danièle Dorice. Des moments précieux en Floride, j'en ai vécu plus d'un. Pas pour rien que je considère être un vrai *snowbird*!

J'habite à proximité du grand hôtel **Diplomat Resort & Spa Hollywood** (3555 S Ocean Dr., Hollywood, FL 33019), faisant partie de la chaîne Curio de Hilton. C'est un hôtel que j'ai toujours aimé fréquenter. Il a une vue sur l'océan, des chambres au décor contemporain, en plus d'offrir deux piscines et un luxueux spa avec tous les services. Il est très chic, mais son ambiance est quand même «relaxe» et son personnel, très sympathique. Les gens y vont surtout pour son emplacement en bord de mer et le fameux *broadwalk* d'Hollywood, qui n'est pas très loin. C'était l'un des hôtels préférés de Gilles Latulippe également!

Le **Smitty's Old Fashioned Butcher Shop** (1980 NE 45th St., Oakland Park, FL 33308) est un endroit assez inusité, car, tout comme les boucheries d'époque, le plancher est inondé de bran de scie. Autrement, il fait partie du décor d'Oakland Park depuis plus de 40 ans et offre une grande variété de produits. Le proprio se targue d'avoir de la viande et des fruits de mer de grande qualité et une équipe sympathique, qui accueille ses clients réguliers par leur prénom. La boucherie approvisionne même les yachts accostés non loin.

Un des meilleurs restos de fruits de mer à Fort Lauderdale est le **Kaluz Restaurant** (3300 E Commercial Blvd., Fort Lauderdale, FL 33308). Les prix sont relativement élevés, mais la qualité est au rendez-vous. Le décor est magnifique. On peut y dîner en admirant, de sa belle terrasse, le soleil couchant et les yachts, qui naviguent sur l'Intracoastal. Si vous venez par bateau au quai, un service de voiturier vous attend. N'oubliez pas de goûter au fameux gâteau aux bananes et à la crème glacée!

Un autre de mes incontournables est le **GG's Waterfront Bar & Grill** (606 N Ocean Dr., Hollywood, FL 33019). Ses fruits de mer sont réputés et en saison, il sert le meilleur *stone crab* qui soit! La vue sur le canal est magnifique, et que dire des couchers de soleil, qui font la réputation de la Floride! Le vendredi et le samedi, il faut arriver tôt, car le restaurant est plein. Malgré tout, l'expérience culinaire vaut le détour!

Le Kaluz Restaurant, à Fort Lauderdale

FRANÇOIS MASSICOTTE

Pour ma conjointe et moi, la Floride est une histoire d'amour qui dure depuis plus de 10 ans. Notre valeur sûre pour le divertissement, la plage, relaxer ou visiter de superbes endroits. Même après plusieurs visites, nous pouvons encore nous sentir comme des touristes dans de nombreux endroits. Notre fille nous demande chaque année : « Quand est-ce qu'on va à Miami ? » Peu connue des familles, surtout reconnue pour le *party,* South Beach est notre lieu préféré. Chaque membre de notre grande famille y trouve son compte : se prélasser au soleil, profiter des terrasses, des zoos à quelques minutes, les Everglades tout près, des restos au bord de l'eau, du sport ou du magasinage.

Manger avec toute ma famille, le soir, sous les étoiles, au bord de la mer chez Smith & Wollensky, est un moment de pur bonheur pour moi. Bien entendu, tous ceux qui me connaissent savent que je suis aussi un admirateur d'Orlando et de Walt Disney World. Même après plus de cinq visites, la magie opère toujours pour moi. Aller à Disney, c'est décrocher pour une semaine et penser juste à s'amuser, sans tracas. Orlando déborde d'activités et de spectacles. Des princesses au *stampede* de chevaliers en passant par des spectacles hawaïens, Orlando est une source inépuisable de divertissement familial.

Situé dans la ville de Surfside, entre Miami Beach et Bal Harbour, le **Grand Beach Hotel Surfside** (9449 Collins Ave., Surfside, FL 33154) est un luxueux hôtel en bord de mer construit en 2009 et rénové à grands frais récemment. Les suites ont été revampées dans un style moderne, bien que quelques-unes aient gardé leur cachet original pour les nostalgiques. Pas très loin du centre commercial Aventura, de la vie nocturne de South Beach et donnant sur la plage de 60 m de long, il offre des chambres et des suites de deux et trois chambres, ainsi que cinq piscines, dont une sur le toit. De quoi plaire au plus grand nombre.

J'ai eu la chance d'aller à cet hôtel alors qu'on terminait les rénovations, ce qui nous a permis d'avoir des suites à moindre prix. C'est vraiment un coup de cœur. Le hall d'entrée est magnifique et les chambres avec vue sur la mer également. J'adore le quartier qui l'entoure, on peut y faire de très belles promenades. Le service est attentionné et accueillant.

La terrasse du **Smith & Wollensky** (1 Washington Ave., Miami Beach, FL 33139), un restaurant de grillades et de fruits de mer, est vraiment magnifique. Le soir, on y voit les bateaux illuminés qui rentrent au port. Les prix sont élevés, mais pour moi, ce resto demeure un incontournable. C'est un luxe que j'offre à ma famille chaque fois que nous visitons la Floride. Nous prenons une consommation au bar extérieur en attendant notre table. Mes enfants adorent cette terrasse chic, qui offre un service impeccable. Ma fille et ma femme se régalent d'huîtres et de pieuvre et, avec mes gars, on se paye un repas de viande comme on en mange rarement. J'ai d'ailleurs demandé à ma blonde, pour mes 50 ans, un souper au Smith! Voir ma famille réunie au bord de l'eau avec la vue exceptionnelle est un magnifique cadeau. Essayez de vous asseoir à la terrasse au bord de l'eau. Avec une vue incomparable sur les bateaux de croisière qui passent à proximité, c'est particulièrement divertissant!

J'aime les voitures et la technologie. Je suis admirateur de F1. Lorsque je viens en Floride, je ne rate pas l'occasion de visiter **The Ferrari Store** (19501 Biscayne Blvd., Aventura, FL 33180), situé dans le centre commercial Aventura, puisque c'est une boutique qui n'a pas pignon sur rue à Montréal. Belle visite pour les fans de ces voitures, on y offre tous les accessoires Ferrari : montres, chapeaux, casquettes, modèles réduits et plein d'autres très belles choses! Il est même possible d'essayer une voiture.

Le Smith & Wollensky, à Miami Beach

DOMINIQUE MICHEL

© Pierre-Paul Poulin

Après avoir eu une maison à Saint-Barthélemy, dont je me suis départie lors de ma séparation d'avec mon conjoint de l'époque, j'ai commencé à fréquenter la Floride, plus particulièrement Deerfield Beach. J'y ai acheté un condo dans un immeuble où plusieurs personnalités du monde artistique québécois ont élu domicile. Richard Martin fut d'abord le premier à s'y installer, puis Denise Filiatrault en a vanté les attraits à plusieurs personnes autour d'elle, alors ont suivi Denise Robert, Denise Bombardier et quelques autres.

Je reviens régulièrement y passer tous les hivers, où j'y savoure tout simplement le farniente ; mais j'apprécie quand même la lecture, faire des casse-têtes de 500 à 1000 morceaux ou de longues promenades sur la plage. La Floride s'est bonifiée avec le temps, ce n'est plus ce que c'était. On y trouve maintenant des épiceries fines, de beaux musées, des cinémas accessibles, des boutiques sophistiquées et de très bons restaurants, qui n'ont qu'un seul gros défaut : leurs portions sont beaucoup trop grosses, gigantesques, même ! J'aime aussi ces petits restos qui se trouvent au bord de l'eau à Deerfield Beach. Plusieurs artistes du Québec viennent présenter leur spectacle ici, et je garde un souvenir tout particulier de la prestation de Marc Hervieux. Le magasin d'alimentation Fresh Market est pour moi un incontournable, un plaisir sans cesse renouvelé pour la bouffe formidable que j'y trouve. Contrairement à la croyance populaire voulant que la Floride soit « quétaine » – il y a peut-être, il est vrai, un côté « quétaine » comme partout ailleurs –, il y a un côté très raffiné que j'aime retrouver, et c'est là que je me sens bien.

Au **Whole Foods Market** (University Commons, 1400 Glades Rd. #110, Boca Raton, FL 33431), ils ont un incroyable assortiment de fromages français, dont certains qu'on ne retrouve pas à Montréal. Ils ont des fruits de mer et des viandes de toutes sortes, des fruits et des légumes biologiques, des jus de fruits fraîchement pressés, des mets chauds préparés quotidiennement, dont du poulet rôti, et tout pour les végétaliens. Sans compter un comptoir à salades et un autre pour les soupes, plus de 1000 vins différents et de l'eau déionisée en bouteille.

Au **Fresh Market** (100 W Camino Real, Boca Raton, FL 33432), il y a une variété impressionnante de mets cuisinés de toutes sortes, des entrées aux desserts, des bonnes idées aussi pour des déjeuners préparés sur place : des muffins et des bagels avec fromage à la crème et saumon fumé, en passant par des pains de blé entier et plus encore. Je le recommande pour ceux qui n'ont pas du tout envie de cuisiner en vacances.

Le **Total Wine & More** (5050 Town Center Cir., Boca Raton, FL 33486) est réellement un endroit où l'on peut passer beaucoup de temps, car il y a un assortiment de vins incroyables, de bons champagnes à 35-40 $ et un Dom Pérignon à 139,97 $ au lieu d'environ 250 $ au Québec.

L'**Embassy Suites by Hilton Deerfield Beach Resort & Spa** (950 S Ocean Way, Deerfield Beach, FL 33441) est certes la place que je suggère à tous mes amis, car il compte parmi les meilleurs hôtels des environs de Deerfield Beach. L'hôtel possède un beau restaurant en bord de mer, où on peut manger en contemplant l'océan.

Il y a bien sûr le **Ritz-Carlton** de Fort Lauderdale (1 N Fort Lauderdale Beach Blvd., Fort Lauderdale, FL 33304) et **The Breakers** (1 S County Rd., Palm Beach, FL 33480) à Palm Beach, tous les deux extrêmement luxueux et avec vue sur l'océan. Les prix vont toutefois de pair avec ces lieux, mais si on a envie de se gâter, pourquoi pas ? Si les tarifs vous font hésiter, vous pouvez toujours y aller pour manger.

Au cœur du centre commercial de Bal Harbour Shops, le **Carpaccio** (9700 Collins Ave., Bal Harbour, FL 33154) est un restaurant italien de grande renommée ; on y vient d'ailleurs de partout. Hélas, on ne peut pas faire de réservation, il faut donc se préparer à attendre, à moins d'arriver vraiment tôt. La grande salle à manger a été rénovée et tourne autour d'un bar central. Elle offre les classiques italiens : pizzas, pâtes, viandes et poissons.

Le décor du **City Fish Market** (7940 Glades Rd., Boca Raton FL 33434) est très beau, et on peut même y apercevoir des cygnes nageant dans le lac autour du restaurant. On nous présente une version bar de moules et d'huîtres, puis une très grande variété de palourdes, de *crab cakes* et de chaudrées composées de moules et de morue en entrées, avec des poissons en bas de 20 $ (de 20 à 25 $ pour la prise du jour). On y sert aussi quelques plats de viande, bœuf et poulet.

Le **Lemon Grass Asian Bistro** (101 SE Plaza Real, Boca Raton, FL 33432) est un bistro asiatique servant de la cuisine thaïlandaise et des sushis.

J'aime le **Chima Brazilian Steak-house** (2400 E Las Olas Blvd., Fort Lauderdale, FL 33301) pour son comptoir à salades au choix immense et parce que les viandes sont offertes dans plusieurs coupes de choix ; les steaks sont également très bons.

Pour une férue en art de la table comme moi, je recommande sans hésitation le grand magasin **Neiman Marcus** (5860 Glades Rd., Boca Raton, FL 33431) pour faire de beaux cadeaux. Il y a là de très belles choses et souvent des nouveautés dans le rayon de la vaisselle. J'y ai trouvé entre autres une œuvre d'un artiste mexicain, très belle, mais aussi très chère.

J'apprécie le magasin **Nordstrom Rack** (1400 Glades Rd., Boca Raton, FL 33431) pour des chaussures valant par exemple 150 $, soldées à 30 $. C'est là où l'on trouve la marchandise invendue des grands magasins Nordstrom. Quant au **Macy's** (5700 W Glades Rd., Boca Raton, FL 33431), j'aime surtout son choix de souliers totalement inégalé.

Swimland est sans contredit le magasin par excellence pour les maillots de bain pas chers, jolis et à la mode.

J'aime le grand magasin **Bloomingdale** (5840 Glades Rd., Boca Raton, FL 33431) surtout pour les accessoires ; j'ai acheté des montres vraiment chouettes pour des cadeaux et il y a souvent des soldes.

Vous trouverez plusieurs succursales de **Ross Dress for Less** (9082 Glades Rd., Boca Raton, FL 33434) à travers les États-Unis, dont une à Boca Raton. J'adore fréquenter cette chaîne, car j'y ai trouvé de jolies robes pour la modique somme de 9,99 $.

Chez **Gymboree** (6000 W Glades Rd., Boca Raton, FL 33431), on trouve à bons prix et dans un vaste choix de beaux vêtements pour enfants, notamment des t-shirts et des shorts avec de jolis motifs, comme des planches de surf, des crabes, des voiliers, le tout nous rappelant la mer.

Le City Fish Market, à Boca Raton

CAROLINE NÉRON

Jeune, j'ai longtemps fréquenté la Floride, puisque mes parents avaient un condo à Pompano Beach. Puis, je n'y ai plus été pendant longtemps. J'y retourne maintenant avec mon conjoint environ une fois par mois, car nous sommes propriétaires d'un condo à South Beach. Un endroit qui nous permet de relaxer et de décrocher, même si, la plupart du temps, nous continuons de travailler à distance.

J'adore South Beach; l'endroit où j'habite est très tranquille. Il y a une marina à proximité, là où est amarré notre bateau. South Beach offre une variété de très bons restaurants. Autrement, j'aime la « vibe santé » qui règne ici! Les gens s'entraînent, s'alimentent sainement, font attention à eux! South Beach est un endroit stimulant, relaxant, le meilleur endroit pour recharger nos batteries!

Nous avons notre petite routine floridienne. Tous les matins, pendant environ 1 h 30, nous allons marcher sur la plage. C'est drôle, nous marchons souvent à 4 m l'un de l'autre, tout en faisant chacun les appels nécessaires pour nos affaires. Au retour, on s'entraîne une demi-heure, puis nous allons manger à notre restaurant préféré, La Piaggia. Le reste de la journée, on relaxe. On fait aussi du bateau ; ma fille Emanuelle adore cette activité. Mon conjoint était propriétaire d'un yacht de 23 m, qui nous permettait de nous rendre aux Bahamas, mais pour l'entretien, c'était exigeant et plus compliqué. Nous avons donc opté pour une plus petite embarcation de 9 m, qui nous permet de naviguer à travers les jolis canaux et leurs maisons magnifiques.

Je ne raffole pas de la plage. L'hiver, je trouve l'eau trop froide en Floride. Je préfère les mers plus chaudes de Saint-Martin, Saint-Barthélemy ou des Bahamas.

Je garde de beaux souvenirs du condo que nous louions en famille en Floride. Il était dans un immeuble habité surtout par des Italiens. Les enfants avec qui je jouais avaient une aisance incroyable pour sauter du français à l'anglais et à l'italien, c'était incroyable !

C'est ce que j'essaie de transmettre à ma fille de 6 ans, qui est maintenant bilingue.

Mon rêve est évidemment d'ouvrir, un jour, une boutique en Floride…

On va au **Casa Tua** (1700 James Ave., Miami Beach, FL 33139) pour son ambiance tranquille; la terrasse est vraiment cachée, dissimulée derrière un mur de verre, les tables sont éloignées les unes des autres, il y a des arbres auxquels on a suspendu des lanternes pour créer une atmosphère intime et tamisée. C'est là que les gens branchés se retrouvent pour savourer des plats exceptionnels de l'Italie du Nord. C'est un de mes endroits favoris pour le repas du soir, et il est en même temps très romantique par son décor charmant. Leur bouffe est excellente. Il faut absolument goûter à leurs pâtes aux truffes, aux champignons ou à la bolognaise; elles sont extraordinaires.

La Piaggia (1000 South Pointe Dr., Miami Beach, FL 33139) est un restaurant français très convivial, que je fréquente quasiment quotidiennement. Robert, le propriétaire, a déjà eu un restaurant à Saint-Tropez. La bouffe est vraiment bonne et toute l'équipe est chaleureuse. Comme j'y suis fidèle, on finit par y croiser des connaissances, et ma fille aime bien y aller pour la piscine, car les tables sont disposées sur du sable blanc, tout près de la piscine, justement. Je commande immanquablement un artichaut, et je suis déçue si, par hasard, ils n'en ont pas! La sauce d'accompagnement est délicieuse! Un autre plat que je choisis souvent est la paillarde de poulet Romana ou bien la salade chin chin. Juste à côté du resto, ils ont une boutique «bobo chic» où l'on peut trouver maillots, bibelots et des bijoux à des prix oscillant entre modérés et chers. Ils engagent même des mannequins qui paradent dans les vêtements de leur boutique.

À l'**Estiatorio Milos by Costas Spiliadis** (730 1st St., Miami Beach, FL 33139), c'est le même proprio que le Milos de l'avenue du Parc, à Montréal. Un gros avantage: c'est tout près de chez moi! Nous y allons seuls ou avec des amis. On ne s'y trompe pas: tout est toujours bon et raffiné. Un véritable incontournable: la salade grecque, car le fromage et les tomates qui la composent sont exceptionnels. Les poulpes grillés sont également savoureux. Le seul petit désavantage: il n'y a pas de terrasse pour les belles soirées chaudes…

La célèbre Ocean Drive à South Beach.

CHANTAL
PETITCLERC

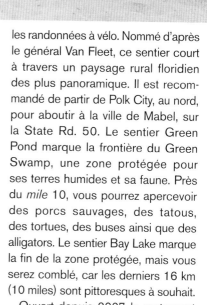

© Tom Davis

Chantal Petitclerc fréquente la Floride depuis plus de 20 ans. D'abord grâce aux périodes d'entraînement des athlètes paralympiques canadiens puis, comme tant d'autres Québécois, parce qu'elle a appris à en apprécier la douceur de vivre.

En fait, elle a tellement aimé les hivers floridiens qu'elle et son conjoint James ont fait l'acquisition, il y a une dizaine d'années, d'un condo situé à Celebration, en banlieue d'Orlando.

L'histoire de Celebration est un peu particulière. L'endroit a été construit par les concepteurs des parcs d'attractions de Disney... et cela paraît. Tout y est méticuleusement entretenu, de la longueur des pelouses à la couleur blanche des clôtures, en passant par un petit centre-ville digne d'un décor de cinéma.

Sa vie professionnelle mouvementée fait en sorte qu'elle ne peut y passer autant de temps qu'elle le souhaiterait, mais dès que c'est possible, Chantal Petitclerc reprend la direction du Sud pour relaxer un peu en famille, pour profiter des terrasses ou même, maintenant qu'un petit Elliott commence à le demander, pour aller faire un p'tit tour au pays de Mickey!

Le **General James A. Van Fleet Sate Trail** (Berkley Rd. et Commonwealth Ave. [Polk City] à CR 772 et SE 121st St [Mabel]) propose plus de 46 km de piste pour les randonnées à vélo. Nommé d'après le général Van Fleet, ce sentier court à travers un paysage rural floridien des plus panoramique. Il est recommandé de partir de Polk City, au nord, pour aboutir à la ville de Mabel, sur la State Rd. 50. Le sentier Green Pond marque la frontière du Green Swamp, une zone protégée pour ses terres humides et sa faune. Près du *mile* 10, vous pourrez apercevoir des porcs sauvages, des tatous, des tortues, des buses ainsi que des alligators. Le sentier Bay Lake marque la fin de la zone protégée, mais vous serez comblé, car les derniers 16 km (10 miles) sont pittoresques à souhait.

Ouvert depuis 2007, le restaurant **The Ravenous Pig** (1234 N Orange Ave., Winter Park, FL 32789) se fait un honneur de s'approvisionner auprès de producteurs locaux et de pêcheurs artisanaux. Le menu se compose de charcuteries et de salades en entrées, de steaks et de fruits de mer; les pâtes et leurs desserts sont préparés sur place quotidiennement.

Exceptionnel terrain de camping composé de cinq îles interconnectées, le **Fort de Soto Park** (3500 S Pinellas Bayway, Tierra Verde, FL 33715) possède 11 km de bord de mer, dont 5 km de plages sablonneuses. On y trouve des plantes locales poussant sur la plage, des mangroves et des palmiers ; tous jouent un rôle dans la préservation et la protection de cet environnement. S'y trouvent également 238 sites de camping familiaux et vous avez la possibilité de mettre à l'eau un bateau.

« Là où tout n'est qu'ordre et beauté, luxe, calme et volupté ». Ces vers de Baudelaire pourraient très bien s'appliquer à **The Betsy** (1440 Ocean Dr., Miami Beach, FL 33139), ce très bel hôtel situé au bord de la mer, au cœur de South Beach. Décoré avec goût, classique et moderne à la fois, tout y est impeccable : la décoration des chambres immaculées, l'aménagement de la salle à manger et la réception aux couleurs pastel, un plaisir pour l'œil. Nichée dans une cour intérieure, la piscine entourée de palmiers est d'un classicisme, tout en étant parfaite pour des longueurs. Plus loin, le toit-terrasse meublé de chaises longues appelle à s'étendre au soleil, tout en admirant la mer. Le spa est installé sur le toit-terrasse, où chaque section consiste en un espace entouré de voiles pour assurer l'intimité des clients recevant des traitements déclinés en différents forfaits : facial, massage, manucure et pédicure. Si l'envie vous prend, vous pouvez assister à des séances de yoga données quatre fois par semaine. On peut aussi obtenir les conseils d'un entraîneur privé au centre de conditionnement physique, doté d'un équipement cardio moderne avec une zone d'entraînement avec poids et une autre pour les étirements.

La direction s'enorgueillit d'encourager les arts visuels et la musique. Ainsi, les mercredis et jeudis, le jazz est à l'honneur au salon du hall d'entrée, sans frais de couvert ni minimum de consommation exigé. Des œuvres d'artistes invités ornent les murs et des conférenciers de renom sont invités.

Le menu de la salle à manger est varié et nous met l'eau à la bouche, mais tout cela a un prix ; il vaut mieux consulter le site web pour vous donner une idée du tarif des chambres. Les déjeuners sont gratuits si l'on réserve directement avec eux. En conclusion, cet hôtel inspirant mérite amplement le détour.

Le The Betsy, à Miami Beach

LUC POIRIER ET ISABELLE GAUVIN

© Tasula Mia

La Floride! Nous aimons ses paysages toujours rayonnants, ses palmiers, la verdure et surtout le soleil tout au long de l'année. Étant donné que nos séjours en Floride ont toujours lieu avec nos enfants, tous nos coups de cœur floridiens sont en grande partie orientés vers eux. Nous aimons les longues journées à jouer et à relaxer à la plage en leur compagnie et les bons moments passés dans la piscine de notre résidence à Fort Lauderdale. Et que dire de nos longues balades de vélo. En Floride, les gens sont beaucoup plus courtois envers les cyclistes. On se sent donc plus en sécurité, et les routes sont de qualité!

Quand il ne fait pas beau, rien de mieux qu'une journée de magasinage au **Aventura Mall** (19501 Biscayne Blvd., Aventura, FL 33180) ou au **Bal Harbour Shops** (9700 Collins Ave., Bal Harbour, FL 33154), deux centres commerciaux qui sont des *must* absolus. Que ce soit pour magasiner ou simplement faire du lèche-vitrine!

Nous adorons faire du bateau. Nous venons récemment de nous acheter un yacht Azimut qui nous fait passer de beaux moments avec la famille et nos amis. Pour ceux qui n'ont pas accès à un bateau, on peut faire un tour sur le canal en prenant un **Water Taxi** pour se rendre à destination ou tout simplement admirer les magnifiques résidences le long de l'Intracoastal. Dans le temps des Fêtes, il y a également le défilé des bateaux décorés pour l'occasion, qui est très impressionnant.

D'ailleurs, au jour de l'An et lors de la fête nationale des Américains, le 4 juillet, nous pouvons contempler de magnifiques feux d'artifice partout, dans tous les coins du pays.

Bien entendu, nous avons un coup de cœur pour Orlando et Disney. Nous sommes également des amateurs de **Legoland** (1 Legoland Way, Winter Haven, FL 33884), ce qui permet aux enfants de rencontrer Sponge Bob et les Ninja Turtles! Nous aimons aussi séjourner à l'hôtel **Holiday Inn Resort Orlando Suites** (14 500 Continental Gateway Dr., Orlando, FL 32821).

Le **Butterfly World** (3600 W Sample Rd., Coconut Creek, FL 33073) est aussi un incontournable pour émerveiller toute la famille.

Évidemment, étant deux personnes très épicuriennes, nous prenons beaucoup de plaisir à essayer les nombreux restaurants en Floride. Chaque fois, au **Chima Brazilian Steakhouse** (2400 E Las Olas Blvd., Fort Lauderdale, FL 33301), nous relaxons en prenant l'apéritif dans la magnifique cour intérieure et, ensuite, direction salle à manger pour déguster de bonnes viandes accompagnées de légumes et de salades. Exquis!

Mention toute spéciale pour la terrasse du **Shooters Waterfront** (3033 NE 32nd Ave., Fort Lauderdale, FL 33308), qui a une ambiance fort reposante. Nous aimons ainsi y admirer les bateaux qui circulent sur le canal ou simplement écouter une partie de hockey de nos Canadiens (à notre demande, ils acceptent de changer les canaux de la télé pour nous accommoder).

LA meilleure crème glacée se trouve certainement en Floride à Fort Lauderdale! **Chill-N Nitrogen Ice Cream** (2422 N Federal Hwy., Fort Lauderdale, FL 33305) offre un mélange de crème glacée qu'ils font geler devant nous avec de l'azote liquide. Cela procure au produit une texture exceptionnellement douce et inoubliable.

Lorsque le temps n'est pas clément ou simplement pour relaxer, nous nous rendons au **AMC Dine-in Theatres Coral Ridge**, à Fort Lauderdale (3401 NE 26th Ave., Fort Lauderdale, FL 33306). Les énormes fauteuils se transforment en lit et l'on peut s'étendre de tout son long en appréciant le film projeté sur l'écran. De plus, on peut même y manger! Le menu est assez diversifié pour un établissement de la sorte. Rien à voir avec les salles de cinéma du Québec!

La Floride, on aime, tout simplement!

GINETTE RENO ET SA FILLE NATACHA WATIER

Il y a quelques années, ma mère a acheté un condominium en Floride pour s'y reposer, mais également pour accueillir ses proches. Elle a acheté un condo à Siesta Key, en plein cœur de la crise économique. Je me rappelle que, les premières années, lorsque nous allions sur la plage, nous étions seules au monde. Aujourd'hui, il y a un peu plus de vacanciers, mais cela reste très intime, puisque la plage devant le condo de ma mère est privée. À Siesta Key, la mer est magnifique. Lorsqu'on se promène dans le village, il y a de nombreuses affiches qui nous rappellent que la plus belle plage des États-Unis n'est qu'à quelques pas. Bref, on a une plage idyllique, on a la paix, tout en étant à deux pas du centre-ville, où se trouvent de nombreux restaurants et petits magasins. Voici nos coups de cœur.

Juste à côté de Siesta Key, à Sarasota, il y a le restaurant **Owen's Fish Camp** (516 Burns Cour, Sarasota, FL 34236). On dirait un vrai camp de pêcheurs. À l'extérieur, on peut relaxer sur la terrasse ou dans la cour décorée de bouées de sauvetage, d'une table à pique-nique, d'un vieux vélo, de bancs rustiques… C'est vraiment un décor de vieux *shack,* un peu comme un chalet des années 1970. À l'intérieur, le décor rappelle la mer. La nourriture est vraiment bonne ! Il faut réserver, car

c'est très populaire. Faites également une promenade autour du restaurant, c'est un coin très mignon, avec beaucoup de petites boutiques.

Le **St Armands Circle** (300 Madison Dr. Sarasota, FL 34236) est un bon endroit pour courir les magasins et se promener, car de nombreux commerces et restaurants y sont réunis. C'est un peu plus cher, mais cela vaut le détour. Avec ma mère, on aime bien aller y prendre une crème glacée ou prendre un verre entre amis. On y va pour l'ambiance et les terrasses.

Nous allons au **Mortons Gourmet Market Catering** (1924 S Osprey Ave., Sarasota, FL 34239), toutes les deux en compagnie de mon conjoint. C'est un marché où l'on trouve de tout. C'est vraiment un bel endroit ! Quand on n'a pas envie de se faire à manger, c'est là qu'on peut se trouver de bons petits plats prêts-à-manger santé. Il y a de belles salades, des sandwichs délicieux, des soupes et des repas plus élaborés. On peut aussi y trouver toute une gamme de produits du terroir. Il y a un comptoir pour les fromages, une boulangerie, une pâtisserie… On peut rapporter tous ces produits fins au condo et manger comme des gourmets.

La première fois qu'on visite le **Red Barn Flea Market Plaza** (1707 1st St., Bradenton, FL 34208), il faut être préparé. C'est vraiment impressionnant ! C'est un immense marché ! Difficile même de le visiter en une seule journée. On y trouve de tout : de la nourriture, mais aussi des boutiques de décoration, de vêtements et des magasins spécialisés. Il y a des articles anciens, comme des articles neufs. C'est comme un gros marché aux puces !

Un autre de nos incontournables est **The Hub Baja-Grill** (5148 Ocean Blvd., Siesta Key, FL 34242). Ils servent des crevettes accompagnées de leur super sauce piquante. Il y a également une belle variété de salades, comme la *Siesta Key's Salad* avec du thon grillé. Miam ! Les cocktails sont aussi vraiment bons ! C'est de loin l'un de nos restaurants favoris. On y va aussi pour sa terrasse illuminée de petites ampoules colorées, son ambiance tropicale et la musique *live*.

Si vous voulez vivre une expérience inoubliable sur un bateau, il ne faut pas passer à côté du **Key West Express** (100 Grinnell St., Key West, FL 33040). C'est un bateau qui assure la liaison entre Fort Myers Beach, Marco Island et Key West. Nous l'avons pris à Fort Myers et nous nous sommes rendues à Key West en 3 h. L'aller-retour coûte environ 155 $ (95 $ pour un aller simple à Key West). On peut en profiter pour passer quelques jours à Key West. Les eaux claires sont de toute beauté. Il ne faut pas manquer cela !

Le **Mote Marine Laboratory & Aquarium** (1600 Ken Thompson Pkwy., Sarasota, FL 34236) sont à visiter absolument. On en apprend beaucoup sur les environnements marins dans la région de Sarasota et sur la protection des animaux marins. Il y a aussi un immense aquarium. C'est de toute beauté ! De plus, c'est un centre de réadaptation pour les animaux blessés. C'est là qu'on a tourné le film *L'incroyable histoire de Winter le dauphin,* un dauphin sans queue à qui on a posé une prothèse.

On va au **John and Mable Ringling Museum of Art** (5401 Bay Shore Rd., Sarasota, FL 34243) pour le Circus Museum, un musée coloré sur le thème du cirque. C'est aussi à cet endroit qu'on peut visiter l'impressionnante résidence de John Ringling, le roi incontesté du cirque, car il en a possédé plus d'un. Son château est inspiré de la Renaissance italienne. Vous y découvrirez toute la beauté du style vénitien. Cette impressionnante maison porte le nom de Ca' d'Zan. On peut y admirer des toiles de Rubens et de nombreuses œuvres d'artistes du XVIIIe siècle. Il y a également un superbe jardin à découvrir.

Les coups de coeur de Ginette Reno : pour retrouver des produits allemands en pleine Floride, c'est au restaurant **A Taste of Germany** que je me rends (6575 Midnight Pass Rd., Sarasota, FL 34242). On peut y manger, mais aussi y acheter certains produits spécialisés. J'adore cet endroit. Je vais chercher mon fromage appenzeller, mes saucisses et mon foie de veau. Évidemment, j'y fais aussi provision de choucroute, car je raffole de la choucroute !

À Pâques, je me rends sur la plage de Siesta Beach dès 6h30 du matin pour célébrer l'*Easter Sunrise Service*. C'est une messe de Pâques magnifique qui se déroule au lever du soleil, près du grand pavillon, à l'entrée de la plage. Chaque année, de 2000 à 3000 personnes y participent ! Il y a un chœur et des musiciens. On apporte notre chaise pliante et on s'installe sur le sable blanc pour la cérémonie.

Pour ceux qui, tout comme moi, adorent les mini beignets, on en trouve d'excellents dans le village de Siesta Key, au **Meaney's Mini Donuts** (201 Canal Rd., Siesta Key, FL 34242). Ils sont incroyablement bons ! Évidemment, il ne faut pas en prendre l'habitude !

Siesta Beach et son magnifique sable blanc

DENISE ROBERT

J'avoue que, pendant bien des années, j'ai un peu méprisé la Floride. Je n'imaginais que des flamants roses en plastique sur des pelouses artificielles, des restaurants-minute et des plages bondées de touristes obèses, engoncés dans des bikinis deux tailles trop petites et recherchant inlassablement le rayon de soleil qui effacerait les effets néfastes de l'hiver. J'aimais voyager en Amérique latine et en Asie, à la découverte de cultures nouvelles. J'ai été tout à fait étonnée un jour que mon nouvel amoureux me propose de faire le tour de la Floride en voiture. Un mois en Floride ! Ah non ! Bonjour, mon oncle ! Il a réussi à me convaincre de le suivre en me laissant la possibilité de revenir quand je le voudrais, si jamais j'en avais assez. Et j'ai découvert une Floride loin de tous les clichés. Des restaurants gastronomiques, des épiceries fines, des paysages magnifiques, des pleines lunes éclairant des soirées festives et une vie culturelle étonnante.

Depuis, je ne me lasse pas de découvrir des lieux et des gens aussi surprenants les uns que les autres. Chaque voyage que j'y fais est agréable, et j'ai toujours hâte d'y retourner.

Depuis, mes voyages vers des continents éloignés se font plus rares, car je suis toujours comblée par cette Floride qui m'est devenue familière.

Chaque année, la mégaexposition **Art Basel Miami** fait de la ville la plaque tournante de l'art contemporain international. Les murales et les graffitis du quartier artistique de **Wynwood** sont spectaculaires. Ils recouvrent des centaines de gratte-ciel et d'entrepôts dans lesquels logent des galeries d'art, des cafés, des restaurants et diverses boutiques. Certains grands mécènes y ont construit à leurs frais leur propre musée, comme le **Pérez Art Museum Miami** (1103 Biscayne Blvd., Miami, FL 33132), qui couvre l'ensemble de l'art sud-américain, et le **Rubell Family Collection** (95 NW 29th St., Miami, FL 33127), une des plus impressionnantes collections d'art contemporain de toute l'Amérique.

Mon amie de toujours, Suzanne D'Amours, m'a fait découvrir le **Gary Nader Art Center** (62 NE 27th St., Miami, FL 33137), où je retourne à chaque voyage. Gary Nader est né en République dominicaine et il acheté son premier tableau à 12 ans. Il a transformé un vaste entrepôt tout blanc en centre d'art ; le rez-de-chaussée abrite les expositions temporaires de sa galerie commerciale et l'étage est réservé à sa collection personnelle.

Celle-ci a été bâtie autour des artistes sud-américains les plus importants : Bermúdez, Cárdenas, Cruz-Díez, Fontana, Larraz et Goldfarb, mais on y retrouve aussi Basquiat, Lichtenstein, Warhol, Gursky, Naba'a, et même Picasso, Miró et Manet. La grande cour extérieure, **The Sculpture Park**, est réservée à la sculpture contemporaine monumentale. Cet hiver, l'artiste en vedette était le Colombien Fernando Botero. J'ai toujours eu un faible pour lui depuis que j'ai produit *C't'à ton tour, Laura Cadieux,* de Denise Filiatrault, où ses tableaux et ses sculptures servaient de références visuelles. Ici et là dans le Centre, on découvre des « espaces salons » où l'on peut flâner et feuilleter les livres d'art qui s'empilent sur les tables à café. L'art est présent jusque dans les toilettes, au point où chaque cabine s'orne d'un tableau original ! Un incontournable pour tout amateur de peinture.

Je suis une inconditionnelle des salles de cinéma. Et je ne veux pas voir que des films américains. En Europe, j'en profite toujours pour voir en salle des films qui, malheureusement, ne sont pas projetés chez nous. À ma grande surprise, notre regretté Jean Bissonnette m'a fait découvrir, à la Florida Atlantic University de Boca Raton, un cinéma absolument merveilleux, qui offre une programmation inusitée de films classiques et de films indépendants provenant des quatre coins du monde. Le **Living Room Theatres** (777 Glades Rd., Boca Raton, FL 33431) comprend quatre salles de projection équipées de systèmes numériques avec une qualité sonore impeccable, meublées de grands fauteuils en cuir aussi

(sinon plus) confortables que ceux de nos salons. De chaque fauteuil, on obtient une vue complète et sans obstruction de l'écran. L'université a créé cet environnement de projection dernier cri pour ses étudiants du programme d'études en communication et multimédia. En soirée et durant les week-ends, ces salles sont accessibles à tous ceux qui recherchent une belle expérience cinématographique. Dans le hall d'entrée, on trouve un café sympathique avec un menu original, qui offre en plus du vin et de la bière. Le maïs soufflé est même servi dans un plat en porcelaine blanche ! À la sortie des projections, les spectateurs deviennent souvent familiers et discutent ensemble du film qu'ils viennent de voir. Comme un forum Twitter, mais en personne ! Il n'y a pas de soirées pluvieuses à Boca Raton, car la lumière brille sur les écrans de ces salles universitaires.

Le stress est une chose avec laquelle j'ai un peu de difficulté à vivre, et les massages me sont salutaires. J'y suis même un peu accro. Lors d'un de mes déjeuners de filles, mon amie Brigitte Chabot a invité Dominique Bertrand et moi à vivre une expérience unique au **Tao Foot Spa** de Boca Raton (133 E Palmetto Park Rd., Boca Raton, FL 33432). Le silence s'est imposé dès notre entrée dans ce lieu baigné d'une lumière tamisée. La préposée nous a chuchoté de la suivre et nous a remis un carton sur lequel étaient inscrits *fast, slow* et *stop*. Ces trois mots allaient constituer l'essentiel de notre communication avec notre massothérapeute.

Nous nous nous sommes avancées dans une immense salle sombre, où une vingtaine de fauteuils de style La-Z-Boy étaient adossés aux murs. Un banc confortable placé devant chaque fauteuil nous attendait pour que nous nous installions. Nous avons déposé nos pieds dans un bassin rempli d'eau chaude, et le personnel a déposé une serviette sur notre dos. Les massothérapeutes, tous asiatiques et qui auraient pu faire partie d'un club de sumo, ont commencé à faire danser leurs mains sur nos épaules, nos têtes, nos cous et le long de nos colonnes vertébrales. Après une demi-heure d'extase, on nous a demandé de nous allonger dans le fauteuil, les yeux couverts d'une serviette, et le massage s'est poursuivi sur nos jambes, nos pieds, nos orteils, nos bras, nos mains et nos doigts. De quoi s'endormir et se croire au paradis, bercé par la musique éthérée. Donc, le paradis existe, j'en ai la preuve. Malheureusement, le réveil peut être brutal et l'on voudrait recommencer tout de suite, sans fin, pour l'éternité. Je ne peux plus m'en passer. Mes amies non plus. Juste d'en parler me donne envie de prendre ma voiture et conduire les 28 heures nécessaires pour me rendre au pays des merveilles, le Tao Foot Spa, pour revivre ces moments de pure jouissance!

Wynwood Walls, à Miami

VALÉRIE TAILLEFER

Dès le début des années 1980, mes grands-parents passaient leurs hivers en Floride. Alors à toutes les vacances scolaires, nous nous rendions à North Palm Beach afin d'aller visiter mes quatre mamies et papis. La Floride est donc l'endroit où j'ai célébré tous mes Noëls, Pâques et semaines de relâche, et je perpétue cette tradition maintenant avec mes deux filles, puisque ma mère a, elle aussi, choisi de s'y installer pour la saison froide.

Je n'ai jamais aimé nos hivers, et puisque je n'apprécie que les très rares journées où la température oscille autour du point de congélation, surtout lorsque les gros flocons de neige tombent très lentement sans vent, j'ai pris la décision qu'un jour, j'allais m'y réfugier afin de me sauver de nos grands froids.

Je pourrais choisir une île tropicale où la chaleur est toujours au rendez-vous et où il n'y aurait que quelques habitants, mais la Floride est le deuxième domicile des Québécois. J'y retrouve ma famille, tout plein d'amis, un monde et une culture pas trop différents de chez nous et, surtout, tous mes souvenirs d'enfance et ceux vécus avec mes puces. FLORIDA, je t'aime !

J'adore ce restaurant très familial, mon sauveur lorsque je ne veux pas cuisiner : le **C.R. Chicks !** (Village Commons, 731 Village Blvd., Suite 108, West Palm Beach, FL 33409). Il y a plusieurs autres succursales à Palm Beach, Jupiter et Palm Springs.

Voyager avec de jeunes enfants est un défi surtout pour ce qui est des repas. On en vient vite à bout des restaurants où l'on doit rester assis beaucoup trop longtemps. Cette chaîne de restaurants est notre destination incontournable. C'est notre St-Hubert de la Floride ! On y sert du poulet sur broche avec plusieurs choix de légumes en accompagnement (il faut absolument goûter à la pomme de terre pilée). On peut manger sur place ou emporter, et tout cela pour la modique somme de 5 ou 7,50 $ par personne. Le menu pour enfant offre des pâtes au beurre ou au fromage, des pilons de poulet avec des légumes pour seulement 2 $. Et c'est fait maison ! Pas pour rien que j'y vais plusieurs fois par semaine !

Le restaurant **Too Bizaare** (107 Dockside Cir., Jupiter, FL 33477) est bien connu pour son décor éclectique et ses sushis délicieux. Mais en plus, vous avez de grandes chances d'y croiser Tiger Woods, qui s'y rend souvent pour le lunch ; en fait, il s'y rend presque toutes les semaines lorsqu'il est à la maison ! Pour ceux qui n'aiment pas les sushis, on offre une grande variété de mets excellents.

Le **Carmine's Gourmet Market & La Trattoria** (2401 PGA Blvd., Suite 172, Palm Beach Gardens, FL 33410) est une bonne destination pour les *foodies*. Il s'agit d'une épicerie fine où vous trouverez TOUT pour cuisiner vos plats les plus fins et où vous pourrez aussi vous procurer des dizaines de plats prêts à cuire ou encore de prêts-à-manger. Si vous souhaitez recevoir sans trop vous compliquer la vie, les viandes et poissons prêts à cuire sont impressionnants. Vous cherchez toutes sortes de produits importés ? C'est l'endroit ! Le contenu des comptoirs de pâtisseries vaut à lui seul le détour, et il y a même une pizzeria sur place. On y mange la meilleure pizza des environs, un autre endroit idéal pour souper avec les enfants !

Pour les friands de mode, faites un saut chez **Fashionista Palm Beach** (298 S County Rd., Palm Beach, FL 33480). Palm Beach étant bien connue pour ses résidents vêtus de vêtements griffés très colorés et ses boutiques de haute couture, il est normal d'y dénicher des petites boutiques de consignation où l'on peut, à l'occasion, faire de bonnes affaires sur des pièces de valeur. À cette boutique, on peut trouver des petits sacs à main griffés «abandonnés» ou encore une robe de bal magnifique. Préparez-vous à une visite colorée !

On ne peut pas se rendre dans la région de Palm Beach sans aller sur **Worth Avenue**, LA rue la plus célèbre de la région, là où les boutiques toutes plus chères les unes que les autres se partagent les quelques centaines de mètres à parcourir. Je vous conseille de vous promener sur cette rue mythique et d'en profiter pour manger une salade ou une pizza sur la terrasse du restaurant abordable **Pizza Al Fresco** (14 Via Mizner, Palm Beach, FL 33480). Vous aurez l'impression d'être en plein cœur d'une ruelle européenne !

Pour côtoyer la haute, pourquoi ne pas passer une soirée au **HMF at The Breakers** (1 S County Rd., Palm Beach, FL 33480), un resto-bar de tapas du magnifique hôtel The Breakers. On peut y prendre une bouchée et un cocktail. Mais attention, il faut suivre le code vestimentaire. C'est un endroit chic. Les chambres au Breakers sont chères, ce qui vous donne une idée de la clientèle !

La célèbre Worth Avenue

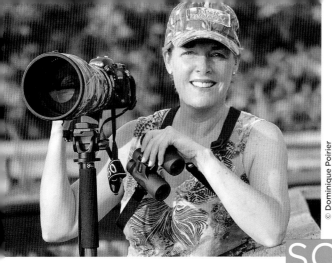

© Dominique Poirier

SOPHIE THIBAULT

Rendons à César ce qui appartient à… Philippe! Je dois ma découverte de la Floride à Monsieur Dagenais, le talentueux et unique designer qui nous a vendu son condo, il y a quelques années. Une Floride moderne, raffinée, pleine de surprises, dont j'ignorais l'existence. Je l'ai parcourue de long en large et je dois dire qu'il est bien ardu de se limiter à quelques coups de cœur!

Je suis allée titiller l'alligator du côté de Naples et des Everglades, j'ai salué les chats d'Hemingway à Key West, pesté contre la foule à Disney World, arpenté les rues agitées de South Beach… mais rien ne vaut la tranquillité de Delray et sa plage impeccable, loin des gratte-ciel encombrants de Miami.

Puisque je me consacre désormais à la photographie animalière et de paysage, un *must* absolu si vous voulez tomber en pâmoison devant la faune et la flore floridienne : **Wakodahatchee Wetlands** (13 026 Jog Rd., Delray Beach, FL 33484). Ce sanctuaire naturel au cœur de Delray vous permettra de croquer ibis, anhingas, aigrettes, hérons, tantales, échasses et autres volatiles exotiques.

Pour tremper vos lèvres dans le meilleur Piña colada au monde en contemplant la mer, visitez le **Seafood Bar** du magnifique hôtel **The Breakers** de Palm Beach (1 S County Rd., Palm Beach, FL 33480).

Vous avez envie d'une escapade en bateau sur l'Intracoastal ou l'océan? La solution réside à Deerfield, avec **Daily Boat Rentals** (580 N Federal Hwy., Deerfield Beach, FL 33441).

J'ai acheté deux condos en Floride, pas nécessairement parce que j'étais amoureuse de l'État, mais plutôt parce que j'y ai vu une occasion d'affaires. En 2010, la productrice de *Décore ta vie,* Brigitte Vincent, m'a appelée pour me dire que le condo à côté du sien était à vendre. Elle avait cherché pour trouver le meilleur endroit où s'établir, pour finalement installer ses pénates à Lauderdale-by-the-Sea. Nous sommes donc partis pour quatre jours pour le voir et nous l'avons acheté. Nous n'avons jamais vraiment pris le temps de faire le tour de la Floride. Chaque fois que nous venions, nous passions beaucoup de temps à la rénovation du condo.

Un jour, j'ai bien l'intention de visiter l'État au grand complet. Avec mon travail et les enfants, je ne pars pas quand je veux, mais bien quand je peux. Mais maintenant que j'y vis, j'adore la Floride. On s'y sent bien, les gens sont gentils, polis, généreux, les enfants sont bienvenus partout, c'est super pour eux et je l'apprécie vraiment.

J'aime la petite ville de Lauderdale-by-the-Sea parce que c'est calme, beau, tranquille. Je m'y rends environ trois fois par année, et comme à chaque fois, c'est pour des vacances relaxantes, mes activités se limitent donc surtout à la plage et aux restos. Une journée typique n'est pas très compliquée : c'est le réveil, le déjeuner au condo, on se crème, puis on part vers la mer. J'adore la mer le matin quand tout est calme, quand l'eau est presque un miroir. Le lunch se prend souvent sur la plage et l'on soupe fréquemment au Sea Watch on the Ocean, à environ 1 km du condo. Il nous arrive même de nous y rendre à pied.

Au complexe de condos où j'habite, il y a des gens dans la quarantaine comme moi, et des plus vieux que j'appelle «ma gang de jeunes». Je les adore !

La Floride, je la vois comme un refuge, un endroit de vacances pour relaxer. Plus tard, dans ma vie, je me verrais bien vivre trois à quatre semaines au Québec et une semaine là-bas, car ma vie est ici, au Québec. Par contre, j'ai déjà songé à peut-être un jour avoir ma propre entreprise de décoration en Floride, à la suite de la série à Canal Vie que j'avais faite, *Comment rénover sans trop se chicaner,* qui fut un franc succès. J'ai eu plusieurs demandes pour de beaux projets de rénovation, mais ma vie ne me le permet pas pour le moment ! Bref, j'aime la Floride parce que c'est proche du Québec, qu'on s'y sent bien et que les gens sont sympathiques.

Les enfants ont bien aimé le **Loggerhead Marinelife Center** (14 200 US Hwy. 1, Juno Beach, FL 33408), un établissement sans but lucratif créé par la famille Fletcher. Les tortues ont d'abord suscité l'intérêt d'Eleanor Fletcher quand, s'étant rendu compte que les tortues ne retournaient pas à la mer une fois leurs œufs éclos, elle a voulu en connaître la cause ; de fil en aiguille, elle a fondé ce lieu avec son mari Robert dans le but de préserver les tortues de mer. On vient en aide aux tortues malades, on les remet en forme avant de les relâcher dans l'océan. On nous apprend l'histoire de chaque tortue, il y en a d'énormes, c'est vraiment impressionnant, et les enfants aiment beaucoup. Toutefois, il vaut mieux se renseigner sur les heures d'ouverture, les activités offertes et leur coût, car cela varie selon les saisons.

Quand on est repu de soleil et de plages, on se rend au **Miami Children's Museum** (980 MacArthur Causeway, Miami, FL 33132). Ce musée offre plein de possibilités, où l'enfant peut mettre à profit ce qu'il a appris à l'école, d'une façon ludique et interactive ; les thèmes variés abordent des situations différentes de la vie « réelle », où les enfants jouent aux grands, par exemple comment faire une opération bancaire, mais aussi la vie dans un « château de rêve ». Sans compter des activités comme l'escalade, l'initiation aux énergies renouvelables ou à la façon dont un bateau de croisière est construit. Dans Ocean Odyssey, il y a un aquarium pour expliquer la vie marine. Des heures de plaisir !

Nous aimons beaucoup, par un beau vendredi soir, nous rendre au **Anglin's Square** (Commercial Blvd., Lauderdale-by-the-Sea, FL 33308), de 18 h 30 à 22 h 30, pour le plus gros party gratuit. Différents petits orchestres nous font danser sous les étoiles. Les jeunes et les moins jeunes adorent ; il y règne une ambiance géniale ! Après s'être trémoussés pendant quelques heures, on rentre, on prend une douche pour finalement tous s'endormir comme des bébés. On peut stationner sur la A1A juste au nord de Commercial Boulevard, ou dans le stationnement de la ville, tout juste deux coins de rue au sud de Commercial, en face du Walgreens.

J'adore le **Sea Watch On the Ocean** (6002 N Ocean Blvd., Fort Lauderdale, FL 33308). Situé dans une maison ancienne où la rénovation a respecté le cachet original, il y a une cheminée gigantesque qui traverse le resto. Elle est située carrément à quelques mètres de la plage et, de sa terrasse, on voit le sable, les palmiers, les dunes et les herbes marines ; c'est un formidable décor ! J'aime y aller pour le crabe tostada, les impressionnants margaritas servis de 16 h 30 à 19 h, et le mercredi, tous les vins sont à moitié prix. L'été, le gaspacho est délicieux, et les *lobster rolls* sont vraiment «écœurants»! La salade Cobb est merveilleuse aussi: laitue croquante, bacon, avocat, morceaux émiettés de fromage bleu et vinaigrette au bleu. Ce que les gens ne soupçonnent pas, c'est que l'étage abrite une petite terrasse où, à l'heure de l'apéro, on ne sert que des entrées, des soupes, des salades, le tout à des prix modérés.

Au **Houston's** (2821 E Atlantic Blvd., Pompano Beach, FL 33062), les clients peuvent venir en bateau, puisque la terrasse donne sur le canal. Tout est très bon, mais il faut être patient: on peut attendre une heure et demie facilement tant il y a du monde. On y sert des plats de poisson, et un filet mignon absolument délicieux. Et la salade de chou frisé avec une vinaigrette aux arachides est hallucinante!

Le Sea Watch On the Ocean, à Fort Lauderdale

MICHEL TREMBLAY

Pendant les années 1980, l'écrivaine Marie-Claire Blais m'invitait à venir passer l'hiver à Key West chaque fois que je la rencontrais : « Viens me rejoindre, c'est une île d'artistes, il fait doux en hiver, les restaurants sont formidables, tu ne le regretteras pas. » Je résistais sans trop savoir pourquoi puis, en 1991, pendant la pire peine d'amour de ma vie, j'ai décidé que je ne voulais plus passer l'hiver au Québec et que j'essaierais de trouver une maison à Key West, de décembre à mars. Et je suis tombé amoureux de l'île en y posant le pied, le lundi de Pâques 1991. J'ai loué la même maison quatre ans de suite et, en avril 1995, j'ai acheté la maison de la Patricia St. Key West est un véritable petit paradis. La flore y est exceptionnelle, et à l'année, les journées froides (fraîches, en fait) y sont rares et oui, on y mange divinement bien !

Key West a toutes les qualités du Sud et aucun des défauts du reste de la Floride. J'ai tout écrit ici, depuis 25 ans, au milieu des fleurs de toutes sortes, au milieu de mes meilleurs amis aussi, puisque ma maison est assez grande et très fréquentée. Je me vante souvent de tenir la meilleure table privée de l'île et je suis convaincu d'avoir raison, la plupart de mes amis étant d'excellents cuisiniers. Le paradis, vous dis-je. Et Marie-Claire Blais habite toujours ici.

Au **Blue Heaven** (729 Thomas St., Key West, FL 33040), on se croirait à Key West dans les années 1950 ; la nourriture y est exceptionnelle.

Le superbe restaurant **Nine One Five** (915 Duval St., Key West, FL 33040) sert une cuisine asiatico-américaine. Les calmars y sont divins.

L'**Ambrosia** (622 Fleming St., Key West, FL 33040) est un très grand restaurant japonais. Tout y est bon !

J'ajoute, pour le lunch, l'excellent **Banana Cafe** (1215 Duval St., Key West, FL 33040), le meilleur rapport qualité-prix sur l'île pour le déjeuner et le lunch. Tenu par Dany, une Française adorable.

Mais furetez, renseignez-vous, Key West est l'un des meilleurs endroits aux États-Unis pour les restaurants.

Quant aux boutiques, il faut vous adresser ailleurs, je déteste magasiner !

LISE WATIER

© Serge Desrosiers

Je suis tombée amoureuse de la Floride lorsque, enfant, j'ai découvert les premiers palmiers. J'étais fascinée par leur allure majestueuse, autant dans les rues de Miami que sur les plages. Plus tard, Miami est devenue pour mes parents et pour moi, même avec très peu de moyens, une destination où nous nous sentions « chez nous », où tout nous était accessible et où nous retrouvions nos amis sous le soleil.

Mes enfants et plus tard mes petits-enfants y ont passé des moments de bonheur, et la tradition se poursuit toujours. Miami offre tout pour moi. La mer, la plage et la ville.

Galeries d'art, musées, antiquaires, restaurants de toutes les cuisines au monde, boutiques de toutes sortes, etc. J'y suis chez nous, autant qu'à Montréal ! Été comme hiver. Rien de plus délicieux que d'entrer dans une mer à 25 °C… l'été !

Encore Plus (281 E Palmetto Park Rd., Boca Raton, FL 33432), une charmante boutique de vêtements consignés, est tenue par une Québécoise, spécialisée dans la revente de vêtements et accessoires, sacs à main et souliers de marques haut de gamme, Vuitton, Prada, Chanel, Gucci, Céline, Valentino, pour ne nommer que celles-là. J'ai confié à la propriétaire les excédents de ma garde-robe personnelle lors de mon dernier déménagement. Tout a été revendu à sa clientèle internationale ! Belles trouvailles garanties !

Dans le centre commercial de **Bal Harbour Shops**, le restaurant japonais **Makoto** (9700 Collins Ave., Bal Harbour, FL 33154), possède une très belle ambiance et offre des sushis et des poissons de grande qualité avec des prix à l'avenant. Le chef Makoto Okuwa a du flair et sait innover, surtout dans le domaine des sushis ; il a fait plusieurs apparitions au Food Network et a une réputation enviable, tout en étant aussi connu sur la côte Ouest, où il a ouvert un restaurant il y a plusieurs années, et où il demeure partenaire. Mes incontournables : les huîtres *Fire and Ice* très froides, surmontées d'un granité de pamplemousse et d'une minitranche de jalapeño. Pour ceux qui ne raffolent pas des sushis, les plats grillés *Robata* sont un choix parfait.

J'ai découvert un restaurant mexicain très sympathique, **Cantina La Veinte** (495 Brickell Ave., Miami, FL 33131), qui propose une cuisine raffinée et un menu fort intéressant. Tout cela dans deux décors enchanteurs : rez-de-chaussée rehaussé de centaines de sculptures régionales venant de divers États mexicains et, au niveau inférieur, un jardin romantique éclairé de centaines de minilumières, longeant la promenade sur Miami River. J'ai fait découvrir à mes amis la *sopa de tortillas,* le plat de *fideos secos* («nouilles sèches») et beaucoup de spécialités mexicaines gourmet qu'on ne retrouve pas habituellement dans les restaurants mexicains-américains. À essayer : un verre de margarita avec un *chile jalapeño...* Vous serez assurément séduit, autant par le décor (surtout en ce qui à trait à la terrasse) que par la bouffe.

Le centre commercial Bal Harbour Shops, au nord de Miami

NOTRE
TOP 5

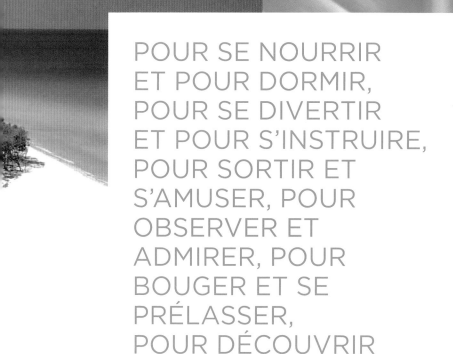

POUR SE NOURRIR
ET POUR DORMIR,
POUR SE DIVERTIR
ET POUR S'INSTRUIRE,
POUR SORTIR ET
S'AMUSER, POUR
OBSERVER ET
ADMIRER, POUR
BOUGER ET SE
PRÉLASSER,
POUR DÉCOUVRIR
ET RÊVER.

Caladesi Island
© St. Petersburg/Clearwater Area CVB

MANGER VITE

LES MEILLEURS RESTAURANTS DE BBQ

1 Tom Jenkins'
Bar-B-Q,
1236 S Federal Hwy.,
Fort Lauderdale,
FL 33316

2 Blue Willy's BBQ,
1190 E Commercial
Blvd.,
Oakland Park
(Fort Lauderdale),
FL 33334

3 Reuben's
Smokehouse,
11 506 S
Cleveland Ave.,
Fort Myers,
FL 33907

Un vrai paradis du BBQ à Fort Lauderdale ! L'énorme fumoir de briques est construit à même la cuisine où des cuisiniers afro-américains impressionnent par leur talent. Ces cuistots connaissent sans aucun doute le feu de l'enfer ! On dit de leurs côtes levées qu'elles sont extraordinaires. En plus des divines viandes fumées, le resto est également reconnu pour le chou vert, le *mac & cheese* et la fameuse tarte à la patate douce.

Croyez-le ou non, le meilleur restaurant de BBQ du sud de la Floride loge à Pompano Beach. En roulant sur l'US 1, à l'angle de McNab, vous pourriez facilement passer devant ce temple de la viande sans jamais vous en rendre compte. Que ce soit le porc effiloché à la façon des Carolines ou la poitrine de bœuf fumé maison au bois de noyer, le résultat est exceptionnel. Optez pour les pains aux oignons et essayez le merveilleux pastrami coupé à la main.

Situé à Fort Myers, ce restaurant vaut à lui seul un détour sur la côte du Golfe. Tous les plats du menu sont excellents, de la poitrine de bœuf au porc effiloché, en passant par les volailles et le pain de viande au bacon de maman Arvey, sans oublier les petits pains à la levure servis avec une confiture de fraises maison. On se sent un peu à l'étroit, mais le service est chaleureux et attentionné.

4 Captain's BBQ,
5862 N Ocean
Shore Blvd.,
Palm Coast
(nord de Daytona),
FL 32137

5 Buck's
Smokehouse,
303 Harbor Blvd.,
Destin,
(Panhandle)
FL 32541

On classe Captain's BBQ comme l'un des meilleurs restaurants de BBQ des États-Unis. Vous aimerez le charme rustique de l'endroit, un peu caché sous de grands chênes garnis de mousse espagnole. La réputation de sa viande fumée n'est plus à faire et ses plats d'accompagnement sont tout aussi réussis. Gardez-vous quand même un peu de place pour le superbe gâteau au fromage.

Ce restaurant fume tout ce qui bouge : porc, bœuf, volaille et même le poisson. Il faut absolument goûter aux généreux plats d'accompagnements, comme la fameuse salade de chou et les fèves au lard, tout simplement phénoménales. Fait à noter, on offre aux groupes un généreux plat *Tailgate* comprenant 2 lbs de bœuf, la même quantité de porc, deux poulets ainsi qu'un gallon de salade et de sauce.

MANGER VITE

LES BURGERS QUI VALENT LE DÉTOUR

1 **Engine No. 9,**
56 N Doctor Martin
Luther King Jr. St.,
St Petersburg,
FL 33705

2 **Brooks Gourmet,**
Burger and Dogs,
330 S 9th St.,
Naples,
FL 34102

3 **Charm City Burger**
Company,
1136 E Hillsboro
Blvd.,
Deerfield Beach,
FL 33441

Ce petit resto branché du *downtown* St Pete concocte les meilleurs *burgers* du monde. De vrais petits chefs-d'œuvre… Avec une sélection de 65 bières et des écrans plats à chaque table, c'est le meilleur endroit de la région de Tampa pour regarder le Canadien donner une bonne volée au Lightning.

Accrochez-vous pour déguster le fameux *donut burger* de ce palais du restaurant-minute floridien ! Imaginez-vous mordant dans un hamburger constitué d'une énorme boulette, de plusieurs tranches de bacon, de fromage orange en tranche et dont les pains sont deux beignets glacés imbibés de jus… Miam !

En roulant vers la plage sur Hillsboro Boulevard, à Deerfield Beach, arrêtez-vous à l'un des meilleurs restos en ville. La réputation des hamburgers est telle que les clients sont prêts à faire une heure de route pour en manger. Il faut essayer l'Empereur, une boulette de bœuf de Kobe, garnie de champignons sautés et de fromage suisse. Ajoutez-y du foie gras, le tout pour la modeste somme de 22,95 $!

4 Teak Neighborhood Grill,
6400 Times Square Ave.,
Orlando,
FL 32835

5 Swine Southern Table & Bar,
2415 Ponce De Leon Blvd.,
Coral Gables,
(Miami)
FL 33134

Ce pub gastronomique de la région d'Orlando est reconnu pour servir les meilleurs hamburgers de tout le centre de la Floride. En plus des *burgers* traditionnels, il sert des beignets glacés au bœuf de Kobe, au jambon-bacon-porc effiloché et même au PB & J (*peanut butter and jelly*), combinant beurre d'amandes et d'arachides, marmelade et juliennes croustillantes dans un bretzel géant.

Ce temple de la cuisine du Sud haut de gamme comble les papilles les plus exigeantes à tout coup. Le décor intérieur de type grange moderne s'accorde bien avec l'intense parfum de bacon fraîchement fumé qui flotte dans l'air. Un seul hamburger au menu, mais délicieux. Un mélange magique de côtes de bœuf, de poitrine, de bacon et porc fumé avec laitue, tomate, fromage, le tout arrosé d'une sauce secrète.

MANGER VITE

DES FRUITS DE MER BEAUX, BONS, PAS CHERS

1 The Le Tub Saloon,
1100 N Ocean Dr.,
Hollywood,
FL 33019

2 J.B's Fish Camp,
859 Pompano Ave.,
New Smyrna
Beach,
FL 32169

3 Island Grill,
85501 Overseas
Hwy.,
Islamorada,
FL 33036
et 80 E 2nd St.,
Key Largo,
FL 33037

Même si la réputation de l'endroit repose surtout sur les hamburgers, qu'Oprah Winfrey a déjà qualifiés de meilleurs des États-Unis, les fruits de mer relativement abordables sont également très réussis. Les crevettes cuites à la vapeur et assaisonnées aux épices Old Bay sont divines. Dans les plats très populaires, on compte aussi le sandwich au poisson frais du jour et la salade de fruits de mer composée de crevettes, de crabe et de saumon.

Ce restaurant reste LA référence lorsqu'on veut manger des fruits de mer sans se ruiner dans la région. Sa terrasse au bord de l'eau est construite au bord de l'Intracoastal dans un secteur tranquille, au sud de la ville. Tout y est délicieux, mais on vous suggère fortement les huîtres crues au prix imbattable de 8 $ la douzaine, les divines balles de crabe ou les bouchées d'alligator. Vous pouvez louer des kayaks ou des planches à pagaie sur place, histoire de brûler les calories que vous venez d'ingurgiter.

Cet endroit est une vraie trouvaille pour des fruits de mer abordables ! L'enseigne clame haut et fort qu'il s'agit de l'endroit rêvé pour déguster les tacos de thon ; attention, on ne parle pas ici de thon en conserve ! En plus de servir d'une main de maître plusieurs recettes classiques, on y offre aussi de délicieux déjeuners, dont les fameux œufs bénédictine au homard.

4 **The Whale's Rib,**
2031 NE 2nd St.,
Deerfield Beach,
FL 33441

5 **Tarks of Dania**
Beach,
1317 S Federal
Hwy.,
Dania Beach,
FL 33004

Situé tout près de la plage de Deerfield Beach, ce petit restaurant toujours bondé a su maintenir, année après année, une réputation d'excellence. Pour commencer, on y retrouve une bonne sélection de soupes, telles que la bisque de homard, la chaudrée de palourdes ou de conques. La salade de homard et les sandwichs au poisson apprêtés à la manière de Key West (chou rouge, vinaigrette mille îles et fromage) constituent les choix les plus populaires. Ne manquez pas de vous gaver des fameuses croustilles maison !

Minuscule bicoque curieusement campée sur la route US 1, à Dania Beach, Tarks accueille une foule d'habitués qui s'entassent à l'intérieur dans l'espoir d'attirer l'attention de LA courageuse serveuse qui leur apportera leur dose de bonheur frit et graisseux ! Si vous êtes chanceux, mettez la main sur l'une des tables à l'extérieur, commandez-vous une bonne bière et n'importe laquelle des spécialités, crevettes, huîtres, palourdes... et dégustez avec plaisir ces vrais délices à petits prix !

MANGER VITE

DU BON PAIN MÊME EN FLORIDE

1 Buon Pane Italiano, 729 5th St., Miami Beach, FL 33139

2 Cole's Peace Artisan Bakery & Deli 1111 Eaton St., Key West, FL 33040

3 La Segunda Central Bakery, 2512 N 15th St., Ybor City, (Tampa), FL 33605

Ce petit bijou de boulangerie vaut le détour avec son choix abondant de produits toujours frais, préparés de manière artisanale. Un de ces endroits qu'on adopte dès la première visite. Attention à votre tour de taille, on devient vite accros !

Voici l'éden du gourmand doublé d'un gourmet ! Fraîcheur et passion sont synonymes de cette boulangerie servant également de la charcuterie. Un choix incroyable de pains, de baguettes, de ciabatta, de fougasse, de pains cubains, au levain, etc. vous attend. Le pain à la mangue frôle le péché… De grâce, succombez !

Véritable tour de Babel des saveurs, où s'entrecroisent les cultures italienne, cubaine et espagnole. Une parenthèse de pur bonheur pour vos papilles gustatives. Un incontournable !

4 Cafe de Paris Bakery, 2300 Gulf Blvd., Indian Rocks Beach (Tampa), FL 33785

5 Croissant Gourmet, 120 E Morse Blvd., Winter Park (Orlando), FL 32789

Boulangerie française de classe internationale, le Cafe de Paris vous offre une gamme de produits, tous plus savoureux les uns que les autres. Pains, pâtisseries, quiches, biscuits, cafés sont servis dans une atmosphère européenne. Située près de Clearwater, sur la côte du golfe du Mexique, cette pâtisserie-boulangerie vaut assurément le détour.

On dit de cette pâtisserie française de la région d'Orlando qu'elle est peut-être la meilleure du centre de la Floride. En plus des délicieux pains, croissants et tartelettes faits maison quotidiennement, le menu du dîner déborde de choix raffinés et délicieux. Les sublimes desserts valent à eux seuls le déplacement. Un éventail de délices à l'européenne, légers, feuilletés et délicats.

MANGER SUCRÉ

LES MEILLEURS RESTAURANTS DE *KEY LIME PIE*

1 Better than Sex,
926 Simonton St.,
Key West,
FL 33040

2 Fireman Derek's
World Famous Pies,
2818 N Miami Ave.,
Miami,
FL 33137

3 Kermit's Key West
Key Lime Shoppe,
802 Duval St.,
Key West,
FL 33040
et 200 Elizabeth St.,
Key West,
FL 33040

Son décor intimiste
et feutré laisse place
à l'imagination. Mais
détrompez-vous, vous
êtes bel et bien au
paradis du dessert.
Les *Key Lime Pies*
sont simplement
irrésistibles. Ouvert
en soirée seulement.

En plus d'être
pompier à Miami,
Derek Kaplan
est un magicien
des sucreries. Sa
signature ? Ses
fameuses *Key
Lime Pies*. Tout
simplement divines !
Profitez de votre
visite pour explorer le
quartier branché de
Wynwood.

Ne boudez pas votre
plaisir et laissez-vous
tenter par les *Key
Lime Pies*. Vous
pourrez même vous
en délecter au bord
d'un petit étang
joliment aménagé,
où batifolent des
poissons rouges.
Profitez-en pour
goûter aux popsicles
à la *Key Lime*
trempés dans le
chocolat.

4 Sister Honey's,
247 E Michigan St.,
Orlando,
FL 32806

5 The Florida Key
Lime Pie Company,
25 N Orlando Ave.,
Cocoa Beach,
FL 32931

Récipiendaires de plusieurs prix, les *Key Lime Pies* de Sister Honey's comptent parmi les meilleures de toute la Floride. Elles restent un vrai délice pour le palais. Laissez-vous également tenter par les tartes aux pommes et celles à la noix de coco!

Situé à Cocoa Village, à l'est d'Orlando, là où a lieu annuellement le *Key Lime Pie Festival*, cet endroit demeure un incontournable pour goûter aux meilleures *Key Lime Pies* qui soient et ne plus jamais avoir envie de revenir au pays des Joe Louis! Comprend aussi un tiki bar et une boutique, où on retrouve des produits typiquement floridiens.

MANGER SUCRÉ

CRÈME GLACÉE POUR LA CANICULE

1 Jaxson's Ice
Cream Parlour &
Restaurant
128 S Federal Hwy.,
Dania Beach,
FL 33004

2 Azucar Ice Cream
Company,
1503 SW 8th St.,
Miami,
FL 33135

3 Bo's Ice Cream,
7101 N Florida Ave.,
Tampa,
FL 33604

Incroyable, époustouflant, gigantesque et calorique… ne sont que quelques mots pouvant décrire cette crémerie. Cela dépasse la commune mesure ! De la crème glacée préparée à l'ancienne, servie dans une véritable caverne d'Ali Baba dédiée au sucre ! Si vous y allez en groupe, ne manquez pas de commander le *Kitchen Sink*, un énorme plat en forme d'évier de cuisine, rempli de crème glacée et autres gâteries «pauvres» en calories !

Petit bar laitier de rien du tout, mais que de choix au menu ! L'endroit est vraiment unique avec ses cornets préparés au quotidien à partir de pâte fraîche dans l'arrière-boutique. Azucar offre des produits à faible teneur en calories, et d'autres pour les personnes intolérantes au lactose. Mangue, beurre d'arachide, *dulce de leche*, vinaigre balsamique et fraises… Des ingrédients goûteux dans un endroit rêvé pour faire de votre gourmandise un péché véniel ou mortel…

Le tout Tampa attend en ligne devant ce comptoir de crème glacée. Le service n'est pas plus rapide qu'il le faut, alors la file déborde souvent sur le trottoir. Le *Banana Split* (renversé) est offert en trois formats… à essayer sans faute ! Mais un conseil : débutez par le plus petit… car des restants de crème glacée à emporter ne sont pas conseillés à 30 °C !

4 Twistee Treat, plus
d'une douzaine
d'adresses en
Floride, dont
celle-ci : 11 947 S
Apopka Vineland
Rd.,
Orlando,
FL 32836

Ce bar laitier offre
des produits sans
gluten. Les parfums
sont innombrables :
caramel, coco, beurre
d'arachide, praline,
moka, orange...
Twistee Treat propose
également des glaces
légères, sans gras,
sans sucre… quelle
tristesse gustative !

5 Cold Cow,
938 Santa Maria
Blvd.,
St Augustine,
FL 32086

Un choix démentiel
de parfums, un
service impeccable et
des prix imbattables,
voilà ce qui attend
les clients du Cold
Cow. Cet endroit est
devenu rapidement
un incontournable. À
ne pas manquer, car
il y en a assurément
pour tous les goûts.

MANGER BIEN

DU BŒUF, DU BŒUF, RIEN QUE DU BŒUF

1 STK,
2305 Collins Ave.,
Miami Beach,
FL 33139

2 M.E.A.T. Eatery
and Tap Room,
88005 Overseas
Hwy.,
Islamorada,
FL 33070

3 Bern's Steakhouse,
1208 S Howard
Ave.,
Tampa,
FL 33606

Dans un décor sophistiqué de chandeliers en cornes de taureaux, on s'attable devant un burger de bœuf Wagyu ou un juteux bifteck, accompagné d'un *mac & cheese* au homard. En soirée, l'ambiance s'électrifie au son des derniers succès mixés par les DJ invités, dont la renommée attire les vedettes de la téléréalité. Vous risquez d'y croiser Paris Hilton et le clan Kardashian.

Entre les saucisses maison, l'épaule de porc BBQ et les burgers de bœuf, les amateurs de viande trouveront leur compte ici. Une des rares tables à offrir un menu exclusivement carnivore sur l'archipel floridien. Le resto est également reconnu pour ses croustillantes frites à la graisse de canard.

Avec une cave à vins dépassant le demi-million de bouteilles, l'amateur de grillades trouve assurément le parfait accord à sa pièce de viande chez Bern's, dont le prix varie selon l'épaisseur. La maison fondée en 1953 a une cave remplie de fromages artisanaux et une pâtisserie. Gardez-vous une petite place pour le dessert! Conseil des habitués : on prend place au bar pour mieux zieuter les vedettes de la LNH.

4 The Ravenous Pig,
1234 N Orange
Ave.,
Winter Park,
(Orlando),
FL 32789

5 Chops City Grill,
837 S 5th Ave.,
Naples,
FL 34102
(Le steakhouse
compte aussi une
adresse à Bonita
Springs.)

Le couple de chefs
qui dirigent la cuisine
de ce restaurant
profite habilement
des produits locaux.
Il met l'orange au
premier plan et varie
quotidiennement
le menu. Résultat :
les charcuteries, les
terrines maison et les
venaisons cuisinées
par ce duo amoureux
sont parmi les plus
populaires de
la région.

Avis aux maîtres du
grill : ce resto élève la
cuisson au charbon
de bois au niveau de
l'art. La viande vieillie
sur place possède
une tendreté et un
goût savoureux.
Servie avec des
légumes grillés ou
d'onctueuses purées,
elle fait de l'endroit un
incontournable !

MANGER BIEN

LES MEILLEURS RESTAURANTS DE FRUITS DE MER

1 Rustic Inn Crabhouse,
4331 Anglers Ave.,
Fort Lauderdale,
FL 33312

2 Truluck's
Plusieurs adresses,
dont celles-ci :
2584 A E. Sunrise
Blvd.
Fort Lauderdale,
FL 33304 ou
351 W Plaza Real,
Boca Raton,
FL 33432

3 Blue Moon Fish Co.,
4405 W Tradewinds
Ave.,
Lauderdale-by-
the-Sea,
FL 33308

Établie en 1955, cette institution de la région de Fort Lauderdale ne cesse d'épater les friands de fruits de mer. Son énorme salle à manger avec accès direct au canal adjacent se veut l'endroit idéal pour célébrer une grande occasion. Vous prendrez un malin plaisir à ouvrir votre crabe à grands coups de marteau de bois. Ne vous gênez pas pour porter la bavette fournie avant le repas, car vous en aurez bien besoin !

Dieu merci, il existe désormais une chaîne de ces formidables restaurants, plus habiles à servir les fruits de mer et les steaks que n'importe qui d'autre ou presque. Quand rien ne semble assez bon pour vos papilles ou que vous voulez vous offrir ce qu'il y a de meilleur, rendez-vous chez Truluck's. Une expérience inoubliable !

On ne dit que de bons mots à propos de cet établissement situé sur l'Intracoastal, à Lauderdale-by-the-Sea. D'abord pour sa grande offre de plats de fruits de mer classiques, mais également pour les plats carnés. Le super brunch du dimanche incluant champagne à volonté, au prix de 58,95 $, s'avère très populaire auprès de la faune locale.

4 Eddie V's Prime
Seafood, 7488 W
Sand Lake Rd.,
Orlando,
FL 32819
ou 4400 W Boy
Scout Blvd.,
Tampa,
FL 33607

5 Joe's Stone Crab,
11 Washington Ave.,
Miami Beach,
FL 33139

Cette chaîne de
restaurants de
fruits de mer de
très grande qualité
vous fera vivre une
expérience culinaire
sensationnelle. De
son bar à huîtres
décadent, aux
entrées toutes plus
alléchantes les unes
que les autres, en
passant par les
plats principaux tout
simplement divins, les
poissons, mollusques
et crustacés vous
renverseront – tout
comme l'addition
d'ailleurs.

Si vous cherchez une
adresse absolument
incontournable
pour découvrir les
meilleurs plats de
fruits de mer de la
région de Miami,
vous y êtes. On
attribue à Joe Weiss,
le fondateur de ce
resto légendaire,
l'apprêt de ce
délicieux crustacé
local appelé *stone
crab* («crabe caillou
noir»). Servi ici sans
assaisonnements,
avec beurre fondu
ou avec la fameuse
sauce à la moutarde.

MANGER BIEN

MANGER OU BOIRE EN ADMIRANT LE COUCHER DE SOLEIL

1 **The Beach Café at Morada Bay,**
81 600 Overseas Hwy.,
Islamorada, FL 33036

2 **The Sunset Tiki Bar and Grill,**
617 Front St.,
Key West,
FL 33040

3 **Sundowners,**
103 900 Overseas Hwy.,
Key Largo,
FL 33037

Quand vient le temps de célébrer la tombée du jour, difficile de trouver un endroit plus mémorable dans la région des Keys. Les tables multicolores de la terrasse sont installées directement sur le sable blanc, le tout couronné par de grands cocotiers. Commandez-vous un bon cocktail tropical, déchaussez-vous et goûtez à l'une des spécialités de la région, telle que le poisson frais du jour.

Même si Mallory Square est l'endroit le plus couru de Key West pour contempler le soleil couchant, plusieurs habitués ne jurent que par ce petit resto-bar offrant un très bon rapport qualité-prix. Vous y trouverez de tout : un magnifique point de vue sur l'eau, deux *happy hours* (matin et soir), de la musique des îles en direct et, évidemment, de la délicieuse nourriture des Caraïbes, servie avec le sourire.

Située à l'entrée des Keys, cette autre magnifique terrasse en bord de mer vous plongera en plein cœur d'un paradis tropical digne d'une carte postale. En plus de la saisissante vue panoramique, les petits et les grands prendront plaisir à nourrir les tarpons, d'énormes poissons rôdant près des quais avoisinants. On y sert l'une des meilleures *Key Lime Pies* de la région.

4 Fish Out of Water,
34 Goldenrod Cir.,
Santa Rosa Beach
(Panhandle),
FL 32459

5 Red Fish Grill,
9610 Old Cutler
Rd.,
Coral Gables,
(Miami),
FL 33156

Lors de votre prochain passage dans le Nord-Ouest de la Floride, profitez du coucher de soleil à la terrasse d'un des meilleurs restaurants des alentours. La vue spectaculaire du golfe du Mexique et des dunes à proximité comblera à coup sûr les attentes des voyageurs les plus exigeants. La cuisine y est raffinée et créative, la carte des vins, très variée, et le service, courtois et chaleureux.

Si vous cherchez le meilleur endroit près de Miami pour déguster un excellent repas, tout en regardant le soleil descendre doucement à l'horizon, rendez-vous au Red Fish Grill. La qualité de la nourriture et l'ambiance exceptionnelle de cet endroit attirent les foules, il est donc préférable de réserver. Arrivez 45 min à l'avance pour vous mettre dans l'ambiance en sirotant un verre au bar.

VISITER

LES PLUS BEAUX MUSÉES

1 **Salvador Dalí Museum,**
1 Dalí Blvd.,
St Petersburg,
FL 33701

2 **Vizcaya Museum & Gardens,**
3251 S Miami Ave.,
Miami,
FL 33129

3 **The Ernest Hemingway Home and Museum,**
907 Whitehead St.,
Key West,
FL 33040

Vous trouverez ce musée dédié à Salvador Dalí sur le campus même de l'University of South Florida, à St Petersburg. Une découverte mémorable et intime vous attend dans la plus belle et la plus importante collection au monde de ce peintre espagnol, reconnu pour son style surréaliste. Cette visite au cœur de l'excentricité de l'un des plus célèbres peintres du XXe siècle vaut le détour !

On doit à l'architecte F. Burrall Hoffman l'érection du Musée Vizcaya en respectant, en tous points, l'aspect des villas italiennes du XVIe siècle. Découvrez une importante collection de pièces de musée du XVe et XIXe siècle. La magnificence de ses jardins vous en mettra plein la vue. Cette parenthèse italienne du passé, en plein centre de la Floride, possède heureusement des sanitaires de notre époque !

Refuge pendant plus de 10 ans du célèbre auteur et gagnant du prix Nobel Ernest Hemingway, cette demeure date de 1851. Elle regorge d'effets personnels ayant appartenu à l'auteur. La cave à vin vaut à elle seule la visite. L'aménagement des jardins et la construction de la piscine à l'eau de mer auraient coûté, à l'époque, une fortune à réaliser. Les visites guidées se font en anglais seulement, mais vous trouverez de la documentation en français sur place.

4 **Flagler Museum,**
1 Whitehall Way,
Palm Beach,
FL 33480

5 **Museum of**
Fine Arts,
255 NE Beach Dr.,
St Petersburg,
FL 33701

Né en 1830, M. Flagler était d'origine modeste. Il a fait fortune notamment dans les chemins de fer et le pétrole. Cette demeure est le fidèle reflet de sa réussite professionnelle et sociale. L'opulence y règne en maîtresse absolue, partout où se posent les yeux des visiteurs. À ne pas manquer !

Le Museum of Fine Arts de St Petersburg présente à ses visiteurs des pièces d'histoire qui remontent à 4500 ans. Une visite au cœur de l'humanité, en quelque sorte. Ce musée expose également des œuvres de Monet, de Cézanne, de Renoir et de plusieurs autres. C'est l'endroit idéal pour initier et exposer vos enfants aux beautés et aux merveilles de notre monde.

VISITER

LES MEILLEURS PARCS D'ATTRACTIONS

1 Walt Disney World,
Walt Disney World Resort, Orlando, FL 32830
Le parc d'attractions le plus populaire au monde offre quatre parcs thématiques et deux parcs aquatiques.

Magic Kingdom
1180 Seven Seas Dr.,
Lake Buena Vista,
FL 32830

Il n'y a pas de meilleur endroit au monde pour voir le château de Cendrillon et serrer la main des personnages de Disney! Profitez-en pour monter à bord des célèbres manèges *It's a Small World, Space Mountain, Splash Mountain* et visitez le terrifiant *Haunted Mansion.* Les feux d'artifice de fin de soirée impressionneront les enfants, tout comme les grands.

Epcot
200 Epcot Center Dr.,
Orlando,
FL 32821

Ce parc thématique contient deux secteurs distincts : *Future World,* qui présente des innovations technologiques, et *World Showcase,* qui s'adresse à ceux qui ont envie de faire un minitour du monde, en savourant la cuisine de 11 pays différents, par exemple. Ne manquez sous aucun prétexte le feu d'artifice et de lasers à la fermeture.

Disney's Animal Kingdom
2901 Osceola Pkwy.,
Orlando,
FL 32830

En plus de vivre des sensations fortes avec les manèges, dont l'*Expedition Everest* et le *Kali River Rapids*, découvrez des animaux exotiques et assistez à des spectacles et des défilés hauts en couleur. Si votre portefeuille vous le permet, optez pour le *Disney's Animal Kingdom Lodge*, un hôtel situé à proximité du parc. Vous observerez les animaux de la jungle directement de votre fenêtre.

Disney's Hollywood Studios
351 S Studio Dr.,
Lake Buena Vista,
FL 32830

Dans ce parc
consacré totalement
au cinéma, vous ferez
la rencontre des
vedettes d'*Histoire
de jouets*, des
Bagnoles et bien
d'autres. Ne quittez
pas les lieux sans
monter à bord du *Toy
Story Midway Mania*.
Pour les amoureux
de *La Guerre des
Étoiles*, essayez
le manège à trois
dimensions *Star Tour*.
Envie d'une grosse
dose d'adrénaline ?
Ces deux manèges
sauront vous
combler : le *Rock
'n' Roller Coaster
Starring Aerosmith*,
et le *Twilight Zone
Tower of Terror*. Enfin,
ne manquez surtout
pas la comédie
musicale *Nemo*, le
meilleur spectacle de
Walt Disney World.

Blizzard Beach,
1534 Blizzard
Beach Dr., Orlando,
FL 32830

Si une légère
nostalgie de l'hiver
vous prend, faites
un tour au Blizzard
Beach. Une station
de ski au milieu d'un
lagon tropical !

Disney's Typhoon Lagoon,
1145 Buena Vista Dr.,
Orlando, FL 32830

Besoin de vous
rafraîchir ? La plus
belle piscine à vagues
de la région s'y trouve,
ainsi que l'immense
piscine en pente
douce. Pour vous
reposer après une
journée épuisante,
une plage de sable
blanc avec palmiers
vous attend. Amateurs
de *snorkeling*, Shark
Reef est l'endroit
pour rencontrer des
poissons tropicaux
et même des petits
requins. Pour des
sensations fortes,
grimpez à bord de
la montagne russe
Crush « n » Gusher,
poussée d'adrénaline
garantie !

VISITER

LES MEILLEURS PARCS D'ATTRACTIONS (SUITE)

2 Sea World, Orlando
7007 Sea World Dr.,
Orlando,
FL 32821

3 Discovery Cove,
6000 Discovery
Cove Way,
Orlando,
FL 32821

4 Universal Orlando Resort,
6000 Universal
Blvd,
Orlando,
FL 32819

Ce parc, qui abrite plusieurs espèces d'animaux marins, est mondialement reconnu et reste un des plus visités. Avec ses expositions et ses spectacles de grande qualité, les bêtes n'auront plus de secret pour vous. Plusieurs manèges sont aussi à votre disposition dont deux montagnes russes plutôt terrifiantes, inspirées du monde marin.

Vous rêvez de nager avec les dauphins ? Faites un tour à Discovery Cove, l'une des attractions les plus prisées de Floride ! Vous pourrez nager une trentaine de minutes avec des dauphins. Autrement, profitez de l'endroit ! Avec ses plages de sable blanc, ses piscines, et ses fleurs tropicales, vous aurez l'impression d'être en plein paradis terrestre. Muni d'un masque et d'un tuba faites la rencontre de raies, de requins, de magnifiques poissons tropicaux dans les barrières de corail aménagées. Comme le nombre de visiteurs est limité à 1000 par jour, il faut réserver !

Il est constitué de deux parcs à thèmes : Island of Adventure qui rassemble la plupart des manèges à sensations fortes et le Universal Studios avec des attractions inspirées du cinéma produit par Universal. C'est à Universal Orlando Resort que vous ferez la rencontre de *Shrek*, *Spiderman*, *Hulk*, des personnages des *Simpson*, de *Bob l'éponge*, etc. Ne manquez surtout pas les manèges et l'espace consacrés à Harry Potter : *The Wizarding world of Harry Potter*. Ils sont tout simplement magiques !

5 Bush Gardens Tampa, 10165 N Malcolm McKinley Dr., Tampa, FL 33612

Un parc animalier et d'attractions ayant pour thème l'Afrique. En plus de ses différents manèges et de ses montagnes russes époustouflantes dont la célèbre *Cheetah Hunt*, qui reproduit l'accélération d'un guépard, vous découvrirez neuf régions africaines et rencontrerez des centaines d'animaux. Vous pourrez même les nourrir. Enfin, vous assisterez à des spectacles thématiques divers. La visite peut se faire à pied ou à bord du Serengeti Express ou encore dans le Skyride qui traverse certaines régions du parc.

VISITER

DES ZOOS PARMI LES PLUS BEAUX

1 Tampa's Lowry Park Zoo, 1101 W Sligh Ave., Tampa, FL 33604

Plusieurs espèces animales à découvrir dans ce décor qui saura dépayser les visiteurs. De même, vous pourrez voir une clinique pour animaux, des carrousels, des jeux d'eau et vous reposer dans des lieux de détente désignés. Un lieu où les enfants se créeront des souvenirs mémorables.

2 Brevard Zoo, 8225 N Wickham Rd., Melbourne, FL 32940

Ce parc, bien que modeste en dimension, joue un rôle important dans la conservation de la faune à l'échelle internationale. De nombreux forfaits existent, tous fort instructifs, mais certaines visites guidées demeurent dépendantes de la météo. On peut y louer des kayaks et des pédalos. La piste aérienne à obstacles est à ne pas manquer.

3 Jacksonville Zoo and Gardens, 370 Zoo Pkwy., Jacksonville, FL 32218

Unique en son genre, ce parc est le seul à marier la zoologie à la botanique. L'aventure australienne, le pays des tigres, le centre de conservation des amphibiens, les grands singes, les plaines de l'Afrique de l'Est et d'autres attendent les visiteurs. Trois zones consacrées à la botanique vous éblouiront. Jeux d'eau pour les enfants et balades en petit train également offerts.

4 Miami Zoo,
1 Zoo Blvd.,
12 400 SW 152 St.,
Miami, FL 33177

Ce jardin zoologique
est le plus vieux et
le plus grand de la
Floride ; il s'étend
sur 750 acres.
Il héberge 500
espèces d'animaux,
dont 40 en voie de
disparition. Le tigre
blanc, très rare, et
les promenades à
dos de chameau
sont très populaires
auprès des visiteurs.
Les attractions et les
jeux ne se comptent
plus… Vous ajouterez
des connaissances
zoologiques à votre
besace et vivrez des
expériences uniques
au zoo de Miami.

5 Zoological Wildlife
Foundation,
16 225 SW
172nd Ave.,
Miami,
FL 33187

Si vous rêvez de
caresser un bébé
tigre, de tenir dans
vos bras un ourson
ou de nourrir un maki
(lémurien), en plus
de découvrir des
animaux parmi les plus
rares de la planète,
ne manquez pas de
visiter le *Zoological
Wildlife Foundation*,
l'un des 10 plus beaux
zoos du monde.
Ce magnifique zoo
privé œuvre à la
sauvegarde des
espèces menacées
ou en voie de
disparition ainsi qu'à
la sensibilisation de la
population. Tour guidé
par petits groupes
sur rendez-vous
seulement. Pas à la
portée de toutes les
bourses, mais cela
en vaut le prix !

VISITER

DES DESTINATIONS ROMANTIQUES À VOIR

**1 St George Island,
Franklin County
(Panhandle)**

**2 Cedar Key,
Levy County
(nord de Tampa)**

**3 Mexico Beach,
Bay County
(Panhandle)**

Juchée au nord-ouest de la Floride, dans la Panhandle, l'île de St George vous éblouira et vous charmera. Cette île barrière de 45 km offre aux visiteurs une véritable oasis de paix sans aucun gratte-ciel. On dit de cet endroit qu'il est l'un des plus chers de la côte du golfe du Mexique pour louer ou acheter une propriété. Du côté est de l'île, le State Park St George Island invite les amateurs de plein air à venir camper et à se baigner dans un lieu paradisiaque.

Minuscule village de pêcheurs situé au cœur d'une réserve faunique, Cedar Key est l'un de ces endroits oubliés du nord-ouest de l'État qui ont heureusement réussi à conserver, au fil du temps, leur beauté naturelle. Les photographes et ornithologues amateurs s'y plairont à coup sûr. Réveillez l'aventurier romantique en vous et profitez-en pour louer une embarcation afin d'y explorer les environs.

La charmante petite ville de Mexico Beach est un autre petit secret qui fait du Panhandle une région à découvrir absolument. Avec ses 1000 habitants et l'absence de développements immobiliers à grande échelle, l'endroit est une destination parfaite pour la romance au soleil, surtout avec sa plage de sable blanc poudreux et la limpidité de l'océan.

4 Naples, Collier County

5 Key West, Monroe County

À la hauteur de Fort Lauderdale, mais du du côté du golfe du Mexique, la chic ville de Naples est l'une des destinations les plus populaires des États-Unis auprès des Américains retraités et fortunés. Il n'est pas rare d'y voir des propriétés valant plus de 40 millions $. La propreté de ses rues et de sa plage principale vous séduira. À la brunante, faites une promenade en amoureux sur son long quai de pêche et n'oubliez surtout pas votre appareil photo.

Key West est l'hôte du plus grand rassemblement des « disciples » du coucher de soleil, communément appelé *Sunset Celebration*. Les soirs où la température le permet, des milliers de curieux se rassemblent à Mallory Square pour y observer, cocktail à la main, la tombée du jour. La symphonie des clics des appareils photo rappelle un tapis rouge un soir de première, mais cette fois-ci, la vedette est l'astre du jour arborant fièrement ses plus belles couleurs.

VISITER

LES RUES OÙ DÉAMBULER

1 **Collins Avenue,**
Miami Beach

2 **Worth Avenue,**
Palm Beach

3 **Duval Street,**
Key West

Les guides touristiques classent les hôtels d'Ocean Drive parmi les plus beaux attraits de style Art déco de Miami. Nous préférons toutefois les édifices de l'avenue Collins, entre les 10th et 13th Street plus précisément. Franchissez la porte de l'hôtel Essex et de la boutique Webster pour admirer de visu les charmes se cachant derrière ces façades fantaisistes.

Sur Worth Avenue, vous marcherez sur 400 mètres aménagés comme une grande place méditerranéenne qui ont attiré les Chanel, Tiffany, Vuitton, Ralph Lauren et autres marques luxueuses. Entre les vitrines de ce Rodeo Drive floridien, des arcades s'ouvrent sur des cours intérieures avec cafés, galeries d'art et parcs. Dire que l'avenue Worth d'avant 1920 menait à un marécage peuplé d'alligators !

De jour, on arpente la portion sud de Duval Street pour admirer les manoirs à l'architecture victorienne. Du coucher de soleil jusque tard dans la nuit, c'est une ambiance de carnaval qui anime le nord de l'artère. Bistros et pubs résonnent de musique en direct, nous invitant à nous déhancher directement sur la chaussée !

4 Orange Avenue, Orlando

5 Fifth Avenue South, Naples

En excluant Main Street USA, située à Magic Kingdom, Orange est sans conteste la rue la plus populaire d'Orlando. On imite la faune locale en flânant sur les quelque 800 m de l'avenue traversant le quartier d'Ivanhoe Row, où abondent pâtisseries, antiquaires, boutiques rétro et bars à vin.

Bordée de palmiers et d'édifices coloniaux rose corail et jaune canari, Fifth Avenue South est la destination magasinage des VIP de Naples, l'attitude hautaine en moins. Chacun trouve son compte dans les boutiques griffées pour enfants ou chez les designers émergents.

VISITER
DES ÎLES À NE PAS MANQUER

1 Fisher Island
(au large de Miami)

2 Hutchinson Island
(Fort Pierce)

3 Cabbage Key
(Fort Myers)

Une enclave tropicale attend le visiteur au cœur de la baie de Biscayne. Un trajet d'environ 7 min à bord d'un transbordeur depuis Miami Beach mène à cette île connue pour son manoir Art déco, érigé en 1925 par les richissimes Vanderbilt, et pour son terrain de golf en bordure des eaux cristallines.

Un récif protège la plage de cette île des vagues parfois fortes de la côte atlantique. Les jeunes baigneurs profitent ainsi d'eaux calmes et les amateurs de plongée en apnée peuvent observer à loisir la faune aquatique évoluant au sein de l'épave du George Valentine, échoué depuis 1904.

Cette île sans rue ni voiture est un secret bien gardé des résidents de la ville côtière de Fort Myers, qui ont adopté l'endroit pour leurs escapades en amoureux. Auberge pittoresque, sentiers bordés de gommiers rouges aux troncs noueux et mangroves contribuent à la romance du lieu.

4 Lovers Key State Park (Fort Myers Beach)

5 Anastasia Island State Park (St Augustine)

Comme son nom l'indique, Lovers Key était jadis une île réservée uniquement aux amoureux, située à quelques battements d'ailes de Fort Myers ; la quiétude de ses sentiers et de ses plages en fait une destination idéale pour se retrouver en famille ou avec l'être cher. Avec un peu de chance, vous y observerez des dauphins, des lamantins et des balbuzards.

Tout près de St Augustine, ville débordant de charme historique, Anastasia Island et son adorable State Park vous proposent l'un des plus beaux sites naturels de Floride. Le ravissant camping à deux pas de l'océan servirait d'excellent point d'ancrage pour découvrir les environs. Besoin de confort ? Vous trouverez, au sud du parc, un vaste choix d'hébergements.

BOIRE ET SORTIR

LES PLUS BEAUX TIKIS BARS

1 Mai-Kai Restaurant, 3599 N Federal Hwy., Fort Lauderdale, FL 33308

2 Tiki Bar du Postcard Inn Beach Resort & Marina, 84 001 Overseas Hwy., Islamorada, FL 33036

3 Lido Key Tiki Bar, 1234 Benjamin Franklin Dr., Sarasota, FL 34236

Monument historique pour les fanatiques du style polynésien, le Mai-Kai fascinera aussi les non-initiés. Dans ce palais de l'exotisme construit dans les années 1950, artefacts polynésiens, costumes et décors grandioses, cuisine hawaïenne, spectacles explosifs incluant danses et jongleries avec le feu attendent les visiteurs. Le Mai-Kai est assurément plus qu'un bar ! La facture en fait malheureusement foi.

De tous les tikis bars annoncés le long de la route des Keys, celui-ci est sûrement l'un des plus connus. On y a tourné le vidéoclip de la fameuse chanson *Kokomo*, des Beach Boys, et on y aurait même inventé l'enivrant *Rum Runner*, cocktail givré à base de rhum, brandy, liqueur de banane et jus de lime. La terrasse de cette buvette ensoleillée offre une vue splendide sur la mer.

Affilié au Ritz Carlton Beach Club, c'est le seul tiki bar installé directement sur la plage de Sarasota. C'est également l'une des destinations préférées des habitants de la région qui veulent prendre un verre au bord de la mer. Le menu, composé de délicieuses spécialités floridiennes préparées au Ritz, saura sans doute satisfaire votre appétit, surtout après quelques cocktails tropicaux.

4 Ricki Tiki Tavern,
401 Meade Ave.,
Cocoa Beach,
FL 32931

5 Jimmy B's
Beach Bar,
(The Beachcomber
Beach Resort)
6200 Gulf Blvd.,
St Petersburg
Beach,
FL 33706

Ce tiki bar, situé complètement au bout du quai de Cocoa Beach, n'offre qu'une poignée de tabourets disposés le long du comptoir. La vue y est toutefois saisissante, directement au-dessus de l'océan, enjolivée par la présence des barques de nombreux pêcheurs et par le spectacle impressionnant des surfeurs. Rien ne vous empêche d'en profiter pour mettre votre propre ligne à l'eau. L'admission au quai ne coûte qu'un dollar!

Gagnant du meilleur bar de Floride en 2011, 2012, 2014 et 2015, ce super tiki bar de la plage de St Petersburg a tout pour vous faire vivre une expérience inoubliable. D'excellents musiciens locaux y jouent une musique festive de deux à trois fois par jour et les fins de semaine, dès 11 h. À deux pas du golfe du Mexique, l'endroit est idéal pour admirer le coucher du soleil, tout en savourant votre boisson préférée.

BOIRE ET SORTIR

ALORS, ON DANSE...

**1 Liv at The
Fontainebleau,
4441 Collins Ave.,
Miami Beach,
FL 33140**

**2 Sloppy Joe's Bar,
201 Duval St.,
Key West,
FL 33040**

**3 Mango's
Tropical Cafe,
900 Ocean Dr.,
Miami Beach,
FL 33139**

Miami ne manque pas d'endroits pour s'éclater. Pour une soirée chic, jet-set et festive, sortez au Liv du très célèbre et prestigieux hôtel Fontainebleau, là où des scènes cultes de plusieurs grands films ont été tournées, dont *Scarface*, *Goldfinger* et même de la série télévisée *Les Soprano*. Ce club sélect accueille des DJ de renommée internationale ; vous y croiserez sans aucun doute des vedettes. Petit conseil : n'arrivez pas en gougounes et chemise hawaïenne !

Pas de flafla, ni de section VIP ou d'interminables files d'attente devant les boîtes de nuit de Key West. Les bars de la localité charment plutôt les noctambules avec leur ambiance décontractée et sans prétention. C'est le cas de la buvette fétiche d'Ernest Hemingway, inondée de musique qui invite à se déhancher jusqu'au petit matin.

Sur Ocean Drive opère le célèbre Clevelander, un club très populaire. Mais pour bien des locaux, c'est au Mango's Tropical Café qu'on doit se rendre pour une nuit de folies. D'abord pour danser sur des rythmes latins endiablés, puis pour les spectacles, voir et être vu. Attention cœurs sensibles : les serveuses sont particulièrement sexy !

4 Gaspar's Grotto,
1805 E 7th Ave.,
Tampa,
FL 33605

5 EVE Orlando,
110 S Orange Ave.,
Orlando,
FL 32801

La nuit tombée,
l'animation dans le
quartier historique
Ybor City rappelle
l'ambiance festive
de Bourbon Street,
à la Nouvelle-
Orléans. La fête bat
particulièrement
son plein dans les
trois bars du Gaspar
Grotto, où on invite
les couche-tard
à fêter et à
danser comme
au Mardi gras.

À la fois invitant et
élégant, le décor
de cette boîte
de nuit mélange
les influences
industrielles et
glam rock. On aime
particulièrement la
multiplication des
atmosphères (espace
lounge, boîte de nuit,
salons intimes) et
l'immense terrasse
qui surplombe
Orange Avenue.

BOIRE ET SORTIR

LES MEILLEURES BIÈRES LOCALES

1 J Wakefield Brewing,
120 NW 24th St.,
Miami,
FL 33127

2 Florida Keys
Brewing Co.,
200 Morada Way,
Islamorada,
FL 33036

3 Cigar City Brewing,
3924 W Spruce St.,
Tampa,
FL 33607

John Wakefield a remporté le titre de la meilleure ale aigre (*sour ale*) des bières artisanales américaines, en 2015. Grâce au sociofinancement, ce jeune brasseur a désormais pignon sur rue dans une microbrasserie au décor sorti tout droit de la cantine de *La Guerre des Étoiles*. On s'offre une stout, puis on admire les façades des anciennes usines du voisinage, recouvertes d'œuvres d'artistes tagueurs de renommée mondiale.

On dit que « le trois fait le mois ». À la microbrasserie du district culturel de Morada, c'est le troisième jeudi du mois qui fait le bonheur des amateurs de blondes amères et autres cuvées aromatisées au miel et à la lime des Keys. Ce jour-là, on peut tranquillement siroter sa bière en déambulant parmi les kiosques d'une foire artistique locale.

Au menu : des boissons gazeuses maison et des brassées de saison et des ales et IPA, les deux bières signature de l'endroit. On imite la faune locale en s'arrêtant à cette microbrasserie la fin de semaine pour lever notre verre tout en savourant la cuisine de rue cajun. On peut aussi visiter les installations, moyennant 5,35 $, chope souvenir incluse (réservation recommandée).

4 Orlando Brewing,
1301 Atlanta Ave.,
Orlando,
FL 32806

5 Fort Myers Brewing
Company,
12 811 Commerce
Lakes Dr. #28,
Fort Myers,
FL 33913

Cette salle de dégustation, située à deux pas d'une station de train, accueille petits et grands ; une bonne nouvelle pour les parents qui souhaitent décompresser de leur journée passée dans les manèges de Walt Disney World en compagnie de leur marmaille. Autre atout : la microbrasserie se veut le seul établissement au sud du Vermont à produire des fûts biologiques, sans additif ni agent de conservation.

Cette brasserie de la ville des palmiers est sans doute la plus connue de la Floride en raison de la vaste distribution de sa blonde Gateway Gold dans les restaurants et hôtels du sud de l'État. Au printemps, l'adresse devient l'arrêt obligé des amateurs de sports, alors que le Red Sox de Boston tient sa période d'entraînement à un jet de pierre, au stade JetBlue.

DORMIR

DES HÔTELS DE LUXE QUI FONT RÊVER

1 Fontainebleau Miami Beach
4441 Collins Ave.,
Miami Beach,
FL 33140

2 The Breakers
1 S County Rd.,
Palm Beach,
FL 33480

3 W South Beach,
2201 Collins Ave.,
Miami Beach,
FL 33139

On trouve ici la crème de la crème des hôtels! Immense complexe hôtelier réputé tant par son architecture que par son histoire – Sinatra et Presley s'y sont produits – le Fontainebleau est devenu célèbre à la suite de la sortie du film *Goldfinger*, plusieurs scènes y ayant été tournées. Rénové au coût d'un milliard de dollars en 2008, situé face à la mer et au cœur de *Millionnaires Row*, il est inscrit au registre américain des lieux historiques. Sa fameuse piscine bordée de palmiers traduit l'élégance et le luxe qu'on retrouve partout dans le domaine.

Fondé en 1896, ce complexe de 550 chambres fondé par Henry M. Flagler a été construit sur le modèle de la villa Médicis de Rome, une bâtisse de style Renaissance italienne du XVIe siècle. Il compte deux golfs, quatre piscines, une magnifique plage et deux terrains de croquet. La direction a ajouté récemment le Flagler Club, un hôtel-boutique de style contemporain.

Le W est un très grand hôtel offrant un choix multiple de chambres, de suites et de penthouses avec balcon privé et vue sur la mer, tous très joliment aménagés dans un décor contemporain. Une véritable oasis dans le brouhaha de South Beach. Offre tous les services avec restaurants, spas, lounge et salle d'exercices.

**4 Casa Marina Resort,
A Waldorf Astoria
Resort,
1500 Reynolds St.,
Key West,
FL 33040**

**5 The Ritz-Carlton
Golf Resort Naples,
2600 Tiburon Dr.,
Naples,
FL 34109**

Petit hôtel de style traditionnel récemment rénové, la Casa Marina affiche des prix à l'avenant. Elle a servi de base pour l'armée américaine pendant la guerre des missiles cubains. Refuge de plusieurs célébrités dans les années 1950, dont Gregory Peck, Ethel Merman, Ezio Pinza, Rita Hayworth et Gary Merrill.

Cet hôtel possède deux terrains de golf signés Greg Norman, célèbre golfeur australien. Vous disposerez également de piscine, lounge, spa et salles à manger. Une navette se rend toutes les heures à l'établissement « confrère », le deuxième Ritz-Carlton de Naples, pour faire profiter les clients de la plage de sable blanc privée et d'une multitude d'activités balnéaires.

DORMIR

SE LA COULER DOUCE DANS UN *BED & BREAKFAST*

**1 Black Dolphin Inn,
916 S Riverside Dr.,
New Smyrna Beach,
FL 32168**

**2 The Mermaid and
the Alligator,
729 Truman Ave.,
Key West,
FL 33040**

**3 Kona Kai,
97802 Overseas
Hwy.,
Key Largo,
FL 33037**

Charmante petite auberge de 14 chambres luxueuses de style rétro espagnol au bord de l'Indian River, le Black Dolphin Inn tire son nom des nombreux dauphins qu'on peut y apercevoir. En semaine, on y sert un déjeuner continental, mais un menu plus élaboré vous attend la fin de semaine. À distance de marche des restaurants et des boutiques du centre-ville historique de New Smyrna Beach et plus près encore des plages.

De style victorien et décoré avec élégance, au cœur du vieux Key West, ce *bed & breakfast* comporte six chambres dans la maison principale et trois autres dans des dépendances accessibles via un jardin tropical luxuriant. Ici, tout n'est qu'ordre, charme et beauté ; idéal pour séjourner à Key West.

Le Kona Kai, à Key Largo, dans les Keys, est l'endroit tout indiqué pour passer des vacances de rêve dans un cadre enchanteur. Les 13 maisonnettes joliment décorées se dressent au milieu d'un jardin tropical. La végétation est dense et l'atmosphère si calme que vous aurez l'impression, d'être sur une île privée. Sur place : tennis, piscine, jacuzzi, table de ping-pong, hamacs, kayaks et une magnifique jetée qui donne sur la Baie de Floride. L'idéal pour contempler la splendeur du soleil couchant. Un endroit intime, romantique, réservé aux adultes, parfait pour les séjours en amoureux.

**4 Cedar House Inn,
79 Cedar St.,
St Augustine,
FL 32084**

**5 Port d'Hiver
201 Ocean Ave.,
Melbourne Beach,
FL 32951**

Dans cette grande maison victorienne de la fin du XIXe siècle, chaque chambre a adopté le style *Old Florida* avec des plafonds hauts de 10 pi, et baignoire ou douche. Des mariages et d'autres événements spéciaux y sont célébrés. L'endroit est très bien coté, les clients y reviennent pour son calme, son confort et son élégance. De là, on peut facilement se rendre à pied dans tous les endroits intéressants de St Augustine.

Une île dans une île, dit-on. Entourée de palmiers et de bougainvilliers, sise entre l'océan Atlantique et l'Indian River, juste de l'autre côté de l'Ocean Avenue, cette maison d'un grand raffinement est tenue par des hôtes attentionnés, qui offrent un très bon déjeuner. Attention toutefois, pour ne pas être déçu : ce couette et café ne fait pas face à la mer.

DORMIR

DES CAMPINGS MAGIQUES

1 **Cayo Costa State Park, (Fort Myers), FL 33924**

2 **Gamble Rogers Memorial State Recreation Area, 3100 S Ocean Blvd., Flagler Beach (nord de Daytona), FL 32136**

3 **Long Key State Park, Layton 67 400 Overseas Hwy., Layton (Keys), FL 33001**

Accessible uniquement par bateau, ce superbe parc d'État près de Fort Myers est l'un des rares endroits de Floride ayant conservé toute sa splendeur naturelle, telle qu'elle l'était avant l'arrivée des colons européens. En plus des 14 km de plages désertes, plusieurs sentiers vous permettront de vous imprégner de sa flore luxuriante. Sur place : 12 cabines rustiques ainsi que 30 sites pour le camping.

Situé à 30 km au nord de Daytona Beach, ce magnifique terrain de camping de 68 sites est l'un des seuls endroits de l'État où on peut camper à deux pas de l'océan Atlantique. Vous pourrez louer des vélos et accéder à une piste cyclable reliant Flagler à Ormond Beach. Les amateurs de kayak seront ravis d'explorer la mangrove du côté de l'Intracoastal. Nous vous suggérons fortement de réserver.

À 2 heures de route au sud de Miami, ce joli parc d'État situé en plein milieu des Keys propose aux campeurs certains terrains avec un accès direct à la plage, chose rare en Floride. Les eaux peu profondes entourant le parc regorgent d'une vie marine abondante, qui plaira aux pêcheurs et aux kayakistes. Étant donné la popularité de l'endroit, il faut absolument réserver. Ne négligez pas non plus les campings du Bahia Honda State Park dont certains sites ont une vue sur l'océan (36850 Overseas Hwy., Big Pine Key, FL 33043)

4 Rainbow Springs
State Park,
19158 SW 81st
Place Rd.,
Dunnellon
(ouest d'Orlando),
FL 34432

5 T. H. Stone Memorial
St Joseph Peninsula
State Park,
8899 Cape San
Blas Rd.,
Port St Joe (ouest
de Jacksonville),
FL 32456

À 1 h 30 de route à l'ouest d'Orlando, ce fabuleux parc d'État est doté d'une puissante source d'eau cristalline faisant le bonheur des baigneurs, pagayeurs et amateurs d'apnée. La végétation abondante et colorée avoisinant la source fait de cet endroit une véritable oasis de beauté naturelle. Les 60 sites de camping du parc se situent à 2 km de la source.

À 5 heures de route à l'ouest de Jacksonville, vous découvrirez l'un des plus beaux campings des États-Unis. Les amateurs de plein air s'en donneront à cœur joie le long de ses 15 km de plages sauvages, puisque le parc donne directement sur le golfe du Mexique. La meilleure façon de savourer cette tranche de paradis est de pêcher et de faire de l'apnée. Les 119 sites de camping sont équipés d'eau potable, d'électricité et de BBQ.

BOUGER

EXCURSIONS MÉMORABLES DE SUP (*STAND-UP PADDLEBOARD*) OU DE KAYAK

1 Paddleboard, New Smyrna Beach 177 N Causeway, New Smyrna Beach, FL 32169

2 Urban Kai, Stand Up Paddleboarding, 700 S Florida Ave., Tampa, FL 33602 et 13090 N Gandy Blvd., St Petersburg, FL 33702

3 Paddleboard Orlando, 115 N Orlando Ave. suite 109, Winter Park (Orlando) FL 32789

Pourquoi payer cher une excursion de bateau pour voir des dauphins, quand on peut facilement en croiser à quelques mètres de nous à bord d'une planche de SUP ? Pour l'expérience de votre vie, partez à l'aventure sur l'Indian River en compagnie du sympathique Erik Lumbert. Expert dans cette discipline, il est le maître du paddleboard en Floride. Idéal pour les amis des dauphins, des lamantins, et des tortues. Vous pouvez sinon louer un kayak.

Attention, on peut devenir accro au SUP, surtout en Floride ! Ce sport est de plus en plus populaire, surtout en raison de la facilité pouren apprendre les rudiments. Si vous séjournez dans la région de Tampa, tournez-vous vers Urban Kai, Stand Up Paddleboarding, une entreprise réputée qui vous fera découvrir, de votre planche, une riche vie marine et des points de vue extraordinaires de la ville.

Si les parcs d'attractions d'Orlando ne sont pas votre tasse de thé, vous pouvez suivre le courant de la Wekiva River, dans le Wekiva Springs State Park, au nord d'Orlando, en SUP ou en kayak. Profitez-en pour faire de l'apnée dans les eaux fraîches et cristallines de la Wekiva Springs. Le summum du bonheur ! L'entreprise offre aussi des excursions sur le lac Killarney, dans le cœur historique de Winter Park, à Orlando.

4 **Oleta River Park, 3400 NE 163rd St., North Miami Beach, FL 33160**

5 **SUP Key West/ Stand Up Paddleboard Eco-Tours, 5001 5th Ave., Key West, FL 33040**

Besoin de respirer et de relaxer ? Visitez l'Oleta River Park, le plus grand parc urbain du sud de la Floride, dans la Biscayne Bay. À quelques kilomètres de Miami, on peut s'y balader en vélo, en VTT, mais également en SUP, tout en découvrant les mangroves avoisinants. Surtout, n'ayez crainte si vous croisez des lamantins ; ils sont inoffensifs et plutôt sympathiques !

Le SUP est encore plus agréable dans la région de Key West. Les eaux oscillant entre le vert émeraude et le bleu sont à ce point transparentes que vous pourrez distinguer des poissons tropicaux, des raies, des tortues, des homards et même des méduses tout autour de votre planche. En plus de son emplacement idéal, on choisit SUP Key West pour l'expérience de ses guides dûment formés en biologie marine et en écologie.

BOUGER

DU VÉLO AU PAYS DES ORANGES

1 New Smyrna
Beach,
Volusia County

2 Sanibel Island,
Lee County

3 Lake Trail,
Palm Beach, Palm
Beach County

Grâce à la fermeté de son sable, on peut arpenter la plage de New Smyrna Beach en voiture ou à vélo, ce qui est nettement plus agréable. En quittant le secteur commercial de la ville, enfourchez votre bécane, choisissez l'un des nombreux accès à cette plage grandiose et dirigez-vous vers l'anse Ponce de León, au nord, en laissant la douce brise marine vous effleurer.

Avec plus de 35 km de pistes cyclables traversant ce joyau de la côte ouest, se déplacer en vélo est non seulement plaisant, c'est également un choix économique, car il en coûte 2 $ de l'heure pour se stationner si vous trouvez une place ! Allez explorer Bowman's Beach, en empruntant la piste longeant Sanibel-Captiva Road ; vous y trouverez une diversité de coquillages imbattable aux États-Unis. En fait, ils se comptent par dizaines de milliers !

Construite en 1894 par M. Flagler, le fondateur de Palm Beach et du somptueux The Breakers Hotel, la piste cyclable du Lake Trail avait été conçue jadis pour permettre aux visiteurs fortunés de se dégourdir les jambes. Entre deux coups de pédales, vous apprécierez sa vue imprenable sur l'Intracoastal, la végétation luxuriante et les somptueuses résidences avoisinantes.

4 South Beach, Miami-Dade County

5 Shark Valley Trail, Everglades National Park

Étant donné l'affluence monstre et le trafic incessant, il n'existe pas de façon plus saine et agréable d'apprécier la plage la plus vibrante de Miami qu'à vélo. Le panorama à 360 degrés qu'offrent les balades sur deux roues est des plus agréable, et vous vous fondrez parfaitement dans le décor tropical de la plage et de son quartier Art déco. Intéressé par la location de vélos ? Plusieurs bornes DecoBike, de type Bixi, et des magasins spécialisés existent dans le secteur.

Pour les cœurs solides qui recherchent une randonnée de vélo débordante d'adrénaline, empruntez cette boucle de 25 km située en plein cœur de l'habitat naturel des alligators ; vous pourrez ainsi approcher de très près ces énormes reptiles... Soyez sans crainte, vous vous habituerez graduellement à zigzaguer entre les gros spécimens, comme si de rien n'était. Ayez toutefois la route à l'œil !

BOUGER

POUR DE LA PÊCHE FRUCTUEUSE

1 **Sailfish Marina,
98 Lake Dr.,
West Palm Beach,
FL 33404**

2 **Robbie's,
77522 Overseas
Hwy.,
Islamorada,
FL 33036**

3 **Boca Grande,
Gulf Blvd.,
Boca Grande,
(Fort Myers),
FL 33921**

Un des poissons les plus excitants à attraper est sans contredit l'impressionnant espadon. La région de Palm Beach s'est bâtie une solide réputation pour en dénicher. Pour en savoir plus, dirigez-vous du côté de la Sailfish Marina à Singer Island pour discuter avec les nombreux capitaines. Envie d'une excursion ? Elle vous coûtera au bas mot 650 $ pour 4 heures, essence non comprise.

Tout pêcheur se doit de visiter les Keys, région reconnue pour sa pêche miraculeuse. Un arrêt à la marina Robbie's s'impose. Pour un maigre 4 $, on vous donne accès aux quais ainsi qu'à une chaudière de morceaux de poisson pour nourrir à la main les tarpons qui s'y cachent, dont certains mesurent jusqu'à 8 pi ! Profitez-en pour louer une embarcation et organiser votre propre excursion.

C'est à l'embouchure de Boca Grande, au sud de l'île de Gasparilla, que l'on retrouve la plus grande concentration de tarpons au monde. Leur taille monumentale et le combat féroce qu'ils livrent en font une des espèces les plus convoitées des mers du sud. D'autres espèces recherchées telles que les bars, les mérous et les sébastes enrichissent la diversité peu commune de cette destination. Plusieurs excursions sont disponibles. Celle du Capitaine Mark Bennett (Light tackle backcountry fishing charter guide) est réputée.

4 Pêche à la dérive dans le sud de la Floride
Fish City Drift Fishing
2705 N Riverside Dr., Pompano Beach, FL 33062

Pas besoin de se ruiner pour vivre l'expérience de la pêche en haute mer. Communément appelées *drift fishing* ou pêche à la dérive, ces excursions de groupe sont offertes à seulement 45 $ pour une durée de 4 heures. D'un bout à l'autre du sud de la Floride, plusieurs bateaux vous embarqueront. Aidé par les matelots pour préparer votre ligne, vous pourrez rapporter des poissons comestibles qui répondent aux exigences légales. Pour un service hors pair, tournez-vous vers les expéditions de la Fish City Drift Fishing.

5 Ten Thousand Islands (sud de Naples)

À quelques kilomètres au sud de Marco Island, l'archipel des Ten Thousand Islands forme un éventail spectaculaire d'îlots, de petites baies et de passages sinueux à travers la dense végétation de la mangrove. Il n'y a absolument aucun développement touristique dans ce territoire. L'emploi d'un guide local chevronné s'avère essentiel pour profiter de tout le potentiel de poissons de l'endroit et augmentera assurément vos chances d'attraper la prise de vos rêves.

BOUGER

JOUER AU GOLF SUR LES PLUS BEAUX DES PARCOURS

1 **Crandon Golf at Key Biscayne,
6700 Crandon Blvd.,
Key Biscayne
(sud de Miami),
FL 33149**

2 **PGA Village,
1916 Perfert Dr.,
Port St Lucie
(nord de West
Palm Beach),
FL 34986**

3 **PGA National
Resort & Spa
400 Ave. of the
Champions,
Palm Beach
Gardens,
FL 33418**

Le Crandon reste un parcours apprécié pour la qualité de ses installations et le panorama qu'il offre sur la baie de Biscayne. On y retrouve de tout : végétation luxuriante, design intéressant et obstacles d'eau intimidants ; il a vraiment tout pour plaire ! Attendez-vous à des conditions rapides, autant sur les allées que sur les verts.

Ce magnifique complexe au nord de West Palm Beach comprend trois parcours de golf : Ryder, Wanamaker et Dye. Notre coup de cœur : le parcours Dye, du nom de l'architecte Pete Dye. Parcours au style inusité, conditions ultimes, verts ondulés et très rapides, un véritable test pour les golfeurs de tous les calibres.

Autre complexe très populaire et bien entretenu. Personne ne reste indifférent face au parcours offert par The Champions. Hôte de la Classique Honda, ce vert offre un défi grandiose, particulièrement sur les trous 15, 16 et 17, communément appelés *The Bear Trap*, en hommage à Jack Nicklaus. On vous suggère de vous abstenir de les essayer si vous avez peur des obstacles.

4 TPC Sawgrass,
110 Championship
Way,
Ponte Vedra Beach
(sud de Jacksonville
Beach),
FL 32082

Le parcours TPC
Sawgrass, au sud
de Jacksonville
Beach, demeure
sans doute l'un des
plus beaux parcours
de la Floride. Sa
notoriété dépasse
les frontières puisque
le Championnat
annuel des joueurs
de la PGA est diffusé
dans plus de 230
pays. Le 17e trou,
en forme d'île, est
probablement le plus
connu à travers le
monde. Dessiné par
l'architecte Pete Dye,
ce parcours demeure
l'un des meilleurs
tests de golf de la
Floride. Toujours bien
manucuré, il offre des
surfaces ultrarapides,
autant dans les allées
que sur les verts.

5 ChampionsGate
International,
ChampionsGate
Golf Club, 8575
White Shark Blvd.,
ChampionsGate
(Orlando),
FL 33896

Voici un parcours
de golf où il faut
absolument jouer si
vous passez dans
la région d'Orlando.
Le design des trous,
l'aménagement
paysager et les
conditions de jeu
sont nettement
supérieurs à la
moyenne.

Merci à Carlo Blanchard,
analyste de golf à
RDS et propriétaire du
Centre de golf intérieur
Carlo Blanchard, à
Montréal, pour ses
commentaires.

LE QUÉBEC EN FLORIDE

LE PETIT QUÉBEC EN FLORIDE

1 **Dairy Belle Ice Cream, 118 N Federal Hwy., Dania Beach, FL 33004**

2 **Le Club Tropical 211 SE 1st Ave., Hallandale Beach, FL 33009**

3 **Chantale Hair Design 246 South Federal Highway, Dania Beach, FL 33004**

Ouvert depuis 1998 par Gilles et Ritane Grenier, de Victoriaville, cet endroit est la «cabane à patates» préférée des Québécois en Floride. La poutine y est si populaire qu'on y sert pas moins de 4536 kg (10 000 lb) de fromage en grains chaque année. Quant à la crème glacée molle, les propriétaires sont très fiers de dire qu'ils en servent de la vraie! Ne partez surtout pas sans avoir goûté au fameux sundae au sucre à la crème (sauce caramel maison). Et gardez les yeux ouverts, vous pourriez y croiser Jean-Marc Parent, un grand habitué!

Voir ses vedettes québécoises préférées en Floride en formule souper-spectacle est chose possible au Club Tropical, un cabaret de 270 places à l'ambiance feutrée, dont le propriétaire est l'agent d'artistes Jean Forand. Très populaire auprès des *snowbirds*, le club a accueilli au fil des ans des artistes d'envergure, tels Claudine Mercier, Isabelle Boulay, Guy Nantel et Michel Barrette, pour ne nommer que ceux-là.

Parler français à sa coiffeuse au pays des oranges est très agréable! Installée en Floride depuis près de 30 ans et propriétaire du salon Chantale Hair Design, Chantale Gonthier coupe, coiffe et colore les cheveux dans la bonne humeur. Après tout, elle vit en Floride! Toujours à l'affût des dernières tendances, elle deviendra votre coiffeuse officielle en Floride. Son salon chaleureux est l'un des secrets les mieux gardés à Dania Beach.

4 Richard's Motel, Family of Lodgings, 1219 S Federal Hwy., Hollywood, FL 33020

5 Frenchie's Bar & Grill, 3190 Hallandale Beach Blvd., Hallandale Beach, FL 33009

C'est écrit noir sur blanc sur l'une de leurs enseignes : « Nous parlons français au *Richard's Motel, family of lodgings* ». Après tout, le propriétaire Richard Clavet, est Québécois. Établie en Floride depuis près de 30 ans, son entreprise familiale offre plusieurs types d'hébergement et est une véritable institution du Petit Québec floridien. On y vient pour son service courtois, ses prix raisonnables et surtout sa proximité avec Hollywood Beach : c'est l'une des promenades de bord de mer les mieux aménagées des États-Unis.

Ce bar-restaurant-spectacle pouvant accueillir jusqu'à 190 personnes est très fréquenté par les Québécois. On s'y rend pour l'ambiance et les spectacles, mais également pour les écrans géants. Le bar est tout désigné pour suivre les matchs du Tricolore. Denis Savard, l'ancien joueur des Blackhawks, du Canadien et du Lightning, y est d'ailleurs un habitué.

LE QUÉBEC EN FLORIDE

DES QUÉBÉCOIS QUI BRASSENT DES AFFAIRES EN FLORIDE

1 Marie Saint Pierre Boutique, 2311 NW 2nd Ave., Miami, FL 33127

2 Shan Miami, 1560 Collins Ave. #2, Miami Beach, FL 33139

3 Chez l'Épicier, 288 S County Rd., Palm Beach, FL 33480

La toute première adresse de Marie Saint Pierre en sol américain offre son style unique au public averti de Wynwood, le district tendance de Miami. La designer expose ses collections dans un écrin blanc inondé de lumière, joliment contrasté par un sol en béton ciré et un plafond du même noir que ses robes de soirée.

Avec ses maillots rétro pour lui et ses seyants bikinis, la boutique de vêtements balnéaires Shan est bien ancrée dans le carnet d'adresses des fashionistas de Miami. Voisines de l'hôtel-boutique Royal Palm, les vitrines expriment un savant mélange du savoir-faire et du sens de l'inédit de la designer montréalaise Chantal Lévesque.

Il existe quelques restaurants tenus par des Québécois en Floride. Le chef et homme d'affaires Laurent Godbout, qui possède une résidence dans la ville de Wellington, en Floride, a ouvert avec sa femme, Claire Deneault, la version floridienne de son restaurant Chez l'Épicier, dans la richissime communauté de Palm Beach. Au menu, cuisine moderne calquée sur son restaurant du Vieux-Montréal, produits locaux floridiens, sans négliger, bien sûr, la fameuse poutine!

4 Aztec RV Resort,
1 Aztec Blvd.,
Margate
(ouest de
Pompano Beach),
FL 3306

5 Frenchy's,
Plusieurs adresses,
dont celle-ci :
41 Baymont St.,
Clearwater,
FL 33767

L'homme d'affaires Jean-Guy Sylvain, principal actionnaire de Aztec RV Resort, a eu du flair. En 2010, il a profité de la crise financière immobilière aux États-Unis pour acheter un terrain de 104 acres à Margate sur lequel il a érigé un parc de luxe destiné aux propriétaires de véhicules récréatifs de classe A, pour la location ou la vente. Son entreprise a connu un vif succès auprès d'une clientèle fortunée, constituée à 90 % de Québécois. Il est également propriétaire d'un hôtel à Fort Lauderdale, l'Universal Palms Hotel.

La famille de Michael Preston a quitté le Québec pour les États-Unis alors qu'il n'avait que 12 ans. Michael parlait à sa mère en français et ses nouveaux amis américains ont eu vite fait de l'appeler Frenchy, un surnom qui ne l'a pas quitté depuis. À la suite d'un voyage à Clearwater, en 1974, il a choisi de s'établir en Floride et de travailler dans la restauration, en passant de plongeur à gérant sur plusieurs années. Il possède aujourd'hui cinq restaurants, un motel et une compagnie de fruits de mer expédiant ses produits partout aux États-Unis.

RELAXER, BRONZER...

LES PLUS BELLES PLAGES À DÉCOUVRIR EN FLORIDE

1 **Turner Beach,**
17 200 Captiva Dr.,
Captiva,
FL 33924

2 **Fort de Soto Beach,**
3500 S Pinellas
Bayway,
Tierra Verde
(St Petersburg),
FL 33715

3 **Sandspur Beach,**
Bahia Honda State
Park,
36850 Overseas
Hwy.,
Big Pine Key
(Keys),
FL 33043

Les pirates auraient jadis utilisé cette île pour y maintenir captives leurs prisonnières, pour lesquelles ils exigeaient des rançons. Comme sa grande sœur Sanibel, cette magnifique petite île baignant dans les eaux turquoise du golfe du Mexique est bordée par une plage idyllique le long de sa côte ouest. Plusieurs résidences cossues occupent son bord de mer. Vous y trouverez des dizaines de milliers de coquillages, rendant l'endroit unique en Amérique du Nord.

Au sud de Tampa, le fameux parc de Fort De Soto dispose d'une multitude de sites de camping et de plages réparties sur cinq îles. La diversité de son écosystème est l'une des plus remarquables de la Floride. Il fait bon s'y promener tranquillement en profitant de la qualité exceptionnelle de son sable, qui rappelle étrangement le sucre à glacer.

Située à moins d'une heure de Key West, cette plage, magique grâce à son eau turquoise, à ses cocotiers et à son sable blanc, vous donne l'impression d'avoir acheté des billets pour les Caraïbes. N'hésitez pas à plonger en apnée afin de découvrir toute la beauté sous-marine. Vous pourriez y croiser des requins-nourrices, habituellement sans danger pour les humains. Profitez également du magnifique camping.

NAGER, SURFER

4 Caladesi Island
State Park,
1 Causeway Blvd.,
Dunedin
(St Petersburg),
FL 34698

5 Grayton Beach
State Park, 357 Main
Park Rd.,
Santa Rosa Beach,
(Panhandle)
FL 32459

Uniquement accessible par bateau, l'île de Caladesi, au large de Clearwater, est l'un des seuls endroits de Floride qui vous permettra de goûter à toute la splendeur naturelle des tropiques, sans aucune trace de développement touristique. Vous serez à coup sûr épaté par l'étendue infinie de son rivage et par la qualité de son réseau de sentiers pédestres. De superbes circuits navigables de 5 km traversent la mangrove avoisinante, que les dauphins et lamantins visitent fréquemment.

Composé à 99 % de cristal de quartz, le sable d'une blancheur éclatante de cette splendide plage située dans le Panhandle (Nord-Ouest de la Floride) vous éblouira. Un coup d'œil du côté du golfe du Mexique et vous comprendrez pourquoi ce bout de paradis porte le nom de « côte d'émeraude ». Ne manquez surtout pas d'explorer son superbe réseau de sentiers sauvages de plus de 6 km, accessibles à pied ou à vélo.

RELAXER, BRONZER...

LES MEILLEURES PLAGES POUR SURFER

**1 Jacksonville Beach,
Duval County**

**2 New Smyrna
Beach,
Volusia County**

**3 Cocoa Beach,
Brevard County**

Au nord de la côte est, la région de Jacksonville offre aux surfeurs certaines des plus belles vagues du pays des oranges. Les vagues plus musclées à l'automne et en hiver sont causées par les tempêtes de l'océan Atlantique. Les meilleurs endroits pour le surf de la région sont à Mayport Poles, juste au nord de la ville, suivi du Jacksonville Beach Pier. C'est peut-être la destination pour le surf la plus sous-estimée de l'État.

Capitale mondiale des morsures de requins, cette plage à une heure d'Orlando est reconnue pour la qualité inégalée de ses vagues qui poussent sans cesse les nombreux surfeurs à se lancer à l'eau. La Fédération internationale de navigation (ISAF) estime que chaque personne qui s'y est baignée s'est trouvée à 3 m d'un requin. Néanmoins, avec plus de 20 km de plages accessibles en voiture, sa pêche miraculeuse et ses vagues consistantes, les amateurs de sports aquatiques se croiront au paradis !

Les planchistes sont nombreux à adorer la plage de Cocoa Beach, berceau du surf professionnel sur la côte est. Véritable *surf-city*, Cocoa Beach demeure la plus californienne des villes de la Floride. En longeant le bord de mer sur l'autoroute 1A, vous croiserez une succession d'hôtels, de bars, de restaurants-minute ainsi qu'un nombre incalculable de boutiques de surf, dont la légendaire Ron Jon, ouverte 24 heures sur 24.

NAGER, SURFER

4 Sebastian Inlet State Park, Brevard County

5 Deerfield Beach, Broward County

Les vagues de ce parc sont les plus réputées de toute la côte est américaine pour le surf. La puissance des déferlantes ne ressemble en rien aux vaguelettes des plages de Miami. C'est ici que Kelly Slater, le champion de surf le plus populaire de l'histoire, a grandi et peaufiné sa technique qui l'a propulsé aux plus hauts sommets de son art. Les surfeurs locaux accourent dans ce coin légendaire, malgré les foules monstres présentes lors de la meilleure *swell* (houle).

Le sud de la Floride n'est certainement pas reconnu pour la qualité de ses vagues. La position de l'archipel des Bahamas au large bloque une grande partie de la houle, qui définit la consistance des vagues. Mais à seulement 25 km au nord de Fort Lauderdale, la plage de Deerfield Beach et son ambiance californienne attirent un grand nombre de surfeurs et d'amateurs de SUP (*stand-up paddleboard*). Le s*urf shop* Island Water Sports offre des cours de surf gratuits tous les samedis matin. Réservation obligatoire.

RELAXER, BRONZER...

NAGER DANS DE BELLES SOURCES D'EAU CLAIRE

1 Alexander Springs Recreation Area, 49 525 County Rd. 445, Altoona (nord d'Orlando), FL 32707

2 Silver Glen Springs Recreation Area, 5271 FL-19, Salt Springs (nord d'Orlando), FL 32134

3 Ichetucknee Springs State Park, 12087 US-27, Fort White (ouest de Jacksonville), FL 32038

En plein cœur du centre de la Floride, ce site enchanteur camoufle peut-être l'un des plus beaux endroits naturels de tout l'État. La vedette incontestée de ce parc est la puissante source d'eau (3000 litres/seconde). N'oubliez surtout pas votre équipement d'apnée ! Vous pourrez aussi planter votre tente dans des sites de camping rustiques.

Véritable oasis à mille lieues des attrape-touristes, cette spectaculaire source au nord d'Orlando déverse chaque jour 250 millions de litres d'eau limpide dans le lac George, le 2e plus grand lac de Floride. Les baigneurs et adeptes de l'apnée sont les seuls privilégiés ayant accès à l'origine de cette source. Quelques lamantins et plusieurs espèces de poissons, dont l'imposant bar rayé, y habitent, au grand bonheur des visiteurs.

À environ 100 km à l'ouest de Jacksonville, l'impressionnante rivière Ichetucknee coule doucement sur une distance de 10 km à travers divers marécages et une végétation abondante. C'est l'une des destinations favorites des plongeurs et amateurs de baignade, qui s'y aventurent en grand nombre en se laissant voguer sur des tubes gonflables. Des entreprises indépendantes s'occupent de la location d'équipement d'apnée, tout juste à l'extérieur du parc.

NAGER, SURFER

**4 Ellie Schiller
Homosassa Springs
Wildlife State Park,
4150 S Suncoast
Blvd.,
Homosassa
(nord de Tampa),
FL 34446**

**5 Juniper Springs
Recreation Area,
26 701 FL-40,
Silver Springs
(nord d'Orlando),
FL 34488**

Porte d'entrée d'un important sanctuaire de lamantins, ce parc d'État est très apprécié des naturalistes ; il offre certains des plus beaux panoramas de la Floride. Au coût de 12 $, une excursion en bateau de 3 heures vous transportera jusqu'à un observatoire sous-marin aménagé tout près de la source principale afin de pouvoir y observer ces vaches de mer et poissons dans leur habitat. On souligne également la présence de nombreuses espèces d'oiseaux.

Ce bijou de parc sauvage comprend non seulement une source principale bien aménagée, mais aussi un étonnant réseau de sentiers vous donnant accès à une foule de petites sources un peu partout dans la réserve. Ajoutez à cela la possibilité de vous aventurer le long d'un ruisseau navigable, s'étendant sur 11 km à travers une jungle dense, grouillante de vie animale, que des chevreuils et des alligators fréquentent assez souvent pour les apercevoir. Il ne vous reste qu'à pousser le cri de Tarzan !

RELAXER, BRONZER...

LES PLUS BELLES PISCINES

1 Venetian Pool,
2701 De Soto Blvd.,
Coral Gables
(sud de Miami),
FL 33134

2 Hawks Cay Resort,
61 Hawks Cay Blvd.,
Duck Key (Keys),
FL 33050

3 Explore-A-Shore
Florida Aquarium,
701 Channelside Dr.,
Tampa,
FL 33602

Quand trop de baigneurs s'entassent dans la piscine du Delano, on fait trempette à la piscine vénitienne du Coral Gables, tels de vrais Miaméens. Quelques mouvements de brasse sous les ponts en galets et entre les cascades suffisent pour vous plonger à l'époque où les icônes du cinéma Esther Williams et Johnny Weissmuller, alias Tarzan, nageaient dans cette lagune.

Ce complexe hôtelier des Keys prisé par les familles propose des plans d'eau aménagés pour les enfants, dont une rivière à contre-courant. Pendant que les 5 à 17 ans barbotent sous la supervision de pros, les adultes flottent dans l'eau salée du lagon naturel entouré de sable fin.

À l'exception du Tahitian Inn, peu d'hôtels autorisent l'accès à leurs piscines aux visiteurs d'un jour. Pour se rafraîchir, on se rabat sur le parc aquatique Explore-A-Shore de l'aquarium de la Floride. Depuis le pont d'une caravelle de pirates, les grands inondent les baigneurs de bombes d'eau, tandis que les tout-petits jouent les corsaires sur la berge à bord d'une mini frégate.

NAGER, SURFER

4 Holiday Inn Resort Orlando Suites Waterpark, 14 500 Continental Gateway Dr., Orlando, FL 32821

5 Naples Bay Resort, 1500 S 5ᵗʰ Ave., Naples, FL 34102

Quoi de mieux qu'une saucette pour recharger ses batteries après une journée dans un parc thématique de la région ? La zone aquatique de cet hôtel vous donnera des sensations fortes qui rivaliseront avec celles des plus excitantes montagnes russes, avec sept glissades d'eau, un bassin olympique, des canaux et des gicleurs de pâte gélatineuse fluo ; parions que les enfants ne voudront plus quitter ce palace flottant !

Avec un bassin en pente douce qui facilite l'entrée à l'eau des tout-petits, une rivière ensorcelée, une chute haute de deux étages et une terrasse surplombant la marina de Naples, le centre aquatique de ce complexe hôtelier a de quoi charmer les couples en quête de détente comme les jeunes avides de divertissement.

DÉCOUVRIR LA FAUNE

TOMBER AMOUREUX DES LAMANTINS

1 Three Sisters Springs, 1502 SE King Bay Dr., Crystal River (nord de Tampa), FL 34429

2 Blue Spring State Park, 2100 W French Ave., Orange City (nord d'Orlando), FL 32763

3 Manatee Viewing Center, 6990 Dickman Rd., Apollo Beach (Tampa), FL 33572

Situé au nord de Tampa, ce sanctuaire s'adresse tout particulièrement aux visiteurs qui souhaitent faire de l'apnée en compagnie des lamantins. Ce gros mammifère herbivore, appelé également «vache de mer», y abonde. L'animal est protégé et les visiteurs doivent s'abstenir de le toucher. Celui qui manquerait à cette obligation a de bonnes chances de devenir lui-même en voie de disparition! Possibilité de louer des kayaks ou de visiter le parc en bateau.

Cet endroit est aussi idéal pour observer les lamantins, sans toutefois devoir louer une embarcation. De nombreuses pistes et postes d'observation sillonnent le parc. La baignade y est possible, mais uniquement en basse saison, du mois de mars à la mi-novembre. N'oubliez surtout pas votre caméra... Ces petites bêtes d'une tonne sont à croquer sur le vif!

Ce parc d'une cinquantaine d'acres, situé près de Tampa, est considéré comme un véritable refuge pour les lamantins. Les mammifères y reviennent chaque année pour se laisser caresser par les eaux chaudes du parc. Les visiteurs se baladent dans des sentiers et postes d'observation ou au centre d'interprétation. Le respect est toujours de mise à l'égard de cette espèce menacée.

4 **Lee County Manatee Park,**
10901 Palm Beach Blvd.,
Fort Myers,
FL 33905

5 **Manatee Springs State Park,**
11650 NW 115 St.,
Chiefland
(nord de Tampa),
FL 32626

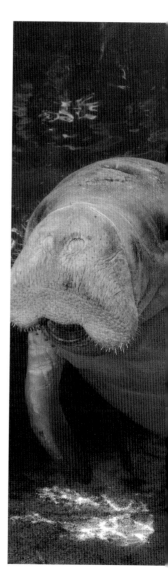

Havre de paix et d'eau chaude pour lamantins frileux durant la saison hivernale, ce parc offre aux visiteurs des postes d'observation, de splendides plantes indigènes ainsi qu'un jardin de papillons. La réserve dispose d'espaces à l'ombre pour pique-niquer en toute quiétude. Un endroit idéal pour passer une journée en famille ou pour rechercher des airs de famille entre les lamantins...

Authentique eldorado pour passionnés de nature, ce jardin d'éden au nord de Tampa attire les lamantins qui viennent chaque hiver se réchauffer à sa source, qui produit près de 400 millions de litres d'eau fraîche et limpide tous les jours. En plus de camper au parc, vous pourrez y louer canots et kayaks, explorer son superbe réseau de sentiers et même savourer du vrai BBQ américain fumé sur place.

DÉCOUVRIR LA FAUNE

MÊME LES ALLIGATORS SONT NOS AMIS

1 Hillsborough River State Park, 15 402 N US Hwy. 301, Thonotosassa (Tampa), FL 33592

2 Merritt Island National Wildlife Refuge, 1987 Scrub Jay Way, Titusville (est d'Orlando), FL 32782

3 Ocala National Forest, Silver Springs (nord d'Orlando), FL 34488

Un lieu enchanteur situé à un jet de pierre de Tampa pour les randonneurs, campeurs et kayakistes. On y loue vélos et kayaks. Il est certain que vous y verrez des alligators. N'oubliez pas votre caméra et évitez les bains de pieds!

Situé tout près du Kennedy Space Center, à l'est d'Orlando, ce parc est l'un des refuges pour alligators de la Floride. Il regorge également de dizaines d'espèces d'oiseaux. L'endroit est aménagé afin de permettre aux curieux de visiter les lieux en toute sécurité, à bord de leur véhicule.

Situé au centre de la Floride, juste au nord d'Orlando, ce parc compte une bonne dizaine de lacs, de nombreuses rivières, mais il est d'abord reconnu pour la beauté exceptionnelle de ses sources d'eau claire. Endroit isolé et sauvage, il comblera les visiteurs, les randonneurs et même les campeurs. On y compte les alligators par centaines et les ours noirs y abondent.

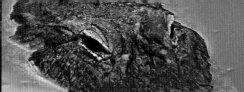

4 **Everglades National Park, Anhinga Trail 40 001 State Rd. 9336, Homestead (sud-ouest de Miami), FL 33034**

5 **Myakka River State Park, 13208 State Rd. 72 (Sarasota), FL 34241**

Le climat subtropical de cette région de la Floride offre aux alligators un environnement idéal où la chaleur et l'humidité se côtoient. On y a aménagé une piste d'interprétation de près de 1,6 km de longueur pour permettre aux visiteurs d'observer l'abondante faune. Les alligators y prennent leur bain-de-soleil sans aucune retenue.

À quelques kilomètres de Sarasota, ce parc émerveille les visiteurs par sa nature sauvage. À couper le souffle ! Un véritable paradis pour les kayakistes qui peuvent admirer les alligators dans leur habitat naturel. La réserve possède également une tour d'observation afin d'admirer les environs, tels des oiseaux.

DÉCOUVRIR LA FAUNE

VOIR DES DAUPHINS À L'ÉTAT SAUVAGE

1 Caxambas Boat Park, 909 Collier Court, Marco Island (sud de Naples), FL 34145

The Dolphin Explorer, 951 Bald Eagle Dr, Marco Island, FL 34145

2 Région de la Baie de Tampa, Hillsborough County

Little Toot Dolphin Adventures 25 Causeway Blvd. #16, Clearwater, FL33767

3 Matlacha Bridge Pine Island Rd., Matlacha (Fort Myers), FL 33993

Island Girl Charters 13921 Waterfront Dr., Bokeelia, FL 33922

Le parc de Caxambas Pass, à l'extrémité sud de Marco Island, constitue l'un des seuls accès publics au rivage de cette île chérie des retraités privilégiés. C'est également l'emplacement rêvé pour pêcher et observer les oiseaux et les nombreux dauphins, qui vivent dans ses eaux turquoise invitantes. Si l'expérience d'une excursion vous intéresse, optez pour le professionnalisme de The Dolphin Explorer.

L'immense baie de Tampa, qui compte les îles de Tierra Verde et le Fort de Soto Park, est une valeur sûre pour quiconque souhaite observer des dauphins dans leur habitat naturel. On y offre une grande quantité d'excursions. Plaisirs et dauphins garantis avec Little Toot Dolphin Adventures !

Tout juste au large de Fort Myers, Pine Island, la plus grande île de Floride, baignant dans les eaux tempérées du golfe du Mexique, est l'hôte d'une grande concentration de dauphins. Le pont de Matlacha, que les habitants du coin surnomment « le pont où passent le plus de poissons au monde », fournit sûrement le point d'observation idéal. Si vous désirez voir ces savants mammifères d'encore plus près, optez pour les excursions d'Island Girl Charters.

4 Longboat Pass and
Fishing Beach, Anna
Maria Island 1498 S
Gulf Dr.,
Bradenton Beach
(Tampa/Sarasota),
FL 34217

Paradise Boat Tours
200 Bridge St.,
Bradenton Beach,
FL 34217

5 New Smyrna Beach,
Volusia County

**Marine Discovery
Center**
520 Barracuda Blvd.,
New Smyrna Beach,
FL 32169

Située au sud de
la baie de Tampa,
cette île barrière à
l'ambiance tranquille
a longtemps été
considérée comme
l'un des trésors
cachés de la Floride.
Le pont enjambant
Longboat Pass
offre un point de
vue extraordinaire
pour contempler les
lointains cousins de
Flipper. Pour vous
en approcher au
maximum, laissez-
vous tenter par l'une
des excursions de
Paradise Boat Tours.

Cette ville possède,
en plus de tous
ses autres attraits,
l'estuaire de
l'Indian River, dont
l'écosystème serait
le plus diversifié en
Amérique du Nord.
On y dénombrerait
2100 espèces de
plantes et 2200
espèces d'animaux,
dont de 200 à 800
dauphins. Pour en
apprendre davantage,
choisissez l'une des
excursions de Marine
Discovery Center,
dont les tarifs sont
très abordables.

DÉCOUVRIR LA FAUNE

POUR LES PASSIONNÉS DE PLONGÉE EN APNÉE

1 Phil Foster Park, 900 E Blue Heron Blvd., Riviera Beach (West Palm Beach), FL 33404

2 John Pennekamp Coral Reef State Park, 102601 Overseas Hwy., Key Largo, FL 33037

3 Dry Tortugas, National Park, Key West

Aussi connu sous le nom de «Blue Heron Bridge», ce parc a été reconnu en 2013 par le *Sport Diver Magazine* comme l'un des beaux endroits au monde pour s'adonner à la plongée. La faune aquatique est à couper le souffle : raies, pieuvres, poissons tropicaux en mettront plein la vue aux plongeurs. Votre appareil photo est un impératif !

Estimé comme l'un des plus beaux endroits du sud de la Floride pour pratiquer la plongée, le parc John Pennekamp possède un récif de corail qui vaut le détour à lui seul ! Vous pouvez choisir des excursions sous-marines guidées individuelles ou de groupe. Vous pouvez sinon observer la faune aquatique à partir de bateaux à fond de verre. On y trouve notamment, à 6 m (20 pi) de profondeur, une copie de la fameuse statue de la mer de Ligurie, tout près de Gênes, «Le Christ des Abysses».

Située à 113 km à l'ouest de Key West, Dry Tortugas ne comprend pas une île, mais sept îles sablonneuses formant une oasis aquatique à laquelle on accède par bateau ou par hydravion depuis Key West. La richesse et la diversité sous-marines sont pratiquement indescriptibles tellement elles sont belles ! Les eaux peu profondes de couleur émeraude et le récif de corail accessible depuis la plage font du parc national un site idéal pour les apprentis Cousteau.

4 Biscayne National Park, 9700 SW 328 St., Homestead (sud de Miami), FL 33033

5 Looe Key National Marine Sanctuary (au large des Keys)

Vous aurez besoin d'une embarcation pour vous rendre à ce parc au sud de Miami, dont 95 % de la surface est sous-marine. Le plongeur pourra admirer le récif de corail et les épaves qui tapissent une partie du fond marin. En ce qui a trait à la faune aquatique, c'est un véritable bar ouvert ! Avec un peu de chance, on peut croiser des dauphins, des lamantins, des tortues, des anémones et même un ami.

À une trentaine de minutes de bateau au large de Bahia Honda (Keys), ce formidable parc marin héberge sûrement l'un des écosystèmes aquatiques protégés les plus merveilleux à explorer aux États-Unis. À voir absolument… Le récif de corail est à couper le souffle ; une fois la tête sous l'eau, les plongeurs découvriront presque toutes les espèces d'éponges répertoriées, en plus d'innombrables poissons, de raies et même un requin, s'ils sont chanceux !

DES ÉVÉNEMENTS ANNUELS À NE PAS MANQUER

1 Daytona Bike Week, Daytona Beach

2 Art Basel Miami Beach, Miami Beach

3 Fort Lauderdale International Boat Show, Fort Lauderdale

Mordus de motos ou curieux, ne manquez pas l'un des événements les plus prisés de Daytona Beach, la Daytona Bike Week, qui attire chaque année 500 000 visiteurs. On s'y rend pour admirer les rutilantes machines, mais également pour ses courses, ses spectacles, ses kiosques à t-shirts, et pourquoi pas ses concours de *wet-shirt* (t-shirt mouillé) ! La faune éclectique est très inspirante pour qui veut s'adonner à l'art de la photographie.

La foire Art Basel, créée en 1970 par les marchands Ernst Beyeler, Trudi Bruckner et Balz Hilt, à Bâle (Suisse), est l'un des plus importants événements consacrés à l'art contemporain au monde. Elle a maintenant pignon sur rue en Floride. Rendez-vous au Convention Center de Miami, début décembre, où 260 galeries du monde entier représentant 4000 artistes exposent leurs sculptures, peintures, photographies, *street art* (art de la rue) compris.

Comme chaque automne depuis plus de 50 ans, le plus grand salon nautique du monde a lieu à Fort Lauderdale, capitale mondiale du yachting. Plus de 100 000 visiteurs se rallient sur les différents quais exposant plus de 1500 bateaux de toutes tailles. Cet événement majeur du nautisme célèbre le début de la saison hivernale sous les tropiques et constitue le rendez-vous annuel des membres de l'industrie.

4 Daytona 500, Daytona Beach

5 Fantasyfest, Key West

Cette course automobile Nascar de 800 km (500 miles) constitue la première compétition annuelle de ce circuit sportif professionnel très populaire chez nos voisins du sud. Cette épreuve légendaire demeure aujourd'hui la plus prestigieuse du calendrier et assure au vainqueur la bourse la plus importante. Si vous désirez en savoir plus, on offre d'excellents tours guidés sur place.

Si vous cherchiez un événement très spécial pour vous éclater entre adultes, ne manquez pas le Fantasyfest, la plus grande fête annuelle de Key West. Cette gigantesque mascarade consiste en un prélude délirant à l'Halloween, où des milliers de fêtards, costumés ou non, convergent vers cette ville festive pour célébrer leur originalité et leur joie de vivre.

DÉPENSER

RAPPORTER DES SOUVENIRS

1 Goorin Bros,
612 Lincoln Rd.,
Miami Beach,
FL 33139

2 Shell Warehouse,
1 Whitehead St.,
Key West,
FL 33040

3 Longboard House,
101 5th Ave.,
Indialantic
(est d'Orlando),
FL 32903

Entre les boutiques des grands designers et les cafés cubains de l'artère piétonne de Miami, le chapelier tient boutique depuis 120 ans. Une adresse de choix pour dénicher un panama ou autre chapeau de paille qu'on assortira à ses tongs Havanias, pour compléter sa garde-robe façon South Beach.

Sise dans un ancien entrepôt de glace du Maine, cette boutique offre des coquillages provenant des quatre coins du globe, dont plusieurs prennent la forme de délicats bijoux à collectionner. À quelques portes, au Sponge Market, on achète des éponges de mer pour s'offrir une ambiance de spa de retour chez soi.

Novice ou expert de la glisse sur les déferlantes : on s'impose une visite de l'institution qui habille et équipe les surfeurs de la région depuis les années 1960. On choisit sa planche ou son *paddleboard* parmi plus d'un millier de modèles et on l'essaie quelques minutes en face du magasin, ou on fait livrer son acquisition directement chez soi. La boutique offre également une sélection de t-shirts chouettes et uniques.

4 Naples Soap
Company,
«Fishermen's
Village»,
1200 S Fifth Ave.
#102,
Naples,
FL 34102

5 The Hub, 132 Canal
St.,
New Smyrna Beach,
FL 32168

Un apothicaire 2.0
où on fait le plein
de savons tout doux
pour la peau sensible
ou sujette aux
affections cutanées,
comme le psoriasis
et l'eczéma. Chaque
formule nettoyante
de la marque, lancée
par une ex-infirmière,
a été élaborée sans
parfum synthétique,
en association avec
des oncologues et
des plasticiens.

La petite ville
pittoresque de New
Smyrna Beach
est reconnue
pour sa plage,
sa gastronomie,
ses festivals, mais
également pour ses
nombreuses galeries
exposant des œuvres
d'artistes locaux. The
Hub, un organisme à
but non lucratif, abrite
plusieurs studios
d'artistes ; un lieu
parfait non seulement
pour échanger avec
les artistes, mais
également pour faire
de belles trouvailles
à la portée de toutes
les bourses.

DÉPENSER

LES CINQ PLUS BEAUX CENTRES COMMERCIAUX

1 Bal Harbour Shops,
9700 Collins Ave.,
Bal Harbour,
(nord de Miami)
FL 33154

2 Aventura Mall,
19 501 Biscayne
Blvd.,
Aventura, (Miami)
FL 33180

3 Town Center at
Boca Raton
6000 Glades Rd.,
Boca Raton,
FL 33431

LES MEILLEURS ENTREPÔTS *(OUTLETS)*

1 Sawgrass Mills,
12 801 W Sunrise
Blvd.,
Sunrise,
FL 33323

2 Orlando
International
Premium Outlets,
4951 International
Dr., Orlando,
FL 32819

3 Silver Sands
Premium Outlets,
10 562 W Emerald
Coast Pkwy.,
Destin, (Panhandle)
FL 32550

4 The Florida Mall
8001 S Orange
Blossom Trail,
Orlando,
FL 32809

5 The Mall at Millennia,
4200 Conroy Rd.,
Orlando,
FL 32839

4 St Augustine
Premium Outlets,
2700 FL-16,
St Augustine,
FL 32092

5 Ellenton Premium
Outlets,
5461 Factory Shops
Blvd.,
Ellenton
(Bradenton/
Sarasota)
FL 34222

Dépenser

DÉPENSER

LES PLUS BEAUX MARCHÉS AUX PUCES

1 Lincoln Road
Antiques and
Collectibles
Lincoln Rd. Mall,
Miami Beach,
FL 33139

2 Oldsmar Flea
Market,
180 Race Track Rd.,
Oldsmar (Tampa),
FL 34677

3 Daytona Flea &
Farmers Market,
1425 Tomoka
Farms Rd.,
Daytona Beach,
FL 32124

LES PLUS BELLES FRIPERIES

1 Red White and
Blue Thrift Store,
Flamingo Plaza,
901 E 10th Ave.,
Hialeah (Miami),
FL 33010

2 Goodwill Industries
Plusieurs
succursales, dont
celle-ci : 3149
Hallandale Beach
Blvd.,
Hallandale Beach,
FL 33009

3 World Thrift,
2425 N Dixie Hwy.,
Lake Worth
(sud de West
Palm Beach),
FL 33460

4 St Augustine Flea
Market, 2495 State
Rd. 207,
St Augustine,
FL 32086

5 Flamingo Island
Flea Market Bonita
Springs,
11 902 SE Bonita
Beach Rd.,
Bonita Springs,
FL 34135

4 Miami Twice,
6562 SW 40th St.,
Miami,
FL 33155

5 Faith Farm
Ministries,
1980 NW 9th Ave.,
Fort Lauderdale,
FL 33311

L'auteure tient à remercier tous les bureaux d'information touristique de la Floride pour leur collaboration et leur aide précieuse, et plus particulièrement :

Visit Florida, visitflorida.com
The Greater Fort Lauderdale Convention & Visitors Bureau, sunny.org
Discover The Palm Beaches, palmbeachfl.com
Cocoa Beach Regional Chamber of Commerce Convention & Visitors Bureau, cocoabeachchamber.com
Space Coast Office Of Tourism, visitspacecoast.com
Ocala/Marion County Visitors and Convention Bureau, ocalamarion.com
The Beaches of Fort Myers & Sanibel, fortmyers-sanibel.com
Visit Sarasota County, visitsarasota.org
Tropical Everglades Visitor Association, tropicaleverglades.com
Greater Miami Convention & Visitors Bureau, www.gmcvb.com
Daytona Beach Area Convention and Visitors Bureau, daytonabeach.com
Naples, Marco Island, Everglades Convention & Visitors Bureau, paradisecoast.com
The Florida Keys & Key West, fla-keys.com
Visit St Petersburg/Clearwater, visitstpeteclearwater.com
New Smyrna Beach Visitors Center, nsbfla.com
Visit Orlando, visitorlando.com
Amelia Island Tourist Development Council, ameliaisland.com
St Augustine, Ponte Vedra & The Beaches Visitors & Convention Bureau, floridahistoriccoast.com
Alachua County Visitors and Convention Bureau, alachuacounty.us
Visit South Walton, visitsouthwalton.com
Emerald Coast CVB et Okaloosa County Tourist Development Council, emeraldcoastfl.com
Visit Panama City Beach, visitpanamacitybeach.com
Visit Pensacola, visitpensacola.com

Floride - 700 bonnes adresses et les coups de cœur de 40 vedettes n'aurait pu être réalisé sans les bons conseils, la grande disponibilité et l'hospitalité des personnes et organismes suivants :

Gosselin Photo, gosselinphoto.ca
Jerry Grymek, LMA Communication, lma.ca
Donna Williams, Florida Department of Environmental Protection, floridastateparks.org
Bernard Brzezinski, University Relations, University of Florida, ufl.edu
Paula Fletcher, guide, Art Deco Walks, artdecowalks.com
Gulf Islands National Seashore, US National Park Service, nps.gov
National Naval Aviation Museum & Naval Air Station, United States Navy and Marine Corps, navalaviationmuseum.org
Garl Harrold, Garl's Coastal Kayaking, garlscoastalkayaking.com
Jessia Savage, The Greater Fort Lauderdale Convention & Visitors Bureau, sunny.org
Martin Clavet Bédard et Richard Clavet, de Richard's Motel Family of Lodgings, richardsmotel.com

John Boutin, Windjammer Resort & Beach Club, windjammerresort.com
Paul Parr, Siesta Sunset Royale, sunsetroyale.com
Everglades & Dry Tortugas National Parks, nps.gov
Everglades Foundation, evergladesfoundation.org
Lynn Hobeck, Visit Sarasota County, visitsarasota.org
Vanessa Racicot, Chambre de commerce Québec-Floride, ccquebecflorida.com
Raphael Cusson, Relation A, relationsa.com
Jacques et Francine Lacombe
Brett et Sheila Smith, Black Dolphin Inn, blackdolphininn.com
Jeffery Mikus, Margaritaville Beach Resort, margaritavillehollywoodbeachresort.com
John Ellis, 8Fifty Productions
Ginger Harris, electricblogarella.com
Merci à Mike Scott (mikescottphotographer.com), pour sa photo en 4e de couverture.

Merci à Jason Obenauer (surfsupwolf.com)
Merci à Christian Oehmke
Merci à Carlo Blanchard (golfvirtuel.com)
Merci à Phil Rudin
Merci à Discover Crystal River

Et finalement, merci à tous ceux et celles que nous avons malheureusement oublié de nommer. Votre travail et vos conseils ont été indispensables à la réalisation de ce livre et nous nous excusons pour cette maladresse.

INDEX

Centre-Ouest ou Tampa

SARASOTA

ST PETERSBURG

Cᴇᴛ ᴏᴜᴠʀᴀɢᴇ ᴀ ᴇ́ᴛᴇ́ ᴀᴄʜᴇᴠᴇ́ ᴅ'ɪᴍᴘʀɪᴍᴇʀ ᴀᴜ Qᴜᴇ́ʙᴇᴄ
ꜱᴜʀ ʟᴇꜱ ᴘʀᴇꜱꜱᴇꜱ ᴅᴇ MᴀʀQᴜɪꜱ Iᴍᴘʀɪᴍᴇᴜʀ
ᴇɴ ᴊᴀɴᴠɪᴇʀ ᴅᴇᴜx ᴍɪʟʟᴇ ᴅɪx-ꜱᴇᴘᴛ
ᴘᴏᴜʀ ʟᴇ ᴄᴏᴍᴘᴛᴇ ᴅᴇꜱ ᴇ́ᴅɪᴛɪᴏɴꜱ ᴅᴜ Jᴏᴜʀɴᴀʟ